980710

LA SAGESSE
DU CORPS FÉMININ

Alice D. Domar, Ph. D.
et Henry Dreher

LA SAGESSE
DU CORPS FÉMININ

Stress, désordres et maladies :
la révolution psychosomatique

Traduit de l'américain
par Bella Arman et Sylvie Schneiter

JC Lattès

Titre de l'édition originale

HEALING MIND, HEALTHY WOMAN

publiée par Henry Holt and Compagny,
Inc., New York

A Dave,
A.D.D.

À la mémoire de ma mère,
Rose Dreher
H.D.

Sommaire

Avertissement des auteurs

Ce livre a été le fruit de la collaboration du Dr Alice Domar et d'Henry Dreher. Dans un but de clarté et de simplicité, nous avons décidé de l'écrire à la première personne du singulier, au nom du Dr Domar, car les résultats mentionnés et les cas cités dans cet ouvrage sont issus de ses travaux de recherche et de son activité clinique. Nous avons modifié les noms propres et les détails qui pourraient identifier les patientes afin de préserver leur anonymat.

Les paragraphes consacrés à la description des techniques psychosomatiques ne prétendent en rien remplacer les traitements médicaux classiques. Nous vous conseillons d'associer la démarche psychosomatique à la médecine conventionnelle, pas de la lui substituer. En cas de symptômes ou de maladie, consultez votre médecin, et informez-le de vos différents suivis thérapeutiques.

Introduction

L'épanouissement de la rose

Durant mon stage de doctorat, j'ai eu un avant-goût du domaine auquel j'allais consacrer ma vie. À la faculté de médecine Albert-Einstein de New York, je m'inscrivis aux cours de psychologie de la santé. En troisième année, il fallut choisir une spécialité. Comme je m'intéressais aux problèmes féminins, je choisis « Obstétrique et Gynécologie ». C'était la première fois qu'une étudiante en psychologie s'y risquait, preuve du peu d'intérêt porté jusque-là aux répercussions des phénomènes psychiques sur la santé de la femme. Le directeur du département Obstétrique et Gynécologie m'accepta à condition que je reste discrète sur mes antécédents de psychologue. L'équipe médicale ne devait pas me traiter différemment des autres, en aucune façon.

Au troisième jour de nos roulements par équipes, nous eûmes à assister une femme dont l'accouchement s'annonçait difficile. On lui faisait une épisiotomie, intervention chirurgicale destinée à élargir l'ouverture du vagin pour faciliter le passage de l'enfant. Les étudiants en médecine, tous penchés sur le bassin de la parturiente, observaient l'opération et ses suites. Moi, j'avais le regard fixé sur son visage et la questionnais sur ses sensations : allait-elle bien ? avait-elle mal ? Je l'ai réconfortée jusqu'à l'arrivée du bébé. Ce fut pour elle un réel soulagement que d'être assistée par un membre du personnel soignant qui se souciait autant de son état émotionnel que physique.

Je craignais que mon comportement vis-à-vis de l'accouchée ne m'ait trahie. Mais au lieu de me reprocher de leur avoir caché ma spécialité, les autres étudiants prirent note de mes talents particuliers et se promirent d'en faire bon usage. Chaque fois qu'une patiente appréhendait une intervention chirurgicale, une analyse ou un examen, on me chargeait de son suivi psychologique.

De toute évidence, mon rôle n'était nullement secondaire sur la scène de la médecine de pointe. Je découvris combien l'assistance psychologique était bénéfique aux patientes venues à l'hôpital pour un accouchement, une hystérectomie, une thérapie anticancéreuse ou le traitement d'une endométriose : il fallait soigner en parallèle le système psychique et l'appareil reproducteur. Il n'y a pas une seule maladie qui, chez la femme, n'engendre de bouleversement émotionnel. De nombreuses preuves scientifiques ainsi que mes propres observations convergeaient vers la même conclusion : la souffrance morale peut entraver la guérison.

Ces dernières dix années, j'ai eu la chance de réaliser mon rêve, c'est-à-dire de mettre au point des techniques d'approche psychosomatique pour résoudre les problèmes de santé féminins les plus courants. Aujourd'hui, je dirige les cours de Santé de la Femme au département de médecine du comportement de l'hôpital des Diaconesses de Boston, un des centres universitaires les plus réputés de la faculté de médecine de Harvard. Notre département est dirigé par le Dr Herbert Benson, pionnier dans le domaine de ce qu'il est convenu d'appeler la médecine psychosomatique. À ma connaissance, il n'y a nulle part ailleurs dans le pays d'enseignement similaire (je suis également directeur de recherche à l'institut de médecine psychosomatique associé à la faculté, que le docteur Benson a fondé pour en faire un centre de recherche et d'expérimentation).

Mes patientes souffrent le plus fréquemment de maux liés à la condition féminine : elles se sentent anxieuses, livrées à elles-mêmes et incapables de se contrôler. Leurs médecins, qui leur proposent des traitements médicamenteux ou chirurgicaux, soignent leur état physiologique mais cherchent rarement à soulager à leur détresse morale. Notre enseignement, lui, fournit le nécessaire apport psychologique : un ensemble de techniques éprouvées permettant aux femmes de se détendre, de se libérer de leurs pensées dépréciatrices, d'exprimer des émotions et de se trouver de solides appuis sociaux. J'ai découvert que ces méthodes aidaient aussi celles qui sont en bonne santé à le rester, en préparant leur organisme à accuser les chocs du stress.

Quand nos patientes les adoptent, non seulement elles se sentent mieux, mais elles se rétablissent souvent plus rapidement. En elles-mêmes, nos méthodes ne guérissent pas les troubles physiologiques ; il faut les combiner avec celles de la médecine courante. Mais elles sont au cœur d'une médecine qui traite la femme comme un être à part entière au lieu de la réduire à une mécanique dont la pièce maîtresse serait l'appareil génital.

Au cours de ma pratique clinique, j'ai vu des patientes venir à bout des manifestations les plus sérieuses du syndrome prémenstruel, des bouffées de chaleur de la ménopause ou des dépressions liées à la stérilité. Mes collègues et moi avons divulgué ces résultats dans une série de publications, obtenant ainsi des fonds du gouvernement fédéral pour poursuivre nos recherches dans ce domaine.

Deux de mes études ont montré qu'un nombre surprenant de femmes ayant suivi le traitement psychosomatique de la stérilité se sont retrouvé enceintes. Grâce à la subvention de l'Institut national de Santé mentale, accordée pour cinq ans de recherches, mes collègues et moi menons le premier essai clinique de médecine psychosomatique appliquée à la stérilité dont les résultats seront comparés à ceux de deux groupes témoins différents. L'étude fournira enfin une réponse à cette question fascinante : les approches psychosomatiques peuvent-elles aider les femmes stériles à avoir des enfants ?

Au département de médecine du comportement de Harvard, nous avons également marqué des points dans l'application de techniques psychosomatiques au traitement des douleurs génitales, des cancers du sein et des organes reproducteurs ainsi que des troubles du comportement alimentaire, autant d'affections spécifiquement féminines. En outre, preuve est faite que notre démarche soulage l'anxiété et la dépression consécutives aux problèmes de santé féminins.

La médecine psychosomatique que nous pratiquons à l'école de médecine de Harvard ne relève pas de la magie : nous nous gardons de toute affirmation hâtive et ne prenons pas nos désirs pour des réalités. Nos recherches ont un fon-

dement scientifique en matière de biologie et de comportement. *Et nos travaux sont là pour témoigner de l'efficacité de
nos méthodes.*

Je traite mes patientes aussi bien individuellement qu'en
thérapie de groupe. Durant ces séances, et dans les différents
ateliers que j'ai mis sur pied dans le pays, j'enseigne aux
femmes à mobiliser leur cœur et leur esprit pour recouvrer
la santé. Mes patientes comprennent d'instinct que l'espoir,
la maîtrise des situations et les relations humaines ont pour
elles un formidable pouvoir thérapeutique.

Dans nos groupes, les femmes font intimement connaissance en participant au même travail fécond. Les relations
qu'elles tissent décuplent leurs potentialités au point que la
plupart achèvent l'expérience avec un regard neuf sur bien
des aspects de la vie et un moral revigoré, comme si elles
avaient subi une transfusion affective. Une certaine Vivian,
qui participait à l'un de mes groupes contre la stérilité, se
trouva enceinte quelques semaines après la mise en route
des séances. Un peu plus tard, malheureusement, elle fit une
fausse-couche. C'était pour elle la catastrophe. Elle s'était
tant acharnée à devenir mère, et depuis si longtemps ! Elle
reçut des cartes postales et des appels téléphoniques chaleureux de chacune des quinze autres femmes du groupe.
Vivian avoua plus tard que c'était la plus bouleversante
preuve d'affection et de soutien qu'elle ait jamais reçue.

Nous avons toutes connu des femmes qui s'effondraient
à diverses occasions : cancer, stérilité, fausses-couches à
répétition, douleurs pelviennes tenaces, dérèglement de
l'appétit ou symptômes de la ménopause. Là, j'ai vu des
femmes non seulement résister moralement à de telles crises
mais prendre du champ et se découvrir de nouvelles potentialités spirituelles. Même leur sens de l'humour semble
avoir soudain resurgi. Le plaisir s'est réintroduit dans leurs
relations amoureuses, conjugales et amicales. Quant à moi,
je n'étais jamais que l'accoucheuse de leur nouveau comportement. Comment faire d'un grave problème de santé l'occasion d'un tournant décisif de votre vie ? Le mode d'emploi
est dans cet ouvrage.

J'ai écrit ce livre pour que vous puissiez expérimenter
mes méthodes comme si vous faisiez partie d'un de mes
groupes thérapeutiques. Mes patientes mènent des combats
qui ressemblent aux vôtres. Il s'agit de femmes dont les souf-

frances ont été apaisées parce qu'elles ont suivi le programme de relaxation, de libération émotionnelle et d'autosurveillance médicale dont il est question dans ce livre.
J'espère que leurs métamorphoses et leurs succès vous donneront des idées.

Je propose aux femmes que j'accueille en thérapie une
panoplie de méthodes à utiliser parallèlement à la médecine
classique, pour prévenir et guérir les désordres qui sont
propres à leur sexe. Ce livre vous permettra de vous y initier
de la même façon. L'ensemble des moyens est un puissant
sésame ouvrant sur le royaume de la santé, tant il est vrai
que l'harmonie entre le corps et l'esprit est indispensable à
l'équilibre physique comme à la lutte contre les maladies et
leurs symptômes.

La thérapie psychosomatique que j'enseigne présente de
multiples facettes. La relaxation, c'est-à-dire notre capacité
instinctive à amortir la tension intérieure, est à la base de
notre travail avec les femmes. Mais il existe une multitude
de moyens, en particulier la méditation, la concentration, le
yoga, l'exploration corporelle, la relaxation musculaire progressive, le training autogène. Ces termes ne vous sont probablement pas familiers mais chacun évoque un outil
permettant d'atteindre l'harmonie corporelle et spirituelle.
Les effets physiologiques positifs de la relaxation ont été mis
en évidence par le Dr Benson. Il nous semble désormais évident qu'un esprit serein est un terrain favorable au bon fonctionnement de l'appareil reproducteur. J'ai adapté ces
techniques de relaxation aux troubles typiquement féminins
que vous pouvez avoir à affronter ou prévenir.

J'ai aussi enseigné la « restructuration cognitive », une
thérapie qui permet de mettre l'accent sur les aspects positifs
en soi, sans pour autant en nier les aspects douloureux. En
chassant les pensées négatives qui ont généralement barre
sur *vous*, vous pouvez retrouver le contrôle de vous-même.
La restructuration cognitive nous libère des entraves mentales que représentent certaines obsessions, généralement
sans fondement, telles que « Je ne serai jamais bien dans ma
peau », « Je suis une mère indigne », « Je ne réussirai jamais
dans la vie », « Tout ira toujours de travers ».

Nous avons fini par admettre que notre psychisme
affecte notre état physique. Mais les émotions, stimulantes
ou paralysantes, les meilleures ou les pires de la vaste

gamme que nous connaissons, ne doivent pas être écartées ou étouffées sous prétexte qu'elles ne seraient pas « positives » ou « mauvaises pour la santé ». La colère, tout particulièrement, est refoulée par de nombreuses femmes dressées depuis leur plus jeune âge à présenter toujours et en toutes circonstances un visage avenant. Pour leur bien-être physique et mental, les femmes ont tout à gagner à connaître et vivre l'entière palette des émotions, de la rage au plaisir, du désespoir à l'explosion de joie. Je trace ici des repères pour l'exploration et l'expression la plus juste et la plus constructive des émotions.

Il n'est pas nécessaire de faire partie d'un groupe thérapeutique pour cristalliser les élans émotionnels. Grâce à mes conseils, vous tisserez un réseau d'amitiés solides, de nouvelles connaissances et de soutiens familiaux qui irrigueront votre vie. Pour celles qui ont souffert dans la solitude ou ont dissimulé leurs souffrances même aux êtres chers, ce tissu de relations affectives sera une puissante thérapeutique.

L'ensemble du livre contient la somme des travaux scientifiques qui confirment que les méthodes psychosomatiques ont des effets bénéfiques dans la sphère physique et psychologique. Au département de médecine du comportement de Harvard, nous avons montré que le panachage de notre démarche thérapeutique avec des approches médicales plus classiques donnait des résultats bien supérieurs au recours exclusif à l'une ou l'autre de ces méthodes.

Les techniques d'harmonisation du corps et de l'esprit que j'enseigne ne sont pas difficiles à maîtriser. Elles exigent de s'y impliquer pleinement, mais il n'est pas question d'adhérer à une quelconque philosophie ésotérique. Vous pouvez les adapter à votre style de vie, à votre personnalité, à vos convictions philosophiques et intellectuelles. Comment agissent-elles ? Au fond, notre programme cherche à développer la paix intérieure, le respect de soi, le bonheur, les relations chaleureuses et le sentiment de maîtriser sa vie. Mes patientes, dont les personnalités et les horizons sont très divers, peuvent embrasser toutes ces perspectives — chacune étant un élément de l'aspiration quasi universelle au bien-être. Aucun de ces buts ne nous lie les mains. En visant la paix intérieure, le respect de vous-même, le bonheur, les relations chaleureuses et la maîtrise de votre vie, vous parvenez à vous épanouir au sein du monde.

Ce livre n'est pas un mémento des médecines parallèles
— homéopathie, acupuncture, aromathérapie et massages —
à usage des femmes. Ce type d'ouvrage existe déjà. Vous n'y
trouverez pas non plus de liste exhaustive des dernières vues
de la médecine sur telle ou telle maladie. Cela existe aussi.
Mais vous y trouverez les méthodes de la médecine psychosomatique adaptées aux stress de votre vie et à vos problèmes de santé — méthodes à associer à celles des
médecines classiques ou parallèles, pour un résultat
optimum.

La cohérence de cet ouvrage se nourrit des principes qui
fondent les techniques psychosomatiques, grâce auxquels les
femmes atteignent un stade supérieur de bien-être psychologique et physiologique. De nouveaux champs de recherche
confirment que le corps et l'esprit sont soudés. Toute thérapeutique implique donc de ne négliger aucun de nos besoins
affectifs et émotionnels. Et le lien entre le corps et l'esprit a
un sens particulier pour les femmes, dont la physiologie, les
caractéristiques émotionnelles et l'environnement culturel
sont spécifiques. J'ai ainsi remarqué que bien des femmes
vont au-devant des besoins de leurs proches ou de moins
proches, bien avant de satisfaire les leurs. J'enseigne à mes
patientes à être aussi attentionnées envers elles-mêmes
qu'elles le sont envers les autres.

Combien de temps consacrez-vous chaque semaine uniquement à vous faire plaisir ou à réaliser vos projets ? Bon
nombre de mes patientes, quel que soit leur état de santé,
chiffrent leur réponse en minutes plutôt qu'en heures. Elles
écarquillent d'abord les yeux quand je leur explique que cette
carence compromet leur santé. Ensuite, quand elles en arrivent à considérer plus objectivement leur façon de vivre,
elles en admettent les risques. Il ne serait pas aberrant de
considérer le ratio d'heures et de minutes consacrées à des
activités de loisirs comme un indice de notre état général
aussi significatif que notre taux de cholestérol.

Pourquoi le temps consacré à soi-même est-il si important pour la santé physique et morale ? Dans le monde
d'aujourd'hui, les femmes sont souvent écrasées sous le
double poids de la vie professionnelle et familiale. Beaucoup
d'entre elles sont prises dans l'étau des générations, entre des
enfants adolescents et des parents d'un certain âge qui, tous,
tirent dangereusement sur la corde. Intoxiquées par les

médias et parfois leur milieu familial qui leur serinent que leur valeur réside dans leurs aptitudes à jouer les « femmes orchestres », elles forcent au-delà de leurs capacités. Le résultat, c'est l'épuisement, le sentiment d'impuissance ou l'irritabilité à fleur de peau qui menace d'exploser à tout moment. Certaines d'entre nous sont déjà trop engourdies pour se rendre compte à quel point elles vont mal. Il est superflu d'aligner les preuves scientifiques — bien qu'elles existent à profusion — pour savoir que la fatigue chronique, la dépression et l'irascibilité favorisent la maladie. Ce lien de cause à effet, nous le ressentons dans notre chair.

C'est pourquoi j'enseigne aux femmes que l'art de s'occuper de soi a bien plus d'importance que les examens médicaux, mammographies et autres analyses, aussi nécessaires soient-ils.

Si nous négligeons nos propres besoins, c'est que nous avons une bien piètre idée de ce qui nous revient. Les femmes ont le droit et même le devoir d'être bonnes envers elles-mêmes. J'ai consacré par conséquent tout un chapitre aux vertus curatives de l'automaternage. Je décris une approche psychosomatique qui libère cette aspiration à faire reconnaître ses droits restée en hibernation chez certaines femmes. Nous devons entrer en contact avec les besoins de notre propre corps, rejeter les pensées dépréciatrices et culpabilisantes et utiliser les techniques de communication permettant de combler nos besoins relationnels. Il nous faut apprendre à nous choyer nous-mêmes aussi amoureusement que nous choyons les autres.

Tous les efforts pour gagner l'estime de soi sont bénéfiques à la santé, au même titre qu'une alimentation équilibrée et l'exercice physique. Dans son livre intitulé *Revolution from Within* (« La Révolution intérieure »), Gloria Steinem avance l'hypothèse que la dégradation de l'estime de soi empêche la femme de réaliser ses potentialités personnelles et politiques. Des études faites en psychophysiologie montrent que l'image détériorée de soi-même est nuisible à la forme physique. D'une façon ou d'une autre, chaque technique décrite dans ce livre vise à la prise de conscience de sa propre valeur. Le programme dans sa totalité vous permettra d'avoir davantage confiance en vous.

Quelles conséquences ces métamorphoses peuvent-elles avoir sur votre vie ? L'histoire de Jill illustre les transforma-

tions intervenant chez les femmes qui suivent notre programme. Quand elle entama ses dix semaines de stage contre
la stérilité, elle sortait de quatre années mouvementées où
les phases d'espérances et de sombres déconvenues s'étaient
succédé. Jill et son mari avaient expérimenté les techniques
les plus sophistiquées contre la stérilité, sans aucun effet.
Lors de notre premier entretien, Jill n'arrêtait pas de pleurer
et de même à la première séance de groupe.

Jill était au bord de la dépression clinique. Elle s'accro-
cha à notre programme mais ni elle ni aucune autre participante du groupe n'aurait alors parié sur le dénouement
heureux de l'histoire. Au début, Jill s'étonnait que les autres
ne soient pas irritées par ses pleurs et ses lamentations. Plutôt que de la juger, ses compagnes l'embrassaient. Elles
comprenaient tout à fait ce qu'elle ressentait et le lui
disaient. Leur compassion lui fit chaud au cœur.

À la deuxième séance, Jill pleura moins souvent. Les
techniques qu'elle apprenait lui permettaient d'apaiser sa
douleur morale et de modifier sa perception négative d'elle-
même. À la troisième séance, elle lâcha une plaisanterie. Au
fil des semaines, resurgit la femme extrêmement drôle
qu'elle était, qui fit rire le groupe. Sa vibrante personnalité,
étouffée par des années de lutte contre la stérilité,
ressuscitait.

Arriva la neuvième séance de toute une journée, avec
participation des partenaires masculins. Durant celle-ci, le
mari de Jill se leva et remercia le groupe de lui « avoir rendu
sa femme ».

À la fin de cette séance mémorable, je déclarai à Jill que
sa résurrection me faisait penser à la rose qui s'épanouit,
dont les pétales repliés se déploient lentement pour révéler
la magnificence de la fleur. L'épanouissement de Jill avait
enchanté le groupe, comme son mari et elle-même. Lors de
la dixième et dernière séance, Jill offrit des roses à chacune
de ses compagnes. Deux mois plus tard, elle m'appelait pour
m'annoncer qu'elle était enceinte. Aujourd'hui, l'enfant de
Jill, Susan, une fillette âgée de six ans, déborde de vitalité.

Il fallut du courage à Jill pour entrer dans notre groupe,
et elle dut s'impliquer pleinement pour s'adapter à nos
méthodes. Il est impossible d'affirmer que sa grossesse
résulte directement de sa participation au groupe, mais il est
certain qu'elle y a retrouvé le goût de vivre.

L'histoire de Jill illustre les objectifs et les méthodes de la médecine psychosomatique. Les femmes qui souffrent peuvent y puiser la paix intérieure, tendre la main pour obtenir le soutien des autres, retrouver leurs racines et leur joie de vivre.

En suivant le programme de ce livre, vous pouvez avoir ce type d'expériences, que vous apparteniez formellement ou non à un groupe thérapeutique. Comme Jill, vous pourrez redécouvrir votre vraie nature, qui souvent s'est perdue dans les tourments de la maladie, d'une tragédie, ou dans la grisaille des anicroches quotidiennes.

Si vous relevez le défi de ce livre, votre bien-être psychologique s'en trouvera certainement accru. Vous vous rendrez compte avec nous que certaines maladies présentent des symptômes directement liés au stress et qu'avec nos méthodes vous avez de bonnes chances de réduire les effets du syndrome prémenstruel, les bouffées de chaleur de la ménopause et les douleurs chroniques. Les possibilités d'une amélioration de la condition physique s'étend même au cas du cancer, comme le suggèrent désormais les études du Dr David Speigel de l'université Stanford et du Dr Fawzy I. Fawzy de l'université de Los Angeles (UCLA).

Par-delà les bénéfices qu'on peut en attendre, ce programme cible le bien-être émotionnel et affectif. Si vous mettez tous vos espoirs dans telle ou telle « cure » miraculeuse et coûteuse, votre moral ne cessera d'être ballotté au gré du diagnostic du moment, des symptômes du jour et des examens du lendemain. Si votre seule motivation est la solution d'un problème de santé, les efforts perdent toute finalité et toute authenticité.

L'action de la médecine psychosomatique complète celle des médicaments et des autres prescriptions, mais elle ne peut pas être utilisée au même titre. Aucun spécialiste de cette médecine, s'il est digne de ce nom, ne vous dira jamais : « Faites votre relaxation et rappelez-moi demain matin. »

Vous tirerez avantage de la médecine psychosomatique en prenant vous-même conscience du caractère précieux de la santé psychologique. Dans ce domaine, vous ne mesurerez pas vos efforts à l'aune des seuls bilans médicaux. Quand vous en ressentirez les bienfaits physiques — et cela arrive souvent —, vous les prendrez comme une heureuse retombée de votre aspiration à la joie de vivre.

Nous avons écrit ce livre pour celles qui veulent prévenir la maladie et être en meilleure forme possible, ainsi que pour celles qui ont des problèmes spécifiques de santé. Chaque chapitre de la première partie, « La médecine psychosomatique à l'usage des femmes », aborde une de ses méthodes — décrit en quoi elle consiste et comment l'utiliser. Ces chapitres sont destinés à tous types de lectrices.

Dans la seconde partie du livre, intitulé « La femme dans tous ses états : traitements et remèdes », nous consacrons chacun des sept chapitres à un trouble ou une maladie spécifique de la femme. Les chapitres décrivent comment associer nos méthodes à un traitement médical classique. Vous entendrez la voix de femmes qui présentent les mêmes symptômes, les mêmes craintes, les mêmes espoirs que vous et apprendrez à bénéficier du vaste champ de l'approche psychosomatique.

Si vous utilisez cette médecine pour mieux maîtriser votre forme, vous ne serez jamais « victime » de la maladie. Écoutons la voix du Dr Rachel Naomi Remen pour qui « chaque victime est une rescapée qui s'ignore ».

Vous pouvez échapper au sort de victime en découvrant le remarquable pouvoir de guérison et de régénération de notre démarche. Il est évident que vous avez besoin de la médecine traditionnelle pour guérir les maladies graves ainsi que d'une alimentation et d'une activité physique appropriées pour maintenir votre forme et votre énergie. Mais notre message, celui qui doit être pleinement entendu et compris, peut se résumer très simplement : le moral est au cœur de la santé féminine.

I

LA MÉDECINE PSYCHOSOMATIQUE
À L'USAGE DES FEMMES

1

Les femmes, le stress
et la médecine psychosomatique

À la fin du *Magicien d'Oz*, la célèbre odyssée dont le fil conducteur est le désir de Dorothée de rentrer à la maison, la bonne fée révèle à la jeune héroïne qu'elle a toujours détenu le pouvoir de retourner au Kansas quand elle le veut. Croyez-en les magiciens et les sorcières ! Dorothée n'avait qu'à fermer les yeux et claquer des talons. Cette parabole est riche d'une vérité précieuse dont s'inspire la médecine psychosomatique : chaque femme a en elle le pouvoir de réduire une bonne partie de ses souffrances psychiques et physiques. Où que nous soyons égarées, la mobilisation de nos aptitudes naturelles peut nous faire retrouver nos marques, c'est-à-dire un état de bien-être affectif et de paix intérieure.

À la différence cependant de la bonne fée et de ses formules magiques, la médecine psychosomatique ne nous berce pas d'illusions quand elle prétend nous « ramener à la maison ». Cela fait dix ans que je pratique la recherche et la clinique dans cette discipline appliquée aux femmes, et d'autres équipes de chercheurs s'y consacrent dans tout le pays. Nous avons à ce jour tout lieu de penser que la médecine psychosomatique soulage les affres de la stérilité. Elle calme les manifestations du syndrome prémenstruel. Elle tempère les désagréments de la ménopause. Elle améliore le confort de vie des patientes atteintes du cancer du sein et peut même être un facteur favorable à leur espérance de vie. Elle réduit les douleurs chroniques des endométrioses et autres affections des organes génitaux. Elle aide les femmes à surmonter les troubles du comportement alimentaire. Elle les libère des conséquences psychiques et physiques de l'anxiété chronique.

L'approche psychosomatique atténue toutes sortes de maux et contribue à prévenir les troubles spécifiquement féminins.

Comment rendre compte des vastes possibilités d'une approche psychologique de la maladie ? Les tensions de la vie et la détresse qu'elles engendrent ravagent l'organisme. Le cœur s'emballe, les sécrétions hormonales sont déséquilibrées et le système immunitaire, — ce réseau intérieur de défense et de compensation — est affaibli. Nous avons désormais des preuves que le stress et les chocs affectifs réitérés influencent le système reproducteur de la femme.

Lorsqu'on apprend à gérer ce stress et à s'émanciper du malheur chronique, l'organisme s'en ressent bien. Les méthodes psychosomatiques libèrent le système biologique, en particulier l'appareil reproducteur, des griffes du stress. Cela signifie que les maladies qui affligent en général les femmes présenteront des symptômes moindres et plus légers.

La médecine psychosomatique n'est pas une panacée. En elle-même, elle est rarement un remède contre la maladie. Mais utilisée avec discernement, en combinaison avec la médecine traditionnelle, elle peut être décisive pour la santé physique et morale. Car elle répond à une logique simple : si les tensions externes et internes prédisposent à la maladie, il importe de les réduire et de panser les blessures psychiques. Sinon, même le programme médical le plus fin et le plus scientifique manquera d'un atout majeur.

Qu'est-ce au juste que la médecine psychosomatique ? Le recours à toute méthode qui mobilise le psychisme en vue de modifier le comportement et la physiologie à des fins de santé et de guérison.

Cela inclut :

L'ensemble des techniques, telles la méditation, le yoga, la concentration et la respiration profonde, qui conduisent à un état de relaxation.

La « thérapie cognitive », pratiquée individuellement ou en groupe. Cette approche, qui a montré qu'elle améliore la santé physique comme psychique, consiste à remettre en cause les idées fixes génératrices de dépression et d'anxiété.

L'enseignement de méthodes qui permettent d'affronter les situations, telles l'automaternage, la recherche de soutien familial et relationnel, la résolution des problèmes, l'expression émotionnelle, et la tenue d'un journal intime, autant de moyens efficaces de gestion du stress.

L'entraînement à l'affirmation de soi et à la communication qui permet de développer et maintenir un réseau de relations stimulantes.

Le *biofeedback* (ou rétroaction biologique) et l'hypnose, qui captent les capacités mentales en vue de guérir les troubles gastro-intestinaux, les maux de tête migraineux et autres (ce livre ne s'appesantit pas sur le *biofeedback* et l'hypnose pour la raison essentielle que ces techniques ne sont pas faciles à pratiquer sur soi-même).

À la base de la médecine psychosomatique, il y a une logique simple. Le corps et l'esprit étant intimement imbriqués, les efforts pour soigner l'esprit auront un effet positif sur le corps. Certains diront que c'est une affaire de foi, effectivement, mais elle s'appuie sur de nombreuses études scientifiques.

La médecine psychosomatique est devenue plus importante que jamais pour les femmes. Le stress fait partie de notre vie, et se manifeste d'autant plus violemment que la société devient plus complexe et que nos rôles et nos responsabilités augmentent. Je ne conseillerai pas d'éviter le stress, car qui le pourrait à moins de vivre en recluse ? Vivre en société signifie faire avec. Et nous savons aussi que le stress peut avoir un rôle positif : quand il stimule l'innovation, nous fait nous surpasser et libère des forces latentes en nous. Mais quand la pression est trop forte, il faut savoir la contrer au moyen de tout l'arsenal des techniques à notre disposition.

C'est pourquoi j'enseigne à *gérer* le stress. Ce qui veut dire l'affronter. Comme à mes patientes, je vous offre une variété de méthodes — une vraie « boîte à outils » — pour surmonter les inévitables tensions de la vie avec davantage de calme, de distance, de tolérance et de conviction. Cette « maîtrise » aura vite des effets concrets : amélioration de la qualité de vie et de l'état de santé en même temps qu'une meilleure façon de reprendre sa vie en main.

La médecine psychosomatique est une approche dynamique. J'enseigne ses différentes techniques en séances individuelles comme en thérapies de groupe. Ces groupes qui
ont éclos dans les hôpitaux et autres centres de soin du pays
présentent certaines caractéristiques. Ils sont généralement
dirigés par des médecins, des psychologues, des infirmières
ou des travailleurs sociaux spécialisés dans les interactions
entre la condition psychique et corporelle. Ils sont souvent
(bien que pas toujours) constitués de membres qui souffrent
des mêmes maladies ou des mêmes troubles. Par exemple,
j'ai dirigé des groupes spécialisés dans les problèmes de
ménopause et de stérilité. Pour la stérilité, nous assurons
entre autres le suivi d'accompagnement aux traitements de
pointe comme la fécondation in vitro. Mais j'ai aussi animé
des groupes de femmes atteintes d'affections variées, du syndrome prémenstruel aux douleurs génitales, en passant par
les troubles gastro-intestinaux.

Ces groupes stimulent le sens de la solidarité et encouragent les participantes à se confier les unes aux autres. Mais
à la différence des groupes traditionnels de soutien, ils se
spécialisent dans l'enseignement des techniques de la maîtrise de soi. Il arrive que des groupes se subdivisent en unités
plus petites, de telle sorte que les membres y partagent leurs
expériences ou appliquent ensemble certaines méthodes. J'ai
conçu ce livre comme une re-création de mon enseignement.

J'ai la ferme conviction que la pratique quotidienne de
la médecine psychosomatique — qui va de la relaxation à
l'expression émotionnelle en passant par l'art de se faire plaisir — n'est pas différente de la démarche qui consiste à faire
de l'exercice et à se nourrir sainement. C'est un moyen de
rester en bonne santé, par le traitement de la maladie autant
que par sa prévention dès ses premières manifestations.
Mais comment la médecine psychosomatique s'articule-t-elle
avec les courants dominants de la médecine ?

Mon collègue et mentor, le Dr Herbert Benson, un pionnier en matière de médecine du comportement (dont la
médecine psychosomatique), milite passionnément pour son
intégration à la médecine traditionnelle. Le Dr Benson
explique sa conception d'une médecine équilibrée, par la
métaphore du tabouret à trois pieds. Le premier point d'appui, c'est la pharmacologie : le recours aux médicaments est
nécessaire à la prévention et à la guérison. Le deuxième, c'est

la chirurgie et tout ce qui s'y rattache. Le troisième, c'est la psychologie du comportement — la médecine psychosomatique.

Le Dr Benson prétend que la médecine traditionnelle a négligé le troisième pied pour différentes raisons. Résultat : le tabouret est bancal. De fait, ce déséquilibre saute aux yeux chez les patientes qui souffrent de maux chroniques liés au stress sans disposer de ressources personnelles suffisantes ni avoir accès à un suivi psychologique. Quand le stress déclenche des symptômes — qu'il s'agisse de migraines, maux de dos, syndrome prémenstruel ou bouffées de chaleur —, le traitement médical nécessaire n'est en aucun cas suffisant. Du coup, de nombreuses patientes présentent des symptômes persistants dont le coût économique est astronomique. Le traitement efficace de ces maladies liées au stress épargnerait à notre système de santé des milliards de dollars. Or, ces dernières années la médecine psychosomatique s'est révélé performante dans la guérison d'un grand nombre d'affections chroniques délicates à traiter.

Les approches psychosomatiques ont aussi montré leur aptitude à humaniser la pratique de la médecine. En l'état actuel des choses, une fois le diagnostic établi, la malade est trop souvent livrée à elle-même, sans que les médecins ne lui fournissent d'information, ni *a fortiori* le soutien moral nécessaire. Il y a évidemment de merveilleuses exceptions, mais l'assistance psychologique n'est pas intégrée à notre système de santé. Les patientes qui sont venues me trouver l'ont souvent fait parce qu'elles se sentaient isolées. Ce pénible sentiment de solitude disparaissait ensuite, lorsqu'elles découvraient que tant d'autres ressentaient le même trouble, la même peur ou la même honte. Les groupes et les techniques de la médecine psychosomatique peuvent métamorphoser l'épreuve de la maladie.

Considérez les cas relatés dans ce livre comme ceux de femmes que vous pourriez rencontrer. Vous saurez ainsi que vous n'êtes pas seule dans votre cas. Si vous le pouvez, trouvez des femmes qui ont les mêmes problèmes que vous et créez avec elles un groupe de soutien. Mais si ce n'est pas possible, laissez-vous séduire par les voix qui s'expriment dans ce livre, celles de femmes en chair et en os qui confient leur histoire dans l'espoir que d'autres — comme vous — trouveront du réconfort à se découvrir au diapason.

À une époque où les femmes semblent plus stressées que jamais, le recours à la médecine psychosomatique fait partie des urgences — autant pour prévenir que pour traiter les troubles féminins les plus fréquents.

Le stress : le problème numéro un de la femme

Quand Tania prit contact avec mon groupe, il y a plusieurs années, elle était au bout du rouleau. Elle souffrait d'une crise de rhumatisme articulaire qui lui faisait très mal aux genoux et aux mains, et aucun médicament ne l'avait soulagée. Avant de nous rejoindre, elle n'avait pas mesuré combien le stress était responsable de la dégradation de son état de santé, ni combien les méthodes de la médecine psychosomatique pouvaient l'aider à en contrôler les symptômes.

Le stress s'était embusqué dans tous les recoins de sa vie. Pendant trente ans, elle avait occupé la même place chez un patron mauvais coucheur qui la traitait avec mépris. Quand le plus âgé de ses trois enfants eut neuf ans, son mari mourut et elle se retrouva seule, très jeune, en charge de famille. Au moment de sa thérapie, elle avait cinquante-sept ans et deux enfants en difficulté — une fille traumatisée par un divorce et un fils qui se droguait. Les deux revinrent au domicile familial pour y trouver un soutien et une affection inépuisables, avec des effets mitigés sur Tania. Elle aimait se consacrer aux enfants de sa fille mais était durement affectée par les problèmes de ses deux grands qui, de plus, se disputaient la place dans le logement et le cœur maternels.

Avec nous, Tania apprit tout d'abord à retrouver sa respiration naturelle. Le stress accumulé lui en avait fait perdre depuis longtemps l'habitude. Elle pratiqua les techniques de relaxation (décrites dans le chapitre suivant) et retrouva calme et maîtrise d'elle-même. Tania prit alors les problèmes l'un après l'autre, avec une nouvelle façon de voir les choses. La restructuration cognitive (voir au chapitre 5) changea son point de vue : « Un matin en quittant la maison, je découvris que j'avais un pneu crevé, se remémorait-elle. Jusque-là, j'aurais pris cela très mal. Cette fois, je me suis dit que c'était juste un mauvais quart d'heure à passer même si cela paraît dérisoire, ça faisait une sacrée différence. »

Elle adopta cette nouvelle philosophie dans des circonstances où l'enjeu était bien plus important qu'un pneu à réparer. Grâce aux techniques d'affirmation de soi inscrites au programme de notre stage, elle osa pour la première fois parler franchement à son patron. Elle lui signifia qu'elle attendait de lui davantage d'égards et un plan de retraite comparable à celui d'autres employés. Il réagit mieux qu'elle ne s'y attendait.

Puis Tania décida de ne plus se laisser enfermer dans le rôle de mère-poule couvant des rejetons adultes. « J'en ai passé l'âge », remarquait-elle. Elle refusa aussi de tolérer que son fils continue à se droguer et l'incita à une cure de désintoxication. Bien que cela lui ait coûté, elle lui demanda de quitter la maison. En même temps, par amour pour lui, elle l'accompagna à l'autre bout du pays pour une cure conçue dans un cadre familial. Tous deux apprirent beaucoup l'un de l'autre et sur leurs relations. Tania reçut une médaille au terme de la thérapie. « Je porte cette médaille en permanence sur moi », déclare-t-elle. Tania donna aussi à sa fille divorcée, qui vivait chez elle depuis déjà plus d'un an, une date butoir pour partir de la maison. En fin de compte, sa nouvelle autorité améliora les rapports avec ses enfants et renforça ses liens avec ses petits-enfants.

Tania affirme que ses compagnes du groupe furent sa « bouée de sauvetage moral » et elle est restée en contact avec elles.

Avec le temps, les symptômes de son rhumatisme articulaire se sont atténués. Elle a encore des crises de temps à autre, mais la douleur n'est plus aussi invalidante. Pour elle, cela ne fait aucun doute : il y a un rapport de cause à effet entre sa pratique de la médecine psychosomatique et l'amélioration de son état physique. « La participation au groupe thérapeutique fut le plus beau cadeau que je me sois jamais fait », a-t-elle déclaré.

Tania ressemble à la plupart des femmes. Pendant des années, elle a assumé la double charge de gagner sa vie et d'élever ses enfants. Sur le plan professionnel, elle a connu le stress de la guérilla permanente avec un employeur insensible et chicanier. Depuis son plus jeune âge, elle s'était toujours entendu dire qu'elle devait prendre soin des autres, sans rechigner, et même adultes, ses enfants réintégrèrent le cocon familial pour s'accrocher à nouveau à ses basques. Puis elle fut atteinte de rhumatisme articulaire, cette maladie auto-immune qui s'attaque trois fois plus souvent aux femmes qu'aux hommes. Bien que le stress n'en soit vraisemblablement pas la cause, il est réputé pour ne pas arranger les choses.

Le cas de Tania illustre les répercussions du stress sur la vie et la santé des femmes et la manière dont l'approche psychosomatique leur permet de le contrecarrer.

En 1994, le secrétaire d'État au Travail, Robert Reich, fit paraître les résultats d'une enquête du ministère du Travail américain portant sur 250 000 femmes exerçant une activité professionnelle. 60 % de ces femmes déclarèrent que leur problème numéro un était le stress — placé en tête des difficultés de la vie quotidienne.

Ce n'est guère étonnant. Les femmes d'aujourd'hui assument de multiples rôles pour s'adapter aux pressions et aux exigences d'une société en pleine mutation. Elles continuent à élever des enfants et à entretenir la maison tout en travaillant et en ayant une activité créative. Au cours de ces dernières décennies, les femmes sont entrées en masse dans le monde professionnel. La culture rigide des années cinquante, rivant les hommes au travail et les femmes au foyer, n'est plus qu'un vague souvenir. Au sein de la famille, c'est souvent la femme qui prend l'initiative des liens avec le reste de la société. Nous faisons des projets, nous maintenons le contact avec la famille, organisons des soirées, créons à l'occasion de petits événements sociaux. Nombreuses, parmi nous, sont celles dont les compagnons partisans de l'égalité entre les sexes le montrent par leur comportement : ils font la cuisine, le ménage, entretiennent les relations sociales et s'occupent des enfants aussi bien que nous. Mais il arrive qu'un fossé persiste, parce que certains hommes ne peuvent pas ou ne veulent pas faire la moitié du chemin. Il ne s'agit pas de distribuer des bons ou mauvais points ; l'activité professionnelle et les soucis pécuniaires dérobent aux hommes un temps précieux, et le conditionnement social émousse leur vigilance. Mais les femmes continuent d'assumer davantage que leur part.

Bien que la plupart des femmes aient beaucoup enduré, mieux vaut ne pas se considérer comme des victimes et démissionner devant ces responsabilités récemment acquises. En d'autres termes, s'il nous est impossible d'inverser le cours de l'histoire, nous pouvons améliorer le présent et l'avenir. Une approche psychosomatique exige que nous changions notre perception des difficultés de la vie, et que nous considérions nos nouvelles responsabilités comme autant d'opportunités plutôt que d'en avoir peur.

C'est pourquoi je conseille à mes patientes de réagir au stress en consacrant du temps, chaque jour, à des exercices de relaxation comme à leur plaisir personnel. Je leur enseigne aussi la maîtrise des situations, avec l'acquisition de l'autorité et de l'assurance qui facilitent la vie au travail comme à la maison, et des techniques de communication permettant d'obtenir ce dont elles ont besoin. Je démontre comment ces méthodes peuvent emporter l'adhésion des collègues de travail et des proches, ce qui permet de jongler avec plusieurs balles sans souffrance physique ou psychique superflue. Ce livre vous enseignera comment gérer les difficultés quotidiennes avec autorité, calme et efficacité.

Lutter ou fuir, c'est toute la question

Vous vous examinez les seins comme on vous a dit de le faire. Vous découvrez une grosseur et l'angoisse vous prend, incoercible. Cette boule semble plus volumineuse que celles que vous avez décelées dans le passé, qui s'étaient révélées des kystes anodins. Celle-là semble différente.

Vous prenez rendez-vous avec le gynécologue. Durant les trois jours qui vous séparent de la visite, la peur vous prend à la gorge, frappe toujours plus fort, comme le martèlement sourd d'un tam-tam. Au cabinet du gynécologue, il vous faut encore attendre quarante-cinq minutes. Tout votre corps résonne des battements de votre cœur. Celui-ci semble devoir éclater. Vos tempes, exploser. Votre estomac, chavirer. Vous sentez une légère sueur sur le front, les bras, la poitrine.

Finalement, vous vous retrouvez devant votre médecin. Elle vous examine, procède à une mammographie. Le tam-tam résonne toujours plus fort en l'attente des résultats. « Vous avez un nouveau kyste, vous annonce-t-elle. Il n'y a pas de quoi s'inquiéter. » Elle vous recommande d'arrêter le café et le chocolat et de penser à prendre de la vitamine E.

Vous quittez son cabinet et sortez au soleil d'une belle journée. Le tam-tam s'est estompé. Votre estomac va mieux comme si vous aviez avalé un antiacide. Votre tête également, même sans avoir pris d'aspirine. Tout ce qui reste de votre accès de transpiration, ce sont des auréoles aux aisselles. Vous poussez un gros soupir de soulagement.

Ce que vous avez éprouvé est connu des spécialistes du stress sous le nom de « réflexe de fuite ou d'attaque ». Les situations menaçantes sont enregistrées dans le cerveau qui déclenche une véritable cavalcade de molécules messagères, voyageant d'une glande à une autre. Les messages conduisent à la synthèse et à la sécrétion, par la glande surrénale, d'hormones du stress telles que l'adrénaline ou la noradrénaline. Dans des circonstances extrêmes, le réflexe de fuite ou d'attaque ressemble à la mise à feu d'une longue fusée reliée à un paquet de dynamite : la flamme file très vite vers son but, et le résultat final est une explosion d'hormones dans le circuit sanguin. Ces hormones — l'adrénaline en particulier — ont des effets remarquables sur l'organisme : tout s'accélère, le rythme cardiaque, la tension artérielle, la respiration et la contraction musculaire.

On appelle ce phénomène le réflexe de fuite ou d'attaque, parce que notre cerveau traduit cette séquence d'événements par un cri d'alarme : « Danger ! Combat ou prends la fuite ! » Les hormones du stress préparent notre organisme à agir vite et efficacement, qu'il s'agisse de riposter ou de déguerpir. À l'époque préhistorique, nos ancêtres devaient ou combattre ou fuir de dangereux animaux pendant la chasse. Dans le monde moderne, nous sommes rarement exposés à des menaces physiques aussi directes. Mais les agressions psychologiques quotidiennes — comme l'attente dans le salon de la gynécologue — peuvent déclencher bien des réactions physiologiques du même ordre.

Le réflexe de fuite ou d'attaque a-t-il une efficacité ? Assez pour nous aider à survivre à de terribles menaces. La décharge d'adrénaline d'un homme des cavernes pourchassé par un tigre aux dents acérées le rend capable de courir bien plus vite que d'ordinaire. Sans oublier la femme des cavernes, qui avait elle aussi, probablement, à affronter animaux et intrus d'autres tribus susceptibles de menacer sa progéniture.

Aujourd'hui, nous sommes rarement confrontés à de tels dangers. Mais nous avons les mêmes capacités de réaction, programmées dans notre système nerveux sympathique. J'ai entendu des patientes me relater des anecdotes qui soulignaient l'utilité de ce réflexe, surtout quand il s'était déclenché en situation critique.

Maryann se remémorait l'époque où elle jouait dans sa piscine avec sa fillette de deux ans et la nouvelle baby-sitter. Elle était revenue à la maison, s'aperçut en se retournant que la baby-sitter l'avait suivie à l'intérieur et se rendit compte que sa fille était seule dans le bassin. « Je n'ai pas couru vers la piscine, se rappelle Maryann. J'ai volé. » Maryann, plutôt lente d'ordinaire, fut d'autant plus surprise par sa réaction.

Le réflexe de fuite ou d'attaque nous protège en cas de danger. L'une de mes patientes raconta la mésaventure qui lui était arrivée un jour dans le métro de New York. Elle descendait de la rame quand un homme lui mit la main aux fesses. « Tout ce que je sais de la suite, racontait-elle, c'est que le type s'envola littéralement dans les airs et que mon pied me fit très mal. » La décharge d'adrénaline l'avait rendue capable de lancer un coup de pied qui avait quasiment projeté le gros homme sur orbite.

Ce réflexe est un de ces mécanismes d'autodéfense susceptible de sauver la vie à une femme. Il est rare que de telles décharges d'adrénaline soient nécessaires — nous sommes peu confrontées à des dangers mortels dans le monde moderne — mais il nous arrive de réagir avec la même énergie primaire lors des incidents de la vie quotidienne.

On se met en retard avant de partir au travail, le gamin a eu une mauvaise note à l'école, le conjoint n'a pas fait le lit, le chef trouve à critiquer une contribution de valeur, comment dénicher l'argent du loyer après un licenciement... autant de situations qui nous laissent les mains moites, l'estomac noué, les tempes bourdonnantes ou les jambes en caoutchouc ! Autant de symptômes physiologiques d'anxiété trahissant le réflexe de fuite ou d'attaque.

On estime qu'en moyenne chacun d'entre nous éprouve une cinquantaine de brèves réactions de ce genre tous les jours. Pour beaucoup, c'est la sonnerie du réveil qui déclenche le premier stress. La vibration ou la musique intempestives activent une série de poussées hormonales et, par ricochet, des angoisses à propos de la journée qui commence.

Pourquoi réagissons-nous à ces incidents comme si notre vie entière en dépendait ? Pourquoi nous comportons-nous devant un mari grognon ou un chef irascible comme devant un tigre aux dents pointues ? Nous n'avons pas réponse à tout. Mais il faut bien dire que notre système nerveux n'est pas très équipé pour discerner une menace physique qui exige *vraiment* l'attaque ou la fuite, d'une simple pression psychologique qui voudrait surtout qu'on y réfléchisse et qu'on s'en explique clairement.

Si nous optons le plus souvent pour une réaction intempestive, c'est que nous baignons dans un maelström d'informations culturelles. Notre cerveau très perfectionné nous permet d'interpréter des informations complexes, concernant en particulier des événements qui pourraient devenir dangereux dans un avenir lointain. La femme qui se découvre une grosseur en s'examinant les seins y réagira vivement parce que les médias l'on mise en garde contre les signes suspects et leurs implications. Une réaction salutaire en dépit de l'angoisse, car c'est ce qui la propulsera chez le médecin. On pourrait en revanche faire l'économie d'autres angoisses liées à la saturation d'informations propre à notre époque. Les personnes facilement impressionnées par les affaires criminelles que nous détaillent complaisamment les médias peuvent en arriver à penser que des malfrats et des assassins les attendent à chaque coin de rue. Ces gens-là trembleront dès qu'ils sortiront de chez eux, même dans les rues les plus sûres de leur quartier.

L'angoisse de vieillir, véhiculée par les médias et le rôle accru des femmes dans le monde moderne, est responsable de bon nombre de ces cinquante décharges d'adrénaline que nous subissons quotidiennement. Le stress professionnel est à l'origine de la plupart des émotions telles la colère et l'angoisse, qui annoncent le combat ou la fuite. Les exemples sont légion. Les femmes subissent plus facilement le feu de la critique dans leur vie professionnelle, car on leur prête moins de compétence qu'à leurs collègues masculins. La mère déjà en retard pour le jardin d'enfants où elle doit récupérer son fils se retrouvera coincée dans un embouteillage parce qu'elle a été forcée de rester plus longtemps au travail.

L'employée de banque doit repousser chaque jour les avances d'un collègue masculin. La serveuse n'en peut plus de devoir s'empresser auprès de plusieurs clients à la fois et finit par sortir de ses gonds.

Les agents du stress peuvent être classés en deux grandes catégories : ceux qui, comme dans les situations évoquées ci-dessus, ne relèvent pas de problèmes de santé, et ceux qui en relèvent. La peur d'avoir un cancer du sein est lié à la santé. En réalité, n'importe quelle femme un tant soit peu informée et dont la famille a connu des cas de cancers, sera probablement confrontée au dilemme de fuir ou de lutter chaque fois qu'elle passera une mammographie. Même chose pour la femme enceinte qui traîne derrière elle une longue histoire de fausses-couches et qui s'inquiétera toujours, dans sa salle de bains, de la moindre tache de sang qui pourrait sonner le glas de la grossesse. Même chose pour la femme qui suit un traitement contre la stérilité et attend de savoir si elle est enceinte. Même quand la grossesse suit son cours le plus normalement du monde, il faut passer par une série d'événements plus ou moins stressants : examens médicaux, métamorphose de son corps, accouchement difficile, perte du sommeil, sans compter tous les changements importants que la présence d'un nouveau-né introduit dans le mode de vie.

Des facteurs psychologiques individuels peuvent aussi provoquer des réactions émotives. Les femmes qui ont connu des traumatismes dans leur enfance ou qui ont souffert de crises d'angoisse ont tendance à s'exagérer les dangers de situations banales. Une femme violée par son père dans son enfance pourra réagir aux galanteries inoffensives d'un patron par des poussées d'hormones aussi violentes que dans le passé. Notre système nerveux peut réagir de façon excessive à la vie ordinaire si le passé traumatisant laisse son empreinte sur un présent pourtant sans problème.

Quelles que soient les causes de notre stress quotidien, notre organisme et notre équilibre psychique en paient le prix. Il est bien sûr indispensable de savoir faire le bond de côté qui évitera de passer sous une voiture ou permettra de rattraper au vol le bambin qui traverse la rue tout seul. Mais notre énergie intellectuelle et physique s'épuise sous le choc de trop fréquentes décharges d'hormones. Des études réalisées dans le champ nouveau de la science psychosomatique

— connu sous le nom de psycho-neuro-immunologie (PNI) — montrent que les hormones du stress peuvent refroidir l'ardeur de nos cellules immunitaires, ces sentinelles prêtes à combattre la maladie.

Il est aujourd'hui admis que la réaction de fuite ou d'attaque fatigue non seulement le cœur et le système immunitaire, mais peut rompre également l'équilibre hormonal et détraquer le système reproducteur, contribuant ainsi à déclencher une bonne partie de nos problèmes de santé les plus courants.

Les effets du stress sur l'organisme féminin

En 1986, après ma thèse, j'avais engagé un travail de recherche avec Herbert Benson, à l'école de médecine de Harvard. Je fus invitée à l'une des conférences qu'il tenait à l'hôpital Beth Israël de Boston, devant un public de professeurs résidents et de médecins traitants en obstétrique-gynécologie. Benson expliquait que le réflexe de fuite ou d'attaque prend sa source dans cette pépite de tissu cérébral grosse comme une noisette qu'on appelle l'hypothalamus. La « réaction de relaxation », dont je parlerai bientôt, trouve également son origine dans l'hypothalamus.

Le Dr Machelle Seibel, qui dirigeait alors les travaux de recherches sur la stérilité à l'hôpital Beth Israël, assistait à la conférence de Benson. Il se leva à un moment donné pour dire : « Vous n'êtes pas sans savoir que l'hypothalamus intervient en médiateur dans tout phénomène lié à la reproduction. Cela pourrait-il signifier qu'il existe un lien entre le stress et la reproduction ? Dans ce cas, quels effets la relaxation pourrait-elle avoir ? »

Cela me siffla, me tinta, me carillonna — comme vous voudrez — aux oreilles. Je m'entretins avec les docteurs Benson et Seibel. Nous élaborâmes ensemble le projet de recherche, décrit plus loin, sur l'utilisation du potentiel de relaxation et de gestion du stress dans le traitement de la stérilité.

Si le stress modifie les fonctions reproductrices, il peut avoir des implications en amont, dans le domaine de la fécondité. Le fait que l'hypothalamus gouverne à la fois les réactions au stress et la sécrétion des hormones sexuelles est particulièrement intéressant. Le stress — et son phénomène opposé, la relaxation — jouent donc très probablement un rôle significatif dans une multitude de situations vécues par les femmes. Pourquoi ? Parce que nos organes reproducteurs réagissent avec une extraordinaire sensibilité aux flux et reflux d'œstrogènes, de progestérone, de prolactine et autres hormones sexuelles. La perturbation de l'équilibre de ces hormones intervient dans le syndrome prémenstruel, les symptômes de la ménopause, les irrégularités menstruelles, les cancers du sein et de l'utérus. Si le stress influence l'équilibre hormonal, peut-être joue-t-il un rôle dans l'apparition et le développement de ces désordres.

Des travaux de recherche, avant comme après 1986, visent à vérifier cette hypothèse. On a montré que le stress et les émotions mal vécues pouvaient rompre l'équilibre hormonal et perturber le cycle menstruel. Le stress peut déclencher des spasmes génitaux qui sont parfois cause de stérilité. Une étude montre que les décharges excessives d'adrénaline, à l'origine de la réaction de fuite ou d'attaque, sont également liées à des irrégularités du cycle menstruel. On a cité aussi la responsabilité du stress dans l'arrêt total de l'ovulation, désordre connu sous l'appellation d'aménorrhée anovulatoire.

Nous commençons seulement à comprendre comment le stress, l'anxiété et autres émotions invalidantes peuvent perturber les fonctions reproductrices. Prenons l'exemple d'un type d'hormone du stress, les corticostéroïdes. Nos cycles de reproduction sont orchestrés par un ensemble symphonique d'hormones sexuelles, certaines n'étant connues que par leurs initiales (LHRH, LH, FSH), d'autres étant plus familières, comme les œstrogènes et la prolactine. Les corticostéroïdes sécrétés par les glandes surrénales lorsque nous sommes stressées peuvent bloquer ou inhiber les effets de ces hormones sexuelles, en particulier les œstrogènes. Nos chances d'avoir une ovulation normale se réduisent notablement quand le stress provoque une sécrétion ininterrompue de corticostéroïdes.

La prolactine est une hormone produite par la glande hypophyse lorsque nous sommes sous le coup d'une émotion ou d'un stress physique extrêmes. Elle a inspiré ce commentaire au spécialiste du stress, le Pr Robert M. Sapolsky : « La prolactine est très dominatrice et capricieuse. Si vous ne voulez pas avoir d'ovulation, voilà l'hormone qu'il vous faut en grande quantité dans le sang. » La prolactine pourrait être cette substance qui explique la corrélation, souvent constatée chez les athlètes, entre l'entraînement intensif et l'arrêt de l'ovulation.

Des études faites sur les animaux ont confirmé l'existence d'un lien entre le stress chronique et le déficit en œstrogènes. Le Pr Jay Kaplan et ses collègues de l'école de médecine Bowman-Grey ont montré que le taux d'œstrogènes des singes femelles soumises à des situations sociales stressantes chute au niveau de celui de femelles dont on a enlevé les ovaires chirurgicalement.

Les déficiences en œstrogènes ne sont certainement pas sans effet sur l'ovulation. Elles peuvent conduire à ces ménopauses précoces que l'on a pu constater chez des femmes soumises à des stress extrêmes ou à des traumatismes émotionnels. Il y a même plus : le manque d'œstrogènes contribue à l'apparition des bouffées de chaleur, de l'ostéoporose et de nombreuses maladies cardiaques auxquelles les femmes sont sujettes après la ménopause. Déjà, des études ont montré que le stress augmente significativement les bouffées de chaleur. De nouvelles recherches confirmeront vraisemblablement que la carence en œstrogènes liée au stress joue un rôle significatif dans la perte osseuse et les maladies cardiaques consécutives à la ménopause.

Le stress peut contribuer à déclencher d'autres maladies qui frappent couramment les femmes et qui, à première vue du moins, ne sont pas liées à leurs organes reproducteurs. À ce nombre, on compte les maladies auto-immunes qui surviennent quand le système immunitaire de notre organisme attaque malencontreusement nos propres tissus, elles sont très répandues chez les femmes. Le rhumatisme articulaire, dont il a déjà été question avec l'histoire de Tania, une maladie souvent invalidante des articulations, est trois fois plus fréquent chez la femme que chez l'homme. La sclérose en plaques, désormais considérée comme une maladie auto-immune, affecte deux fois plus de femmes que d'hommes. Et le lupus érythémateux, une maladie aux symptômes multiples et terribles, et qui peut être mortelle, est neuf fois plus répandu chez les femmes.

Bien que nous ayons peu de preuves solides que le stress *soit directement responsable* des maladies auto-immunes, il est possible que des événements traumatisants et des émotions fortement négatives les exacerbent. Dans le cas du rhumatisme articulaire, des données suggèrent que certains types de personnalités sont plus vulnérables — en particulier les individus introvertis.

Pourquoi les maladies auto-immunes sont-elles plus répandues chez les femmes ? Peut-être à cause des déséquilibres en œstrogènes, bien qu'on n'en ait pas encore la preuve formelle. Il est concevable que le stress modifie les sécrétions d'hormones sexuelles qui, par voie de conséquence, envoient des messages inadaptés à nos cellules immunitaires. Ces messages pourraient ordonner à ces cellules d'attaquer nos propres tissus, avec les terribles conséquences que l'on sait. S'il est indubitable que des facteurs génétiques interviennent dans les maladies auto-immunes, de nombreuses patientes sont convaincues que le stress a sa part de responsabilité.

Je trouve remarquable qu'une série de maladies relevant de la médecine conventionnelle et fréquentes chez les femmes soient aussi des maladies où le rôle du stress est prouvé. Prenez par exemple les crises de migraines, si cruelles et épuisantes. Trois fois plus de femmes que d'hommes en sont atteintes (ici encore, l'équilibre en œstrogènes peut jouer un rôle). Environ une femme sur cinq en souffre et on a pu montrer que le stress pouvait être le facteur déclenchant.

Curieusement, de nombreuses maladies connues aux États-Unis sous des sigles de trois lettres sont à la fois liées au stress et prédominantes chez la femme :

> L'*irritable bowel syndrome* (IBS, « le syndrome des douleurs abdominales »), une dénomination fourre-tout qui désigne des désordres gastro-intestinaux chroniques tels que les douleurs d'estomac, les flatulences et les diarrhées, est une maladie exacerbée par le stress. L'IBS semble être plus fréquent chez les femmes qui ont eu des relations sexuelles précoces ou qui ont été victimes d'abus sexuels. Globalement, l'IBS touche deux fois plus de femmes que d'hommes.
>
> Le *mitral valvule prolapse* (MVP, « prolapsus de la valvule mitrale »), est une maladie cardiaque relativement bénigne qui peut engendrer des symptômes exaspérants tels que des douleurs de poitrine et des palpitations. Le MVP, qui touche deux fois plus de femmes que d'hommes, est particulièrement sensible aux états émotionnels : ses symptômes ont tendance à

apparaître plus fréquemment chez les sujets extrêmement perturbés.

Le *Temporomandibular Joint Syndrome*, ou TMJ, est une maladie très douloureuse de l'articulation qui relie l'os maxillaire à la boîte crânienne, près de l'oreille. Elle se manifeste par une forte douleur dans la mâchoire et la face et s'associe souvent de grincements de dents nocturnes, ou bruxisme. Ce désordre affecte des millions de personnes. Selon certaines estimations, 60 à 80 % d'entre elles sont des femmes américaines. Le rôle du stress dans ce syndrome est reconnu.

L'IBS, le MVP et le TMJ sont des désordres chroniques dont on s'explique mal la plus grande fréquence chez les femmes. Les hypothèses sont nombreuses. Les femmes seraient plus sujettes au MPV du fait d'une subtile différence anatomique dans les plis de la valvule mitrale. Il faut aussi retenir l'hypothèse que le TMJ pourrait être dû aux effets des œstrogènes sur les os, en l'occurrence à un ramollissement des os propre à prédisposer à cette maladie. Mais le stress joue un rôle dans ces trois maladies et les femmes qui en sont affectées peuvent se tourner vers la médecine psychosomatique.

Que dire de l'influence des facteurs psychologiques dans les maladies susceptibles d'être mortelles, comme le cancer du sein ? Je traiterai de façon plus complète cet aspect dans le chapitre 15. Mais le Pr Sandra Levy, ancien membre de l'Institut national du cancer, a découvert que parmi les patientes atteintes de cancers du sein, celles qui restaient indifférentes et apathiques et bénéficiaient de peu de soutien dans leur entourage avaient davantage de cellules cancéreuses que les autres. Elles avaient également moins de cellules « tueuses », ces cellules immunitaires capables d'arrêter net le développement d'un cancer dans l'organisme. Bien que le problème reste sans réponse, les réactions émotionnelles des patientes — ou leur absence de réactions — auraient une influence sur la capacité du système immunitaire à combattre le cancer du sein.

Il y a trois décennies, l'ulcère gastrique, maladie liée incontestablement au stress, touchait deux fois plus d'hommes que de femmes [1]. Depuis, les femmes sont entrées

---

[1] Bien qu'une bactérie, *H. pyloraia*, soit considérée comme une cause d'ulcère, le stress reste le cofacteur, surtout depuis que des individus infectés par ce microbe n'ont pas développé la maladie.

en masse dans le monde du travail, et souffrent désormais d'ulcères à l'estomac autant que les hommes. Je doute que nous ayons envisagé cet aspect de la question quand nous avons tenté de rattraper l'avance que les hommes avaient prise sur nous dans la vie professionnelle !

Nous savons que les maladies de cœur — premier facteur de mortalité dans le pays — sont en partie d'origine génétique, et souvent liées à l'environnement ou encore favorisées par certains régimes alimentaires. Mais trente ans de recherche ont démontré que le stress, le manque de soutien affectif et une irritabilité chronique contribuent à augmenter le risque. Les maladies cardio-vasculaires, considérées comme des maladies d'hommes, tuent pourtant chaque année davantage de femmes. En fait, les femmes souffrent de maladies cardiaques en moyenne dix ans plus tard que les hommes (entre autres par carence en œstrogènes après la ménopause, alors que les œstrogènes ont un effet protecteur sur le système cardio-vasculaire). Or les statistiques médicales ont tendance à omettre les maladies cardiaques des femmes plus âgées.

Les maladies cardio-vasculaires tuent 240 000 femmes chaque année — six fois plus que les cancers du sein. Le pourcentage de décès liés aux maladies cardiaques a chuté ces quarante dernières années, mais il l'a fait de façon plus significative chez les hommes que chez les femmes. Les bouleversement sociologiques et l'accumulation des problèmes sociaux ont sans doute prélevé leur tribut sur les cœurs féminins.

Bien que nous sachions que le stress et nos réactions à celui-ci ne sont pas étrangers à toutes les maladies évoquées, nous n'en mesurons pas exactement la portée. Mais nous découvrons la présence de facteurs psychosomatiques dans la plupart de ces maladies banales.

Le secret de ce lien tient à cette différence entre le stress aigu et le stress chronique, que chacun d'entre nous saisit intuitivement. Quand il nous arrive d'être bouleversé, à l'occasion par exemple d'un accident de voiture ou d'un vol avec agression, le réflexe de fuite ou d'attaque fonctionne parfaitement. Le mécanisme du stress chronique est différent. Celui-ci se nourrit des tensions de la vie quotidienne : difficultés professionnelles, aggravation d'une maladie, scènes de ménage à répétition, charge d'un parent âgé

— situation plus dures à gérer quand elles s'ajoutent les unes aux autres. Le stress chronique n'engendre pas d'accélération soudaine et brutale du cœur ou de la pression artérielle, mais il n'en prélève pas moins, petit à petit, son écot. Il exacerbe notre système nerveux, nous met dans un état constant d'hyper-réactivité mentale et physique. L'angoisse, toujours à fleur de peau, explose dans des accès de colère ou, faute de s'exprimer, cause fatigue et dépression, voire des symptômes physiques. Comme l'a dit un spécialiste de médecine psychosomatique, « le stress déclenche des troubles, qui déclenchent le stress, qui déclenche encore plus de troubles ». Ce cercle vicieux est une réalité autant psychologique que physiologique, qui se manifeste dans de nombreux troubles et maladies.

On peut avoir l'impression qu'il n'y a pas d'échappatoire à une telle spirale infernale, tant il est difficile de dénouer cette pelote de tensions accumulées au cours des ans. Il y a pourtant une issue. Notre organisme dispose d'un mécanisme qui contrecarre la réaction de fuite ou d'attaque. Nous l'avons à portée de la main, comme Dorothée ses chaussons rouges. Ce mécanisme, c'est ce réflexe naturel qu'on appelle la « relaxation ». Cette réaction instinctive et les méthodes utilisées pour l'activer, sont au cœur de la médecine psychosomatique à l'usage des femmes.

2

La relaxation et l'art de faire face aux situations

La relaxation est une action régulatrice de l'organisme confronté à l'alternative de la lutte ou de la fuite. Lors d'un stress, les dangers qui nous menacent déclenchent une série de sonnettes d'alarme psychiques et physiologiques. La relaxation permet de bloquer ces avertissements lorsqu'ils sont sans objet. Par un effort conscient, nous pouvons calmer l'excitation mentale et réduire la tension corporelle.

J'ai déjà décrit ce scénario d'attaque ou de fuite. La relaxation ressemble au film qui se déroulerait à l'envers : les rythmes respiratoires et cardiaques ralentissent, la pression sanguine diminue et les muscles se décontractent. En refroidissant notre système nerveux surchauffé, la relaxation nous ramène à une authentique détente physiologique.

À la fin des années 1960, un cardiologue de Harvard, Herbert Benson, avait été contacté par des adeptes de la méditation transcendantale qui pensaient pouvoir abaisser la tension artérielle par cette discipline. Le Dr Benson accepta de les soumettre à une batterie d'analyses et d'examens médicaux, ne voulant négliger aucune hypothèse. À sa grande surprise, les tests montrèrent que la physiologie des individus plongés dans la méditation, c'est-à-dire tranquillement assis et concentrés sur une idée, avait notablement changé. Leur métabolisme s'était ralenti, leur rythme cardiaque et respiratoire avait diminué et leur électro-encéphalogramme avait pris une allure spécifique.

Benson observa d'autres personnes en état de méditation et découvrit que le phénomène, bien réel, se manifestait quelle que soit la méthode de relaxation employée (car il y avait bien d'autres formes de méditation sur le marché). À cet ensemble de transformations physiologiques et psychologiques, Benson donna le nom de « réponse de relaxation » ou « relaxation provoquée », qu'il considérait comme un mécanisme inné, existant chez tous les sujets pour contrebalancer le réflexe de fuite ou d'attaque.

La relaxation proprement dite n'est pas une technique. C'est une suite coordonnée de changements internes qui se produisent lorsque le corps et l'esprit retrouvent le repos. Mais un grand nombre de techniques suscitent ces mécanismes innés : la respiration profonde, la méditation, la concentration, le yoga, la prière, l'investigation corporelle, la relaxation musculaire progressive, le training autogène, l'imagerie visuelle, le qi gong et autres. Par des voies très différentes, chacune de ces méthodes calme le système nerveux, apaise le corps et l'esprit.

Si les méthodes de relaxation utilisées diffèrent, les mécanismes physiologiques ne changent pas. D'une façon ou d'une autre, dès que la personne a provoqué la relaxation, l'organisme subit presque invariablement les mêmes transformations : le rythme cardiaque et respiratoire, la contraction musculaire et la consommation d'oxygène tombent au-dessous de leur niveau habituel de repos. Les courbes de l'électro-encéphalogramme normal du cerveau en éveil ralentissent. Chez certains individus, la tension artérielle baisse.

La relaxation diffère sensiblement du sommeil. Lorsqu'on s'endort, le métabolisme qui se mesure au taux d'oxygène consommé baisse progressivement dans un laps de temps de une à cinq heures. Lors de la méditation par exemple, la même chute se produit en trois à cinq minutes. L'électro-encéphalogramme observé lors de la méditation diffère de celui du sommeil. La relaxation est, elle aussi, substantiellement différente dans ses manifestations physiologiques de ce qu'on peut observer pendant un petit somme, par exemple. En revanche, rien à voir avec l'état végétatif, et non pas méditatif, du téléspectateur devant le petit écran !

Ce qui importe, c'est moins la façon dont nous parvenons à la sérénité mentale — autrement dit la technique utilisée — que le fait d'y accéder. Cela laisse une grande latitude dans le choix de la ou des méthodes qui nous conviennent le mieux. Débarrassées du dogme selon lequel il n'y aurait qu'une seule et unique voie pour trouver la paix intérieure, nous pouvons choisir les chemins qui correspondent à nos besoins comme à notre personnalité et reflètent nos convictions profondes. Je vous proposerai différentes méthodes au chapitre suivant.

Dans une série d'études scientifiques, le Dr Benson et ses collègues du département de médecine du comportement de l'école de médecine de Harvard ont montré les vertus extraordinaires de la relaxation. Pratiquée régulièrement, ses effets apaisants sur le système cardio-vasculaire peuvent aider les malades souffrant d'angines de poitrine, d'athérosclérose et autres maladies cardiaques. Mais la relaxation peut aussi être utilisée pour traiter une série de troubles liés au stress.

Mes collègues de l'hôpital des Diaconesses de Nouvelle-Angleterre ont démontré l'efficacité et le vaste champ d'application clinique de la relaxation :

> Le psychologue et professeur Gregg Jacobs a démontré que des insomniaques qui pratiquent la relaxation s'endorment quatre fois plus vite et que leur activité cérébrale se ralentit. De nombreux patients retrouvent un rythme de sommeil normal.
>
> Le docteur et professeur Margaret A. Caudill a démontré que les malades souffrant de douleurs chroniques qui pratiquent la relaxation et d'autres méthodes agissant sur le comportement, réduisent en moyenne de 36 % leurs visites chez le médecin.
>
> Les docteurs Benson et Eileen Stuart ont montré que la pratique de la relaxation provoquée peut, chez des patients qui souffrent d'hypertension, faire baisser la tension artérielle de 5 à 10 millimètres de mercure. Les progrès les plus considérables concernent les patients dont l'état d'hypertension est manifestement aggravé par le stress.
>
> Le professeur Ann Webster, psychologue, enseigne la relaxation et les autres traitements psychosomatiques dans des groupes thérapeutiques de personnes atteintes de cancers et du sida et a montré qu'ils réduisent les nausées et les vomissements par anticipation des patients qui se préparent à une chimiothérapie.

Tous ces progrès sont très importants pour les femmes qui souffrent d'une multitude de troubles spécifiques. Les bouffées de chaleur et autres symptômes qui frappent les femmes à la ménopause, causes fréquentes d'insomnie qui, à son tour, engendre fatigue, stress et aggravation des symptômes. Des désordres comme l'endométriose, les règles douloureuses, les rages de dents, les rhumatismes articulaires, le syndrome temporo-mandibulaire, les fribromyalgies, les maladies génitales d'origine inconnue, génèrent chez certaines femmes des douleurs chroniques. L'hypertension et les désordres cardio-vasculaires qui lui sont liés sont en augmentation chez les femmes. Et celles qui sont atteintes de cancers du sein ou des organes génitaux sont confrontées à des chimiothérapies dont les effets secondaires sont éprouvants.

Les chercheurs d'autres institutions ont confirmé l'utilité de la relaxation provoquée dans ces cas et dans bien d'autres, y compris la maladie de Raynaud (une maladie vasculaire dans laquelle les doigts et les orteils deviennent froids et douloureux), les désordres gastro-intestinaux, les migraines, les angoisses. Les femmes sont beaucoup plus sujettes que les hommes à tous ces problèmes de santé.

Voyons maintenant les résultats de nos investigations scientifiques sur l'utilisation des techniques de relaxation dans le traitement des maladies spécifiquement féminines :

Le Pr Judith Irvin et moi-même avons suivi le cas de trente-trois femmes ménopausées sujettes à des bouffées de chaleur persistantes. Le recours à la relaxation a réduit de moitié la fréquence et l'intensité des malaises. Le suivi systématique de ces symptômes dans un groupe témoin n'a pas mis en évidence une pareille réduction.

Le regretté Pr Irene L. Goodale, le Dr Benson et moi-même avons montré que la relaxation provoquée permettait de réduire de 58 % les effets du syndrome prémenstruel chez les femmes qui en souffrent. Il faut préciser que des études toutes récentes, scrupuleusement conduites, sur l'utilisation du Prozac contre le syndrome prémenstruel, montrent une réduction de 52 % des symptômes chez les patientes prenant cet antidépresseur.

Deux études ont montré que ma thérapie psychosomatique contre la stérilité, dont l'apprentissage de la relaxation est un élément essentiel, réduit de façon significative les dépressions et les angoisses chez les femmes dont l'origine des troubles de fécondité reste inexpliquée. Après six mois de soutien thérapeutique, un tiers des femmes qui souffraient de stérilité depuis trois ans et demi en moyenne se sont retrouvé enceintes.

J'ai dirigé une étude sur des patientes atteintes de cancer du sein qui prenaient du Tamoxifen, un médicament qui bloque la sécrétion d'œstrogènes et peut éviter les récidives. Le médicament entraîne des bouffées de chaleur semblables à celles de la ménopause. Nos premiers résultats montrent que la relaxation réduit de 37 % la fréquence des bouffées de chaleur provoquées par le médicament, résultat bien meilleur que celui observé dans un groupe témoin.

L'impact considérable du stress sur l'organisme féminin est vraisemblablement l'une des raisons pour laquelle la relaxation s'applique si bien aux troubles de notre sexe. Dans une étude importante, le Dr Benson et le regretté Dr John Hoffman ont montré que la relaxation réduit la sensibilité des organes terminaux à l'adrénaline et à la noradrénaline, hormones responsables du stress. En d'autres termes, la pratique régulière de la relaxation n'empêche en rien la sécrétion d'adrénaline et de noradrénaline lors du stress, mais ces hormones ne stimulent plus autant nos tissus, muscles et organes, y compris — croyons-nous désormais — nos organes reproductifs.

Quelles implications ces résultats ont-ils pour le traitement clinique des femmes ? Les études mentionnées ci-dessus nous enseignent que la relaxation réduit les bouffées de chaleur de la ménopause sans recourir aux traitements hormonaux de substitution qui peuvent accroître les risques de cancer du sein chez certaines femmes. Elle réduit le syndrome prémenstruel au moins aussi efficacement que le Prozac, cet antidépresseur qui peut avoir des effets secondaires. Elle aide à soulager les angoisses de femmes atteintes de stérilité, lesquelles aggravent les déséquilibres hormonaux, les spasmes génitaux et les retards de règles. La relaxation soulage la douleur, limite les effets secondaires des médicaments et l'angoisse des femmes face aux cancers du sein, des ovaires et autres cancers d'origine gynécologique. Utilisée dans le cadre d'une approche globale du comportement, elle aide les femmes à gérer leurs troubles du comportement alimentaire.

Une bonne partie du mécanisme qui explique ces effets miraculeux est encore inconnue. Mais il est aujourd'hui évident que la relaxation inhibe les effets négatifs du dilemme entre la lutte et la fuite sur notre système endocrinien et nos organes reproducteurs.

La maîtrise de soi ou le secret de la santé féminine

Depuis la naissance de son fils, Karen a dû faire face à une multitude de troubles de santé. Cela a commencé avec une sérieuse dépression puerpérale et s'est transformé en troubles physiques : infections vaginales, éruptions cutanées, douleurs cervicales. Le pire fut les accès d'angoisse, qui l'ont incitée à consulter un psychiatre. Bien que les médicaments aient soulagé un peu l'anxiété, Karen a continué à souffrir dans sa tête comme dans son corps.

Comme beaucoup d'autres femmes ayant dépassé la quarantaine, Karen menait de front différentes activités. Elle s'occupait d'enfants en bas âge, poursuivait une carrière artistique et élevait un fils de six ans et une fille de quatorze. Elle appréciait toutes les facettes de sa vie mais ressentait comme un boulet d'avoir tellement à faire, d'autant qu'elle était issue d'une famille rigoriste où l'on se devait de mener à bien tout ce qu'on entreprenait. Bien qu'elle se soit senti débordée, elle assumait ses responsabilités familiales. Karen avait eu aussi sa part de malheur. Dans la décennie précédente, son frère et sa sœur, plus jeunes qu'elle, étaient morts dans des circonstances tragiques.

Karen était de plus en plus angoissée par ses troubles, qui alimentaient ce cercle vicieux. Plus elle était perturbée, plus ses infections vaginales, éruptions cutanées et douleurs cervicales s'aggravaient. C'est à ce moment-là qu'une amie lui parla de notre clinique de médecine psychosomatique de l'hôpital des Diaconesses. « Ce fut vraiment un des moments les plus sombres de ma vie, se rappelle-t-elle. Puis j'ai dîné par hasard avec quelqu'un qui avait fréquenté la clinique. »

Lorsque Karen commença à participer à mes séances, elle avait l'impression de n'avoir plus prise sur sa santé et sa vie. Elle se mit immédiatement aux exercices de relaxation, pratiquant quotidiennement la respiration profonde et la concentration méditative. Karen se découvrit capable de surmonter sa dépression et son anxiété par ces exercices.

« Je commençais à me rendre compte que je pouvais écarter les crises d'anxiété, disait-elle. J'avais enfin un outil pour les combattre, tandis qu'auparavant elles prenaient le dessus et m'échappaient rapidement. La pratique de la relaxation coupait court à l'angoisse. »

Dans le cas de Karen, les effets physiologiques de la relaxation brisaient la spirale infernale et la délivraient de ses angoisses spasmodiques. Mais les effets psychologiques étaient tout aussi importants : elle découvrait le levier du contrôle de soi. « Trouver un moyen de maîtriser mon anxiété par la respiration et la relaxation a été pour moi comme un miracle », explique-t-elle. Ses crises cessèrent, et avec elles, presque en même temps, ses éruptions cutanées. Ses infections vaginales s'espacèrent, ses douleurs cervicales disparurent.

Le sentiment d'être maître de soi-même est un élément vital du bien-être. Lorsque nous avons l'impression de perdre le contrôle de notre vie et de notre santé, nous devenons vulnérables à toutes sortes de maladies mentales ou physiques. Nous avons besoin de croire en notre aptitude à contrôler les choses. Robert M. Sapolsky en donne un parfait exemple pris dans la vie de tous les jours : « Les avions sont beaucoup plus fiables que les voitures, et pourtant beaucoup d'entre nous appréhendent les voyages en avion. Pourquoi ? Parce que, bien que le risque soit plus grand en voiture, nous sommes convaincus au fin fond de nous-mêmes que nous sommes des conducteurs hors pair et donc en situation de maîtriser notre véhicule. Dans un avion, nous n'avons pas le contrôle de la situation. Ma femme et moi, qui ni l'un ni l'autre n'aimons prendre l'avion, nous amusons durant les vols à nous relayer à monter la garde : "D'accord, tu te reposes un moment, et moi, je prends le relais et je surveille de près le pilote, au cas où il aurait une attaque." »

Dans le grand voyage de la vie, certains d'entre nous se sentent comme les passagers d'un avion. L'expédition est pleine de dangers ; nous pouvons tomber du ciel à chaque instant. Le pire est que nous n'avons aucune possibilité d'influer sur la trajectoire, n'étant pas dans le cockpit. Pour échapper à ce sentiment d'impuissance et d'anxiété, il nous faut un autre moyen de locomotion — une vie dans laquelle notre marge de manœuvre serait ou nous paraîtrait plus grande. Dans la vie, il nous faut pouvoir occuper le siège du pilote ou du moins avoir le sentiment de tenir le manche à balai, quelles que soient nos aptitudes à le faire.

Des études ont montré que les gens qui se sentent impuissants à maîtriser les situations génératrices de tensions sont davantage sujets aux malaises cardiaques ou aux troubles du système immunitaire. De nombreuses études sur le comportement des animaux prouvent, dans le même sens, que les rongeurs, incapables de faire face à un stress — en l'occurrence la stimulation électrique de la queue — perdent leurs défenses immunitaires, et risquent plus de développer des tumeurs.

Le sentiment d'avoir une prise sur les événements nous permet de gérer les tensions quotidiennes sans craquer. Le stress, lié aux graves problèmes de santé ou à un danger mortel, en appelle également à la maîtrise de soi. Au cours de mon expérience clinique, j'ai rencontré des femmes particulièrement sensibles au fait que l'état de leurs organes génitaux échappait à leur contrôle. D'un point de vue psychologique, c'est une chose de souffrir d'un membre blessé ou de la lésion d'un organe comme le foie, qui fonctionne discrètement dans l'anonymat de la masse viscérale quand tout va bien. C'est une toute autre chose d'être affectée d'une maladie des organes reproducteurs. Non seulement les femmes perçoivent intimement leur fonctionnement, mais ils sont étroitement liés à leur identité sexuelle. Une maladie ou un dysfonctionnement de ces organes, un déséquilibre hormonal qui engendre des problèmes physiologiques, peuvent plonger la femme dans le désarroi, l'insécurité et la honte.

Celle qui souffre d'un syndrome prémenstruel a l'impression, chaque mois, que son corps et ses émotions ne lui appartiennent plus. La femme stérile dont les espoirs de grossesse grandissent puis s'écroulent après la dernière tentative de traitement, perd le sentiment de maîtrise de soi. Celle qui, à l'âge de la ménopause, est sujette à des sautes d'humeur, à ces bouffées de chaleur qui arrivent sans crier gare, est comme le capitaine d'un navire ballotté dans la tempête. La femme atteinte d'un cancer du sein ou des ovaires se sent désemparée à l'idée d'avoir à perdre des organes qu'elle associe à sa sexualité, sans parler de la peur de la prolifération des métastases dans tout l'organisme.

Lorsque mes malades, indépendamment de leur état, découvrent à quel point la relaxation change leur physiologie et les revigore, elles reprennent immédiatement un peu de contrôle. S'il n'est pas en leur pouvoir d'échapper à la maladie, elles parviennent en revanche à juguler la panique qui empoisonne leur vie.

Comment savoir si le sentiment de maîtrise de soi est bénéfique à la santé ? De nombreuses études en témoignent. Prenons par exemple le phénomène connu sous le nom d'« analgésie contrôlée ». Les malades victimes de douleurs chroniques — à la suite d'une grave brûlure, d'un traumatisme de la moelle épinière, d'une opération ou d'un cancer — ne traînent pas seulement le boulet de leurs atroces souffrances, mais dépendent aussi de ceux qui décident de leur traitement dont ils ne peuvent contrôler les dosages. Les infirmières des hôpitaux ne connaissent que trop les supplications angoissées des malades leur réclamant davantage d'antidouleurs que le médecin n'en a prescrits.

À la fin des années 70, des chercheurs en sont venus à une nouvelle conception, que d'autres ont jugée extravagante : pourquoi ne pas laisser le malade s'administrer lui-même les analgésiques ? Des observateurs sceptiques étaient persuadés que les patients deviendraient de véritables drogués et risqueraient l'overdose. Mais de nombreuses études faites sur des cancéreux ou des malades en traitement postopératoire ont fait mentir les sceptiques. Les malades qui se sont vu confier ce type de médicament, avec la consigne de se les administrer eux-mêmes, non seulement n'ont pas sombré dans la dépendance, mais en ont utilisé des quantités *décroissantes*.

S'il vous est arrivé d'avoir de terribles douleurs, imaginez-vous sur un lit d'hôpital sans avoir la certitude qu'on vous donnera la dose suffisante d'analgésiques, et vous comprendrez aisément combien la perte de tout contrôle ajoute à la souffrance. Il suffit de donner au patient le pouvoir de se soigner lui-même pour dissiper son angoisse ; il ne craint plus d'être la proie de son mal. Libéré de cette servitude, les malades en viennent à beaucoup mieux supporter la douleur.

La maîtrise de la situation aide-t-elle les individus en

situation de stress à rester en bonne santé ? C'est ce que pense le Dr Suzanne Ouellette (puis Kobasa), qui a consacré vingt-cinq ans de sa carrière à cette question. À la fin des années 70, elle travaillait en tant que psychologue à l'université de Chicago où elle a mené une étude sur des centaines d'employés de la compagnie téléphonique Illinois Bell qui entreprenait alors la plus vaste opération de restructuration de l'histoire de la firme. Inutile de dire que les salariés étaient soumis à de fortes tensions psychologiques : les qualifications ainsi que les responsabilités valsaient rapidement, et les dérapages étaient nombreux.

Avec son collègue, le Dr Salvatore R. Maddi, le Dr Ouellette a suivi 259 employés de la compagnie pendant deux ans. Elle a constaté que certains salariés restaient en bonne santé en dépit du stress, tandis que d'autres succombaient à toute une palette de maladies. Ceux qui gardaient la forme se distinguaient de leurs collègues par un plus haut degré de *hardiesse* ou d'*intrépidité*. Face à l'extrême tension, leur énergie leur a permis de résister à la maladie deux fois mieux que les autres.

En quoi consiste cette intrépidité ? Selon le Dr Ouellette, qui précisa la notion et établit un questionnaire destiné à la mesurer, il s'agissait d'un trait de comportement à trois composantes : l'engagement, le contrôle de la situation et l'esprit de compétition, dont les travailleurs les plus résistants étaient dotés. Ils étaient de ces individus énergiques qui affrontent les problèmes, imaginent des solutions créatives et échafaudent des plans d'action. En dépit des turbulences où ils étaient plongés, ces salariés ont gardé confiance en eux et fait preuve d'assurance.

Le Dr Ouellette et d'autres chercheurs ont constaté, depuis, que les personnes de ce type restent en meilleure santé malgré le stress, et cela quelles que soient leur fonction, leur appartenance sociale ou leur nationalité d'origine. La plupart de ces études, dont la première sur le personnel de l'Illinois Bell, concernent essentiellement le personnel masculin. Qu'en est-il de l'intrépidité et de la capacité de résistance féminines ? Ce même questionnaire a été diffusé à des centaines de femmes par le biais des gynécologues. « Nous avons découvert que les plus vulnérables et les moins fortes de caractère développaient davantage de maladies, tant mentales que physiques », écrit le Dr Ouellette.

Si la maîtrise de soi n'est qu'un aspect de la force de caractère, c'est toutefois l'un des principaux. De nombreux spécialistes — dont je partage le point de vue — estiment que le succès de toute technique psychosomatique dépend en partie de la façon dont elle renforce la confiance en soi. Ce qu'on appelle le *biofeedback* (ou rétroaction biologique) en donne un excellent exemple. Les malades traités par cette thérapie sont reliés à des appareils de mesure, qui traduisent en sons ou en images leurs fonctions physiologiques — rythme cardiaque, pression sanguine, résistance de la peau, contraction musculaire, électro-encéphalogramme —, faciles à interpréter. Le médecin enseigne au patient comment mobiliser ses capacités mentales pour contrôler sa physiologie. Que le malade ait recours à une technique de relaxation ou qu'il se contente de se concentrer, la rétroaction biologique le guide dans son effort pour rééquilibrer ses fonctions. Cette technique a remporté des succès dans le traitement des lésions de la moelle épinière, de l'hypertension, des troubles gastro-intestinaux, des migraines ou des maux de dents, pour ne citer que quelques exemples.

Les patients apprennent à se contrôler. La patiente qui réussit à modifier sa physiologie et à atténuer ses symptômes découvre qu'elle a barre sur son corps. De même que dans le cas de malades souffrant de douleurs chroniques cette technique a donné de très bons résultats tant sur le plan mental que physique.

Le *biofeedback* est un outil merveilleux mais, comme le souligne le Dr Benson, nous pouvons réguler certaines de nos fonctions physiologiques sans recourir à cet attirail d'instruments sophistiqués. La relaxation provoquée est la technique de base permettant d'acquérir un certain contrôle sur notre système biologique. Il en est de même des autres approches psychosomatiques que j'enseigne, qui toutes vident les angoisses et apaisent les nerfs. D'autres recherches en ce domaine sont encore nécessaires, pour confirmer l'hypothèse que l'efficacité des méthodes psychosomatiques *réside avant tout* dans le renforcement de la maîtrise de soi. Mais de premières études ont montré que les personnes qui pratiquent avec ferveur la méditation ont un « centre inné du contrôle », synonyme de maîtrise de soi pour les sociologues qui utilisent ce terme.

Chez les femmes, la notion de contrôle peut prêter à

confusion. Certaines d'entre nous ont appris dès leur plus jeune âge à être responsable de tout — de leur corps, de leur travail, de leur mari, des enfants, de la vie sociale, etc. Ce n'est pas ce type de contrôle que je cherche à générer.

Une femme qui se sent responsable de tout se flagellera au moindre dérapage. Si elle perd son travail, non par sa faute mais du fait d'une compression d'effectifs, elle en concluera généralement qu'elle n'était « pas assez bonne ». Si son mari la quitte, elle se dira qu'elle « aurait dû être capable de le retenir ».

Le sentiment de culpabilité le plus pernicieux consiste sans doute à se reprocher la maladie. L'une se sent responsable de son cancer du sein : « J'aurais dû faire attention à ce que je mange, consommer moins de matières grasses », « Je n'aurais pas dû refouler mes émotions. » L'autre s'accuse de sa stérilité : « Si seulement j'avais essayé d'avoir un enfant quand j'étais plus jeune. » Ces réflexions sont des pièges parce qu'elles contiennent un fond de vérité. Mais ancrées dans le déni de soi, elles reposent sur une notion de contrôle qui ne laisse aucune place à l'erreur. Les « j'aurais dû » suggèrent que le contrôle absolu est non seulement une possibilité — un non-sens — mais un devoir. Même si notre comportement est en partie responsable de notre état de santé, il est irréaliste et terriblement injuste de s'en sentir coupables.

Pouvons-nous assumer davantage notre santé et notre bien-être ? Bien entendu. Ce n'est pas pour autant que nous devons nous reprocher nos faiblesses passées, notre ignorance ou notre dépendance à l'égard de telle ou telle drogue.

La marge est très étroite entre une façon saine ou malsaine d'exercer la maîtrise de soi et il faut un peu d'expérience pour éviter les faux pas. Vous devez commencer par apprendre à faire la différence. Une femme qui pratique un contrôle inadéquat a souvent l'air ridicule. Implicitement ou explicitement, elle croit en la possibilité d'un contrôle total de soi-même, et en subit les conséquences. Lorsqu'elle ne parvient pas à suivre ses propres canons, elle le vit comme un échec qui la met hors d'elle. C'est par manque de confiance en elle qu'elle pense devoir régenter tout ce qui l'entoure, individus et événements — faute de quoi ses espoirs et ses désirs ne se réaliseront jamais. Si elle comprenait son erreur de vouloir ainsi manœuvrer les gens et les situations, elle aurait une perception plus juste d'elle-même et des autres. Moins vulnérable aux coups du sort, comme la mort d'un être aimé, la rupture d'une relation sentimentale, l'apparition d'une maladie, elle serait capable de surmonter de façon constructive ses échecs.

À l'opposé, la femme qui a une conception juste du contrôle qu'elle peut exercer, connaît ses capacités à gérer les circonstances stressantes, ou du moins ses propres réactions. Elle prend de l'assurance, se sent mieux à même d'améliorer ses conditions de vie et de santé, sans se tenir pour responsable de tout ce qui arrive, du comportement de ceux qu'elle aime ou des causes de la terrible maladie qui la frappe. En réalité, elle admet qu'un certain nombre de facteurs sont aléatoires et lui échappent.

Avant tout, la femme au comportement sain a une perception nuancée de son propre pouvoir. Elle recherche avec soin et réalisme la meilleure façon d'aborder chaque situation, et n'agit qu'à bon escient. Elle a pleinement conscience des situations sur lesquelles elle n'a que peu d'influence (comme la toxicomanie d'un membre de sa famille), ou de celles dans lesquelles il serait vraiment malvenu de vouloir s'immiscer (comme les faits et gestes d'un mari). C'est ainsi qu'elle prend élégamment les devants d'une séparation, évitant le piège de la dépendance mutuelle et des ruptures douloureuses. Son sens équilibré du contrôle est à la fois personnel (elle maîtrise son propre organisme sans croire qu'elle peut tout commander) et tourné vers les autres (elle exerce une influence sur bien des situations délicates sans penser qu'elle peut et doit régenter la vie des autres).

Il n'est pas difficile de faire le tri, et de discerner la façon saine d'exercer sa maîtrise des situations. Cela pourrait se résumer par la fameuse prière du théologien Reinhold Niebuhr reprise dans les cures de désintoxication « en douze étapes[1] » : « Que Dieu m'accorde la sérénité nécessaire pour accepter ce que je ne peux pas changer, le courage de changer ce que je peux, et la sagesse de faire la différence. »

Quelles que soient vos convictions spirituelles, la séré-

---

1. La thérapie en « douze étapes » a initialement été expérimentée au sein du mouvement « Les alcooliques anonymes ». Il s'agit d'une thérapie comportementale visant à déshabituer progressivement les patients de l'alcool. La méthode a été par la suite étendue à différentes associations de désintoxication ou de rééducation du comportement... (N.d.T.)

nité, le courage et la sagesse dont il est question dans cette prière sont à votre portée. Les méthodes psychosomatiques vous aideront à développer ces trois qualités.

Comment apprendre à faire face aux situations : fouillez dans la boîte à outils de la médecine psychosomatique

Mes patientes, quels que soient les problèmes dont elles ont souffert, m'ont toutes inlassablement fait la même réflexion. « Maintenant, dès que je suis stressée et que je me sens désarmée, j'ai à ma disposition les techniques que j'ai apprises. Dès que je sens ma vie et ma santé filer entre les doigts, tout se passe comme si je fouillais dans une boîte à outils pour trouver l'instrument qui me redonnera du courage, de l'assurance et la tranquillité d'esprit. »

Quand le stress nous submerge, c'est l'angoisse, la peur, l'appréhension, la colère, le sentiment d'abandon et la dépression qui prennent le dessus et ont des répercussions physiologiques. La dépression et le sentiment permanent d'impuissance semblent reliés aux dysfonctionnements du système immunitaire, dont le cancer. La volonté ne suffit pas pour en venir à bout. Nous disposons cependant de quelques moyens de résistance au stress et à la détresse.

Chacun des chapitres de cette première partie est consacré à l'une des disciplines susceptibles de vous aider à affronter les difficultés. Il s'agit à chaque fois d'une technique psychosomatique, avec sa dimension morale et physique. Cependant, certaines d'entre elles s'appliquent davantage au corps ; d'autres, davantage au psychisme. La médecine psychosomatique inclut la relaxation, la diététique et l'exercice physique auxquels il vous est possible de recourir, lorsque le stress prélève son tribut sur votre organisme et que vous accusez physiquement le coup par la fatigue, la tension et le surmenage. Les techniques concernant le psychisme (chapitres 5 à 8) vous permettent de résister aux idées noires, d'établir des relations saines et revigorantes, d'exprimer vos angoisses et votre tristesse comme votre joie et vos enthousiasmes, et de prendre soin de vous-même. Ces outils de la médecine psychosomatique conçus pour réparer les failles de la vie n'ont pas, au demeurant, l'effet immédiat mais factice d'une injection de drogue, chacun d'eux exigeant volonté et courage.

La pratique d'une technique peut tenir du miracle pour celle qui la découvre la première fois. C'est ce qui est arrivé à Georgia qui souffrait de stérilité mais dont l'histoire ressemble par bien des côtés à celles de patientes atteintes d'autres troubles. Elle vint en consultation avec son mari, Bill, après deux ans de vaines tentatives de procréation. Des examens avaient diagnostiqué une grave endométriose (un développement excessif des muqueuses de l'utérus ou de l'endomètre en dehors de la cavité utérine). Le chirurgien enleva à Georgia 70 % des tissus incriminés et on lui assura qu'elle concevrait un enfant d'ici quelques mois.

Mais Georgia, même après plusieurs séances de traitement de sa stérilité, ne réussit pas à être enceinte. Au bout d'un an, Bill et elle commencèrent à désespérer. Georgia se sentait responsable, car d'après les analyses le spermogramme de Bill était excellent. Prêts à adopter un enfant, ils n'en étaient pas moins obsédés par leur incapacité à procréer. C'est la mère de Bill qui lut dans un magazine un article sur nos techniques de suivi des femmes stériles et convainquit Georgia d'essayer.

En quelques séances, Georgia se mit à changer d'état d'esprit. Elle suivit régulièrement notre enseignement de relaxation par cassettes, dont l'une fournit des suggestions imagées permettant de retrouver le calme intérieur. Presque chaque jour, Georgia se rendait ainsi en pensée sur une plage déserte. Elle se tourna également vers les participantes du groupe thérapeutique, compatit à leurs difficultés et leurs déceptions, tandis que la pratique régulière du yoga inclus dans le programme tonifiait son corps fatigué. Peu après, elle ajouta une note personnelle à sa pratique de l'imagerie guidée : elle se voyait en train de bercer son bébé dans ses bras, de le caresser et de lui humer la peau.

Si cela aida beaucoup Georgia, elle continuait à se sentir responsable de la stérilité du couple. Ce sentiment de culpabilité remontait au lendemain de la cœlioscopie, où le chirurgien avait diagnostiqué sa maladie. Bill, venu la chercher à l'hôpital, lui avait annoncé le diagnostic du docteur : elle avait une endométriose. Pour Bill cela avait été positif ; ils connaissaient désormais la cause de la stérilité et sa solution — chirurgicale. Mais Georgia restait accrochée à son idée fixe : *c'est ma faute et mon problème*. Bill argumenta : « Mais non, ce ne sera jamais ton problème. Ce sera toujours le nôtre. » En vain.

Durant nos séances, Georgia découvrit la restructuration cognitive qui allait complètement transformer sa vision des choses. Elle reconnut le poids de sa culpabilité face à la stérilité de leur couple. Raison pour laquelle elle avait été à deux doigts de renoncer à tout espoir d'avoir un bébé, car elle n'aurait pu résister à un nouvel échec, qu'elle aurait considéré encore comme le sien. Georgia apprit à reconsidérer son attitude et fut capable de s'absoudre en couchant ses sentiments sur le papier. Elle en vint à partager la simple et belle vérité de Bill : *nous* avons un problème que nous allons essayer de résoudre ensemble.

Georgia cessa de se croire coupable, et elle s'aperçut que d'autres femmes du groupe avaient subi des traitements de pointe. Forts d'une détermination et d'un espoir renouvelés, Bill et elle décidèrent de tenter à nouveau leur chance. Après un troisième cycle d'insémination artificielle, c'est en interrogeant son répondeur à distance qu'elle apprit de l'infirmière de la clinique que son dernier test de grossesse était positif. « J'ai écouté ce message cinq fois », racontait-elle. Le fils de Georgia, Marty, approche maintenant de son premier anniversaire.

Les techniques citées plus haut ont permis à Georgia de se forger des armes pour un combat difficile mais qui en valait la peine. Nous ne savons pas si nos méthodes ont influé sur son état physiologique et aidée à être enceinte, mais ce n'est pas à exclure. Je reviendrai sur cette question controversée au chapitre 11.

Les outils de la médecine psychosomatique sont simplement des instruments du développement de soi. En en utilisant plusieurs à la fois, votre qualité de vie s'améliorera sur presque tous les tableaux.

Comment garder la tête hors de l'eau dans l'univers médical dominant

Votre gynécologue vous annonce que votre frottis cervical est positif. Elle vous demande de revenir pour une biopsie du col de l'utérus. S'agit-il d'un cancer ?

Vous avez eu de terribles douleurs au bas ventre dues à une endométriose, qui ont persisté après l'intervention chirurgicale et les traitements hormonaux. Votre médecin affirme que le moyen radical d'en guérir est l'hystérectomie. Or vous n'avez que trente-cinq ans et souhaitez fonder une famille.

Selon votre chirurgien, votre cancer du sein en est à un stade précoce et on peut le soigner par une mastectomie. Il est dur de se faire à l'idée de perdre un sein.

Votre médecin traitant vous recommande un traitement hormonal de substitution, parce que les bouffées de chaleur perturbent votre sommeil et votre psychisme. Mais il y a eu de nombreux cancers du sein dans votre famille et vous savez que les œstrogènes en excès sont un facteur de risque. Vaut-il la peine d'être en meilleure forme psychique, au prix de la menace d'un cancer ?

La simple lecture de ces scénarios permet de fort bien imaginer comment le réflexe de fuite ou d'attaque peut se déclencher.

Voilà ce qui nous guette, en cas d'immersion totale dans le milieu médical dominant où nous sommes confrontées à des diagnostics redoutables, des opinions contradictoires, des choix déchirants, sans être vraiment bien informées. Et que dire des décors où se jouent ces drames — cabinets aseptisés, couloirs impersonnels, salles d'examens sinistres. Si un dramaturge voulait faire ressentir comment on perd tout contrôle sur son sort, il lui suffirait de situer l'action de sa pièce dans un hôpital — resterait à trouver le bon metteur en scène.

Être malade n'est déjà pas une partie de plaisir, et le monde médical (sans le vouloir) ajoute au stress. Même les infirmières et les médecins les plus attentifs ont du mal à se départir d'une insensibilité quasi professionnelle. Ils ont rarement le temps d'expliquer les décisions importantes avec la précision voulue ou d'indiquer la littérature médicale sur la question. Les médecins généralistes ne reçoivent pas une formation psychologique suffisante pour apporter un soutien aux malades ou les aider à se prendre en charge. De nombreux hôpitaux comptent dans leurs effectifs des psychiatres et des psychologues, mais qui n'interviennent pas assez.

Dès que vous êtes plongée dans le milieu médical, vous avez le choix entre couler ou surnager. C'est là que la médecine psychosomatique peut non seulement vous maintenir à flot, mais vous permettre de résister aux lames de fond.

Lorsque nous sommes confrontées à un diagnostic douloureux et à des options difficiles, la plupart d'entre nous ressentent un mélange de peur, de solitude et de profonde incertitude. La peur obscurcit la raison. Il est d'autant plus nécessaire que les patientes angoissées par le milieu médical pratiquent régulièrement la relaxation. Car ces circonstances exigent que l'on ait les idées claires. Prenez le cas d'une femme atteinte d'un début de cancer du sein, à qui le chirurgien a recommandé l'ablation ; sa terreur l'empêche de poser des questions, et on lui enlève le sein. Si elle pratique la relaxation, cette peur qui la tenaille, si mauvaise conseillère, se dissipera. Capable de penser, la patiente posera des questions judicieuses et découvrira que l'ablation de la tumeur par des radiations *ad hoc* est aussi un moyen approprié de guérir son cancer. Peut-être optera-t-elle pour la mastectomie, mais en connaissance de cause.

Selon certaines estimations, 70 % du total des hystérectomies ne sont pas indispensables. Ces chiffres sont tragiquement élevés. Ce pourcentage baisserait considérablement si la plupart des femmes étaient armées pour affronter ces situations, si elles prenaient davantage en charge leur suivi médical. Les femmes qui pratiquent des techniques leur permettant de faire face aux situations — en particulier celles qui donnent de l'assurance et de la confiance en soi — posent des questions épineuses et insistent pour que les spécialistes leur donnent des réponses. Elles créent une complicité entre elles et le praticien, recherchent le soutien de leurs amis et des membres de la famille et envisagent toutes les options, en sollicitant tous les avis autorisés.

Lors d'une étude de l'université Tufts sur les personnes atteintes d'ulcères, de diabètes et d'hypertension, le Dr Sheldon Greenfield et la psychologue Sherrie Kaplan, grâce à une aide personnalisée, permirent à chaque patient de revoir son dossier médical, d'établir la liste des questions qu'il souhaitait poser et de passer en revue les moyens de s'affirmer davantage sans en être angoissés ou embarrassés.

On suivit ces patients, ainsi que ceux d'un groupe témoin qui n'avaient pas été préalablement entraînés, tout en observant leurs contacts avec le corps médical. Ceux rodés à l'affirmation de soi menèrent vraiment l'entretien avec les médecins. Quatre mois plus tard, les symptômes des patients entraînés avaient diminués, leurs absences au travail étaient moins fréquentes, et ils estimaient que leur santé s'était significativement améliorée, à la différence de ceux qui s'étaient contentés de suivre docilement les prescriptions médicales.

Dans notre société, les femmes ont souvent du mal à s'affirmer face aux médecins — des hommes pour la plupart. La hantise d'être confrontées à des hommes de l'art, imbus de leur pouvoir, d'avoir à essuyer l'irrespect et le mépris, est profondément enracinée. Il leur faut du cran pour s'imposer dans le cabinet d'un médecin alors qu'elles se sentent vulnérables à double titre en tant que femmes et en tant que malades.

Mes recommandations dépassent une simple exhortation à être courageuses. Au chapitre 8, je fournis un ensemble de techniques applicables lors de tout contact avec les professionnels de santé, qui vous permettront de tenir le coup, et de vous imposer sans agressivité. Votre médecin vous paraîtra vraisemblablement moins inaccessible et vous aurez moins d'appréhension. L'autre secret de la réussite consiste à mettre votre famille et vos amis dans le coup.

Quelles que soient les épreuves que la maladie grave et l'hospitalisation nous imposent, elles engendrent toujours des sentiments d'anxiété et de solitude. La détresse des femmes que j'ai suivies et qui avaient un cancer du sein, des ovaires ou du col de l'utérus, provenait avant tout de là. Une femme qui doit subir une hystérectomie est plus ou moins affectée, selon son âge, par la perte de ses organes reproducteurs et par l'appréhension de l'opération chirurgicale. Les femmes qui souffrent de stérilité vivent souvent très mal leur situation, ressentent comme injuste le fait que des amis et des parents puissent mettre allègrement au monde des enfants. Il n'y a pas de médecine plus efficace pour ces femmes que de se sentir liées à d'autres ayant connu les mêmes épreuves.

Parfois, il faut faire des choix médicaux difficiles, et les meilleures connaissances du monde n'y suffisent pas. C'est le cas quand la médecine classique elle-même n'est pas en état de trancher définitivement. Les exemples sont légion. Dans le cas d'un cancer du sein à ses débuts, faut-il procéder à l'excision de la tumeur ou à une mastectomie ? Dans le cas de saignements utérins, faut-il enlever l'utérus comme le préconisent certains médecins, alors que d'autres s'y opposent ? Dans le cas d'une endométriose, faut-il un traitement médical, avec tous les risques d'effets secondaires qu'il comporte, ou faut-il opérer ?

Au fur et à mesure des progrès de la recherche médicale et des traitements des affections féminines, les dilemmes se multiplient. Je recommande aux femmes dans ce genre de situation de bien se renseigner, de recueillir les avis des différents experts, de prendre en considération toutes les options. Si aucune solution évidente ne se dégage, je leur conseille de rentrer en elles-mêmes et d'utiliser les techniques de relaxation afin, une fois la sérénité retrouvée, de sonder leur intuition : et moi, qu'est-ce que j'en pense ? Qu'est-ce que j'estime le mieux, personnellement ?

Bien souvent, dans le déferlement des procédures médicales, nous omettons ces questions cruciales qui sont au cœur du problème. Suis-je capable d'être moi-même un facteur thérapeutique contre ma propre maladie ? Suis-je un membre de l'équipe médicale, au même titre que les autres ? Mon corps, ma santé et ma vie ne sont-ils pas en jeu, au bout du compte ? La prise de décision ne doit-elle pas tenir compte de ce que je ressens, surtout quand le cas est grave ? Nous devons être attentives à ce que nous avons dans la tête tout en n'oubliant pas ce que nous avons dans les entrailles. La relaxation aide à prendre les deux en considération.

Quand le choix est trop difficile, reste le recours à la médecine psychosomatique. Une de mes patientes, Marcy, frappée d'endométriose, s'est trouvé confrontée à la perspective d'une ablation de l'utérus parce que les autres traitements avaient échoué et qu'elle avait toujours mal. Avant de se décider à franchir le pas, elle s'astreignit tous les jours à des exercices de relaxation et d'imagerie visuelle guidée. Quelques semaines après, ses douleurs avaient à ce point diminué qu'elle évita l'opération. Dans le cas de douleurs chroniques, quand la chirurgie n'est pas une question de vie et de mort, mieux vaut prendre le temps d'expérimenter l'approche psychosomatique. Marcy ne fut pas la seule de mes patientes à éviter une opération chirurgicale très mutilante.

La relaxation réduit aussi la douleur et l'anxiété qu'engendrent la chirurgie et les examens médicaux qui lui sont associés. Lors de mes débuts auprès du Dr Benson au département de médecine du comportement de Harvard, j'avais mené une étude qui devait confirmer l'efficacité de ces techniques dans le cas de femmes sur le point de subir des opérations.

Le Pr Carol Lynn Mandle et moi-même, en collaboration avec des collègues de l'hôpital des Diaconesses et de l'hôpital Brigham et Women, avons travaillé à une étude sur des patientes soumises à une angiographie fémorale, un procédé de diagnostic consistant à introduire un cathéter dans l'artère fémorale au niveau de l'aine. L'injection de matière colorante cause une atroce sensation de brûlure et les doses d'analgésiques susceptibles de faire cesser toute douleur risqueraient de bloquer la respiration. On administre aux patientes les plus fortes doses possibles, mais ce n'est pas suffisant.

Mes collègues et moi avons donc suivi quarante-cinq patientes soumises à cet examen. Nous avons fourni à chacune un petit lecteur de cassettes équipé d'une bande enregistrée, et les écouteurs ont été branchés au début de la séance. On les avait réparties, sans les prévenir, en trois groupes. Le premier groupe avait sur sa cassette un programme de relaxation, le deuxième un programme de musique instrumentale douce et le troisième une cassette vierge.

Les patientes à qui l'on avait donné le mode d'emploi de la relaxation eurent moins mal et ressentirent moins d'anxiété que les autres. Les radiologues et infirmières qui s'en occupaient, et n'étaient pas informés du contenu des cassettes, le confirmèrent. En outre, le groupe de relaxation réclama trois fois moins de médicaments.

Curieusement, les patientes qui avaient écouté de la musique n'eurent pas moins mal, ni moins peur que celles qui avaient une cassette vierge. Dans ce cas, au moins, la

musique n'a pas eu les effets relaxants qu'on lui prête généralement.

Vous pouvez donc recourir à la relaxation contre la douleur ou contre les angoisses anticipatrices dans tous les cas
d'interventions ou examens médicaux imaginables, dont les
suivants :

> Mammographie
> Investigation des organes génitaux
> Frottis vaginaux
> Biopsie cervicale
> Biopsie du sein
> Cœlioscopie de diagnostic ou de traitement
> Excision chirurgicale de kystes ovariens ou de fibromes
> Hystérectomie
> Mastectomie

Vous pouvez déclencher la relaxation pour calmer votre
appréhension avant, pendant ou après ces examens ou interventions chirurgicales. Dans les deux chapitres suivants, je
donne des conseils de bon sens à ce sujet.

Si vous vous débattez dans des problèmes de santé, rappelez-vous que les méthodes psychosomatiques sont d'un
grand secours dans trois domaines : pour vous aider à
prendre des décisions difficiles, à entretenir de meilleures
relations avec les médecins et personnels spécialisés, à subir
les examens et interventions. Ainsi, à votre grande surprise,
franchirez-vous les étapes les plus délicates.

Le buffet chinois

Vous êtes-vous déjà servie à un buffet chinois ? Si c'est
le cas, peut-être aurez-vous procédé comme moi. Dans un
premier temps, vous prélevez de petites portions de chacun
des plats. Après les avoir tous goûtés, vous retournez vous
servir une ration plus généreuse de ceux que vous avez le
plus appréciés. Pour faire votre chemin dans ce livre, je vous
recommande cette technique du « buffet chinois ». Le chapitre suivant propose une kyrielle de techniques permettant
de provoquer la relaxation, et les autres présentent une
panoplie des diverses méthodes psychosomatiques. Après en

avoir fait l'inventaire, expérimentez celles qui vous conviennent. Puis astreignez-vous à une pratique régulière des techniques destinées à atténuer votre détresse, à améliorer votre qualité de vie et diminuer les symptômes douloureux. Soyez à l'écoute de votre être intérieur et de vos intuitions, et choisissez les éléments quotidiens de votre pratique psychosomatique.

Il existe un self-service psychologique, comme il y a un buffet pour les délices du palais et vous êtes la seule à savoir ce que vous aimerez. Au nom de quoi pourrait-on vous dicter les disciplines qui conviennent le mieux à votre corps et votre esprit ?

La médecine psychosomatique traite les femmes comme des êtres à part entière, dont la physiologie et la psychologie forment un tout. Mais il n'est pas question d'une approche « taille unique ». Les cliniciens de la médecine psychosomatique font du sur mesure, en prenant en considération vos pensées et vos sentiments, vos relations familiales, vos habitudes alimentaires, vos activités physiques et vos préoccupations intellectuelles. Nos traitements sont destinés à votre bien-être et à votre épanouissement, et vous êtes seule juge en la matière.

Assumez donc votre liberté et votre autonomie, en créant votre propre programme. C'est vous qui connaissez vos besoins physiques, émotionnels et spirituels. Respectez-les. Tenez compte de votre propre histoire. Jouez librement sur toute la palette des techniques proposées, avant d'adopter celles qui vous conviendront et vos efforts porteront leurs fruits.

La parabole de la paix intérieure

Un de mes collègues, qui a travaillé au département de médecine du comportement de l'école de médecine de Harvard, le Dr Steve Maurer, m'a raconté jadis un mythe qui s'est gravé dans ma mémoire.

Il était une fois, dans l'Antiquité, un homme très pieux et dévot qui priait tous les jours. Il semblait être en relation directe avec le Tout-Puissant : ses prières étaient systématiquement exaucées. Mais avec le temps et la croissance démographique, l'autorité divine eut davantage à faire. Et c'est un dieu exténué qui vint trouver l'homme pour lui dire : « Tu es un fidèle très loyal, mais je n'ai vraiment plus le temps de répondre à tes prières quotidiennes. Je peux t'offrir en revanche une compensation. Je vais exaucer trois de tes vœux. »

De retour chez lui l'homme raconta à sa femme l'histoire des trois vœux. Elle lui proposa de demander une nouvelle maison, un nouveau bateau, de nouveaux habits. Elle le harcela nuit et jour jusqu'au moment où, hors de ses gonds, il explosa : « Si seulement tu pouvais disparaître ! » Son premier vœu fut exaucé. Sa femme mourut. Durant les obsèques, l'homme fut assailli de regrets. Il arrivait bien à sa femme de lui taper sur les nerfs, mais il l'aimait sincèrement. Au moment où le cercueil descendait dans la fosse, il s'écria : « J'aimerais que ma chère femme me revienne. » En un éclair, elle fut là, revenue à son côté. Il avait déjà usé deux de ses trois vœux.

N'ayant plus qu'un vœu en poche, l'homme rassembla tous ses amis pour leur demander quel serait leur vœu, s'ils n'en avaient qu'un à faire.

Un ami lui conseilla de demander de l'argent, pour acheter tout ce qu'il voulait. L'homme n'était pas d'accord. L'argent ne donne pas la santé, ni un mariage heureux, ni une belle vie de famille. Il ne vous offre que ce que l'œil voit.

Un autre ami lui conseilla de faire le vœu d'une bonne santé. Une bonne santé, c'est merveilleux, certes, mais cela ne remplit pas l'assiette et ne promet rien en dehors d'elle-même.

D'autres amis firent des suggestions différentes que l'homme repoussa avec la même implacable logique. Finalement, il s'en retourna vers Dieu et lui demanda tout de go : « Il ne me reste plus qu'un vœu, lequel me conseilles-tu ? »

Dieu lui répondit tout simplement : « Demande la paix de l'esprit. Que tu sois riche ou pauvre, malade ou bien portant, si tu as la paix de l'esprit, tu auras tout. » L'homme, sagement, suivit le divin conseil.

L'histoire de Steve est une excellente parabole sur la médecine psychosomatique. Mes patientes adorent cette histoire parce qu'elle suggère que la paix de l'esprit est possible même lorsqu'on est aux prises avec de graves maladies (et elles savent que la morale de l'histoire vaut pour toutes les femmes qui se respectent, autant que pour les « machos » qui envoient au diable leurs « garces » de femmes).

Chacune des méthodes de la médecine psychosomatique est une voie vers la paix intérieure. Chacune ouvre un chemin conduisant à un jardin secret où l'on peut semer les graines du bien-être, les faire germer et se développer. Une fois qu'on a ses entrées dans ce jardin-là, on peut connaître bien des blessures, mais la maladie ou l'infirmité n'ont plus de prise sur votre esprit. Quel que soit le vœu qui vous a amenée à lire ce livre, guérir ou rester en bonne santé, j'espère qu'il vous conduira à la sérénité.

3

Les chemins de la relaxation

La nouvelle vie de Vivian semblait s'organiser. Avec son mari, Peter, elle avait quitté l'Arizona pour Boston, s'apprêtant à suivre des cours à l'université. Ils voulaient fonder une famille. Elle espérait poursuivre ses études en vue d'une maîtrise en sciences sociales pendant sa grossesse, et arrêter les cours six mois après la naissance de l'enfant. Le changement était éprouvant mais les projets qu'elle échafaudait lui donnaient un moral et une énergie du tonnerre.

Vivian avait fait une fausse-couche quelques années auparavant à la suite d'une grossesse imprévue. D'ailleurs, son médecin lui avait dit qu'il n'y avait pas lieu de s'inquiéter. Physiquement, il n'y avait rien de suspect, et elle devrait pouvoir avoir des enfants quand elle le voudrait. Le médecin avait tort. Dès que Vivian et Peter désirèrent vraiment avoir un enfant, celle-ci fit fausse-couche sur fausse-couche. Elle était effondrée.

Son abattement montait d'un cran après chaque fausse-couche. À la troisième, Vivian sombra. « J'étais alors en plein milieu de mon cursus, et si bouleversée que tout se détraqua. Nous étions nouveaux venus à Boston, je n'y avais pas d'amis, ma famille était loin. Je devins dépressive et anxieuse et personne ne semblait s'en soucier », se rappelle-t-elle.

Le rêve de Vivian virait au cauchemar. Ils avaient emménagé dans un quartier où elle se sentait isolée. Son désarroi l'empêchait de se concentrer sur ses études. Elle en était à sa quatrième fausse-couche quand sa belle-sœur l'appela d'Angleterre pour lui annoncer qu'elle était enceinte. Inutile de dire que le cœur manqua à Vivian pour paraître s'en réjouir.

Pourquoi toutes ces fausses-couches ? Vivian n'avait pas le sentiment que les médecins répondaient à ses questions. « Je me sentais dériver, disait-elle, et trouvais la médecine peu encline aux explications. »

Mais le pire était à venir. Quand Vivian tomba une nouvelle fois enceinte, Peter et elle se rendirent chez un spécialiste de la stérilité. Après des examens sanguins, celui-ci informa le couple que le système immunitaire de Vivian rejetait l'embryon — cause biologique banale de nombreuses fausses-couches. Un traitement existait pour les futures grossesses mais le résultat en était aléatoire. Il était certain que la grossesse en cours n'arriverait pas à son terme. Vivian et Peter avaient déjà prévu un voyage dans le Maine pour leur anniversaire de mariage et ne modifièrent pas leurs plans en dépit de leur inquiétude. La fausse-couche eut lieu dans la voiture, sur la route du Maine.

La dépression de Vivian s'aggrava. « Je ne serai jamais mère. Je ne trouverai jamais d'emploi d'assistante sociale. Je ne ferai jamais rien, me disais-je. C'était atroce. Je me suis mise à boire des Martini tous les jours dès quatre heures de l'après-midi », se souvient-elle.

Un ami de Vivian lui avait parlé de mon programme de soutien psychosomatique des femmes stériles et elle eut envie de le suivre. Quand Peter prit conscience de ce qui arrivait à sa femme, il l'y encouragea énergiquement. Le premier contact ne fut pas de bon augure. « Le premier jour de thérapie, j'étais ivre, se rappelle-t-elle. Je suis rentrée à la maison et me suis mise à boire encore plus. J'avais juste une envie, aller dormir et ne me réveiller que lorsque je serais capable de vivre ma vie. Mon mari rentra à la maison et me mit sous la douche froide. Il me fit boire du café et insista pour que je retourne suivre les séances. »

Vivian revint. Pendant toute une période, elle resta dans son coin. Elle avouait continuer à boire, douter de l'efficacité de notre thérapie et ne pas croire possible de retrouver son équilibre. L'avenir était trop incertain. Quelques séances plus tard cependant, un déclic se fit en elle. Elle commença à se servir de l'enregistrement de ma technique de relaxation sur cassettes. Et un certain après-midi tout bascula.

« Au lendemain d'une des séances, je suis rentrée à la maison après les cours à l'université, raconte-t-elle. Il était seize heures, et je me suis versé ma rasade habituelle de Martini. Je me suis assise en prenant la cassette. J'ai soudain compris que j'avais un choix à faire. Je payais une somme rondelette pour cette thérapie et voilà que je me trouvais devant un Martini. J'ai tout de même une responsabilité envers moi-même, me suis-je dit. C'est ainsi que j'ai commencé à écouter l'enregistrement.

« La cassette engageait lentement mais sûrement le processus de relaxation. Je me suis d'abord mise à pleurer, puis à sangloter, littéralement. Et la tristesse fit place à un certain soulagement. C'était comme si l'enregistrement s'adressait à une partie de mon cerveau que les fausses-couches n'avaient pu atteindre. J'avais découvert un havre au fond de moi-même.

« Ensuite, je me suis levée et j'ai vidé le verre de Martini dans l'évier. Une heure plus tard, Pierre a téléphoné :

« — Salut, lui ai-je dit.

« — Qu'as-tu fait ? m'a-t-il demandé.

Il avait senti quelque chose de nouveau au ton de ma voix.

« — Rentre à la maison, je te raconterai.

« À son retour, Peter m'interrogea à nouveau :

« — Que t'est-il donc arrivé ?

« Je lui ai tendu la cassette :

« — Voilà ce qu'il m'arrive.

« L'enregistrement sur la cassette avait changé ma vie. »

Je ne partage pas le point de vue de Vivian : les instructions enregistrées n'ont nullement changé sa vie, elles n'ont fait qu'éclairer vivement une partie profonde d'elle-même, capable de métamorphose. Désormais, tout retour en arrière était impossible. Vivian devint une participante active de toutes nos séances de thérapie.

Les résultats furent spectaculaires. Le verre de Martini que Vivian vida dans l'évier devait être le dernier de sa vie. Au début des séances, elle s'était montré tellement déprimée que je l'avais surveillée de près. J'avais été à deux doigts de lui indiquer un psychiatre ou de l'aiguiller sur une cure de désintoxication. Ni l'un ni l'autre ne furent nécessaires. Son engagement total dans la thérapie lui permit de surmonter son anxiété, sa dépression chronique, comme son intempérance.

Vivian voulait toujours devenir mère. Elle en était à sa dixième fausse-couche. Puis elle cessa de s'obstiner. Peter et elle furent rassérénés d'avoir pris cette décision. Ils n'envisagent pas l'adoption dans l'immédiat, mais ils ont laissé la porte ouverte à cette solution. Durant les deux dernières années, la qualité de vie de Vivian n'a cessé de s'améliorer malgré l'histoire traumatisante de ses fausses-couches. Elle s'épanouit dans ses études. Elle s'est entourée d'amis et de proches dont la fidélité à toute épreuve l'encourage. Elle a emménagé avec Peter dans un nouvel appartement très coquet. Leur mariage, qui avait frôlé la rupture, s'est solidifié.

Vivian est l'une de ces nombreuses femmes courageuses que j'ai rencontrées dans ma pratique psychosomatique. Je ne suis guère étonnée que la relaxation ait représenté un tournant dans sa vie. Comme elle a su si bien l'exprimer, il est possible d'accéder au havre intérieur, même si l'on a vécu des événements traumatisants. La découverte de la relaxation volontaire s'apparente à celle d'un port dans la tempête. Mais ce n'est pas plus une échappatoire qu'une panacée. « La méditation n'est pas une évasion, dit le maître du Zen, Thich Nhat Hanh, c'est une rencontre sereine avec la réalité. »

La pratique de la relaxation a redonné à Vivian force et sérénité, en calmant son anxiété et en diminuant son état de tension ; elle lui a permis de voir clair dans ses sentiments plutôt que de les noyer dans l'alcool.

Dans ce chapitre, je présente un éventail de méthodes de relaxation volontaire. Comme je l'ai mentionné précédemment, c'est une découverte du Dr Herbert Benson, qui partit du principe que la relaxation est un mécanisme inné qui neutralise les effets négatifs du réflexe de fuite ou d'attaque face au stress. D'une certaine façon, la relaxation volontaire est aux maladies liées au stress ce que l'aspirine est aux maux de tous les jours — un bon analgésique. Pourquoi la relaxation présente-t-elle de si multiples facettes ? Parce que le stress intervient dans bon nombre de maladies chroniques difficiles à soigner, en particulier chez la femme.

On m'a demandé si les techniques actuelles de relaxation différaient selon qu'elles étaient appliquées aux hommes ou aux femmes. Vraisemblablement pas, mais la sélection de ces techniques et leur mode d'emploi différent selon les sexes. Dans le cas de maladies féminines, certaines méthodes sont plus efficaces, comme je l'expliquerai brièvement. Les hommes, eux, réagissent mieux aux thérapies faites d'instructions claires et nettes ou aux techniques directives telles que la relaxation musculaire progressive. Les femmes, quant à elles, sont davantage sensibles à la visualisation mentale qui donne libre cours à leur imagination. Mais il n'y a pas de frontière nette et étanche entre les techniques destinées à l'un ou l'autre sexe, de même qu'il n'y en a pas entre les qualités prétendument masculines ou féminines. Les deux sexes ont tout avantage à exercer autant leurs aptitudes logiques que leurs qualités intuitives.

La différence majeure entre les hommes et les femmes provient des situations qu'ils vivent au quotidien et qui créent le besoin de relaxation. La plupart des hommes citeront comme principales sources de stress les pressions de la vie professionnelle, tandis que les femmes invoqueront plus fréquemment les tensions d'origine relationnelle. Dans le domaine de la santé, les femmes ont évidemment l'exclusivité de certains facteurs de stress. Prenez l'exemple de la femme à mi-chemin d'une grossesse à risque, en train de glisser un rouleau de papier toilette blanc dans son sac à main. Mais qu'est-ce qu'elle trafique ? Elle s'en étonne elle-même, a quelque peine à croire en être arrivée là. C'est le cas pourtant : elle craint de se retrouver quelque part où il n'y aurait que du papier rose — ce qui l'empêcherait de voir la tache de sang trahissant la fin de sa grossesse. J'ai connu plus d'une femme trimballant du papier toilette blanc, la peur au ventre.

Prenez la femme de cinquante ans, ménopausée, tracassée sans arrêt par l'idée de ce qui pourrait lui arriver dans un lieu trop chaud ou surpeuplé. Que fera-t-elle si elle est prise d'une bouffée de chaleur ? La sueur va-t-elle lui dégouliner sur le visage ? Y aura-t-il des auréoles sur son corsage ? Étouffera-t-elle au point de ne plus tenir normalement une conversation ? Ne va-t-elle pas ressembler à une enseigne au néon annonçant à la cantonade : MÉNOPAUSE ! MÉNOPAUSE ! ?

Et cette femme, au demeurant en bonne santé, qui travaille à son dernier projet en date — un énorme travail de rédaction — qu'elle doit remettre le lendemain du jour où sa fille donne un récital de musique. Comment va-t-elle organiser son emploi du temps pour assister au récital et rendre son projet avant la date limite, sans succomber à l'épuisement ?

Les femmes dont il s'agit là, comme vous probablement, utilisent bien des moyens pour réduire le stress. Si vous pratiquez la relaxation quand les situations se corsent, vous franchirez l'obstacle, premier avantage à court terme. Mais à plus long terme, vous y gagnerez de transformer votre physiologie et vos perspectives.

Je vous recommande de pratiquer la relaxation durant environ vingt minutes par jour, sous une forme ou sous une autre. Au-delà, je n'ai pas de règles ou de prescriptions à donner, laissez agir votre instinct. Laissez-vous guider par l'intuition, plutôt que par l'obligation ou la culpabilité. Expérimentez diverses approches. Plusieurs à la fois si vous le désirez. Mettez au point un rituel auquel vous prenez plaisir et qui soit efficace.

Les bénéfices immédiats et à long terme de la relaxation

En prenant connaissance des différentes manières de vous relaxer énumérées ci-après, gardez bien à l'esprit que votre entraînement aura des effets à court comme à long terme. Normalement vos vingt minutes d'exercice vous calmeront, vous délasseront, et vous prépareront à affronter une situation stressante à la maison ou au travail.

Imaginons que vos beaux-parents, avec lesquels vous entretenez des relations difficiles, viennent dîner chez vous. Vous avez mis de l'ordre dans la maison et préparé le repas bien avant dix-neuf heures, horaire convenu pour leur arrivée. En temps ordinaire, vous auriez passé le temps qui vous reste à vous affoler pour des détails, même si tout semble impeccable. Mais cette fois, à dix-huit heures quinze, vous vous retirez dans une pièce pour vous relaxer. Résultat : à l'arrivée de vos beaux-parents vous ne faites pas seulement bonne figure, vous êtes vraiment contente de les voir.

La relaxation a des effets manifestes à court terme, quand les exercices sont faits juste avant une consultation, des examens médicaux ou une intervention chirurgicale. Il y a de fortes chances pour que vous ayez alors moins mal et moins peur. Ces effets immédiats peuvent se prolonger des heures. Un nombre incalculable de femmes que j'ai entraînées à la relaxation m'ont rapporté qu'elles ont subi une biopsie du sein, une fécondation in vitro, des examens génitaux ou une cœlioscopie pour ne citer que quelques exemples avec beaucoup plus de décontraction (dans le prochain chapitre, je vous indiquerai les manières de procéder à des « mini-relaxations » — brefs exercices de détente quand vous ne disposez même pas d'un quart d'heure pour vous asseoir tranquillement quelque part). Les effets à court terme ont tendances à perdurer. Mais tout aussi importants sont les effets à long terme. Au département de médecine du comportement, nous avons constaté que les personnes qui font sérieusement ces exercices de relaxation passent un cap. Au lieu de se sentir mieux durant les minutes ou les heures qui suivent l'exercice, elles commencent à se sentir mieux vingt-quatre heures sur vingt-quatre. Des femmes relatent que leurs douleurs menstruelles ou leurs bouffées de chaleur s'atténuent, ce que nos études systématiques corroborent.

Nous avons constaté empiriquement que le syndrome prémenstruel se manifeste beaucoup moins sévèrement. Que le niveau d'anxiété chute. Des patientes qui viennent nous trouver pour un problème en voient d'autres, soudain, disparaître. On ne compte plus les patientes venues pour cause de stérilité qui, après des semaines de pratique de la relaxation, n'ont plus mal au dos.

Ces effets bénéfiques à long terme se manifestent généralement au bout de deux à six semaines d'exercices soutenus. Quasiment toutes celles qui s'entraînent régulièrement vont normalement et physiquement mieux. Le syndrome prémenstruel d'une de mes patientes, Martha, avait fini par la laisser dans un état d'irritation permanent. Ses douleurs duraient une semaine, avec des séquelles le reste du mois. Trois semaines après s'être mise à la méditation, ses collègues de travail commencèrent à lui faire des réflexions du style : « Tu en as, une forme ! Qu'est-ce qu'il t'arrive ? » À force de se l'entendre dire, Martha admit qu'en effet elle *était* mieux dans sa peau. Avec le temps, ses perspectives et son moral changèrent du tout au tout.

Dans les sections suivantes de ce traité, je présente neuf façons différentes de pratiquer la relaxation volontaire. Il y en a beaucoup d'autres que je ne mentionne pas, parce que je ne les ai pas enseignées moi-même.

Dans chaque section, j'explique la méthode, la façon dont elle se pratique et quels individus et maladies elle prétend traiter. Suivez le mode d'emploi de chacune des sections.

Avant de démarrer, voici quelques conseils :

Trouvez un endroit tranquille, chez vous, pour pratiquer vos exercices de relaxation. Si vous pouvez utiliser une pièce spéciale avec un siège, un lit ou des coussins confortables, c'est évidemment le mieux. Certaines femmes aiment être entourées de beaux tableaux, de plantes ou d'objets fétiches — porteurs d'une signification ou d'un message de paix. D'autres n'auront besoin que d'un siège confortable.

Assurez-vous que vous ne serez pas dérangée par des membres de votre famille, le téléphone ou même des animaux domestiques. (Les animaux sont attirés par les personnes décontractées. Vous pouvez porter beaucoup d'affection à votre chat ou à votre chien, mais sa présence sur vos genoux ou ses coups de langue sur le visage nuiront à votre concentration.) Il s'agit de votre moment de paix intérieure. Vous en avez besoin et vous le méritez.

Si vous avez des enfants en bas âge, prévoyez que quelqu'un d'autre s'en occupe. Vous pouvez programmer vos exercices de relaxation à un moment où votre mari, votre compagnon ou quelqu'un d'autre peut s'en occuper. Ou bien, s'ils sont assez grands, vous pouvez leur proposer de lire ou de regarder vingt minutes la télévision, en leur demandant de ne pas vous déranger, sauf cas d'urgence.

Fixez-vous une heure de la journée pour vous livrer à vos exercices de relaxation. Beaucoup de femmes ont une prédilection pour les heures matinales. La relaxation donne alors le ton au reste de la journée, avec les réserves d'énergie et de sérénité que cela suppose. D'autres préfèrent se relaxer avant le déjeuner, le dîner ou avant de se coucher. Ce qui compte, c'est de respecter le moment que vous avez choisi ; le rituel est très important, car il aide à se plier à une discipline. Mais ne dramatisez pas. Si vous avez raté votre séance matinale parce que la journée a débuté sur les chapeaux de roues, vous trouverez le temps plus tard — même si c'est juste avant de vous mettre au lit.

Pour votre entraînement à la relaxation, choisissez une position confortable, quelle qu'elle soit. Cependant, la position assise est généralement la meilleure, ne serait-ce que parce qu'elle incite moins à s'endormir que la position allongée. De nombreuses personnes choisissent pour se relaxer un siège à dossier bien vertical avec un coussin ou un oreiller. D'autres s'assoient ou s'agenouillent à même le sol. Si vous préférez vraiment vous allonger sur un matelas ou une natte, qu'à cela ne tienne, mais attention à la somnolence (les petits sommes ne font pas partie des procédés brevetés de relaxation !). De nombreuses personnes se relaxent avec les yeux fermés. Cependant, si vous le préférez, vous pouvez les garder ouverts.

Une séance de relaxation dure généralement de quinze à vingt-cinq minutes. J'ai connu cependant des patientes qui parvenaient à des transformations profondes de leur organisme et de leur esprit en seulement dix minutes, tandis que d'autres avaient systématiquement besoin de quarante-cinq minutes. La plupart y consacrent vingt minutes par jour.

La respiration profonde

Que se passe-t-il quand nous refusons de nous laisser aller à la colère lors d'un différend familial ? Sans nous en rendre compte, nous retenons notre respiration. De même lorsque nous sommes au bord des larmes devant une personne investie d'autorité, parent, patron ou médecin ? De même quand nous attendons, au bout du fil, les résultats d'un frottis cervical, d'une mammographie ou d'un test de grossesse ? De même quand nous découvrons soudain que nous avons pris du ventre et que nous sommes boudinées dans une nouvelle robe qui se voulait sexy.

Dans notre société, nous apprenons dès notre plus jeune âge à dissimuler nos pulsions et émotions fortes. D'un point de vue physiologique, le procédé efficace consiste à retenir sa respiration. Vous pouvez effectivement emprisonner vos émotions entre les murs de votre poitrine. C'est ainsi que l'on fait croire aux femmes qu'il n'y a rien de plus vilain qu'un ventre rebondi, et qu'on ne peut prétendre à la beauté sans que son abdomen ressemble à une planche à pain. Alors, que faisons-nous ? Nous rentrons le ventre, ce qui revient à retenir notre respiration, et avec le temps cela devient une seconde nature dont nous oublions les raisons initiales. Mais il faut savoir que les capacités respiratoires normales sont dans ce cas très amputées. Nous ne respirons plus que super-ficiellement, par la poitrine, au lieu de respirer profondé-ment, par l'abdomen.

Quelle est la différence entre ces deux types de respira-tion et quel en est l'enjeu ? C'est le diaphragme qui détient la réponse, cette masse musculaire qui sépare la cavité pul-monaire abritant le cœur et les poumons de la cavité abdo-minale. Quand vous inspirez, ce muscle se contracte et s'abaisse, appuyant doucement sur les organes de l'abdo-men, ménageant un vaste espace pour que les poumons puis-sent s'étaler. Quand vous expirez, le diaphragme se relâche et remonte tandis que l'air des poumons est rejeté par le nez et la bouche. Quand vous pratiquez la respiration de poitrine dite aussi superficielle, le diaphragme est pratiquement immobilisé. Il ne se déplace quasiment pas vers le bas et vos poumons ne peuvent pas faire le plein d'air, donc d'oxygène. C'est comme si on vous avait enlevé la partie inférieure des poumons, celle qui est la mieux irriguée par ce réseau dense de petits vaisseaux qui apportent l'oxygène aux cellules. Et il arrive alors que votre rythme cardiaque et votre tension artérielle augmentent, comme pour compenser le manque d'oxygène.

C'est la respiration abdominale qui donne les meilleures conditions d'apport en oxygène — car elle en prélève le maxi-mum dans l'air que nous inspirons et rejette tout le gaz car-bonique avec l'air expiré. Inutile de surmener le cœur ni d'élever la pression artérielle.

La relaxation intervient au niveau de ces échanges phy-siologiques, en permettant de troquer la respiration superfi-cielle de poitrine pour une respiration abdominale profonde durant un laps de temps d'au moins quinze minutes. Cette pratique de relaxation, connue sous le terme de respiration profonde, ou consciente, représente également un moyen de se débarrasser des tensions physiques et mentales. La seule contre-indication pourrait concerner les asthmatiques de longue date ou les personnes sujettes à de fortes grippes ou aux coups de froid.

La respiration profonde, mode d'emploi

Commencez par respirer normalement. Ne changez rien à la façon dont vous respirez. Notez juste ce que vous faites.

Puis inspirez longtemps et profondément. Inspirez par le nez et faites passer l'air jusqu'au plus profond de votre abdomen. Notez que votre ventre prend du volume quand vous respirez aussi profondément ; n'essayez pas de limiter cette dilatation. Puis expirez par la bouche (inspirer par le nez et expirer par la bouche est une proposition, pas un ordre impérieux ; il n'est pas gênant que vous respiriez comme vous en avez envie).

Quand vous en êtes là, respirez une fois normalement puis procédez à une longue et profonde inspiration abdominale. Alternez ainsi plusieurs fois respiration superficielle et profonde. Durant cet exercice d'inspirations et expirations, essayez de ressentir au mieux ce qui se passe en vous. Comparez les sensations liées à la respiration habituelle et celles, plus élaborées, qui sont liées à la respiration profonde. Commencez-vous à constater que votre respiration habituelle est réduite ? Et que votre respiration profonde engendre une sensation de relaxation ?

Une fois que vous avez relevé les différences, prenez le temps de pratiquer la respiration profonde. Inspirez et gonflez votre ventre. Puis, par de longues et lentes expirations, poussez tous les soupirs de votre corps. Répétez l'exercice pendant plusieurs minutes.

Pendant les dernières dix minutes de respiration profonde, ajoutez un élément à l'exercice. En inspirant, imaginez que l'air qui traverse votre organisme vous apporte la paix et le calme. En expirant, imaginez que l'air qui sort de vos poumons et de votre bouche emporte avec lui la tension et l'anxiété. Et pourquoi ne pas vous payer le luxe de prononcer ces mots, pour vous-même : « J'inspire la paix et le calme », « J'expire la paix et le calme », « J'expire la tension et l'anxiété ».

Continuez à concentrer vos efforts sur la respiration profonde, inhalation de sérénité, rejet d'anxiété. En vingt minutes environ, l'exercice doit être terminé.

Le bon usage de la respiration profonde

La respiration profonde est probablement le chemin le plus universellement praticable vers la relaxation. Quelles que soient vos convictions religieuses, quel que soit votre bagage culturel ou votre état de santé, pratiquer la relaxation par la respiration profonde ne vous posera probablement aucun problème et vous pourrez en apprécier les bénéfices.

De nombreuses coutumes, sacrées ou profanes, font de la respiration le pivot de la relaxation physique et mentale. Comme les flux et reflux des marées, la respiration est au cœur de notre rythme biologique naturel. Quand notre respiration est entravée, notre organisme l'est aussi. À la fin d'un cycle de thérapie psychosomatique, la plupart des femmes me disent qu'elles ont « enfin appris à respirer ».

La respiration profonde est particulièrement indispensable aux femmes qui souffrent de troubles du comportement alimentaire. Comme vous le verrez, de nombreuses techniques de relaxation, comme l'exploration corporelle et la relaxation musculaire progressive, reposent essentiellement sur la conscience que nous avons de notre corps. Qu'elles souffrent de suralimentation, d'anorexie ou de boulimie, ces femmes ont plus tendance à être stressées quand elles doivent se concentrer sur leur corps, la cause première de leur déprime.

En règle générale, les femmes à l'appétit déréglé sont obsédées par l'image de leur corps et respirent chichement pour mieux rentrer le ventre. Cette habitude souvent inconsciente augmente le stress et l'anxiété, et les rend plus vulnérables. Il est possible que la respiration profonde soit le coup d'envoi d'une rémission psychique et comportementale pour ces femmes.

Chez certaines, la respiration profonde démêle la pelote d'émotions qui les étouffe. Ursula, rongée par l'angoisse, était un cas typique. Dès qu'elle commença à pratiquer la respiration profonde, tout « commença à changer de rythme, comme un 45 tours qui serait passé à 33 tours ». Quand elle commença à pratiquer la relaxation, ses yeux s'emplirent de larmes. « Je voudrais presque avoir tout le temps les larmes aux yeux, disait-elle, même si je ne suis pas capable de dire quelle émotion me donne envie de pleurer. » Avec le temps cependant, Ursula apprit à mieux prendre conscience de ses sentiments, tristesse, colère ou joie. Elle prit conscience aussi de leur incidence sur les traits de son visage qu'elle apprit à décontracter avec d'autres techniques comme l'exploration corporelle. En découvrant ses émotions sous-jacentes, elle devint beaucoup moins tendue et anxieuse.

L'exploration corporelle

Toutes les parties imaginables du corps peuvent être le lieu de contractions involontaires. Pourquoi telle masse musculaire cristallise-t-elle l'anxiété tandis que telle autre restera décontractée ? Voilà qui reste un mystère, mais chacune d'entre nous a ses propres zones sensibles.

Après une rude journée de travail, vos épaules ne sont-elles pas coincées ? La base de votre cou et votre tête ne sont-elles pas nouées ? Votre front n'est-il pas comprimé comme dans un étau ? Vos mâchoires ne sont-elles pas serrées de colère ? Votre estomac ulcéré d'angoisse ? N'avez-vous pas comme une petite boule toute dure, de chagrin, dans la gorge ? Lors de déboires sentimentaux, n'avez-vous pas comme un poids dans la poitrine ? N'avez-vous pas mal au ventre, comme si vous portiez une ceinture invisible trop serrée ? Le bas-ventre ne vous fait-il pas souffrir ?

Bien que les tensions se manifestent différemment chez les unes ou les autres, nous les subissons toutes, *infailliblement*. Souvent, nous vivons avec depuis si longtemps que nous ne saurions même plus les localiser précisément. Ce n'est qu'après avoir pratiqué la relaxation par exploration corporelle que Pauline commença à identifier les zones de tension de son propre organisme :

« C'est juste après les premières séances que j'ai commencé à me décontracter vraiment, racontait-elle. Les exercices étaient assez faciles, et les résultats visibles. Mais ce qui m'a frappée, c'est combien je pouvais être stressée sans m'en rendre compte. Quand je me suis mise à l'exploration corporelle, j'en pris conscience, et dès que j'ai été capable de me décontracter, je me suis sentie incomparablement mieux. »

Pendant la relaxation par exploration corporelle, vous scrutez votre corps avec les yeux de l'esprit pour prendre conscience des tensions corporelles. En respirant vous vous concentrez sur les contractions qui, peu à peu, disparaissent en douceur.

La relaxation par exploration corporelle, mode d'emploi

Fermez les yeux et soyez attentive à votre respiration. Laissez votre estomac prendre du volume lorsque vous inspirez et lentement s'aplatir lorsque vous expirez. Prenez le temps de respirer profondément avant de passer à l'exploration corporelle.

Concentrez-vous sur votre front. Quand vous inspirez, observez les muscles de votre front. Prenez conscience de toutes les contractions musculaires de la région du front. Puis, quand vous expirez, relâchez-en tous les muscles. Continuez ainsi à prendre conscience de la contraction musculaire quand vous inspirez, du relâchement quand vous expirez — en pratiquant encore quelques mouvements lents et profonds de respiration. Puis, passez à la région des yeux et recommencez l'exercice. Quand vous inspirez, prenez la mesure de la contraction musculaire autour des yeux et quand vous expirez, du relâchement. Recommencez ainsi plusieurs fois.

Appliquez aux différentes parties du corps cet exercice de maîtrise musculaire qui consiste à fixer votre attention sur la contraction musculaire quand vous inspirez, sur le relâchement quand vous expirez. Chaque fois, assurez-vous de respirer lentement et profondément, en observant si vous le pouvez comment votre estomac gonfle quand vous inspirez et rentre quand vous rejetez l'air.

Maintenant, descendez progressivement et répétez l'exercice pour les zones suivantes de votre corps :

La bouche et les mâchoires. Vous observerez que votre mâchoire tombe un peu quand vous expirez et que la région se décontracte.

Le cou.

Le dos, sur toute sa longueur, des vertèbres cervicales aux vertèbres lombaires.

Les épaules.

Les bras, de l'épaule au coude.

Les avant-bras, du coude jusqu'à la main et l'extrémité des doigts.

La poitrine.

L'estomac.

Faites une pause pour repasser brièvement en revue, mentalement, l'exploration de la partie supérieure du corps, de la tête à la taille. Si vous avez le sentiment qu'une zone demeure contractée, concentrez-vous sur elle quand vous inspirez, relâchez la tension quand vous expirez.

Et poursuivez pour les zones suivantes :

La région pelvienne et les fesses.

La partie supérieure des jambes et des cuisses.

La partie inférieure des jambes, les chevilles et les pieds.

Au moment où la relaxation par exploration corporelle arrive à son terme, dressez mentalement la liste de toutes les parties de votre corps, de la tête aux pieds. Si vous sentez encore des zones de tension musculaire, focalisez votre attention sur elles tout en inspirant. Puis relâchez ces muscles en expirant.

Les indications de la relaxation par exploration corporelle

Comme vous pouvez le constater, l'exploration du corps est une méthode de relaxation riche d'enseignements très précis. D'autres disciplines, telles que la méditation, procurent à votre esprit un centre d'intérêt unique — un simple mot ou une phrase lourde de sens. Mais la méditation peut vous sembler difficile si vous avez une imagination naturellement débridée. Cela ne veut pas dire que vous ne pourrez jamais vous y livrer, simplement elle sera moins efficace. Surtout en cas d'anxiété, les esprits vagabonds ont besoin de directives. L'exploration corporelle en offre. Il existe des méthodes encore plus directives (le training autogène et la relaxation musculaire progressive par exemple), mais celle-ci vous fixe un objectif clair : explorer votre corps et le débarrasser de ses zones de tension à l'aide de la respiration profonde.

Ainsi, l'exploration corporelle est tout indiquée quand les tracas de la vie quotidienne vous exaspèrent, physiquement et moralement, ou si vous avez du mal à vous concentrer longtemps sur quelque chose.

Lorrie, conseillère en orientation, souffrait d'ennuis gastro-intestinaux, d'anxiété et de dépression. Elle avait grandi dans une famille à problèmes où les deux parents appartenaient au milieu médical. Son père, psychiatre, l'avait à plusieurs reprises hypnotisée quand elle était petite. « Il me traitait davantage comme une malade que comme sa fille », dit-elle.

Les troubles gastro-intestinaux de Lorrie étaient si intenses qu'elle ne pouvait même pas garder dans l'estomac un antidépresseur comme le Prozac. Elle consulta plusieurs psychiatres sans trouver beaucoup de compréhension. Celui qui finit par lui convenir — il faisait preuve de sollicitude et sut lui trouver une psychothérapie efficace — déménagea avec son cabinet dans un autre État. Elle fit une hépatite après avoir pris un médicament contre les troubles gastro-intestinaux et dut se faire enlever la vésicule biliaire. Elle fréquenta régulièrement l'hôpital pendant plusieurs années. Toutes ces souffrances la rendirent suicidaire.

C'est alors que son gastro-entérologue lui parla de notre thérapie psychosomatique. Elle apprit avec nous plusieurs méthodes de relaxation, dont l'exploration corporelle qui permit à son abdomen de se décontracter. « Quelques semaines plus tard, j'étais débarrassée de mes ennuis gastro-intestinaux. Je n'avais plus ni douleurs ni nausées, explique-t-elle. Mon médecin pense que les résultats obtenus tiennent du miracle. »

La détresse de Lorrie était liée à ses souffrances organiques : douleurs permanentes, symptômes incontrôlables et rejet des médicaments susceptibles de soulager. Une fois qu'elle disposa de la méthode lui permettant de contrôler ses symptômes physiques, son anxiété et sa dépression commencèrent à se dissiper. Elle trouva un psychiatre qui lui prescrit un traitement antidépresseur que son estomac réussit à tolérer. Son moral s'améliora peu à peu. Elle reprit goût aux relations, à la vie, et renoua avec la foi religieuse.

« Désormais, explique Lorrie, pour soulager mes douleurs gastro-intestinales, j'ai recours à l'exploration corporelle un peu comme si j'actionnais un interrupteur. » Ces

trois dernières années, Lorrie n'a pas eu besoin d'être hospitalisée une seule fois. Elle a encore, par moments, des douleurs, mais elle parvient à les maîtriser.

« Vendredi matin je me suis réveillée à trois heures avec
le sentiment d'avoir un éléphant sur la poitrine, m'a-t-elle
raconté récemment. Douleur et nausée provenaient sans
doute de quelque chose que j'avais mangé et qui m'était
resté sur l'estomac. Je suis restée à la maison au lieu d'aller
travailler et j'ai suivi les instructions de l'enregistrement
d'exploration corporelle. Je suis retournée travailler le lendemain, juste un peu mal fichue. Mais jamais je ne m'en étais
aussi bien tirée après une crise. Je suis donc capable de m'en
sortir sans médicaments. »

L'exploration corporelle n'est d'aucun secours pour les
femmes qui sont prises d'angoisse dès qu'il s'agit de concentrer leur attention sur leur corps. On ne la recommande pas,
en général, aux femmes atteintes d'anorexie, de boulimie et
autres troubles du comportement alimentaire. La femme qui
vient de subir une mastectomie n'a probablement pas envie
de fixer son attention sur sa poitrine. Il en va de même pour
celles à qui on a enlevé l'utérus. Dans de tels cas, il peut
être souhaitable d'attendre que les cicatrices physiques et
morales soient suffisamment refermées pour se livrer en
toute décontraction et sérénité à l'exploration corporelle.

Nombreuses sont les femmes ayant participé au suivi de
soutien contre la stérilité qui se sont relaxées grâce à l'exploration corporelle. L'une d'elles, Catherine, est convaincue
que cette technique a été un excellent adjuvant au traitement
médical. Voilà trois ans qu'elle essaie d'avoir un enfant. À
plusieurs reprises, on a pratiqué sur elle l'insémination artificielle : après l'avoir analysé, on a injecté le sperme de son
mari dans le canal de l'endocol au moyen d'une petite sonde,
au moment de l'ovulation. Chaque fois, il fut difficile de placer la sonde convenablement. « J'avais le col de l'utérus
comme un poing serré, explique Catherine. Impossible d'introduire la sonde à l'intérieur. »

Après avoir suivi notre programme, Catherine pratiqua
régulièrement l'exploration corporelle. Elle était persuadée
que la relaxation de toutes les parties de son corps, dont la
région pelvienne, l'aiderait également à décontracter le col
de l'utérus. À la séance d'insémination suivante, elle prit avec
elle le programme d'exploration corporelle enregistré sur

cassette. Cette fois, le médecin n'eut aucune difficulté à placer la sonde. « Je suis convaincue que c'est grâce à la relaxation », commenta Catherine. Finalement, après un traitement hormonal, elle réussit à concevoir un enfant.

L'exploration corporelle peut être efficace chez les femmes qui sentent que la contraction musculaire est à l'origine de certains troubles. D'autres, affligées de douleurs aiguës ou chroniques, n'ont aucune envie de se concentrer sur leur corps ; d'autres, au contraire, trouvent que la relaxation par exploration corporelle soulage leurs douleurs.

La relaxation musculaire progressive ou RMP

La relaxation musculaire progressive est une autre forme d'exploration corporelle. Elle est pratiquée de façon similaire, mais au lieu de seulement prendre conscience de la tension qui noue certaines parties du corps, vous *augmentez* le degré de contraction musculaire avant de vous relaxer et de vous décontracter. En augmentant la perception de la contraction, cet exercice accentue aussi votre sensation de décontraction.

La RMP (en anglais PMR, pour *Progressive Muscle Relaxation*) fut développée par le chercheur Edmund Jacobson, de l'université de Chicago. Selon Jacobson, l'individu stressé type « ne sait pas quels muscles sont contractés [...], ne se rend pas clairement compte qu'il devrait se relaxer ni comment s'y prendre ». Jacobson est l'auteur d'un ouvrage réputé concernant cette méthode qui a pour titre humoristique : *You Must Relax*[1].

Les femmes affligées de douleurs aiguës ou chroniques (endométrioses, douleurs musculaires, migraines, maux de dos, par exemple) ne souhaiteront probablement pas pratiquer la RMP, dans la mesure où elle implique de contracter ses muscles, ce qui pourrait causer davantage de douleur dans la région sensible ou éveiller l'attention sur la source de la douleur. Si vous êtes dans un état de douleur aiguë ou chronique et que la relaxation musculaire progressive vous tente, essayez des exercices de contraction et décontraction

---

1. Littéralement : « Vous devez vous relaxer », mais plus familièrement : « Du calme ! » *(N.d.T.)*

des muscles de toutes les parties de votre corps, à l'exception de la région douloureuse. Comme dans le cas de l'exploration corporelle, les femmes qui ont des troubles du comportement alimentaire ne seront pas attirées par cette méthode de relaxation trop centrée sur le corps.

La RMP, *mode d'emploi*

Fermez les yeux ; faites attention à votre respiration (si vous préférez ne pas fermer les yeux, gardez-les ouverts et regardez le sol ou un objet quelconque). Faites gonfler votre estomac lorsque vous inspirez et faites-le retomber lorsque vous rejetez l'air. Prenez un certain temps pour respirer profondément avant de commencer la RMP.

Concentrez-vous ensuite sur le front, contractez volontairement les muscles du front pendant que vous comptez lentement de un à cinq. Maintenez-les aussi tendus que possible durant le temps que vous comptez. Puis relâchez les muscles du front tandis que vous reprenez tout votre souffle, profondément et lentement. Notez bien que votre estomac enfle quand vous inspirez et se dégonfle quand vous expirez. Et recommencez : contractez les muscles de votre front le temps de compter jusqu'à cinq ; relâchez-les en respirant lentement et profondément.

Concentrez-vous maintenant sur les yeux, et répétez la gymnastique. Contractez les muscles des yeux, tandis que vous comptez lentement de un à cinq. Puis relâchez la tension en respirant lentement et profondément. Recommencez.

Pour la suite, répétez cet exercice deux fois pour chaque région du corps : contractez les muscles de telle ou telle partie le temps de compter de un à cinq ; relâchez la tension et respirez lentement et profondément.

Passez maintenant progressivement aux autres parties de votre corps :

Serrez et relâchez les mâchoires. Vous constaterez qu'elles retombent quand vous relâchez la tension.

Contractez et relâchez le cou.

Contractez votre épaule droite, en la faisant monter le plus haut possible. Relâchez.

Contractez la partie supérieure du bras droit, de l'épaule au coude. Puis relâchez.

Contractez l'avant-bras droit et relâchez.

Serrez le poing droit, puis relâchez.

Faites une petite pause pour noter les différences éventuelles de sensations dans vos bras, droit et gauche. Votre bras droit se décontracte-t-il plus facilement ?

Répétez cet exercice du côté gauche, par la contraction et le relâchement de l'épaule gauche, de la partie supérieure du bras, de l'avant-bras et de la main comme vous avez fait pour le côté droit.

Contractez et relâchez le dos, tout au long des vertèbres cervicales jusqu'aux lombaires.

Contractez et relâchez la poitrine.

Contractez et relâchez l'abdomen.

Contractez et relâchez le pelvis et les fesses.

Contractez et relâchez la partie supérieure de la jambe droite et les muscles de la cuisse.

Contractez et relâchez la partie inférieure de la jambe droite.

Contractez le pied droit en pointant les orteils vers le ciel et relâchez la tension.

Faites une petite pause pour noter les différences éventuelles de sensations dans les membres inférieurs droit et gauche. Votre jambe et votre pied droit se décontractent-ils plus facilement ?

Contractez et relâchez la partie supérieure de la jambe gauche et les muscles de la cuisse.

Contractez et relâchez la partie inférieure de la jambe gauche.

Contractez le pied gauche en pointant les orteils vers le ciel et relâchez la tension.

Votre séance de relaxation musculaire progressive touche à sa fin : livrez-vous à un contrôle général du corps, du sommet du crâne à la pointe des pieds. Si vous notez qu'il demeure des zones de tension, contractez à nouveau ces muscles le temps de compter de un à cinq ; puis relâchez-les en respirant lentement et profondément.

Les indications de la relaxation musculaire progressive

La relaxation musculaire progressive convient bien aux individus dont le cerveau est hyperactif. Elle est particulièrement efficace pour les femmes extrêmement stressées et prises dans un tourbillon d'activités professionnelle, familiale et sociale. Ce qui se passe dans leur esprit ressemble sans doute à un ordinateur fonctionnant sous Windows, ce programme qui ouvre à l'écran de petites fenêtres donnant sur des choix de menus. Ces femmes ont dans la tête ce type de menus qui vont et viennent, entrent et sortent de leur perception consciente. Leur cerveau fonce à toute vitesse, sans se préoccuper de l'organisme au bord de l'épuisement, qui n'arrive pas à suivre.

De telles femmes répugnent souvent aux méthodes peu directives de relaxation telles que la méditation. La relaxation musculaire progressive, quant à elle, mobilise l'esprit grâce à des instructions concrètes ; avec la RMP, pas de danger de s'égarer dans les obsessions habituelles ou la liste des courses à faire. Dans le même temps, la contraction et la décontraction actives des muscles les encouragent, doucement, à prendre conscience de ce corps qu'elles ont tendance à oublier.

Je connais bien ces esprits hyperactifs, pour en être moi-même une victime. J'apprécie la méditation tranquille, dont je vais bientôt parler. Mais trop souvent, mon esprit est trop excité pour se concentrer sur un sujet unique, même durant vingt minutes d'exercice. Dans ce cas, le meilleur moyen de me relaxer est d'avoir recours à la RMP.

Jeanine vint consulter car la période précédant les règles lui déclenchait des crises insupportables tous les mois. Ses sautes d'humeur brutales s'accompagnaient de maux de tête, de douleurs dans la poitrine et d'insomnie. Avocate en vue, mère de trois enfants, elle pensait constamment aux différents détails des dernières causes à plaider, à l'emploi du temps des enfants, à ses obligations sociales, aux courses et autres corvées ménagères en attente. Accéder à la sérénité, c'était pour elle les travaux d'Hercule. Pourtant, dès que Jeanine s'initia à la RMP, elle réussit ce puissant exercice de relaxation sans se perdre dans un fatras de pensées prosaïques. Chaque séance la réconfortait et lui rappelait qu'il fallait compter avec ce corps accroché à cette tête en ébullition. Avec le temps, son syndrome prémenstruel devint bien plus facile à domestiquer.

Une autre patiente, Theresa, avait passé des examens gynécologiques pour détecter la cause de ses douleurs pelviennes. On découvrit une grosse tumeur à l'un des ovaires. Theresa fut paralysée de terreur avant l'intervention où l'on devait exciser la tumeur à des fins d'analyse. Des pensées alarmistes galopaient dans sa tête : « J'ai un cancer de l'ovaire au stade terminal... » « Je n'aurai jamais d'enfants. » Pendant cette période d'attente, Theresa en vint à la relaxation musculaire progressive. Son esprit se concentra sur une activité simple, ce qui la libéra d'une partie de la tension physique causée par tant d'anxiété. Fort heureusement, la tumeur se révéla n'être qu'un kyste bénin.

De nombreuses femmes auxquelles d'autres techniques de relaxation posent des problèmes, pour diverses raisons, répondent bien à la relaxation musculaire progressive. Elle n'est pas non plus réservée aux seuls esprits hyperactifs, et la plupart peuvent y trouver profit et satisfaction.

La méditation

Pour certains, la notion de méditation évoque des images étranges : encens, gourous aux cheveux filasse assis sur d'énormes coussins, adeptes du chanvre indien de la contre-culture des années 1960. Ces images sont fâcheuses car la méditation, pratique spirituelle, sans lien d'aucune sorte avec le sexe, la drogue ou le rock'n'roll, a une prestigieuse histoire qui remonte à 2 500 ans, pour le moins.

De nombreuses traditions spirituelles, orientales et occidentales comportent des pratiques méditatives, du bouddhisme à l'hindouisme en passant par le judaïsme. Bien que chaque culture ait son approche particulière de la méditation, métaphysique et pratique, certains traits essentiels jettent un pont entre les cultures. Le Dr Herbert Benson a découvert que la méditation provoque la relaxation quand les éléments fondamentaux suivants la composent : la concentration sur son être intérieur, et l'attention répétitive sur la respiration, d'une part, sur un simple mot, phrase ou prière, de l'autre. Il est nécessaire aussi d'adopter une attitude dénuée de tout jugement de valeur envers les pensées ou les sentiments qui vous envahissent.

Pratiquée régulièrement, la méditation est une discipline qui génère une profonde sensation de calme physique et mental et nettoie l'esprit des « parasites » intellectuels et émotionnels. Ceux qui s'y livrent à fond font l'expérience d'une paix intérieure croissante et, pour certains, d'une communion spirituelle. Il n'est pas indispensable que la spiritualité soit le sujet de votre méditation mais elle peut l'être. Le mot ou la phrase que vous choisirez pour vous concentrer peut être profane (par exemple « la Paix », « Laissons faire ») ou religieux (« Je vous salue Marie » pour les chrétiens, « Shalom » pour les juifs). Le choix du mot ou de la phrase est important : cela peut avoir pour vous une résonance personnelle, ou du moins favoriser une atmosphère de sérénité.

Pour les besoins du mode d'emploi qui va suivre, je vous propose la vieille mantra du sanskrit : *Ham Sah* (*Ham* signifie « Je suis » ; *Sah* signifie « Cela »). De nombreuses patientes l'utilisent parce que ses sonorités reflètent tout à fait les sensations de respiration et de décontraction. Mais sentez-vous libre d'en choisir d'autres.

La méditation peut se révéler difficile si vous avez l'esprit vagabond. Certaines femmes à l'esprit en ébullition y parviennent cependant car cette discipline leur permet de débrayer et de changer de vitesse mentale. D'autres, en revanche, sont tellement obsédées par la volonté de chasser leurs pensées importunes qu'elles n'y arrivent pas.

Si la méditation ne vous satisfait pas, ne vous frappez pas la tête contre les murs. Adoptez une autre technique ou livrez-vous à la méditation dans les moments où votre esprit est le moins agité. Rappelez-vous qu'on ne pratique pas la méditation comme on passe un coup d'aspirateur ou comme on dégivre son réfrigérateur. Abstenez-vous-en si c'est une corvée.

La méditation, mode d'emploi

Trouvez un endroit confortable pour vous asseoir. Fermez les yeux, ou laissez-les ouverts si vous préférez. Prévoyez de rester assise environ vingt minutes. Et commencez le compte à rebours de 10 à 0, chaque nombre correspondant à une inspiration suivie d'une expiration. Notez que votre respiration peut devenir plus lente au fur et à mesure que vous comptez.

Quand vous inspirez, concentrez-vous d'abord intérieurement sur le mot *Ham* (prononcé « Haam »). Laissez réverbérer le son, comme cette sensation de Hmmm... que vous éprouvez lorsque vous vous enfoncez dans un bain chaud. Quand vous expirez, concentrez-vous intérieurement sur le mot *Sah* (prononcé « Saah »), comme un soupir. Répétez la chose plusieurs fois (inspirez par le nez et expirez par la bouche, si cela vous est plus facile).

Si votre attention s'évade, ramenez-là doucement vers *Ham* en inspirant, et *Sah* en expirant.

Continuez à étudier votre respiration. Lorsque vous inspirez, faites une pause de quelques secondes. Faites de même lorsque vous expirez. Ralentissez votre rythme respiratoire lorsque vous pensez *Ham* en inspirant, *Sah* en expirant.

Si votre esprit commence à vagabonder, ramenez-le gentiment à *Ham Sah*. Restez aussi concentrée que possible sur votre respiration et sur ces mots.

N'émettez aucun jugement sur vous-même en train de méditer. Si des pensées ou des sentiments font intrusion, ne les encouragez pas et balayez-les. Revenez tranquillement à votre exercice respiratoire et votre *Ham Sah*.

Lorsque la séance de méditation touche à sa fin, continuez à maîtriser votre respiration, mais commencez à prendre conscience de l'endroit où vous êtes, des sons qui vous entourent, de votre position assise. Quand vous vous sentez prête, ouvrez lentement les yeux, gardez-les d'abord baissés quelques instants puis levez-les peu à peu.

Les diverses formes de la méditation et leurs indications

Il est normal que la méditation ait un mode répétitif, avec une phase où vous quittez le monde pour vos pensées, avant de revenir, à intervalles réguliers, vers votre respiration et votre mot ou votre phrase. Avec le temps, vous saurez mieux vous concentrer et vous décontracter. Vous serez capable, en particulier, de chassez vos idées fixes, de même que les voix dissonantes, les soucis obsédants, les interminables listes de choses à faire. Enfin libérée des pièges tendus à votre intellect, vous atteindrez la sérénité parfaite du corps et de l'esprit.

Comment choisir le mot ou la phrase permettant de vous concentrer ? Essayez ceux dont la sonorité ou la signification vous inspire et conservez ce qui marche le mieux. Une des patientes suivie pour stérilité, Yolanda, avait tenté pendant quatre ans d'être enceinte. Après plusieurs échecs cuisants, malgré les traitements de pointe, Yolanda n'avait plus aucun ressort. Elle perdait tout espoir et toute patience. Elle se choisit les deux mots *calme* et *persévérance*. Intérieurement, elle prononçait *calme* au moment de l'inspiration et *persévérance* au moment de l'expiration. Cette pratique l'aida à poursuivre son traitement avec un regain d'énergie et d'espoir.

Iris, une patiente qui avait souffert de nombreuses fausses-couches, utilisa *nous voulons y arriver*. Frances, une jeune femme atteinte d'un cancer du sein, choisit un thème retenu par de nombreuses patientes, chacune selon sa propre variation : *calme* au moment de l'inspiration, *paix* au moment de l'expiration.

Certaines patientes aiment utiliser un simple mot ou une très courte phrase à la fois pour l'inspiration et l'expiration. À titre d'exemples on peut citer *L'unique, Allons-y, Du calme, La mer, Oh oui ! C'est la vie, C'est mon heure* ou *Amour*. Les litanies religieuses relèvent par définition de la méditation, par le recours à des formules qui ont une signification sacrée ou spirituelle. J'aborde la prière dans les pages qui suivent.

On l'a vu, les techniques de relaxation centrées sur le corps ne conviennent pas toujours aux femmes sujettes aux troubles du comportement alimentaire. En revanche, la méditation peut-être tout indiquée. Betsy, une femme svelte et élégante, qui poursuivait sa carrière tout en élevant deux enfants, souffrait de boulimie, ce syndrome de goinfrerie compulsive suivie de vomissements provoqués. Elle avait eu une mère envahissante qui insistait pour qu'elle garde toujours une silhouette de mannequin. Quelques années avant que je ne la rencontre, Betsy supportait de plus en plus mal les pressions professionnelles et familiales. Elle se mit alors à manger compulsivement, sans pour autant se faire à l'idée de prendre du poids. C'est ainsi qu'elle prit l'habitude de se gaver puis de tout régurgiter sur-le-champ.

La boulimie de Betsy était tenace et son traitement n'avançait pas comme je l'aurais voulu. Je finis par passer un contrat avec elle : à la première pulsion, elle devrait écouter une cassette d'introduction à la méditation. Si, après avoir pratiqué la méditation, Betsy avait toujours envie d'ingurgiter-régurgiter, qu'à cela ne tienne, je l'y autorisais.

J'ai vraiment mis sur le papier ces clauses et toutes deux les avons signées, en bonne et due place.

Malgré les difficultés, Betsy tint le coup jusqu'au terme de notre contrat. Le fait qu'elle n'ait pas été contrainte, qu'elle ne se soit pas vu imposer un diktat, avait facilité les choses. C'était évident. Et la pratique de la méditation eut des effets positifs. Presque à chaque fois, la méditation libéra Betsy des tensions qui la poussaient à vider le réfrigérateur jusqu'à s'en donner la nausée. Quelques mois plus tard, sa boulimie cessa complètement. Betsy n'a pas eu de crise depuis quatre ans.

La prière

Comme l'a montré le Dr Larry Dossey dans son livre *Healing Words* (« Ces mots qui guérissent »[1]), l'idée que la prière puisse aider à la guérison des maux physiques n'est pas une élucubration. Diverses études tendent à confirmer que la prière et la foi peuvent faciliter le retour à la santé. Jeffrey S. Levin, professeur attaché au service de médecine familiale et sociale de la faculté de médecine de Virginie orientale, a relevé « plus de 250 études empiriques » dans la littérature médicale, qui montrent des corrélations statistiques entre les pratiques spirituelles et les améliorations de l'état de santé.

La prière agit-elle en réduisant nos angoisses ? En resserrant les liens familiaux et communautaires ? Ou mobilise-t-elle une force vitale ou une puissance supérieure ? En tant que scientifiques, nous n'avons pas de réponse. En tant qu'individus, nous pouvons seulement entrer en nous-mêmes pour découvrir nos propres voies, celles qui corroborent et respectent le mieux nos convictions personnelles.

Toute femme souffrante, quelle que soit sa maladie, peut trouver de l'aide dans la prière, si celle-ci correspond à ses convictions profondes. Celles qui n'ont aucune attache religieuse ou spirituelle peuvent ne pas choisir la prière ; elles peuvent néanmoins en tenter l'expérience pour vérifier si elles en tirent une détente, une satisfaction spirituelle, ou les deux. Certaines peuvent saisir l'occasion de rallumer la

---

1. *Ces mots qui guérissent*, Lattès, 1995.

petite flamme d'une foi ou d'un engagement spirituel délaissés depuis longtemps.

La prière, bien entendu, a une multitude de formes. Faites vos prières de la façon qui vous inspire le plus, dans la posture qui vous convient le mieux, en fonction de votre religion et de vos convictions. Le Dr Benson pense que la prière peut être utilisée à des fins de relaxation, tout particulièrement lorsqu'elle est pratiquée sur le mode de la méditation, par invocation répétitive d'un mot ou d'une phrase. La seule différence pratique étant que votre mot ou votre phrase aura pour vous une signification personnelle et spirituelle.

La prière, mode d'emploi

Vous pouvez pratiquer la prière exactement comme la méditation (reportez-vous au mode d'emploi déjà décrit dans les pages précédentes). Mais il vous faut choisir un mot ou une phrase qui a pour vous une signification religieuse ou spirituelle. Vous trouverez ci-dessous une liste de mots et d'expressions[1] tirés des principales religions ou traditions spirituelles. Celle-ci, évidemment, n'est pas exhaustive. Choisissez le mot ou la phrase qui vous parlera le mieux.

Les expressions et les termes de prière les plus courants

Religion chrétienne

Ô mon Dieu !
Seigneur, ayez pitié de nous
Notre père
Notre père qui êtes aux cieux
Jésus ayez pitié de nous
Sainte Marie, mère de Dieu
Le Seigneur est mon berger

---

1. Liste extraite de *The Wellness Book* (« Le Guide du bien-être »), Drs Herbert Benson, Eileen M. Stuart. Brich Lane Press, New York, 1992.

Religion juive

Sh'ma Israël (« Écoute, ô Israël ! »)
Echod (« l'Unique »)
Shalom (« Paix »)
Hashem (« Le verbe »)

Religions orientales

Om (le son universel)
Shantih (« Paix »)

Religion araméenne

Marantha (« Viens mon Dieu »)
Abba (« Père »)

Religion islamique

Allah

La prière et ses indications

La prière est d'un grand secours pour les patientes dont la vie est en jeu, notamment celles atteintes de cancers du sein ou des organes génitaux. J'ai remarqué qu'elle était également utile à la ménopause, quand les femmes ont envie de découvrir une nouvelle spiritualité et s'en imprègnent. La prière apporte alors une dimension de paix intérieure qui ne peut être acquise d'aucune autre manière.

Prenez par exemple le cas de Sophie, qui traversa une passe particulièrement douloureuse aux abords de la soixantaine. Après avoir perdu son premier mari, mort des suites d'une maladie, et divorcé du deuxième, elle s'était remariée avec un homme qu'elle aimait. Mais leurs rapports devinrent tendus quand elle se mit à travailler pour lui dans son cabinet juridique. Sophie avait élevé pratiquement seule ses quatre filles désormais indépendantes. Les affres de la séparation avaient créé des relations difficiles entre Sophie et certaines de ses filles. En outre, c'est à ce moment-là qu'elle se mit à souffrir des bouffées de chaleur de la ménopause, et ce en dépit d'un traitement hormonal de substitution.

Sophie eut du mal à se remettre des aléas de sa vie, à resserrer les liens familiaux, et à trouver sa voie. Elle puisa un grand secours dans la prière. Elle avait reçu une éducation catholique, et retourna à son école paroissiale pour y retrouver la phrase adéquate sur laquelle focaliser sa pensée : « Je vous salue Marie, pleine de grâce. »

« Je m'accrochais à quelque chose qui était une partie de ma propre histoire, expliqua-t-elle. Je répétais *Je vous salue Marie, pleine de grâce* tout en méditant ; angoissée et esseulée, je me sentais soutenue. » Avec le temps, non seulement ses bouffées de chaleur disparurent, mais Sophie se libéra de son sentiment d'exclusion et de solitude.

La présence attentive

Basée sur d'anciens principes du bouddhisme tibétain, la présence attentive est une philosophie tout autant qu'une pratique méditative qui peut se résumer en une phrase : se concentrer sur l'instant.

Sans même nous en rendre compte, la plupart d'entre nous ont tellement de sujets de préoccupation à propos du passé ou de l'avenir, que nous perdons littéralement contact avec l'instant présent. Notre pensée s'accroche à nos souvenirs ou à nos regrets, quand elle n'est pas tendue vers la crainte ou l'espoir de l'avenir. Le lieu et l'instant présents disparaissent, jusqu'à ce que nous nous remettions à la routine des activités quotidiennes. Lorsque cette sorte d'évasion de l'esprit nous prend, fermés aux petits plaisirs et événements de l'instant, nous passons souvent à côté de l'essentiel.

La présence attentive est l'antidote à cette forme d'absence. Dans son merveilleux livre, *Where You Go, There You Are* [1], Jon Kabat-Zinn, le directeur-fondateur de la clinique de réduction du stress à la faculté de médecine du Massachusetts, parle de la présence attentive comme une forme de respect de la vie, à l'opposé de l'attitude qui consiste à vivre sans y penser. La présence attentive suppose une pratique quoti-

---

1. *Où tu vas, tu es. Apprendre à méditer en tous lieux et en toutes circonstances*, Lattès, 1996.

dienne qui renforce notre capacité à vivre dans le présent, ce qui naturellement permet d'apprécier plus largement tout ce que la vie nous offre, ce que nous appréhendons par nos sens, notre intelligence et nos émotions.

On peut développer la présence attentive par une certaine forme de méditation dont je donnerai brièvement le mode d'emploi. Il est aussi possible d'y parvenir en se consacrant, chaque jour, à une activité où l'on s'absorbe pleinement, qu'il s'agisse de créer une œuvre, d'élaborer un projet professionnel, de laver la vaisselle, de faire l'amour, de déguster un certain plat, de jouer avec les enfants ou de prendre sa douche.

Je recommande la pratique quotidienne de cette forme de concentration sur l'instant présent. Zelda, une de mes patientes, avait choisi une corvée dont elle cherchait toujours à se débarrasser : la préparation d'une salade. Pour elle, c'était perdre son temps, une activité fastidieuse. Mais quand elle s'impliqua dans toutes les étapes de cette simple préparation culinaire, tout changea.

Pour la première fois, elle remarqua la couleur éclatante des carottes et le rouge des poivrons, prêta l'oreille au crissement et au craquement des légumes que l'on coupe. Elle prit plaisir à voir sa salade prendre de l'allure au fur et à mesure qu'elle y jetait de nouveaux ingrédients : mélanges de verts, de rouges, de jaunes et d'orange ; forme et texture des rondelles de concombre, longues nervures de chaque feuille de romaine. La préparation d'une salade, loin d'être une corvée, était devenue une occasion de vivre dans le présent, et d'y prendre plaisir.

La présence attentive, pratiquée au quotidien et en guise de méditation, aide aussi à gérer le stress. De quelle façon ? Le sentiment d'être dépassée s'évanouit dès lors qu'on s'arrime à l'ici et maintenant, à l'objet qu'on examine, à l'activité à laquelle on se livre, ou qu'on est présent à soi, même s'il s'agit de rester tranquillement assise.

Il y a quelques années, je me suis acheté une maison pour la première fois. J'allais me marier. La maison, plus le mariage, cela faisait beaucoup à la fois. Il s'agissait de deux événements heureux, mais les changements qui en découlaient, ainsi que mes nouvelles responsabilités, m'avaient mise sur les dents, et il m'était difficile de me relaxer.

Je me mis alors à suivre des cours de poterie tous les

jeudis soir. J'arrivais au cours la tête pleine des préparatifs du mariage et de l'aménagement de la maison. Mais j'appris à me servir d'un tour électrique pour les poteries. Et travailler la terre sur un tour exige une concentration absolue : le moindre faux mouvement, et voilà votre pot fichu. Je restais assise au tour deux heures d'affilée, complètement concentrée, puis je quittais le cours en extase. C'était chaque fois la même chose. La maison, le mariage et tous ceux qu'il me faudrait rendre heureux, devaient attendre leur tour, c'était le cas de le dire.

En d'autres termes, mes projets et préoccupations s'envolaient dès que je jetais l'ancre dans le présent. À vous de trouver votre point d'amarre. Peu importe le type d'activité que vous choisirez. Comme l'écrit Kabat-Zinn, « La présence attentive, c'est une forme de concentration bien particulière : il s'agit de se concentrer volontairement sur l'instant présent, en s'abstenant de tout jugement. Ce type de concentration aiguise les sens et l'esprit d'observation tout en renforçant la disponibilité à l'instant présent. » En écartant doucement toute préoccupation relative au passé comme au futur, cette forme d'attention nous ouvre le royaume de l'ici et maintenant, le seul où nous puissions trouver joie et plénitude.

Sachez que si la présence attentive s'applique à toutes les activités quotidiennes, elle se pratique aussi comme une activité méditative spécifique (je vous recommande le premier livre de Kabat-Zinn, *Full Catastrophe Living* — « La Vie catastrophe » —, où vous trouverez une discussion complète des techniques de présence attentive). Je vous présenterai ici un exercice de concentration sur un acte de vie quotidienne et un exercice de concentration méditative. Essayez les deux.

La présence attentive, mode d'emploi

Utilisez l'exercice suivant pour vous concentrer sur un acte très simple : la dégustation d'une bouchée au chocolat.

L'ACTE ATTENTIF : allez vous acheter une bouchée au chocolat et concentrez-vous sur sa dégustation. Autrement dit, mangez-la en portant la plus grande attention à chaque geste, chaque morceau, chaque sensation, pas à pas. Tout d'abord, enlevez précautionneusement le papier d'aluminium. Remarquez la petite perle de sucre qui décore le chocolat. Froissez le papier d'alu, et notez bien sa sonorité et son toucher. Regardez la bouchée. Observez sa forme et sa texture. En y enfonçant vos dents pour la première fois, prenez conscience de chaque sensation des lèvres, de la langue, du palais. Dégustez lentement, savourez chaque morceau, et jouissez de chaque stimulation de vos papilles gustatives.

Prenez tout le temps qu'il vous faut pour mener à bien l'exercice. Vous pouvez aussi choisir de peler et manger une orange, déguster un grain de raisin, comme le recommande Jon Kabat-Zinn. Rappelez-vous que le but est d'éduquer progressivement votre perception de l'instant présent éveillée par vos sens et la volonté de goûter chaque parcelle de cet instant. Si vous n'y parvenez pas, mangez plus lentement. Plus vous prendrez votre temps, plus vous aurez de chances de faire l'expérience de ce que signifie vivre dans l'instant.

La CONCENTRATION MÉDITATIVE : la concentration méditative n'est qu'une autre façon de savourer l'instant présent, mais par une démarche plus rigoureuse. Comme pour la méditation, commencez en prenant conscience de votre respiration et en vous concentrant sur elle. Vous pouvez choisir un mot ou une phrase clé, mais ce n'est pas indispensable. Faites-le si cela vous facilite les choses. Sinon, concentrez-vous sur les sensations que vous éprouvez en respirant — sur les mouvements de votre ventre qui se gonfle ou s'aplatit, sur l'air qui pénètre par vos narines et s'exhale par votre bouche.

Vous remarquerez que les pensées affluent sans cesse à votre cerveau, probablement sous forme de soucis, d'angoisses, de craintes, d'espoirs ou de visions fantasmagoriques. C'est le fonctionnement naturel du cerveau. Asseyez-vous tranquillement, décontractez-vous. Observez comment chaque pensée vient et s'enfuit. Prenez conscience du processus de la pensée. Remarquez comment les pensées basculent constamment, se métamorphosent et disparaissent.

Si vous vous laissez emporter par un flot d'associations d'idées, notez-les en toute neutralité, puis revenez calmement au contrôle de votre respiration, en mettant au premier plan la conscience de cette respiration, tout en laissant libre cours à vos pensées en arrière-plan. La respiration est le moyen le plus naturel de se concentrer sur l'instant et de s'y amarrer.

Pour le temps qui vous reste, continuez à vous concentrer sur votre respiration. Dans la mesure de vos possibilités, gardez un œil sur ce qui peut éventuellement se passer au second plan — sensations corporelles, pensées, bruits environnants. Ne cherchez pas à résister à ces éventuels intrus. Au contraire, prenez-en conscience mais revenez à votre respiration.

Les indications de la présence attentive

Jon Kabat-Zinn nous rappelle une vérité fondamentale : « L'esprit, c'est ce qui vagabonde. » Vous réussirez à vous concentrer par la méditation si vous admettez ces égarements, plutôt que de les condamner.

Venons-en à la façon de procéder en cas d'angoisse. Inutile de tenter d'éviter les pensées ou émotions importunes : elles ne vous empêcheront pas de vous concentrer ou de vous livrer à toute autre forme de méditation. Ne vous y cramponnez pas, mais ne cherchez pas à vous en débarrasser à tout prix. Enregistrez-les dans un coin de votre cerveau, comme vous le feriez d'un rêve attirant qui aurait surgi puis disparu dans votre sommeil.

Si vous vous livrez à la concentration méditative, laissez l'expérience imprégner votre vie quotidienne. Que votre nouvelle aptitude à vivre l'instant présent vous accompagne dans la conduite de vos affaires, les soins du ménage, les promenades, le sport, les repas, quand vous faites l'amour, recevez la famille et les amis. Même si vous vivez une mauvaise passe, il vous suffira de vous concentrer sur l'instant pour parvenir à jouir du présent. Vous apprendrez à apprécier le parfum de la savonnette ou du shampooing sous la douche ; le croustillant du croissant matinal ; la pureté de l'air lorsque vous mettrez le nez dehors par un beau matin de printemps. L'idée de s'arrêter un instant pour humer le parfum d'une rose est certainement un vieux cliché, c'est pourtant ce que toute femme surmenée devrait faire.

Bon nombre de mes patientes dans un état émotionnel désastreux s'adonnent à la présence attentive pour retrouver la paix et le calme intérieurs ; pour elles, il est essentiel de retrouver le goût des plaisirs les plus simples. Elles sont parfois trop angoissées pour pouvoir se livrer tranquillement à

la concentration méditative. Je leur conseille alors la promenade attentive.

La promenade attentive est l'une des façons les plus efficaces et les plus agréables de se relaxer, et de se réinsérer
dans le présent. Empruntez le chemin le plus agréable que
vous connaissez, et laissez vos sens vous guider. Marchez
lentement, attentive à chacun de vos pas, à l'affût de toutes
les sensations de votre corps. Humez l'odeur de l'herbe, des
arbres, de la ville, respirez les parfums qui flottent autour de
vous. Dévorez des yeux le paysage, les maisons ou les
immeubles, observez vos voisins et ce qu'ils font. Prêtez
attention aux moindres bruits, aux gazouillis des oiseaux,
aux aboiements des chiens, aux bruissements d'ailes des
insectes et au vrombissement des voitures. Si des pensées
angoissantes, obsédantes, noires, s'immiscent dans votre
esprit, concentrez-vous à nouveau progressivement sur les
sensations de la marche, sur le spectacle, les odeurs et les
sons qui vous entourent. Et gardez-vous surtout de porter
un jugement sur les pensées qui vous assaillent.

Andrea avait trente-deux ans quand on lui découvrit un
cancer du vagin. Le diagnostic tomba juste après la naissance de son second enfant. Cette énergique femme au grand
cœur fut atterrée par le pronostic très pessimiste des médecins. Comme bien d'autres malades du cancer, elle
commença à vivre selon la philosophie du *carpe diem*
— « jouis de l'instant présent ». Les promenades attentives
lui étaient particulièrement bénéfiques, surtout quand la
réalité de la maladie se faisait trop pesante.

Andrea avait vécu la plus grande partie de sa vie près
d'une belle plage au bord de l'Océan. Aux pires moments qui
suivirent le diagnostic, elle allait méditer le long de la plage.
« Je l'avais foulée des millions de fois auparavant, me disait-
elle. Sans jamais en ressentir à ce point la beauté, avec une
telle concentration. »

Il n'est bien sûr pas nécessaire d'être atteinte d'une
maladie incurable pour jouir de l'instant présent, et la
moindre parcelle de votre vie peut gagner en qualité si vous
vous y attachez. Lydia, une jeune femme qui luttait depuis
trois ans contre la stérilité, avait subi d'innombrables traitements médicaux et hormonaux, sans succès. Lorsque sa
sœur aînée fut enceinte quelques mois seulement après
l'avoir désiré, Lydia ne ressentit qu'une intense jalousie. Son

amertume la coupa de sa famille et elle se mit à tout voir en noir, y compris la naissance de sa nièce.

Au bout d'une semaine de suivi psychosomatique, elle eut comme objectif de se concentrer sérieusement au moins sur une chose. Lydia choisit de rendre visite à sa sœur et à son nouveau-né, à la maternité. Elle fut d'une humeur lugubre tout au long du trajet, mais pénétra dans la chambre de sa sœur avec la ferme intention de tourner définitivement la page. « J'avais décidé de vivre dans l'instant, se rappelait-elle. En entrant, je vis ma grand-mère, âgée de quatre-vingt-dix ans, le bébé dans les bras. Cette image de ma nièce, dans les bras de l'ancêtre de quatre-vingt-dix ans, s'est vraiment gravée en moi. J'ai alors pris le nouveau-né et me suis laissée aller pleinement au plaisir du moment. Le reste s'était comme évanoui. »

Le fait de partager le bonheur de l'instant avec sa sœur, sa nièce et sa grand-mère, eut un effet bénéfique sur Lydia et sur ses relations familiales.

La suggestion par images mentales

Vous pouvez parvenir à la relaxation en vous forgeant des images mentales de scènes, de lieux ou d'événements qui vous inspirent la sérénité. Ce procédé, que l'on appelle aussi imagerie guidée, est une approche psychosomatique très souple aux multiples indications.

L'imagerie guidée a d'abord été vulgarisée en tant que traitement des malades du cancer. À la fin des années 70, deux équipes de praticiens — Jeanne Achterberg, Frank Lawliss, O. Carl Simonton et Stephanie Simonton — ont développé une méthode permettant aux patients atteints d'un cancer de visualiser leurs globules blancs ou les molécules de leur chimiothérapie en pleine action de destruction de leurs cellules cancéreuses. Les globules blancs et les substances chimiques étaient présentés comme des sauveurs chevauchant de blanches montures, des chevaliers héroïques terrassant des barbares — image destinée à évoquer la force et la brutalité mises au service d'une bonne cause. Les cellules cancéreuses, elles, étaient représentées par des êtres faibles et vulnérables — des méduses invertébrées, par exemple. Dans ces scénarios imaginaires, les cellules

cancéreuses étaient impuissantes à résister à l'attaque victo-
rieuse des globules et molécules héroïques.

Ces équipes de chercheurs ont publié des statistiques
qui suggèrent que les malades ayant eu recours à l'imagerie
guidée, parallèlement à la psychothérapie et autres traitements de soutien, auraient dépassé les pronostics médicaux
en matière d'espérance de vie. Mais l'on a contesté la rigueur
scientifique de leurs études, et la thèse de l'efficacité de
l'imagerie guidée dans la lutte contre le cancer reste obscure
et controversée.

On a démontré, en revanche, que l'imagerie guidée peut
atténuer les effets secondaires de la chimiothérapie et adou-
cir les souffrances des cancéreux. La technique s'est également révélée active dans le traitement du stress, apportant
relaxation et confort psychologique.

Bien que je ne dispose d'aucun nouvel élément prouvant
que la suggestion par images mentales contribue ou non à
guérir des cancers ou autres maladies, je la recommande
néanmoins à mes patientes, d'abord et avant tout comme
une méthode de relaxation, de maîtrise de soi, de réduction
de la douleur et des effets et symptômes secondaires. Si cela
leur apportait aussi l'énorme bénéfice d'une rémission, ce
n'en serait évidemment que mieux. Mais ce qui soigne sur le
plan psychologique avec des résultats moins controversés et
moins hypothétiques, c'est le recours à l'imagerie guidée
pour améliorer la qualité de vie.

Dans ce but, la suggestion visuelle est un des moyens les
plus éprouvés à notre disposition. Le Dr Rachel Naomi
Remen l'a décrite comme un « langage de l'inconscient ». Par
cette technique, des facettes perdues de notre personnalité
surgissent — notamment celles qui nous permettent d'accéder à la sérénité.

Vous pouvez vous relaxer grâce aux images mentales
que d'autres ont forgées dans ce but. J'utilise un grand
nombre d'exercices à base d'images spécifiques que mes
patientes apprécient beaucoup. Une de ces images vous
représente en train de marcher le long d'une plage déserte ;
une autre, en train de flâner sur un sentier qui longe un tor-
rent de montagne ; une autre encore, en train de vous
immerger lentement dans un voluptueux bain chaud. Le plus
simple pour s'initier à l'imagerie guidée est d'utiliser les programmes enregistrés. Mais j'incite également les femmes à

puiser dans leur propre trésor d'images passées ou actuelles, dans la richesse de leur mémoire et de leurs rêves.

La suggestion par images mentales, mode d'emploi

Trouvez un coin tranquille où vous asseoir confortablement. Faites quelques mouvements de respiration lents, profonds, purifiants.

Maintenant, voyagez mentalement vers un endroit que vous aimez, qui vous inspire la détente. Il peut s'agir d'un de vos lieux favoris de vacances, du jardin de vos parents ou grands-parents, d'un site que vous avez vu au cinéma. Peu importe le lieu que vous choisissez, pourvu que vous vous y sentiez en paix.

Et passez-y le temps qu'il faut. En imagination, certes, assise confortablement ou debout, comme vous préférez. Ou encore marchez, si cela vous convient mieux. Ne perdez rien des sons, des odeurs et du spectacle qui vous vient à l'esprit.

Concentrez-vous sur les formes et les couleurs. Si vous vous imaginez dehors, observez la couleur du ciel, la forme des nuages. Admirez l'étendue des cieux, du sable, de l'herbe, des forêts, des rivières. Si vous êtes dans le jardin de votre grand-mère, ne perdez rien du spectacle.

Concentrez-vous sur les odeurs. Si vous êtes au bord de la mer, respirez celle de l'Océan ou des lotions solaires. Si vous êtes dans le jardin de votre grand-mère, faites revivre vos souvenirs et faites-en renaître les parfums. Savourez les souffles d'air frais, au fond d'une forêt, près de votre ruisseau préféré.

Concentrez-vous sur les sons. Écoutez les vagues de l'Océan qui se brisent, la voix de votre grand-mère, le clapotis du ruisseau se faufilant entre les pierres.

Concentrez-vous sur le mouvement. Suivez les nuages, l'eau, les mouettes ou les voitures. Si cela vous amuse, regardez-vous bouger, marcher sur le sable à la recherche de coquillages, lézarder dans l'herbe ou bondir d'une pierre à l'autre, au-dessus du ruisseau.

Concentrez-vous sur les sensations : contact de l'eau salée sur votre peau, chatouillement de l'herbe sous vos pieds nus, rugosité des rochers sur lesquels vous sautez.

Abandonnez-vous totalement à la sensualité de ces

images, installée dans un lieu où vous vous sentez bien, chez vous, en toute sérénité. Si votre sentiment de paix est perturbé par des angoisses ou des pensées parasites, prenez-les en considération. Puis revenez calmement aux images, aux odeurs et aux sensations qui vous inspirent.

Les indications de la suggestion par images mentales

Il vous faut choisir vos propres images parce que l'imagination visuelle est extrêmement personnelle. Autrement dit, le splendide paysage de bord de mer qu'appréciera une femme, une autre pourra le ressentir comme cauchemardesque. Certains praticiens de l'imagerie guidée, il est vrai, voudraient que toutes leurs patientes considèrent les scènes de plage comme propices à la relaxation. Mais pour une femme rousse dont la peau laiteuse brûle au soleil aussi vite que la peau d'un bébé, ce fantasme de la plage ne lui procurera aucune détente. L'imagerie guidée, pas plus qu'aucune autre méthode de relaxation, ne se fait en taille unique, car chacune y apporte son histoire singulière.

La première fois que j'ai entendu parler de la suggestion par images mentales, je fus conduite à visualiser une scène où je me promenais, en plein été, dans une prairie foisonnant de fleurs à peine écloses. De quoi se décontracter, me direz-vous ? Sauf pour moi et vous saurez vite pourquoi. Je suis allergique aux piqûres d'abeilles. Un tel lieu ne figure donc pas dans mes rêves !

Une suggestion visuelle invitait ainsi Hannah, trente-cinq ans, à flâner le long d'une rivière. Elle éclata soudain en sanglots. Exactement comme lorsque petite fille, elle avait découvert un cadavre au bord d'une rivière. Elle avait complètement refoulé ce souvenir, jusqu'à cette séance.

Si vous cherchez à déterrer des souvenirs indésirables, la visualisation de scènes ou de lieux troublants sera efficace. Mais si vous aspirez à trouver la paix intérieure, faites appel à des images qui vous tranquillisent, vous et vous seule. Vous devez donner la priorité à votre propre histoire.

Marla, atteinte d'un cancer du sein, luttait contre les effets secondaires de la chimiothérapie. Rien ne semblait apaiser les nausées et les terribles vomissements, au point qu'elle en souffrait longtemps avant la séance — ce que les cancérologues appellent les « nausées par anticipation ». Marla eut recours à la relaxation qui la libéra réellement de ces nausées anticipatrices et réduisit ses vomissements. Elle le faisait en se remémorant le calme et la joie qu'elle éprouvait dans son enfance à s'étendre dans le hamac du jardin de ses grands-parents. Avant, pendant et après les séances de chimiothérapie, Marla respirait profondément et se réinstallait en pensée dans le hamac, d'où elle jouissait de ses sensations de petite fille, protégée, sereine et adorée.

Certaines femmes ont du mal à se laisser aller à leur imagination. Si vous êtes de celles-là, ne vous jugez pas : il n'est pas donné à tout le monde de revivre mentalement des scènes passées. Mais j'ai trouvé une méthode qui aide les femmes à se transporter dans l'imaginaire. Il s'agit d'une technique relativement simple dont m'a parlé Irene Goodale : imaginez-vous d'abord sur un tapis volant, puis partez avec lui vers un lieu de beauté et de paix.

Si cette escapade en tapis volant ne marche pas à tous les coups, elle ressuscite la magie de l'enfance. Que votre imagination visuelle soit bonne ou mauvaise, livrez-vous cependant à l'exercice. Renée, une femme qui se sentait persécutée par le stress quotidien, adorait ces voyages en tapis volant qui lui donnaient des sensations extatiques. « Je n'avais pas seulement le sentiment de voler, mais de flotter en état d'apesanteur, se rappelait-elle. C'était merveilleux et incroyablement relaxant. » Renée se laissait ainsi transporter dans des prairies, au sommet de montagnes, sur les plages de l'Océan. Mais le voyage en tapis était le moment le plus délicieux. « Une fois, j'ai emmené mon mari avec moi, raconta-t-elle, et je lui ai offert une véritable visite guidée. »

Le training autogène

Le training autogène utilise la suggestion verbale pour parvenir à un stade de profonde relaxation. Il fut mis au point par le médecin allemand Johannes Schultz, comme méthode de relaxation progressive corporelle. La répétition mentale de phrases prononcées par le thérapeute, appelées orientations, est une forme subtile d'autohypnose. Dans le training autogène, vous court-circuitez en quelque sorte votre esprit conscient et ordonnez à votre corps de se détendre. Il y a une logique profonde dans ce processus : dans la mesure où l'esprit fait souvent obstacle au réflexe de relaxation corporelle, il nous faut trouver des voies d'accès plus directes à notre corps.

Pour les femmes qui ont du mal à pratiquer la respiration profonde ou la méditation, le training autogène peut être un choix judicieux. Il offre à l'esprit une cible sur laquelle se concentrer, de sorte que les pensées intruses perturbent moins l'exercice. Le training autogène agit aussi sur les femmes qui n'arrivent pas, lors de l'exploration corporelle, à empêcher leur esprit de vagabonder, ou qui réagissent mal aux contractions musculaires du syndrome prémenstruel.

Le training autogène, mode d'emploi

Installez-vous confortablement et demandez à quelqu'un de vous lire lentement les instructions suivantes (adaptées du chapitre consacré à la relaxation de l'ouvrage de Herbert Benson sur la médecine psychosomatique, *Mind-body Medecine*[1], ou préparez-vous un enregistrement et écoutez-le jusqu'à ce que vous en ayez saisi le principe.

Concentrez-vous sur les sensations de respiration. Imaginez que vos inspirations et vos expirations roulent comme les flux et reflux de l'Océan. Pensez tranquillement en vous-même : « Ma respiration est calme et facile... calme et facile... » Répétez-vous intérieurement cette phrase, en même temps que vous imaginez des vagues de relaxation qui vous baignent le corps, les épaules, la poitrine, les bras, le dos, les hanches, les jambes. Une sensation de grande quiétude va envahir tout votre corps. Continuez ainsi quelques minutes.

Puis concentrez-vous sur vos bras et vos mains : « Mes bras sont lourds et chauds. La chaleur se répand dans mes bras, mes poignets, mes mains, mes doigts. Mes bras et mes mains sont lourds et chauds. » Gardez ces pensées et ces sensations dans vos bras et vos mains pendant quelques minutes.

---

1. *Mind-body Medecine*, Herbert Benson, édité par Daniel Goleman et Joel Gurin, Consumer Reports Books, New York, 1993.

Puis concentrez-vous sur vos jambes quelques minutes. Imaginez la chaleur et la pesanteur passer de vos bras à vos jambes. Pensez intérieurement : « Mes jambes deviennent lourdes et chaudes. La chaleur me gagne les pieds... jusqu'au bout des orteils. Mes jambes et mes pieds deviennent chauds et lourds. »

Examinez alors tout votre corps pour y détecter les points de tension, et si vous en découvrez, réduisez-les en relâchant les muscles. Remarquez à quel point votre corps est devenu lourd, chaud, et flasque. Pensez intérieurement : « Tous mes muscles se laissent aller. Je suis de plus en plus détendue. »

Enfin, inspirez profondément, en prenant conscience de l'air qui pénètre vos poumons et descend jusqu'à l'abdomen. En expirant, pensez : « Je suis calme... Je suis calme... » Continuez ainsi pendant quelques minutes, et sentez comment la paix se répand dans votre corps.

À la fin de la séance, comptez jusqu'à trois, en inspirant et en expirant profondément à chaque fois. Ouvrez les yeux et levez-vous lentement. Étirez-vous avant de vaquer à vos occupations quotidiennes.

Les indications du training autogène

Le training autogène convient bien aux femmes atteintes d'un cancer du sein ou des organes génitaux, comme à celles qui luttent contre la stérilité ou les fausses-couches répétées. Les facteurs de stress sont si importants chez elles qu'elles ont besoin d'une technique directive pour parvenir à un état de relaxation. Il leur suffit de s'abandonner à de douces exhortations pour que leur corps suive.

Le training autogène apporte aussi un soulagement aux nombreuses patientes atteintes de maux chroniques. C'est un superbe remède pour les femmes que les douleurs ou l'angoisse rendent insomniaques. Les sensations de chaleur et de pesanteur les plongent en quelques minutes dans le sommeil.

Bien que le training autogène soit efficace contre certains troubles de la ménopause, il s'adapte mal aux bouffées de chaleur, du fait qu'il induit des sensations de chaleur. De la même façon, les femmes sujettes aux désordres alimentaires n'apprécient guère de se concentrer sur leur corps.

Le yoga

Le yoga est une pratique vieille de trois mille ans, née des enseignements de la philosophie indienne, et qui fait appel à la fois à des postures physiques, à la méditation et à la respiration profonde. Cette discipline extraordinaire qui ne se résume pas à s'asseoir les jambes croisées en position de lotus est sans aucun doute la toute première approche psychosomatique connue destinée à favoriser la prise de conscience de soi et l'équilibre physiologique.

Il y a plusieurs systèmes de yoga, mais tous reposent sur les mêmes principes fondamentaux, dont les *pranayamas* ou purifications par la respiration, les *asanas* ou positions d'étirement, ainsi que diverses pratiques de méditation. Les pranayamas sont des exercices destinés à maîtriser la pénétration de l'air dans l'organisme, qui favorise l'oxygénation et l'énergie (selon des traditions ancestrales, le *prana* représente la force vitale ou l'énergie de vie ; la *pranayama* consiste à faire pénétrer en soi cette force vitale). Les positions de l'*asana*, qui requièrent aussi une respiration rythmée, aident à développer la maîtrise et la souplesse du corps, en même temps qu'à relâcher la tension musculaire. La pratique méditative du yoga implique la concentration et la sérénité intérieure.

Le hatha-yoga est un système de yoga qui propose une variété d'*asanas*, ou postures physiques. Le Dr Margaret Flood Ennis, qui dirige les thérapies de relaxation de notre département de médecine du comportement, enseigne le hatha-yoga à nos patientes, dont celles qui font partie de mes groupes de soutien psychosomatiques. Ces exercices de hatha-yoga se pratiquent assises sur une chaise ou par terre, ainsi que debout. Ils combinent la respiration avec des postures et des mouvements lents et calmes.

Pour de nombreuses patientes souffrant d'une grande variété de troubles féminins, le yoga est un moyen précieux et efficace d'atteindre la relaxation, de relâcher les tensions, de reprendre contact avec son corps et de guérir les symp-

tômes. Le Dr Margaret Caudill, qui dirige les groupes de thérapie psychosomatique de notre division destinés aux
patientes de ce type, souligne que le yoga est d'un grand
secours pour tous ceux qui souffrent, car ses exercices sont
lents, sans brutalité, et coordonnés avec la respiration.

Le yoga, mode d'emploi

Les exercices de yoga n'ont rien à voir avec l'aérobic ou
la callisthénie. Ils se coordonnent en un ensemble d'étirements, de mouvements et d'exercices respiratoires, une gymnastique douce, dénuée d'esprit de compétition, et destinée
à détendre, équilibrer, revigorer le système psychomoteur.
Ces exercices doivent être soigneusement adaptés à chaque
individu. Margaret Ennis incite fortement les femmes désireuses de pratiquer le yoga pour améliorer leur santé,
réduire leur stress et guérir certains maux spécifiques, à se
mettre en quête d'un professeur de yoga dont l'enseignement
et les techniques correspondent à leurs besoins. Il y a tellement de systèmes différents qu'il est utile d'essayer quelques
professeurs avant de choisir celui qui inspirera l'envie de s'y
mettre.

Mme Ennis pense qu'en matière de yoga les professeurs
valent mieux que les livres, mais recommande néanmoins
quelques ouvrages, dont *Yoga for Women*, de Paddy O'Brien,
et *Complete Stretching*, de Maxime Tobias, qui vous donneront un aperçu et quelques conseils. Je vous recommande
également le chapitre que Margaret Ennis a écrit dans « Le
guide du bien-être » d'Herbert Benson et Eileen M. Stuart.
Dans ce chapitre, intitulé « Soyez à l'écoute de votre corps et
de votre esprit », Ennis propose divers exercices de yoga,
avec des instructions claires. Elle enseigne à ceux qui pratiquent le yoga d'y inclure deux principes essentiels, constitu-
tifs de toutes les techniques de relaxation : la recherche d'un
maximum de prise de conscience, et la neutralité.

Grâce à son expérience clinique, Ennis a découvert que
certaines positions étaient très utiles aux femmes affectées
de troubles des organes génitaux. « J'enseigne souvent aux
femmes les postures qui les font se pencher en avant, ainsi
que celles qui massent en douceur les organes féminins. »
Selon Ennis, des exercices comme « les genoux sur la poitri-

ne » où l'on s'étend sur le dos pour ramener ses genoux sur l'abdomen, massent ces organes, améliorent la circulation sanguine et décontractent. D'autres postures comme « la pose de l'enfant » ou « la pose du chat », décrites en détail dans le même chapitre, ont des effets similaires (on a souvent remarqué que la « pose de l'enfant » atténue les peurs paniques).

Le yoga apporte sérénité et harmonie du corps et de l'esprit. Comme la présence attentive, il ne doit pas être utilisé dans la quête fiévreuse d'un but précis, que ce soit maigrir, se gonfler les muscles, venir à bout de la stérilité ou guérir d'un cancer. L'objectif, comme Ennis le souligne si bien, n'est pas de « faire la femme caoutchouc », mais plutôt de mieux prendre soin de son corps.

Les indications du yoga

Le yoga peut être une bénédiction pour les femmes au cerveau fourmillant de préoccupations, qui, en bonne santé ou malades, n'arrivent pas à prendre le temps de se relaxer. La pratique du yoga remet leur corps et leur esprit au diapason. Margaret Ennis précise que le yoga, en relâchant la tension musculaire, contribue à calmer l'esprit (selon de nombreux praticiens de médecine psychosomatique, nous transformons nos tensions mentales en contractions musculaires et le relâchement de ces dernières — par le yoga, le t'ai chi, ou autres exercices physiques — relaxe non seulement le corps mais l'esprit).

Beaucoup de mes patientes, à bout de nerfs, adorent le yoga qui, à long terme, améliore leur état général et atténue leurs troubles spécifiques. Par exemple, la position penchée en avant que préconise Margaret Ennis contribue à soulager les syndromes prémenstruels et les douleurs des règles. Dans *The Endometriosis Answer Book* (« Réponses aux questions sur l'endométriose »), Neils H. Lauersen, obstétricien-gynécologue réputé, les recommande pour accroître la circulation sanguine dans la région pelvienne et soulager les crampes menstruelles.

Le Dr Susan Lark, dans *The Menopause Self-Help Book* (« Votre guide personnel de la ménopause »), préconise certaines positions de yoga, comme « le cricket », « le grand angle » ou « la pompe » pour soulager les bouffées de chaleurs, l'atrophie vaginale et l'insomnie si fréquente chez les femmes ménopausées. Je recommande le livre du Dr Lark pour une description et un mode d'emploi plus détaillés.

Le yoga procure un réconfort psychique et spirituel aux femmes qui accusent le coup de la maladie. Les femmes qui ont subi une mastectomie ou une hystérectomie, celles qui luttent contre la stérilité ou les fausses-couches, peuvent avoir le sentiment d'être amputées d'une partie d'elles-mêmes. Margaret Ennis explique ainsi l'apport de la pratique du yoga dans leur cas :

« Bien des femmes ont le sentiment d'être mutilées parce qu'elles ont perdu un sein ou ne peuvent pas avoir d'enfant — peu importe la raison. La relaxation qui découle de la pratique du hatha-yoga donne la sensation de posséder son corps, la plénitude et le bien-être. Et elles retrouvent vraiment leur état originel. Auparavant, ligotées par les préjugés culturels, elles avaient tendance à l'autocritique : "Je ne suis pas assez bien", "Je ne suis pas une femme accomplie", "Je ne suis pas une femme à part entière". Grâce au yoga et à la relaxation, elles reprennent conscience de leur plénitude et changent leur façon de penser, du fait d'une connaissance d'elles-mêmes approfondie qui renouvelle leur vie.

Mettre au point son propre rituel de relaxation

Des peuples de cultures différentes de la nôtre consacrent bien plus de temps à la relaxation. Dans beaucoup de pays européens, la journée de travail est coupée en deux, permettant une détente à la mi-journée. La sieste des Espagnols en est un excellent exemple, les gens retournant chez eux pour un copieux festin et quelques heures de relaxation. Dans notre culture de la journée continue, nous nous activons de l'aurore au couchant, parfois au-delà, avec quelques brèves interruptions pour une pause ou un casse-croûte. À traverser ainsi la vie sans s'arrêter, nous négligeons nos besoins fondamentaux de détente spirituelle et de repos physiologique.

Les femmes les oublient tellement qu'elles en viennent à penser qu'elles ne *méritent* ni détente mentale ni repos physique. Avant de commencer à pratiquer la relaxation, il leur faut se convaincre elles-mêmes — et profondément — qu'elles ont le droit d'y consacrer vingt minutes par jour.

Il peut nous arriver d'être dérangées dans notre pratique de la relaxation. Bien entendu, beaucoup d'entre nous ont des conjoints qui partagent et soutiennent nos efforts, mais ce n'est pas toujours vrai. J'ai pu observer des cas où les maris, volontairement ou pas, sabotaient les efforts de leurs femmes, pour de multiples raisons. Je connais des maris qui voient d'un mauvais œil leur femme prendre de l'assurance grâce à la relaxation, car ils semblaient s'accommoder d'épouses dépendantes et craintives. D'autres sont jaloux du temps que leur conjointe ne leur consacre pas.

Il vous faut défendre votre droit à consacrer vingt minutes par jour à la relaxation. Une femme qui souffrait de douleurs chroniques tint à sa famille ce discours : « Je prends désormais le temps qu'il me faut pour me relaxer. Je veux que vous me laissiez seule. Je veux être à l'abri de tout appel téléphonique et de toute intrusion extérieure. Vous n'avez le droit de me déranger que si quelqu'un fait une hémorragie, pas à moins. »

Lauren, récemment divorcée, vivait seule avec trois jeunes enfants de moins de dix ans. Elle travaillait à temps partiel, mais durement, et la somme des factures mensuelles était lourde. Épuisée par le travail, aux prises avec des difficultés financières, elle ne parvenait pas à faire face aux exigences de ses enfants exubérants. Comment pouvait-elle voler les instants nécessaires à sa relaxation ? Elle finit par s'enfermer avec son baladeur dans la salle de bains où elle s'asseyait sur la cuvette des w.-c., en calant les écouteurs sur ses oreilles.

J'insiste, ne recourez qu'aux méthodes de relaxation qui, une fois expérimentées, vous conviennent. Mais ne vous cantonnez pas pour autant à une seule d'entre elles. Votre personnalité change, votre moral aussi et vos méthodes de relaxation doivent s'en trouver modifiées. Utilisez ce qui marche tant que ça dure. Passez à autre chose quand cela devient inopérant. Soyez complice avec votre méthode de relaxation préférée, mais sans la laisser se transformer en boulet. Si vous sautez vos exercices un jour, remettez au lendemain. Je souhaite que la relaxation devienne pour vous un besoin et un plaisir, indépendamment des bienfaits qu'elle vous procure à court et à long terme.

La pratique de la relaxation est la meilleure façon de faire ses premiers pas dans la thérapie psychosomatique. Il me semble que le Dr Benson met le doigt sur l'essentiel, lorsqu'il décrit comment la relaxation ouvre l'esprit et le cœur. « Dès que vous avez déclenché le processus de relaxation, le calme s'installe en vous ; moins anxieuse, vous avez plus de facilité pour apprendre. L'anxiété obstrue la mémoire. C'est comme si vous semiez sur du béton. Il faut un esprit serein pour comprendre. »

Que leur état de santé soit bon ou mauvais, les femmes qui pratiquent régulièrement la relaxation ont de meilleures facultés d'assimilation, se protègent mieux des idées noires, partagent leurs sentiments, trouvent de l'aide auprès des autres, affirment leurs besoins, profitent de la vie. En résumé, elles se donnent les moyens de s'épanouir. Les graines de la conscience s'enracinent, et, avec le temps, la plante fleurit.

4

La mini-relaxation : l'antistress de poche

Sale journée pour la jeune mère. Son bébé pleure depuis vingt minutes et elle n'arrive pas à comprendre ce qui ne va pas. Ce n'est pas le sein qu'il veut, il n'a visiblement pas faim et n'a pas non plus besoin d'être changé. Est-ce qu'elle le prendrait trop dans ses bras ? Ou pas assez ? Allez savoir. Il continue de pleurer et la crise devient contagieuse : sa sœur de trois ans envoie promener les pièces de son puzzle aux quatre coins de la salle de séjour. La mère les ramasse, une à une, et les remet soigneusement dans leur boîte. Le bébé crie plus fort, elle repart vers lui. À peine a-t-elle tourné le dos que la gamine envoie valser à nouveau les pièces du puzzle.

La mère en a par-dessus la tête : « Comment m'en sortir seule ? » Pas de réponse. Elle n'a qu'une envie, celle de se glisser sous la couette. Elle se sent chavirer. Puis, se souvenant de sa technique de repli stratégique, elle s'arrête au milieu de la pièce, fait une pause, debout, entre le nourrisson hurlant et la gamine surexcitée. Elle respire. Elle inspire lentement, profondément et tandis que l'air pénètre dans ses poumons, elle compte mentalement, « un, deux, trois, quatre ». Elle s'arrête. Elle expire calmement, « quatre, trois, deux, un ». Elle recommence plusieurs fois, avant de prêter à nouveau attention au chaos qui règne dans la pièce.

La mère a retrouvé un équilibre. Son corps n'est plus aussi tendu, sa conscience est plus claire. Sans se fâcher, elle demande fermement à sa fille de remettre elle-même les pièces du puzzle dans leur boîte. La petite, déconcertée, obéit pendant que la mère se tourne vers son fils qui pleure toujours dans son berceau. Elle le prend et, cette fois, le fait sauter en l'air. Les pleurs se calment progressivement. Elle se rend compte que son fils devait avoir besoin de ce genre de stimulation. La mère retourne à son travail, dans un univers moins hostile.

Cette jeune mère, une de mes anciennes patientes, venait à bout de ses journées grâce à quelques exercices de « mini-relaxation ». Les mini-relaxations ou les « minis », en abrégé, sont parmi les outils les plus utiles de la médecine psychosomatique destinée aux femmes. Le tout premier objectif des mini-relaxations est de passer d'une respiration thoracique étroite à une respiration abdominale profonde. Vous êtes probablement sceptique : en quoi un bref exercice de respiration peut-il sensiblement améliorer votre aptitude à faire face aux situations ? Croyez-en mon expérience clinique : cela marche, incontestablement.

La plupart des femmes avec lesquelles j'ai travaillé, ont utilisé, quels que soient leurs troubles, les mini-relaxations pour résister aux chocs psychiques ou aux avanies du monde extérieur. J'ai connu des patientes qui recouraient aux minis plus d'une centaine de fois par jour. D'après elles, ce sont de merveilleux outils dont elles ne peuvent plus se passer, sur lesquels elles peuvent compter pour se requinquer physiquement et moralement.

Le bol d'air qui fait la différence

Comment expliquer des effets aussi rapides et salutaires ? Comment un exercice de respiration profonde aussi bref transforme-t-il ainsi une situation ? Nous n'avons pas l'habitude de respirer correctement, et cela a de funestes effets sur notre santé physique et mentale.

Comme je l'ai abordé au chapitre précédent, nous avons tendance, en cas d'anxiété ou de nervosité, à retenir notre souffle. Très peu nombreuses sont celles d'entre nous qui sont vaccinées contre le réflexe de se mettre involontairement à respirer superficiellement, par la poitrine, au lieu de le faire avec l'abdomen.

À moins d'un effort conscient pour contrecarrer cette tendance, la liaison entre le corps et l'esprit se met à jouer contre nous. Comment ? Lorsque nous n'oxygénons pas assez notre organisme, des signaux d'alarme se déclenchent dans le cerveau et le reste du corps. Le réflexe de fuite ou d'attaque s'amplifie, même si la situation stressante à laquelle nous sommes confrontées se stabilise ou s'éclipse. C'est un cercle vicieux : la réaction d'autodéfense, avec les sécrétions d'hormones du stress qui l'accompagnent, entretient l'anxiété et raccourcit le souffle. Le diaphragme se bloque, et compresse à son tour le système nerveux. Nous perdons toute lucidité et subissons diverses agressions physiques ou émotionnelles. Nous manquons d'oxygène, d'énergie, et perdons rapidement notre calme.

N'avez-vous jamais remarqué que la respiration d'un bébé est abdominale ? Il faut avoir connu des années d'angoisses chroniques et avoir subi tout un conditionnement culturel pour en venir à cette respiration étriquée qui nous est coutumière.

Avec le temps, la respiration restreinte conduit à la détresse émotionnelle et à l'épuisement physique. Certains rapports médicaux, datant des années 40, soulignent la part de responsabilité de la mauvaise respiration dans les douleurs de poitrine et les maladies cardiaques. On a souvent constaté des troubles respiratoires chez les personnes atteintes de douleurs musculaires, de désordres gastro-intestinaux, du syndrome de l'articulation temporo-maxillaire, d'insomnies, de vertiges chroniques et de troubles immunitaires. Une respiration superficielle a également été observée chez des personnes exténuées ou sujettes à la *fatigue* chronique. Le lien est facile à comprendre : chacune de nos cellules — dont l'ensemble se chiffre en milliards — a besoin d'oxygène.

« Nous sommes une nation composée d'individus qui se contentent d'une respiration thoracique, donc qui ne respirent pas assez, écrit le Pr Sheldon Saul Hendler, chercheur et clinicien. La plupart d'entre nous n'utilisent pas le diaphragme comme il le faudrait, ou ne l'utilisent pas du tout. Une respiration courte et rapide, souvent ponctuée de soupirs, de bâillements et d'irrégularités du rythme respiratoire, caractérisent cette privation endémique d'oxygène. Une respiration insuffisante entraîne de graves perturbations de l'équilibre chimique sanguin et dérègle son taux d'acidité et d'alcalinité. »

Pour ne rien arranger, les femmes ont une difficulté particulière à respirer profondément. Les différences génétiques entre les sexes, leur capacité thoracique moins grande que celle des hommes n'y jouent aucun rôle. Leur handicap vient des pressions sociales qui les incitent à avoir le ventre plat puisque le canon actuel de la beauté féminine est à la minceur. Dans *Quand la beauté fait mal*[1], l'auteur Naomi Wolf fait remarquer que peu de femmes résistent à ce stéréotype et à ses répercussions tant psychiques que physiques. Le fait de rentrer son estomac empêche tout simplement de respirer sainement. Les femmes qui souffrent de désordres de l'appétit, par exemple, sont le plus souvent incapables de le faire, ce qui alimente la spirale du stress et de la boulimie (ou de l'anorexie).

Pour comprendre les effets de la respiration thoracique, essayez cet exercice. Asseyez-vous ou allongez-vous et contractez au maximum vos muscles abdominaux. Observez votre façon de respirer. Seule votre poitrine se soulève lorsque vous inspirez. Notez que le diaphragme est bloqué et que l'air n'emplit que la partie supérieure de vos poumons. Puis relâchez les muscles de l'estomac et respirez par l'abdomen. Vous verrez que votre diaphragme s'abaisse et que la partie inférieure des poumons se remplit. À ce moment-là, notez la sensation physique et mentale différente que procure la respiration abdominale comparée à la respiration thoracique.

Après cet exercice, vous vous rendrez compte que la façon dont vous respirez, en rentrant le ventre, n'est que l'accentuation de votre mode de respiration habituel. Quant à la sensation d'étouffement, d'étourdissement ou de légère angoisse liée à cette respiration entravée, elle n'est que l'intensification du malaise qui vous est familier au moindre stress. Quand nous rentrons le ventre de façon systématique, nous nous privons, en quelque sorte, de l'oxygénation indispensable au fonctionnement des cellules de l'organisme.

Après avoir rentré le ventre pendant des années, l'habitude devient une seconde nature dont nous ne nous rendons même plus compte, et les tensions musculaires deviennent

---

1. *Quand la beauté fait mal*, Naomi Wolf, First, 1991.

permanentes. C'est pourquoi nous ne pouvons relâcher ces tensions, restituer à notre diaphragme sa fonction première et adopter une respiration abdominale, profonde et naturelle, que par un effort conscient. C'est là que les mini-relaxations entrent en scène ; pratiquées régulièrement, elles nous débarrassent de nos mauvaises habitudes respiratoires et contribuent à casser la spirale de la tension et de l'anxiété.

En modifiant notre façon de respirer, les minis remplissent une fonction semblable à celle des séances, certes plus longues, de relaxation centrées sur la respiration. Mais elles ne durent pas assez longtemps pour provoquer une complète relaxation et n'ont donc pas les mêmes effets bénéfiques à long terme. Cependant les minis *procurent vraiment*, pendant quelques secondes ou quelques minutes, les changements physiologiques et psychologiques bienfaisants que je viens de décrire. De sorte que vous pouvez pratiquer une mini au plus fort de n'importe quel événement qui met à mal votre patience, votre énergie ou votre capacité de résistance.

Les minis, mode d'emploi

Dans le chapitre précédent, j'ai décrit diverses techniques de relaxation. Chacune d'elles nécessite de disposer d'au moins quinze ou vingt minutes, dans un endroit où s'isoler, afin d'atteindre progressivement un parfait état de décontraction physique et émotionnelle. Les mini-relaxations peuvent, elles, se pratiquer partout et à tout moment. Faites-les les yeux ouverts ou fermés, à votre guise. Vous pouvez y avoir recours pour réduire votre angoisse ou préventivement, par crainte de la crise d'angoisse, et les pratiquer devant des tiers, qui le plus souvent ne se rendront compte de rien.

J'enseigne quatre méthodes différentes de mini-relaxation, bien qu'il en existent d'autres. Selon ma propre expérience et les dires de mes patientes, ces quatre méthodes sont les plus faciles à pratiquer et les plus fiables. La première vous aide à acquérir la technique de base qui permet de passer de la respiration thoracique à la respiration abdominale. Elle peut se pratiquer en toute position, mais il est plus facile de commencer dans la position allongée, car c'est elle qui permet de prendre pleinement conscience de ses mouvements respiratoires. Mais vous pouvez aussi bien être assise, debout, ou même suspendue par un pied à un lustre — selon la position où le stress vous surprend !

Mini, version 1

Asseyez-vous, ou, mieux encore, allongez-vous dans une position confortable. Inspirez lentement et profondément. Prêtez attention à chacun des mouvements de votre cage thoracique, de votre abdomen. Posez une main sur le ventre, juste au niveau de votre nombril. Laissez le ventre gonfler d'environ trois centimètres à chaque inspiration. Quand vous expirez, remarquez que votre abdomen redescend d'environ trois centimètres, et que votre poitrine se soulève légèrement, en même temps que votre abdomen (la respiration abdominale ne signifie pas ne pas remplir d'air la partie supérieure des poumons ; faites-le ; mais dans le même temps, vous faites également pénétrer l'air dans la partie inférieure des poumons, en utilisant le diaphragme pour augmenter la capacité pulmonaire).

Remarquez que votre diaphragme s'abaisse à chaque inspiration, et remonte à chaque expiration. Sachez qu'il est impossible d'avoir une respiration abdominale si votre diaphragme ne s'abaisse pas. Et il ne pourra s'abaisser si les muscles de votre estomac sont contractés. Donc, relâchez les muscles de votre estomac ! Si cela vous est difficile, essayez d'inspirer par le nez et de souffler par la bouche. Et jouissez pendant quelques inspirations ou aussi longtemps que vous le désirez des sensations que procure la respiration abdominale.

Mini, version 2

Passez de la respiration thoracique à la respiration abdominale profonde. Faites le compte à rebours de dix à zéro, en pratiquant une respiration complète — inspiration, expiration — au fur et à mesure du décompte. Ainsi, à la première respiration abdominale, vous comptez mentalement « dix », à la suivante, vous comptez « neuf », et ainsi de

suite. Si vous commencez à vous sentir prise d'étourdissements ou de vertiges, ralentissez le rythme. Quand vous arrivez à zéro, voyez comment vous vous sentez. Si vous vous
sentez mieux, c'est parfait ! Sinon, recommencez.

Mini, version 3

Encore une fois, passez de la respiration thoracique à
la respiration abdominale profonde. Quand vous inspirez,
comptez très lentement de un à quatre. Quand vous expirez,
comptez lentement à rebours, de quatre à un. Ainsi, lors de
l'inspiration, dites-vous lentement : « Un, deux, trois, quatre ». Puis lors de l'expiration, dites-vous : « Quatre, trois
deux, un ». Répétez l'exercice plusieurs fois, ou aussi longtemps qu'il vous plaira.

Mini, version 4

Passez de la respiration thoracique à la respiration
abdominale profonde, encore et toujours. Utilisez l'une des
trois méthodes précédentes : mais respirez bien, de façon à
sentir votre estomac se soulever, et ajoutez un compte à
rebours de dix à zéro à chaque respiration, ou un compte de
un à quatre à chaque inspiration et de quatre à un à chaque
expiration. Mais cette fois, quelle que soit la méthode utilisée, marquez une pause de quelques secondes après chaque
inspiration. Marquez également une pause de quelques
secondes après chaque expiration. Répétez l'exercice plusieurs fois, ou aussi longtemps qu'il vous plaira.

Les minis dans la vie de tous les jours

Qu'y a-t-il de commun entre un chapelet, une pilule de
Valium, une amulette, un ours en peluche et un talisman ?
Ils sont là, à notre portée, dès que l'angoisse nous prend et
ont ceci en commun : on peut aussi oublier de les prendre
avec soi...

Mais nos poumons, nous ne pouvons pas oublier de les

emporter, où que nous allions. Et ils peuvent être une source immédiate de relaxation, de confort et de maîtrise de soi — si nous nous en servons correctement. Lorsque nous pratiquons des minis, nous y avons recours pour rétablir une respiration équilibrée, mais aussi pour retrouver une juste appréciation des événements qui nous assaillent.

Comme le font beaucoup de mes patientes, ayez recours aux minis en plein embouteillage. Au plus fort des querelles familiales. À l'occasion de n'importe quel conflit d'ordre professionnel. Lors d'un accès de souffrance chronique. Pour prévenir le stress d'un traitement médical. Pratiquez-les chaque fois que vous êtes sur les nerfs, anxieuse, effrayée ou que vous souffrez. Voici quelques situations quotidiennes où le recours aux minis est de circonstance :

Vous êtes déjà en retard pour une réunion ou un rendez-vous important, et les voitures roulent pare-choc contre pare-choc.

Vous êtes avec la marmaille, votre mari au travail. Vous essayez de faire la cuisine tout en surveillant les gamins qui s'excitent dans la maison : vous les entendez casser quelque chose.

Vous avez le trac au cours d'une réception mondaine où vous ne connaissez personne.

Votre mari a ramené à la maison une bande de copains pour regarder un match à la télé : ils laissent tout en désordre, comme si c'était à vous de passer derrière eux.

Votre grande fille de quinze ans a la permission de sortie du samedi soir, jusqu'à minuit. Elle n'est toujours pas rentrée à deux heures du matin.

Une amie dépressive n'arrête pas de vous téléphoner et vous ne savez plus quoi lui dire.

Vous avez fait quelques folies dans les magasins, et le relevé de la carte de crédit arrive. Comment honorer la facture ? Il faudra en passer par une séance d'explication avec votre compagnon le soir même.

Les minis ont, comme je l'ai souligné, des effets bénéfiques sur la santé, mais aussi sur le psychisme. Elles sont une évasion, et distraient votre esprit de l'appréhension ou de la douleur, notamment lors d'une intervention médicale désagréable et stressante. Elles rendent, d'autre part, plus maître de soi. Quand vous savez pouvoir compter sur des mini-relaxations pour reprendre le dessus, physiquement ou moralement, vous reprenez confiance en vous-même. Enfin, elles sont des points d'ancrage psychologique — de petits pense-bêtes rappelant que vous pouvez retrouver vos marques, même lorsque les événements ou les êtres qui vous entourent semblent échapper à votre contrôle.

L'agitation quotidienne désarçonnait Sena en permanence : les embouteillages, les frasques de son garçon, les exigences parfois absurdes de la clientèle du magasin de confection où elle était vendeuse. Les minis lui rendaient la maîtrise de son corps et lui faisaient retrouver une vue plus sereine des choses.

« Je fais des minis cinq ou six fois par jour, disait-elle. Cela devient un réflexe conditionné, quasi inconscient. Maintenant, quand on me fait une queue de poisson, je fais une mini et salue de la main le malotru. J'ai presque failli me faire assassiner par un type qui avait cru que mon geste était hostile. Les minis sont l'occasion de pauses où je prends le temps de me demander si ça vaut la peine de se mettre en boule pour si peu. La réponse est presque toujours non. Les minis m'empêchent de me faire du mauvais sang pour des broutilles. »

Les minis peuvent également aider certaines personnes à surmonter de véritables traumatismes. Harriet, la quarantaine, vint un après-midi participer à notre groupe de soutien psychosomatique et nous raconta son accident de voiture. Elle avait été prise en écharpe à un croisement. Sa voiture était quasiment bonne pour la casse. Si l'autre conducteur avait roulé plus vite, elle aurait pu être grièvement blessée. Dans le cas présent, elle ne souffrait que d'un léger traumatisme. Elle avait eu plus de peur que de mal — mais une peur indicible. Durant les quelques secondes de la collision, Harriet n'avait pas vu défiler toute sa vie. « Avant même que je me sois extraite de mon véhicule, je m'étais dit : fais des minis, expliquait-elle au groupe. Ma panique subsistait, mais cela m'a aidé à surmonter le traumatisme. »

On n'a aucun mal à garder en tête cette technique simple, aux effets bénéfiques. Dernièrement, une patiente que je n'avais pas vue depuis six ans m'a appelée pour me demander un renseignement. Je suis allée fouiller dans un tiroir pour le retrouver, et dans ma hâte à revenir vers le téléphone, je me suis refermé le tiroir sur la main. J'ai laissé échapper un « aïe » que mon interlocutrice n'a pas manqué d'entendre. Elle réagit aussitôt : « Faites une mini. » Six ans après, elle se souvenait encore des minis qu'elle n'avait cessé de pratiquer régulièrement.

Les minis sont surtout utiles dans les situations qui engendrent la panique, une réaction propre à causer des dégâts émotionnels et physiologiques. Le Dr Bernard Lown, célèbre cardiologue de Harvard, a longuement étudié les effets néfastes de la panique sur le système cardiovasculaire. Il a développé une pratique clinique qui fait une large place au soutien psychologique dans le but de réduire l'appréhension dont souffrent les malades du cœur. Pour lui la panique aggrave la maladie, et risque de précipiter l'issue fatale tant redoutée. Avec le temps, la panique peut également avoir des effets dévastateurs sur d'autres fonctions biologiques, entre autres sur les systèmes endocrinien et immunitaire. Il est conseillé aux personnes, cardiaques ou pas, mais sujettes à ce type de peurs, de recourir aux diverses techniques mentales apaisantes, les minis étant parmi les plus faciles à utiliser.

Il y a plusieurs années, mon mari et moi revenions de vacances sur le même vol qu'un groupe de personnes dont nous avions fait la connaissance à l'hôtel. Nous étions sur le point d'atterrir à Boston-Logan quand l'avion, qui n'avait cessé de perdre de l'altitude, remonta précipitamment. Nous reprîmes la direction de l'Océan, et le pilote annonça qu'il n'avait pas voulu nous effrayer (encore heureux !) mais qu'un voyant lumineux indiquait que le train d'atterrissage n'arrivait pas à se mettre dans la bonne position.

Nous tournions en rond au-dessus de l'Océan, et la panique commença à nous gagner. Certains exhalaient des soupirs angoissés, d'autres priaient à mi-voix. Je fis observer à mon mari : « Nous tournons en vue d'un atterrissage forcé sur la piste de Logan. » C'était évidemment le pire des commentaires, au pire des moments.

Je tiens à signaler que mon mari n'avait pas eu envie d'apprendre les multiples méthodes de relaxation que j'enseigne à mes patientes (s'il avait toujours encouragé mes travaux, un scepticisme congénital l'avait conduit à se désister poliment à chaque fois). Sa réaction à ma remarque déplacée me surprit donc, au lieu des mille et un propos qu'il aurait pu tenir en des circonstances aussi pénibles, il se tourna vers moi et me dit : « C'est peut-être le moment de m'initier à tes minis, non ? »

Les passagers qui nous connaissaient (ayant entendu parler de mes travaux) avaient assisté à l'échange et se retournèrent vers nous : ils voulaient eux aussi apprendre l'art et la manière des minis. Un séminaire sur les techniques de la mini-relaxation s'improvisa, tandis que notre avion tournoyait au-dessus de l'Atlantique sans que nous sachions comment nous allions atterrir. Plusieurs rangées de passagers, dont mon mari et moi, commencèrent à pratiquer la respiration abdominale, en comptant : « Dix, neuf, huit.. » et ainsi de suite.

Notre séance collective se poursuivit durant ce qui nous sembla une éternité, sans excéder sans doute quarante-cinq minutes. Il faisait nuit noire lorsque nous amorçâmes la descente pour finalement découvrir les gyrophares des ambulances et des voitures de pompiers en bord de piste. Puis ce fut les secouristes en combinaisons argentées. Quand nous nous sommes posés en douceur, nous ne savions toujours pas ce qu'il en était du train d'atterrissage. Nous avons appris par la suite qu'il n'était pas en cause, mais que le système de voyants de sécurité était défectueux.

Inutile de dire que chacun d'entre nous avait senti la panique décroître, du moins jusqu'à un certain point, avec les exercices de mini-relaxation. Dans ce laboratoire de la peur, nous découvrîmes les vertus des minis dans des circonstances extrêmes ; lesquelles, servant de dérivatif, nous avaient donné le sentiment d'exercer un contrôle au moment où le monde extérieur se dérobait. Elles avaient été la pierre de touche, nous révélant notre aptitude à trouver la sérénité, même sous la menace d'une mort imminente.

Cette expérience dans l'avion fut instructive, mais les minis servent avant tout à conjurer les pièges de la vie quotidienne qui assaillent surtout les femmes surmenées. Tania, dont j'ai parlé au premier chapitre, devait se débattre entre un patron insupportable, deux grands enfants déboussolés et des crises répétées de rhumatisme articulaire. Quand ça allait vraiment mal, Tania souffrait en outre d'insomnies. Elle savait recourir aux minis à tout instant de la journée : face à son patron, ses enfants, lors d'une crise de rhumatismes, devant un feu rouge. Elle faisait aussi quelques exercices de mini-relaxation avant de se mettre au lit, ou lorsqu'il lui arrivait de se réveiller la nuit en proie à l'anxiété. La respiration abdominale lui facilitait le sommeil.

Quand vous prenez conscience de votre état de tension, d'anxiété et d'énervement et que vous décidez qu'il est temps de réconcilier le moral et le physique, c'est le moment de faire une mini. Mais vous pouvez aussi les pratiquer à titre préventif, *avant* le stress annoncé. Vous êtes au travail et vous prenez connaissance de l'appel d'un supérieur hiérarchique avec qui vous avez quelques démêlés. Vous savez que la conversation va être chaude, et vous pratiquez une mini avant de décrocher le téléphone. Vous êtes invitée à un repas de famille où sera présent un oncle qui vous porte sur les nerfs. Pratiquez une mini avant de pénétrer dans la maison. Vous avez un différend avec votre compagnon, vous sentez venir la scène de ménage. Faites une mini pour garder votre sang-froid. Même chose avant un examen médical, une démarche administrative, un entretien d'embauche... j'y reviendrai.

Les femmes confrontées à des problèmes médicaux peuvent utiliser les minis pour calmer leurs inquiétudes et parfois atténuer les symptômes. Les minis sont tout particulièrement utiles et efficaces dans le cas de femmes qui souffrent de syndrome prémenstruel ou des bouffées de chaleur suite à la ménopause. Leurs symptômes surgissent souvent sans crier gare, au milieu de la journée ou en pleine nuit, qu'elles soient seules ou non. La femme survoltée par les symptômes prémenstruels ne peut tout de même pas lâcher son poste de travail pour rentrer s'isoler chez elle. Celle qui est prise d'une bouffée de chaleur non plus, même si elle est malade de confusion. La solution peut être alors la mini-relaxation.

Les minis servent aussi de coupe-feu aux angoisses des femmes atteintes d'un cancer du sein ou des organes génitaux, épuisées par les traitements médicaux, leurs effets secondaires, et le contre-coup psychique du diagnostic. Idem dans le cas des femmes avec des problèmes de stérilité ou qui ont fait des fausses-couches à répétition confrontées quotidiennement à de petits faits qui ravivent leur douleur : l'amie ou la parente qui vient d'avoir un bébé, ou se retrouve enceinte, ou fait une remarque maladroite — « Mais oui, tu arriveras à terme »... « Et si tu laissais tomber, il serait peut-être temps »... Dans ces cas-là, les minis évitent bien des déchirements inutiles.

Miriam, une infirmière de cinquante-six ans, avait des bouffées de chaleur qui, sans tenir compte des horaires de travail, survenaient pendant les soins, devant les médecins ou quand elle espérait enfin profiter d'une bonne nuit de repos. Elle s'aperçut que les minis l'aidaient à réduire rapidement l'intensité de ses bouffées. « Cela fait longtemps que j'ai appris à pratiquer les minis dans notre groupe, dit Miriam, et je continue car elles me rappellent que c'est moi qui ai la maîtrise de mon corps, et non l'inverse. »

Les minis dans la tourmente médicale

En 1987, j'ai été renversée par une voiture en traversant la rue. Je fus blessée au genou et au coude, et l'on m'a soignée à l'hôpital où je travaille. Il m'a fallu subir une arthrographie du coude, un examen radiologique consistant à injecter de l'air dans l'articulation pour que le médecin puisse inspecter les dégâts aux rayons X. Avant d'entendre le radiologue m'annoncer en des termes non équivoques : « N'hésitez pas à crier », je n'avais pas idée que cela pouvait être aussi douloureux.

Je me suis dit : « Soit je crie, ce qui ne sera pas du meilleur effet à l'hôpital où je travaille, soit je mets en pratique ce que je conseille à mes patientes en de pareilles circonstances. » J'optai pour la seconde solution, et me suis livrée à la pratique des minis que j'enseigne, durant toute l'intervention qui ne me fit presque pas souffrir.

Je fus moi-même surprise de leur efficacité. Tant et si bien que je me suis demandé si c'était bien les minis qui m'avaient épargné une douleur intense. Après tout, qui sait si je n'étais pas moins sensible à la souffrance que la moyenne des gens ?

Un mois plus tard, je suis retournée à l'hôpital pour une arthrographie du genou, cette fois. Comme je m'étais convaincue, par mon expérience précédente, que j'avais effectivement un seuil de tolérance à la douleur particulièrement élevé, je ne pris pas la peine de faire le moindre exercice de relaxation. Mais quand le radiologue commença à m'insuffler de l'air dans l'articulation, ce fut atroce. Je me retins certes de crier, mais la souffrance était insupportable.

Depuis, je n'ai plus jamais douté de l'efficacité des minis contre la douleur. J'ai eu à subir deux opérations du genou qui m'ont donné l'occasion de me livrer à la pratique intensive des mini-relaxations : au moment des tests sanguins, de l'introduction des cathéters, des injections et de la préparation à l'opération.

Les minis réduisent notre appréhension avant des examens médicaux douloureux, et servent de dérivatifs à la douleur au moment de l'intervention. Certains examens sont particulièrement anxiogènes pour la femme. La consultation gynécologique est non seulement désagréable mais émotionnellement éprouvante. Toute femme se croyant atteinte d'une maladie précise — qu'il s'agisse d'un fibrome, d'une dysplasie du col de l'utérus, d'un kyste aux ovaires ou d'un type quelconque de cancer génital — sera tendue durant l'examen. J'ai eu à conseiller des adolescentes à l'occasion de leur premier examen gynécologique : elles étaient très gênées et redoutaient que ce soit douloureux. Les minis leur ont si bien permis de se concentrer sur elles-mêmes et sur leur façon de respirer, qu'elles en oublièrent les manipulations de la gynécologue.

En dehors des examens médicaux, vous pouvez pratiquer la mini-relaxation dans les cas suivants :

Avant ou pendant une prise de sang

Avant ou pendant une injection

Avant ou pendant la pose d'un cathéter, lors d'une intervention chirurgicale

Pendant la phase de préparation, toujours stressante, d'une intervention chirurgicale

Pendant une mammographie

Avant ou pendant chaque séance de chimiothérapie : quand vous l'appréhendez, quand on vous introduit le cathéter, lors de l'injection, et, ensuite, à l'arrivée des nausées.

Avant et pendant une radiothérapie

Au cours d'une échographie, en particulier lors du traitement de la stérilité ou de la surveillance d'une grossesse

Avant d'appeler le médecin pour obtenir des résultats d'examens

Pendant que vous attendez un coup de fil de votre médecin

Pendant que vous patientez dans la salle d'attente du médecin.

Comme je l'expliquerai en détail dans la seconde partie, chaque situation s'accompagne de ses propres facteurs de stress. Les femmes soignant leur stérilité sont en contact permanent avec le milieu médical. Elles fréquentent régulièrement les médecins pour des analyses de sang, pour des échographies ou des injections d'hormones. Lorsqu'elles attendent les résultats qui détermineront si elles peuvent être enceintes, ou si elles le sont, elles passent par des hauts et des bas. Les femmes qui vivent des grossesses à risques sont sans cesse à l'affût du moindre signal de fausse-couche ; le médecin leur ordonne souvent de rester allongées pendant de longues périodes. Les femmes atteintes d'un cancer sont tout particulièrement confrontées à des examens stressants, à des tests de contrôle, à des interventions chirurgicales, des consultations pour la mise au point de protocoles. Autant de circonstances où les minis sont utiles.

*
* *

Des antistress de poche, les minis ? Oui, car elles sont à même de nous réconcilier avec la vie quotidienne, en dépit de nos ennuis de santé et des contraintes médicales. Mais leur valeur procède d'une autre cause. Les minis, sans avoir le pouvoir de nous conduire à un état psychologique extraordinaire, aident à rétablir un réflexe physiologique fondamental — la respiration — qui retrouve son mécanisme naturel. Une respiration profonde, naturelle, aisée, a des effets à la fois sur le corps et sur l'esprit et *semble* extraordinaire, alors que nous n'avons que récupéré la plus banale des fonctions biologiques. Par la respiration, nous participons consciemment au souffle de l'univers, « au-delà de nous-mêmes », écrit Karlfried Durckheim.

5

Débusquer la faille : la restructuration cognitive

« Si je parlais à n'importe lequel de mes amis ou membres de ma famille comme je me parle à moi-même, je serais seule au monde, c'est certain. »

Ainsi parlait Amanda, une femme âgée d'une quarantaine d'années qui découvrait la cruauté de sa voix intérieure. Des crises de dépression périodiques, accompagnées d'une série de troubles physiologiques chroniques, l'avaient conduite à l'un de mes groupes thérapeutiques. Elle y apprit que nous sommes toutes victimes de ces idées noires qui nous passent par la tête, comme la phrase d'un disque rayé, et que les femmes sont particulièrement sujettes à ce type d'obsessions, véhiculées pour la plupart par la société et le milieu familial. Une des litanies d'Amanda était : « Je n'arriverai jamais à rien. » J'eus avec elle de nombreuses et vives discussions en tête-à-tête, et elle finit par comprendre la sévérité de ce jugement injuste. Dès qu'elle sut remplacer ce « je n'arriverai jamais à rien » par une appréciation plus juste et bienveillante de ses propres capacités, sa dépression et un grand nombre de ses autres symptômes physiques commencèrent à céder du terrain.

Amanda avait suivi une thérapie appelée « restructuration cognitive ». C'est une technique basée sur les principes de la thérapie cognitive, conçue essentiellement par le Dr Aaron T. Beck et popularisée par le Dr David D. Burns[1]. La restructuration cognitive est devenue le substrat théo-

___
1. *Se libérer de l'anxiété sans médicaments : la thérapie cognitive, un autotraitement révolutionnaire de la dépression*, Lattès, 1996.

rique des groupes psychosomatiques : les idées que nous nous forgeons altèrent notre état émotionnel qui, à son tour, influence notre forme physique. Parlons clair : si je suis persuadée d'être une minable qui ne sait rien faire de ses dix doigts, qui ne fera jamais de carrière digne de ce nom et sera toujours malheureuse en amour et en amitiés, j'ai toutes les chances de sombrer dans la dépression, avec des crises d'angoisse en prime. Si ces idées fixes deviennent une seconde nature enracinée dans une déprime chronique, j'ai toutes les chances d'être vulnérable à une kyrielle de troubles de santé.

La restructuration cognitive est une méthode éprouvée et efficace qui nous aide à identifier nos hantises, à mettre en cause leur véracité et leur validité, et à y substituer des pensées plus optimistes et plus censées. Comme Amanda en a fait l'expérience, à partir du moment où nous « restructurons » ces schémas de pensée négatifs, nous nous débarrassons de la cause majeure de notre détresse affective et physique. Nous pouvons rejeter ces idées tyranniques qui, sans notre accord et souvent même à notre insu, ont mis la main sur notre conscience.

J'utilise la restructuration cognitive avec les femmes qui sont anxieuses ou déprimées, qu'elles soient en bonne ou en mauvaise santé. Cette méthode a un champ d'application féminin spécifique, car les femmes privilégient les idées dépréciatrices, du fait de leur conditionnement social. Ainsi, ont-elles tendance à dévaloriser leur corps et leurs aptitudes (les hommes aussi, mais à un moindre degré). « Je suis trop grosse » est la véritable obsession de nombreuses femmes qui, souvent, ne le sont pas. Autre rengaine : « Je n'arriverai jamais à rien. » Et parmi les obsessions les plus pernicieuses : « Puisque je ne suis pas parfaite, je suis à jeter à la poubelle. » Ma tâche consiste à restructurer ce système de pensée destructeur, en vue d'un meilleur équilibre physique, moral et spirituel.

Pour les femmes affectées de troubles de santé particuliers, et dans la mesure où ces troubles engendrent leur lot d'idées noires, la restructuration cognitive a des applications spécifiques. Il s'agit alors de réajuster les jugements sur soi-même aussi injustes qu'impitoyables, ou les préjugés sociaux aux douloureuses conséquences.

Les obsessions nuisibles

Comme mon ancien collègue Steven Maurer avait coutume de le souligner, chacun d'entre nous a comme un disque rayé dans la tête — avec des pensées et des phrases que nous ressassons. J'ai pu constater qu'elles étaient à 90 % négatives chez la plupart des femmes. Peu d'entre nous se réveillent le matin et se disent en se regardant dans la glace : « Mais tu es ma-gni-fi-que ! », pour reprendre la fameuse répartie de Billy Crystal, alias Fernando, dans le talk-show télévisé *Saturday Night Live*. Au contraire, la plupart d'entre nous s'écrient plutôt : « Mon Dieu, quelle tignasse ! », « De quoi j'ai l'air avec ces cuisses ! », « Ah ! ces rides ! », « Ce projet, c'est trop pour moi, je laisse tomber », « Je n'ai plus un sou, je ne vais jamais m'en sortir »...

Ces refrains pessimistes, ou d'autres, nous hantent jour et nuit. Si certains sont inoffensifs, beaucoup finissent par nous entamer le moral. À force de tourner, le disque rayé se met à vivre sa propre vie. Nous ne sommes plus capables de répondre par nous-mêmes, les situations échappent à la conscience et à la réflexion, un mécanisme se déclenche et le disque joue sa rengaine préférée, donc la plus funeste.

J'ai participé dans le passé à l'organisation d'une conférence destinée à des professionnels de santé bardés de diplômes — docteurs en médecine ou sciences sociales et autres agrégés, pour beaucoup des sommités dans leur domaine. Lors d'une séance de thérapie cognitive, le responsable du groupe avec lequel je travaillais demanda aux participants : « Vite, sans réfléchir trop longtemps, dites-moi quelle est l'idée fixe qui vous trotte le plus souvent dans la tête. » Je fus étonnée par les réponses. Sans exception, il s'agissait d'impitoyables dévalorisations de soi-même, telles que « je suis paresseux », « je suis stupide », « je suis trop gros », « je suis un goujat », « je n'arriverai à rien dans ce domaine » et ainsi de suite.

La restructuration cognitive offre le moyen d'effacer ces enregistrements mentaux et de leur substituer des thèmes à la tonalité plus clémente et plus juste. La première étape consiste à détecter ces idées parasites qui s'imposent d'ordinaire si machinalement que nous n'en avons pas conscience et, *a fortiori*, n'en mesurons pas l'impact. Il nous arrive souvent de mettre le doigt dessus en découvrant leur origine. Il est par exemple typique d'y retrouver l'écho fantasmatique de la voix d'un autre, une figure de notre enfance — un parent, un frère ou une sœur, ou un enseignant dont les jugements comptaient puisque nous dépendions de lui. Ou bien ces idées parasites peuvent nous renvoyer aux propos déformés d'un membre de notre entourage, à qui nous avons laissé prendre trop de pouvoir — un médecin insensible, un époux trop critique, une amie et néanmoins rivale.

Lorretta Laroche, une psychothérapeute à l'humour dévastateur, enseigne à Plymouth, dans le Massachusetts, l'art de la gestion du stress par la dérision. Membre de l'équipe pédagogique de l'institut de médecine psychosomatique, Lorretta demande à ses patientes (et à qui veut l'entendre) de comparer leur esprit... à un autobus. Et elle ajoute dans la foulée : « Bon, mais qui conduit *votre* bus ? Votre patron ? Votre belle-mère ? Votre mère ? Votre père ? Le type qui vous a plaquée il y a des années ? » Chez les personnes portées aux idées noires, c'est toujours un autre que soi-même.

Dans certains cas, les obsessions ne renvoient pas à d'autres individus mais sont des représentations intériorisées de nos hantises profondes. Nous laissons la voix tonitruante de la peur et de l'hystérie couvrir celle de la raison.

Mais il est possible d'effacer nos obsessions, qu'elles prennent leurs racines dans le passé, dans le présent ou dans le despotisme que nous exerçons parfois sur nous-mêmes. À la condition, tout d'abord, de détecter ces pensées négatives qui ont un certain goût de vérité... et de les soumettre à l'épreuve de la critique rationnelle. Car il y a un fond de vrai dans ce qui déclenche l'engrenage conduisant à la haine de soi, mais qui masque des vérités plus profondes susceptibles de nous libérer de la honte, de la culpabilité et de l'autodénigrement.

La recherche de vérités enfouies implique une succession d'étapes que toute femme est capable d'apprendre à franchir.

Quatre questions pour débusquer la faille

La restructuration cognitive doit être une quête de nos vérités intérieures ; bien que parfois douloureuses, elles le sont rarement plus que la torture que nous nous infligeons avec des mensonges et des demi-vérités répétés à longueur de journée. C'est la découverte de ces vérités par la restructuration cognitive qui a libéré mes patientes de la culpabilité qui les taraudait.

La méthode de restructuration cognitive que j'enseigne, très simple dans son principe, ne l'est pas toujours dans son application. Tout commence par quatre questions fondamentales, que j'ai adaptées à partir des travaux de praticiens chevronnés en thérapie cognitive.

Tout d'abord, identifiez une de vos obsessions les plus courantes. Ensuite, posez-vous à son sujet les quatre questions suivantes :

1. Cette pensée contribue-t-elle à mon état de stress ?
2. D'où m'est-elle venue ?
3. Répond-elle à une logique ?
4. Correspond-elle à la vérité ?

Avant de pouvoir restructurer une idée fixe, il faut l'aborder de front, en toute honnêteté : mettre à jour ses origines et ses effets et la soumettre à l'épreuve de la logique. C'est le but du questionnaire.

Carole sentait que sa vie se consumait à petit feu, à cause du stress. L'idée qu'elle ressassait le plus souvent était : « Je me laisse aller, je suis une vraie souillon. » À titre exploratoire, je lui posai les quatre questions au sujet de cette sentence personnelle. Oui, cette idée d'être sale et négligée contribuait à son stress et la dévalorisait : « Il y a des moments où je n'ai carrément plus envie de rentrer chez moi, disait-elle, car cela me rappelle que je ne suis pas à la hauteur. »

Où Carol avait-elle pêché cette idée ? Il ne me fallut pas longtemps pour le découvrir. Carol avait une belle-mère qui ne la lâchait pas au sujet de son intérieur. Jusque-là, dans sa vie, il ne lui était jamais arrivé de se considérer comme quelqu'un de négligé. Mais elle accordait de l'importance aux jugements de sa belle-mère, et cela l'affectait.

Était-il logique que Carol se considère comme une souillon ? Au début, celle-ci ne me comprit pas : « Que voulez-vous dire ? » Je précisai ma question, en lui demandant à brûle-pourpoint :

« Bon, est-ce que votre maison est vraiment sale ?

— C'est sûr que c'est la pagaille, répondit-elle. Je laisse souvent les journaux et les revues s'empiler, il y a des chemises qui traînent sur le dossier des chaises et des chaussures sous la table basse.

— D'accord, mais votre intérieur est-il franchement crasseux ? lui ai-je demandé, poussant plus loin l'investigation.

— Bien sûr que non ! rétorqua-t-elle avec un brin d'indignation. Ce n'est pas vraiment *sale*, c'est juste en désordre. »

J'en arrivais à la quatrième question, cruciale : « Ainsi, est-il vrai que vous êtes une souillon ? »

En réponse, Carole réagit comme il se doit quand on est soumis à ces quatre questions : elle prit tout son temps pour trouver honnêtement la bonne réponse plutôt que de répliquer à la va-vite et impulsivement.

« En fait non, répondit-elle. Chez moi, c'est souvent la pagaille mais c'est toujours propre. »

Carole se mit à décrire son intérieur avec davantage de détails et il était clair que sa maison était vraiment *tout à fait* propre. En outre, le désordre était le résultat inévitable de son mode de vie très actif. Son mari faisait une longue journée de travail, et elle, de son côté, s'accrochait à un emploi à mi-temps de serveuse tout en assumant le gros de l'éducation de leurs deux enfants. Les critiques de sa belle-mère avaient blessé Carole et ajouté à son fardeau en lui donnant le sentiment d'être en dessous de tout.

En détectant et en restructurant sa vision négative, Carole se libérait de ce poids. À partir du moment où elle était capable de remplacer « je suis une souillon » par « ma maison est en désordre mais propre », elle cessa de se dévaloriser en permanence à ses propres yeux. Dès lors, quand elle rentrait chez elle et constatait la pagaille, elle réagissait autrement. Au lieu de considérer le désordre comme le signe de son incompétence, elle y vit la conséquence des dures contingences de sa vie.

Dans le domaine de la restructuration cognitive, il est primordial que les patientes prennent tout leur temps pour répondre aux questions. Si vous vous examinez avec tous vos moyens logiques et analysez ce qu'il y a dans votre tête avec la précision du laser, vous ferez des découvertes surprenantes sur vos idées reçues et leur pouvoir physique et psychique. Dans mes séances de thérapie psychosomatique, les participantes posent les quatre questions fatidiques dans de petits groupes de quatre ou cinq et s'échangent mutuellement leurs réponses. J'entends souvent s'exclamer celles qui se reconnaissent dans les dires des autres. Des femmes éclatent en sanglots quand elles découvrent soudain le vice caché de préjugés qui les ont persécutées pendant des années, voire des décennies. Découvrir le mensonge, au cœur de certitudes longtemps admises, voilà qui agit sur l'esprit comme s'il s'évadait d'une prison.

Jennifer avait fait cinq fausses-couches avant d'avoir enfin son premier enfant. L'obsession qui l'avait le plus tyrannisée était la suivante : « Dieu ne veut pas que j'aie un enfant car je serais une mauvaise mère. »

Les autres membres du groupe et moi-même étions surpris de la chose car Jennifer était une personnalité apparemment très chaleureuse et attentive aux autres et précisément quelqu'un qui ferait une mère merveilleuse. Où avait-elle puisé pareille idée ? Après une profonde introspection, Jennifer exhuma un vieux souvenir. Elle était l'aînée de quatre enfants et ses parents s'étaient souvent déchargés sur elle du soin des plus jeunes. Alors qu'elle avait environ dix ans, l'un d'entre eux fit des bêtises dont la mère rendit Jennifer responsable. « Plus tard, si tu continues, tu seras une mère détestable, voilà ce qui te pend au nez », s'était écriée la mère en colère.

Voilà d'où venait l'idée culpabilisante. C'était clair comme le jour. Jennifer ne s'était jusque-là pas rendue compte que l'idée qui la harcelait tous les jours et la tenaillait aux moments les plus douloureux de ses fausses-couches s'était gravée pour la première fois dans son esprit lors de cette scène avec sa mère, vingt-cinq ans plus tôt. Elle avait été si fortement marquée par l'événement que cette obsession n'avait cessé de la miner, et que chaque nouvelle fausse-couche avait été comme la confirmation des propos cinglants de sa mère. C'est sûr, elle n'arriverait pas à donner le jour à un enfant, pensait-elle, car elle ne méritait pas d'être mère.

Cette véritable révélation permit à Jennifer de creuser plus profond encore vers la vérité. Oui, elle avait commis quelques fautes avec ses jeunes frères et sœurs. Mais elle-même n'était qu'une enfant et ses parents lui avaient confié bien trop de responsabilités pour son âge. Les membres du groupe firent savoir à Jennifer qu'elles la considéraient comme une personne aimante et chaleureuse. Après avoir pris conscience que l'idée trompeuse et cruelle remontait à son lointain passé, Jennifer put enfin assumer le présent. À une certaine étape de notre travail de groupe, elle laissa échapper d'une voix emportée par la passion : « Vous savez quoi ? Je vais être une mère vraiment formidable ! »

Durant les mois qui nous séparaient de la fin de notre programme, non seulement Jennifer réussit à être enceinte, mais sa grossesse arriva à terme. Récemment, elle a fêté le premier anniversaire de sa fille. Ni Jennifer ni moi ne pouvons affirmer que la restructuration cognitive a joué un rôle quelconque dans le fait qu'elle ait été capable de concevoir un enfant. Mais il est indéniable qu'au moment de la naissance, elle était psychologiquement prête à être mère.

Il peut arriver que vous soyez incapable d'identifier la personne qui, dans le passé ou plus récemment, a gravé dans votre esprit les idées noires qui vous hantent. Prenez le cas de Judy, professeur d'université très estimée. Elle parlait régulièrement en public, devant les étudiants ou lors de débats organisés pour des organismes professionnels. Elle vint me voir car elle était prise de sérieuses crises de panique devant son auditoire. Chaque fois qu'elle se levait pour parler — ce qui arrivait presque quotidiennement — elle était terrifiée, trempée de sueur, secouée de frissons et autres symptômes physiologiques et psychologiques. Lorsque nous pratiquâmes la restructuration cognitive, Judy réalisa soudain que ses crises étaient liées à une pensée désastreuse, celle d'être « une oratrice exécrable. » Cette idée lui venait si machinalement et était si bien masquée par ses symptômes qu'elle n'avait pas soupçonné qu'elle pût être la cause de ses crises de panique.

Judy ne savait pas pourquoi elle pensait être mauvaise oratrice, ni qui lui avait mis une telle idée en tête. Mais elle admit que cette idée relevait plutôt du fantasme que de la réalité. Plus nous discutions de son travail, plus elle me convainquait, et se convainquait elle-même que ses étudiants appréciaient ses conférences. De même que ses collègues qui ne cessaient de la complimenter. Lors d'une séance de thérapie, elle restructura sa pensée : « Pour tout dire, je suis une excellente oratrice ! »

Par la suite, Judy reprit ses cours, et ses accès de panique se manifestèrent à nouveau, avec la même idée fixe d'être une médiocre conférencière. Elle décida alors de changer de tactique : « Attendez un peu, je suis une conférencière formidable. » En quelques secondes, la panique abandonnait le terrain.

La découverte de l'origine d'une obsession est essentielle en matière d'élucidation, mais quelle qu'en soit l'origine, c'est la restructuration de la pensée qui prime. Il se peut que la panique de Judy soit venue de cette idée enracinée dans notre culture qui veut que les femmes soient incapables d'occuper les postes en vue et de s'imposer comme chefs de file, y compris dans le monde universitaire. Nous ne pouvons pas l'affirmer, mais Judy avait besoin avant tout de se débarrasser de ce préjugé pour surmonter sa panique et aller de l'avant, en faisant confiance à sa forte personnalité d'enseignante très cotée.

Restructuration de la pensée : davantage de douceur, de gentillesse, de vérité

Le processus de restructuration de la pensée peut être simple ou complexe. Il est simple quand la pensée en question est manifestement fallacieuse et injuste. Il est complexe quand l'idée associe vérité et mensonge ou lorsqu'il s'agit d'un « mensonge qui sonne vrai ». Dans ces cas-là, il faut démêler le vrai du faux, une opération qui nécessite autant de doigté que la microchirurgie. Mais il n'est pas nécessaire d'être un génie ou un expert pour réussir. Ne négligez pas, cependant, l'aide d'une amie intime, le soutien d'un groupe ou d'un thérapeute.

La plupart du temps, nos pensées négatives machinales sont des contre-vérités, et une longue enquête est superflue. Sally, membre d'un de nos groupes psychosomatiques, était une femme de « type A », perfectionniste, toujours sur la brèche et en quête de réussite professionnelle. Elle le payait par un stress extrême, étant en permanence au bord de l'épuisement physique et émotionnel. La hantise de Sally était la même que celle d'Amanda, dont nous avons vu l'histoire en début de chapitre : « Je n'arriverai jamais à rien. »

Sally ne s'était jamais rendue compte, jusque-là, que cette hantise alimentait sa combativité. Elle essayait en permanence de se prouver à elle-même et aux autres qu'elle était la meilleure, car intérieurement elle était convaincue du contraire.

Le décalage entre ses craintes et ses performances était criant. Non seulement Sally avait brillamment grimpé l'échelle hiérarchique de son entreprise, mais elle menait un train de vie à la mesure de ses hauts revenus. Les autres femmes du groupe lui avaient toujours manifesté de la sympathie, tout en ayant peine à comprendre comment quelqu'un comme Sally, à qui tout réussissait, pouvait penser et réagir de la sorte.

La réponse à la seconde question, « d'où m'est venue cette pensée ? », apporta la révélation. Elle se remémora plusieurs incidents de son enfance, où son père lui avait dit qu'elle « n'arriverait jamais à rien ». C'était toujours la voix de son père qu'elle entendait aujourd'hui !

Quand Sally découvrit l'origine de cette pensée, elle admit qu'elle n'avait aucun rapport avec la situation présente. « Je n'arriverai jamais à rien » n'était que le vieux refrain dont la puissance provenait de sa douleur de petite fille.

Après avoir balayé ces idées négatives, Sally commença à raisonner plus sainement. Restructurer ses pensées consistait simplement à se dire : « Je *suis* d'ores et déjà arrivée à quelque chose ! » Il lui suffisait de regarder en arrière pour mesurer la réussite sociale dont témoignait son train de vie. Quand d'autres membres du groupe la complimentaient, elle avait effectivement de quoi être fière. Sally, dont l'ambition était insatiable, continua de courir après la promotion, mais sans désespoir.

L'histoire de Sally illustre l'importance de chacune des quatre étapes de la restructuration cognitive. Si elle n'avait pas découvert l'origine de son obsession, elle n'aurait jamais assumé sa fracassante réussite. Si la restructuration cognitive s'applique aux processus conceptuels, elle est d'autant plus efficace lorsqu'elle révèle des vérités touchant des émotions profondément enfouies.

L'histoire de Sally montre aussi comment les modèles sociaux, intériorisés, risquent de causer des ravages. C'est probablement parce qu'elle était une femme que son père avait émis à son égard un jugement sans appel. Les femmes en butte à ce genre de réflexions dès leur plus jeune âge et qui veulent ensuite arriver à quelque chose trouvent la confirmation, en grandissant, que la société leur rend effectivement la tâche plus rude. Ce double handicap est à l'origine de toutes sortes d'idées fixes : « Tu ne réussiras pas », « Tu n'es pas assez intelligente », « Tu n'es pas assez pugnace ». La restructuration cognitive est nécessaire pour balayer ces messages dépréciateurs.

Bien que la restructuration de la pensée de Sally n'ait pas été facile, le peu de fondement de ses obsessions était évident. D'autres obsessions sont bien plus perverses. Par exemple, la première des angoisses féminines consiste à se trouver « trop grosse ». Quand une femme est vraiment obèse (et n'a pas seulement quelques kilos superflus), il n'y a pas lieu de qualifier cette affirmation d'affabulation. Toutefois, même si c'est exact, cela n'en reste pas moins un alibi. À de telles femmes j'explique que la formule — je suis trop grosse — décrit un état physique, alors que le cœur du problème n'est pas là. Quelle est la pensée ou le sentiment que vous associez à « je suis trop grosse » ? Après un temps de réflexion, la réponse est généralement du style : « je me dégoûte », « je me déteste », « ce n'est pas la peine d'essayer de me faire belle », « j'ai peur qu'on me regarde ».

Ces pensées peuvent être restructurées. Si une femme est trop forte, il est inutile d'en appeler à la restructuration cognitive pour nier l'évidence. Il est en revanche très fructueux — et cela peut avoir des effets curatifs — d'aller fouiller du côté des idées et des sentiments qui la torturent dans ces cas-là. Le fait qu'une femme soit trop forte ne signifie pas qu'elle soit repoussante, haïssable ou indigne d'être aimée. Elle doit rejeter ce préjugé — véhiculé par le milieu ou la famille, le passé ou le présent, l'entourage ou elle-même — qui assimile la surcharge pondérale à une tare. Capable alors de restructurer ses pensées, de laisser au vestiaire les « je me dégoûte » et autres « je me déteste » elle se concentre sur ce que sa personnalité présente de valorisant sur le plan physique et moral.

Pour moi la restructuration cognitive est une recherche de la vérité, non un nouveau mode de contestation de la réalité. Si une pensée négative contient un brin de vérité désagréable, il ne s'agit pas, pour se sentir mieux, de « restructurer » cette vérité. Mieux vaut la regarder en face, à condition cependant qu'elle n'exprime pas une haine profonde envers soi-même.

Prenons par exemple le cas d'une femme qui a longtemps réprimé sa créativité car son mari insistait pour qu'elle reste au foyer. Le sentiment de « ne pas s'être réalisée pleinement dans la vie » la perturbe. Elle a raison et elle a tout avantage à explorer jusqu'au bout cette idée, plutôt que de chercher prématurément à la restructurer. Cela dit, si elle se flagelle avec cette idée, elle passera à côté de la vérité et se torturera avec d'autres obsessions, comme « je n'ai vraiment pas de talent ». Cela l'empêchera de découvrir les vraies raisons pour lesquelles elle n'a pas exploité toutes ses potentialités, qui n'ont probablement rien à voir avec un manque de dons. Ainsi en arrivera-t-elle à se punir et à se fourvoyer dans des impasses.

Comme vous pouvez le constater, la restructuration cognitive n'a rien à voir avec un optimisme béat qui conduirait à afficher des mines épanouies, indépendamment des réalités. Dans le meilleur des cas, la restructuration cognitive nourrit un optimisme *réaliste* qui nous permet d'affronter les situations, aussi dures soient-elles, tout en gardant une bienveillance indispensable à l'égard de nous-mêmes.

Prenez le cas d'Elaine, qui rejoignit l'un de mes groupes thérapeutiques dans un état de profond désespoir. Elle avait quarante ans et venait de subir une mastectomie à la suite d'un diagnostic de cancer du sein. L'estime de soi et l'identité sexuelle, tout particulièrement, avaient souffert de l'opération chirurgicale.

Quand nous en arrivâmes, dans notre programme thérapeutique, au chapitre de la restructuration cognitive, Elaine réussit à identifier sa principale hantise : « Je ne serai plus jamais une femme à part entière. » Cette pensée, indéfiniment ressassée, la faisait douter d'elle-même et avait creusé un fossé entre elle et son mari. En dépit de ses efforts pour reprendre confiance, Elaine ne pouvait pas se débarrasser de l'idée qu'elle était une « marchandise abîmée ».

Au cours de la thérapie collective et individuelle, Elaine lutta pour restructurer ses schémas. Après bien des cris et grincements de dents, elle réussit à se convaincre qu'il était totalement illogique et fallacieux de penser qu'elle « ne serait jamais une femme à part entière ».

Dans le cas d'Elaine, si la façon dont elle se jugeait était injustement cruelle et hâtive, elle contenait néanmoins une parcelle de douloureuse vérité. Elle avait effectivement été touchée dans son intégrité de femme et il était inévitable qu'elle en soit affectée. Mais elle n'avait aucune raison de penser que sa féminité ou son humanité étaient en question. Et soudain, Elaine parvint à restructurer sa pensée en déclarant au groupe : « Vous savez, si la femme en moi a perdu quelque chose, mon être reste intact. »

La restructuration des pensées d'Elaine n'a pas endormi chez elle la souffrance engendrée par les conséquences de la mastectomie, elle a en revanche effacé la détresse vaine que ses obsessions lui infligeaient. Elle retrouva l'estime d'elle-même, et reprit goût aux plaisirs sexuels et aux échanges amoureux avec son mari.

La plupart des cas de restructuration cognitive sont moins complexes que celui d'Elaine. Lorsque nous posons les quatre questions à propos de nos idées fixes, nous découvrons qu'elles sont pour la plupart totalement illogiques et fausses. Si j'ai raconté l'histoire d'Elaine, c'est pour souligner qu'une parcelle de vérité peut se nicher dans des pensées négatives. Dans de tels cas, notre tâche est de démêler le vrai du faux. Il faut pour cela accepter la réalité, rejeter les mensonges et en arriver à des structures de pensées différentes qui reflètent notre nouvelle appréhension des choses.

J'ai tenu à relater l'histoire d'Elaine parce que de nombreuses femmes sont confrontées à des situations similaires. Si vous êtes aux prises avec ce type de problèmes, il se peut que vous éprouviez ce sentiment de n'être plus « vraiment » une femme. La restructuration des pensées d'Elaine peut s'appliquer à votre cas. C'est un fait que vous avez perdu quelques attributs de votre sexe, mais la plénitude de votre féminité demeure.

D'autres schémas obsessionnels communément liés à la condition féminine se traduisent ainsi : « Je n'aurais plus la séduction, l'énergie et la créativité dont je faisais preuve auparavant » (dans le cas de la ménopause) ; « Mon corps et mon esprit m'échappent totalement » (dans le cas du syndrome prémenstruel) ; « Je ne serai jamais assez mince pour plaire » (dans le cas des troubles du comportement alimentaire).

Dans la seconde partie de ce livre, aux chapitres appropriés, je propose plusieurs méthodes pour restructurer ces obsessions, mais dans tous les cas, il ne faut pas perdre de vue que ces idées parasites n'ont que l'apparence de la vérité et qu'elles peuvent être transformées. Il revient à chacune d'être vigilante, de ne pas tricher avec soi-même et, dans sa quête de vérité intérieure, de tout passer au crible.

Qu'arrive-t-il si, tout en ayant fait votre possible dans ce sens, vous ne parvenez pas à détecter la moindre pensée suspecte ? Vous pouvez vous en remettre à la liste suivante mise au point par le Dr David D. Burns — de ce qu'il est convenu d'appeler les distorsions cognitives ou pensées déformantes. Interrogez-vous pour savoir si votre obsession correspond à l'une de ces dix catégories. Si c'est le cas, utilisez les indications de ce chapitre pour réagir et restructurer au mieux cette pensée.

Les distorsions cognitives [1]

1. LE TOUT-OU-RIEN : votre pensée n'est pas nuancée. Vous classez les choses en deux seules catégories : les bonnes et les mauvaises. En conséquence, si votre performance laisse à désirer, vous considérez votre vie comme un échec total.
2. LA SURGÉNÉRALISATION : un seul événement négatif vous apparaît comme faisant partie d'un cycle d'échecs sans fin.
3. LE FILTRE : vous choisissez un aspect négatif et vous vous attardez à un tel point à ce petit détail que toute votre vision de la réalité en est faussée, tout comme une goutte d'encre qui vient teinter tout un récipient d'eau.
4. LA DISQUALIFICATION DU POSITIF : pour toutes sortes de raisons, en affirmant qu'elles ne comptent pas, vous rejetez toutes vos expériences positives. De cette façon,

---

1. David D. Burns, *Se libérer de l'anxiété. La thérapie cognitive : un autotraitement révolutionnaire de la dépression*, Lattès, 1996.

vous préservez votre image négative des choses, même si elle est en contradiction avec votre expérience de tous les jours.

5. LES CONCLUSIONS HÂTIVES : vous arrivez à une conclusion négative, même si aucun fait précis ne peut confirmer votre interprétation.
   a. *La lecture des pensées d'autrui.* Vous décidez arbitrairement que quelqu'un a une attitude négative à votre égard, et vous ne prenez pas la peine de voir si c'est vrai.
   b. *L'erreur de voyance.* Vous prévoyez le pire, et vous êtes convaincu que votre prédiction est déjà confirmée par les faits.

6. L'EXAGÉRATION (LA DRAMATISATION) ET LA MINIMISATION : vous amplifiez l'importance de certaines choses (comme vos bévues ou le succès de quelqu'un d'autre) et vous minimisez l'importance d'autres choses jusqu'à ce qu'elles vous semblent toutes petites (vos qualités ou les imperfections de votre voisin, par exemple). Cette distorsion s'appelle aussi « le phénomène de la lorgnette ».

7. LE RAISONNEMENT ÉMOTIONNEL : vous présumez que vos émotions négatives reflètent nécessairement la réalité des choses : « C'est ce que je ressens, cela doit donc évidemment correspondre à une réalité. »

8. LES « DOIS » ET LES « DEVRAIS » : vous essayez de vous motiver par des « je devrais » ou des « je ne devrais pas » comme si, pour vous convaincre de faire quelque chose, il fallait vous battre ou vous punir. Ou par des « je dois ». Et cela suscite chez vous un sentiment de culpabilité. Quand vous attribuez des « ils doivent » ou « ils devraient » aux autres, vous éveillez chez vous des sentiments de colère, de frustration et de ressentiment.

9. L'ÉTIQUETAGE ET LES ERREURS D'ÉTIQUETAGE : il s'agit là d'une forme extrême de surgénéralisation. Au lieu de qualifier votre erreur, vous vous apposez une étiquette négative : « Je suis un *perdant*. » Et quand le comportement de quelqu'un d'autre vous déplaît, vous lui collez une étiquette négative : « C'est un maudit pouilleux. » Les erreurs d'étiquetage consistent à décrire les choses à l'aide de mots très colorés et chargés d'émotion.

10. LA PERSONNALISATION : vous vous considérez responsable d'un événement fâcheux dont, en fait, vous n'êtes pas le principal responsable.

L'oie dans la bouteille :
une devinette bien actuelle

Imaginez que vous vous trouvez devant une bouteille de verre bien pansue qui contient une belle oie, bien grosse et bien vivace. Comment sortir l'oie de la bouteille, sans casser la bouteille ni blesser l'animal ?

Vous donnez votre langue au chat ? Pour vous mettre sur la voie, une indication : vous abordez le problème de façon trop réaliste.

Vous séchez encore ? Autre chose : demandez-vous comment l'oie est entrée dans la bouteille.

Vous séchez toujours ? Un dernier indice. Demandez-vous où est vraiment le problème. Cette oie et cette bouteille, où sont-elles en réalité ?

La réponse à cette question, à laquelle vous avez réfléchi quelques minutes, se trouve dans la formulation initiale de la devinette. Dans la mesure où je vous ai demandé d'*imaginer* cette oie dans cette bouteille, tout ce qu'il vous reste à faire est seulement, dans votre *imagination*, de déplacer l'oie hors de la bouteille. Imaginez l'oie à l'intérieur ; imaginez-la à l'extérieur. C'est tout.

La devinette souligne un fait très courant : la plupart de nos tracas quotidiens sont aussi illusoires que l'oie dans la bouteille. Nous nous inventons des pièges inextricables qui ne sont rien d'autre que les fruits de nos fantasmes. Le petit jeu de l'oie-dans-la-bouteille illustre que la solution à bon nombre de nos problèmes arrive quand nous comprenons qu'ils sont une création de notre esprit, lequel est en mesure de les résoudre.

Il arrive à mes patientes qui ont mené à bien mon programme de médecine psychosomatique de s'interrompre en plein milieu d'une crise d'angoisse, pour se dire : « Bon sang, mais *la voilà*, l'oie-dans-la-bouteille ! » Elles prennent soudain conscience de l'origine purement cérébrale de leur tourment. Ce qui peut s'appliquer à la vaisselle pas faite, aux enfants qui se plaignent ou aux regrets professionnels.

L'énigme de l'oie-dans-la-bouteille résume la restructuration cognitive. C'est une image qui nous rappelle comment conjurer ces idées négatives qui nous déstabilisent alors qu'elles n'ont quasiment pas de fondement réel. Pour briser le cercle vicieux des idées et sentiments angoissants, il faut marquer un temps d'arrêt et se demander à soi-même : « Au fait, et s'il s'agissait de l'oie-dans-la-bouteille ? »

L'oie-dans-la-bouteille offre une solution particulièrement heureuse à tous ces petits soucis féminins qui nous empoisonnent souvent l'existence. Mes patientes utilisent cette image pour vaincre ces anxiétés et aigreurs qui, sinon, feraient boule de neige et provoqueraient une avalanche de peur et de rage. Naomi, une patiente, m'avait rapporté une histoire édifiante. Avant de partir au travail, elle avait demandé à son mari de mettre à décongeler le poulet qu'elle voulait préparer pour le dîner. Sur le chemin du retour, elle se mit à spéculer : « Je parie qu'il a oublié de décongeler le poulet. » À partir de cette pensée en apparence anodine, Naomi se mit à faire sa pelote. L'irritation grandissant, cela donna à peu près la chose suivante :

> « Il oublie toujours ce genre de choses. Cela me rend malade. Il faut que je travaille à plein-temps, que je fasse les courses et la cuisine et il n'est même pas fichu de décongeler un malheureux poulet.
>
> « On va finir par en arriver aux mains à propos de tout ça. Et je sais ce que c'est, la bagarre. Ce ne sera pas beau à voir.
>
> « Il va falloir que j'envisage de déménager. Et on en arrivera peut-être au divorce ».

Naomi arriva à la maison fin prête pour la bataille. Elle se rua dans la cuisine où, bien sûr, le poulet s'étalait, avachi et tout dégoulinant d'eau, sur une assiette posée sur la table.

Si Naomi avait pris un instant pour mettre un terme à son emballement mental, et se demander s'il ne s'agissait pas d'une oie-dans-la-bouteille (en l'occurrence un volatile dans le congélateur), elle se serait épargné bien des émotions et quelques troubles physiologiques ; au lieu de quoi, son réflexe de fuite ou d'attaque montait d'un cran à chaque nouvelle pensée rageuse. Et même si son mari ne l'avait pas décongelé, ce damné poulet, était-ce bien un motif de divorce ?

Voici quelques situations similaires où l'on voit l'effet boule de neige de certaines pensées négatives, inspirées d'anecdotes que m'ont racontées mes patientes. Chaque situation aurait pu être désamorcée par la question de l'oie-dans-la-bouteille :

> J'ai fait une erreur avec un client aujourd'hui. Je ne vais pas décrocher cette vente. L'année va être mauvaise. Je vais perdre mon travail et ma maison.
>
> Mon fils de dix ans a un zéro sur son carnet de notes. C'est clair, il ne poursuivra pas ses études.
>
> Je viens de me rendre compte que la recette que je fais pour le dîner comprend un ingrédient auquel mon beau-père est allergique. Il va tomber gravement malade. Je vois ça d'ici, qu'il meure juste dans ma salle à manger.
>
> Je fréquente un homme charmant depuis trois mois. Nous partons ensemble pour le week-end et je suis sûre que lorsqu'il verra mes cuisses pour la première fois, il s'enfuira en courant. Je resterai seule pour toujours.
>
> Ma fille a été invitée pour la fête de fin d'année par un garçon qui lui plaît. Elle se ronge les sangs à l'idée qu'il ne vienne pas. Si c'est le cas, bonjour l'humiliation ! Et si alors elle quitte l'école ? Que va-t-il advenir ? D'ici à ce qu'elle rejoigne une secte !
>
> Mes médecins m'ont dit que ma biopsie du sein était considérée comme négative par deux laboratoires différents. Mon cancer doit en être à un stade tellement avancé qu'ils ont peur de me le dire.

À l'énoncé de ces élucubrations, le teste de l'oie-dans-la-bouteille paraît presque superflu. Il est important néanmoins de le pratiquer parce que certaines femmes finissent par être vraiment déstabilisées par ces petites pensées irritantes.

D'une certaine manière, l'exercice de l'oie-dans-la-bouteille est à la restructuration cognitive ce que la mini-relaxation est à la relaxation totale. En d'autres termes, le renvoi à l'image de l'oie est une forme rapide mais souvent efficace de restructuration cognitive qui peut agir positivement, à défaut d'une procédure plus sophistiquée. En revanche, les angoisses existentielles, telles que « je n'arriverai jamais à rien » ou « je ne serai jamais capable d'être mère », demandent une restructuration cognitive des plus approfondies.

Dans nos efforts pour atteindre la paix de l'esprit, nous pouvons utiliser à la fois les mini-relaxations et les techniques de relaxation plus complexes. Au même titre, nous pouvons, pour nos petits tracas quotidiens, utiliser l'oie-dans-la-bouteille, et pour les problèmes plus sérieux qui nous font souffrir continuellement, la restructuration cognitive.

La maladie du perfectionnisme

La société « inocule » aux femmes bon nombre de pré-jugés pervers. Nous les héritons en général de notre famille, dans l'enfance, et ils sont ensuite renforcés par le condition-nement social et la propagande des médias. Le conditionne-ment social le plus répandu provoque le refus de notre corps. Le perfectionnisme outrancier, qui n'est d'ailleurs pas sans rapport avec la dépréciation corporelle, sévit dans presque tous les domaines.

Nombre d'entre nous en sont venues à croire que l'as-pect corporel, le comportement, la capacité créatrice, l'édu-cation, la vie sentimentale devraient composer un magnifique patchwork de la vie dont chacune des pièces devrait être traitée à la perfection. À défaut, nous portons un regard impitoyable sur nous-mêmes : nous ne sommes pas « à la hauteur ».

Beaucoup de femmes sont hantées par des voix qui les rabaissent si elles ne réussissent pas brillamment, à tous les coups, dans tous les domaines, sans aucune exception. Cette folle aspiration à la perfection la plus intransigeante les fait sombrer dans le désespoir pour peu qu'elles ne réalisent pas leurs ambitions, inaccessibles pour la plupart. Ce perfection-nisme obsessionnel vampirise littéralement la femme qui pense constamment qu'elle n'en fait pas assez. C'est un virus pathogène, qui rend malade et dont les femmes doivent se préserver.

La restructuration cognitive sait détecter les vices de rai-sonnement sur lesquels repose le perfectionnisme. Ce der-nier peut pervertir la pensée au point d'être à l'origine de la quasi-totalité des distorsions cognitives recensées par le Dr Burns. Grâce aux techniques de la restructuration cogni-tive, nous parvenons à mesurer les dégâts du perfection-nisme. C'est le meilleur moyen de rejeter la tyrannie des ambitions inaccessibles.

Frances, quarante ans, se sentait toujours épuisée. Mariée avec deux enfants, elle travaillait à mi-temps comme secrétaire spécialisée dans la saisie informatique. Voilà le genre de scènes dont sa vie était faite : après sa journée de travail et les tâches ménagères, elle vient de préparer à dîner. Elle donne à son fils de quatre ans le jus d'orange qu'elle a acheté le jour même. Il pique une colère. C'est le jus de pomme qu'il aime, pas le jus d'orange. Que n'y a-t-elle pensé, se reproche-t-elle ! Elle a travaillé toute la journée, fait la lessive, est allée chercher les petits au jardin d'enfants, a préparé un bon repas, mais elle éprouve un sentiment d'échec total.

L'idée fixe de Frances est qu'elle doit être parfaite. Elle tombe dans tous les pièges évoqués par le Dr David Burns : la doctrine du tout ou rien (un seul petit défaut et tout est gâché), la généralisation à outrance (un seul événement négatif et c'est l'échec sur toute la ligne), la disqualification du positif et la minimisation de tout ce qu'elle fait de bien.

C'est le recours au filtrage mental qui empoisonne également l'existence de la femme perfectionniste : elle sort de son contexte un détail négatif et s'y arrête avec un tel entêtement qu'elle n'est plus capable de relativiser sa vision des choses. Prenez l'exemple de la femme cadre qui rencontre son patron pour une évaluation de son travail. Il lui dit qu'elle a merveilleusement tenu ses dossiers, qu'elle entretient des relations magnifiques avec les clients et qu'il compte sur elle pour les nouveaux projets. Dans l'année qui vient, il aimerait qu'elle se charge des nouveaux contrats, mais avec encore plus de pugnacité (que n'avait-il pas dit !). Il finit par évoquer l'éventualité d'une promotion.

Cependant, notre cadre est une femme, et passe les jours suivants à ruminer « son manque de combativité ». C'est clair, elle a fait du sale boulot dans le suivi des nouveaux dossiers, et son patron a une piètre opinion d'elle, même s'il a bien voulu reconnaître ses nombreux points forts. Elle n'a même pas prêté attention à l'allusion à la promotion. Son moral est si bas qu'elle s'attend même à recevoir un avertissement !

Les hommes, évidemment, sont sujets aux mêmes dérapages de pensée. La pression professionnelle s'exerce très durement sur eux et ils tombent souvent dans les mêmes pièges que notre cadre féminine. Mais la société attend des femmes qu'elles accomplissent tout, jusqu'au bout, et impeccablement. Les préjugés sociaux les plus ancrés veulent qu'elles soient parfaitement sexy en même temps que des mères exemplaires ; parfaitement appliquées dans leurs tâches ménagères en même temps que parfaitement dévouées dans leur travail ; totalement disponibles pour leurs partenaires en même temps qu'engagées à fond dans divers secteurs de l'activité sociale. Il n'est guère étonnant que certaines d'entre elles assimilent un simple faux pas à la déchéance totale. Et les nouvelles ambitions des femmes des années quatre-vingt-dix n'ont pas *remplacé* les anciennes ; elles n'ont fait que s'y ajouter, comme les poids poussés à l'extrémité d'une barre d'haltérophilie.

Aujourd'hui, il est dur pour les femmes qui travaillent de nourrir des ambitions réalistes, car la société les accule à voir le monde s'écrouler si elles ne sont pas parfaites. Prenez l'exemple de la femme qui assume seule la charge de deux enfants scolarisés en travaillant comme standardiste. Elle a déjà épuisé tous ses jours de congé-maladie à cause des épidémies de grippe. En outre, elle a un patron peu sympathique qui lui a déjà fait des réflexions pour ses absences. Et voilà maintenant qu'une de ses filles, qui tient le rôle principal dans une pièce qu'elle va jouer à l'école, veut que sa mère assiste à la représentation. Que faire ? Doit-elle demander un bon d'absence au risque de se voir retirer un jour de paie ? Ses finances, extrêmement serrées, résisteront-elles à ce manque à gagner ? Et si son patron prenait la mouche et la menaçait de sanction ? Et que dira sa fille si elle n'assiste pas au spectacle, qu'éprouvera-t-elle elle-même ?

La vie de certaines femmes repose sur un équilibre fragile où l'on n'a droit ni à l'erreur, ni à la moindre saute d'humeur. Ces femmes ont besoin de la restructuration cognitive pour relativiser les choses. La femme qui travaille avec un patron récalcitrant ne trouvera pas la solution miracle au dilemme que je viens d'évoquer. Toutefois, quel que soit finalement son choix, l'important est qu'elle le fasse avec indulgence pour elle-même, c'est-à-dire en ayant bien conscience que la perfection est inaccessible, car cela ne dépend pas d'elle.

J'ai eu beaucoup de patientes perfectionnistes qui n'arrivaient pas à dormir la nuit parce qu'elles avaient un rapport professionnel à présenter le lendemain. Elles se réveillaient à deux heures du matin et la spirale des obsessions s'enclenchait. Voilà comment la pensée perfectionniste tisse sa toile :

« Je n'arriverai pas à me rendormir. »
« Demain, je vais être épuisée. »
« Si je suis épuisée, je vais être vraiment mauvaise pour le rapport. »
« Nous allons perdre le nouveau contrat. »
« Je vais perdre mon boulot. »
« Je serai dans la dèche pour le restant de ma vie. »

Ce qui débute par une légère anxiété se transforme en une crise de désespoir aigu. Le perfectionnisme et ses implacables distorsions cognitives ne laisse pas le moindre droit à l'erreur. Bien que l'insomniaque en question ne coure aucun risque de licenciement, quel que soit son état de fatigue du lendemain, il ne fait pas de doute que la spirale de ses obsessions a aggravé son insomnie. Si vous vous trouvez dans une situation semblable, effectuez une mini-relaxation et rappelez-vous que de telles angoisses sont des « oies nocturnes » nichées dans des bouteilles de forme variable. Si ça ne marche pas, soumettez vos pensées à l'épreuve des quatre questions clés de la restructuration cognitive.

Le perfectionnisme de nombreuses femmes est moins lié aux pressions immédiates qu'à des réminiscences du passé. Jody, soixante-quatre ans, animatrice de soirées, souffrait de migraines chroniques qu'elle attribuait au stress. Dans les cinq années précédentes elle avait déménagé trois fois d'une ville à une autre, parce que son mari s'investissait à chaque fois dans un nouveau commerce. Le déménagement le plus récent avait été le plus éprouvant : le couple avait laissé derrière lui une charmante maison, un commerce au coquet rendement et la présence, à proximité, de leur fils aîné. Il ne fait aucun doute que ce stress ajouta au surmenage physique et mental de Jody. En fait, à me fier à nos entretiens, il me parut évident qu'elle avait du mal à s'adapter à l'environnement social. Elle venait, une nouvelle fois, de changer de ville et il lui fallait se constituer un nouveau milieu, de nouvelles relations. D'ailleurs, ses migraines culminaient quand le couple recevait dans sa nouvelle maison.

« Je sais que je suis perfectionniste, disait Jody. Si je

veux recevoir du monde, il faut ce qu'il faut. Quand les choses ne sont pas parfaites, et elles ne le sont jamais, la migraine arrive. Je n'arrête pas de me demander ce que les invités vont penser de la maison. Et la cuisine ? Et la décoration ? »

Voilà une femme dont le métier est d'organiser des soirées, qui excelle à l'organisation des fêtes et des réceptions pour collectivités. Elle est pourtant prise d'une angoisse obsessionnelle à l'idée que son principal et incontestable talent soit critiqué.

J'ai travaillé avec Jody à la restructuration cognitive de sa hantise de ce qu'on pouvait penser de ses compétences d'hôtesse. Il n'a pas fallu longtemps pour qu'elle reconnaisse qu'elle était effectivement une organisatrice de soirées hors pair, chez elle comme chez d'autres. Mais il restait la question : « Où avait-elle pris ces idées ? »

« Je me suis finalement rendu compte qu'on ne me félicitait jamais quand j'étais petite, expliquait-elle. Je sais que mes parents m'aimaient, mais ils ne savaient pas me le montrer. C'est pourquoi il m'arrive d'être tout à fait consciente d'être aimée ou appréciée, mais sans vraiment le ressentir. C'est à ce moment-là que la tempête éclate sous mon crâne. J'aurais besoin de mots qui me prouvent qu'on m'aime et m'apprécie. »

Une fois que Jody eut réalisé d'où venaient ses doutes, elle fut capable de restructurer sa pensée. Elle dut aussi explorer et extérioriser ses émotions, ce dont je parlerai dans les trois prochains chapitres. Mais sa transfiguration s'opéra avec la découverte que son perfectionnisme remontait à son enfance et qu'elle avait sous-estimé ses talents et s'était dévalorisée aux yeux des autres à cause de lui. Avec le temps, ses migraines commencèrent à battre en retraite.

Le perfectionnisme peut être ravageur chez les femmes malades. Nombreuses sont celles qui ont un cancer du sein ou des organes génitaux, et s'en tiennent pour responsables. Elles en seraient là faute d'avoir suivi un régime équilibré ou d'avoir eu une vie sentimentale satisfaisante, et en paieraient le prix par une maladie menaçant leur existence. D'autres femmes se reprochent d'avoir trop tardé à se faire examiner pour telle grosseur ou tel autre symptôme quand le pronostic est défavorable.

Il se peut qu'il y ait un brin de vérité dans les doutes que ces femmes expriment. Mais elles ne l'utilisent que pour se flageller elles-mêmes. Comment peut-on attendre d'une femme, quelle qu'elle soit, qu'elle s'alimente parfaitement et mène la vie sentimentale la plus enviable ? (L'influence des facteurs affectifs dans le développement du cancer est controversé. Mais si des facteurs psychologiques peuvent le favoriser, c'est au même titre que bien d'autres. Et aucune femme ne peut être tenue pour responsable d'un état émotionnel dont elle ignore qu'il peut être un facteur déclenchant d'une maladie et qui échappe à son contrôle puisqu'il est inconscient.) De plus, de nombreuses femmes ne vont que tardivement chez le médecin parce qu'elles ne connaissent pas les premiers symptômes de la maladie ou au contraire parce qu'elles sont prises de panique. Bien qu'un tel retard ne soit jamais recommandable, on peut en comprendre les raisons.

Le médecin de Cindy, une de mes patientes atteintes d'un cancer du sein, annonça à celle-ci que sa tumeur au sein était bénigne. « Mais je vais la surveiller de près », dit-il. C'est ce qu'il fit et il réitéra son diagnostic. Quelques mois plus tard, durant lesquels la grosseur s'était développée, Cindy alla consulter un autre médecin pour avoir un autre point de vue. Lorsqu'on découvrit qu'il s'agissait bien d'un cancer du sein, Cindy se fit d'amers reproches. « J'aurais dû m'en douter et aller voir un autre médecin plus tôt. » Il fallut plusieurs séances avant que je ne réussisse à la convaincre qu'elle n'y était pour rien. Je rappelai à Cindy qu'elle était dans un état de peur et de vulnérabilité peu propice pour aller consulter d'autres médecins, d'autres spécialistes. Je lui demandai aussi si elle avait une raison de douter de la compétence de son médecin. La réponse fut non — il l'avait toujours bien soignée dans le passé. Il était donc logique qu'elle lui fasse confiance.

Nombre de mes patientes atteintes de stérilité ou victimes de fausses-couches répétées se font les pires reproches et pensent que leurs défauts de comportement, par exemple, seraient responsables de leur incapacité à concevoir des enfants. Ces idées obsessionnelles vont de « je suis incapable de faire quoi que ce soit de bien », à « je ferais une bien mauvaise mère de famille » en passant par « je m'y suis prise trop tard ». Bien souvent, les femmes qui ont fait de multiples fausses-couches se tiennent pour responsables, à la moindre erreur, de la perte de leur enfant. Une femme qui avait fait une fausse-couche après un trajet en voiture s'en accusa : « Je n'aurais pas dû voyager du tout. » Ces auto-accusations n'ont évidemment aucun fondement sérieux. Le seul moyen de se libérer de telles obsessions est de les confronter avec rigueur à la réalité.

Que nous soyons malades ou bien portantes, le perfectionnisme prélève son dû en nous dérobant une part de notre confiance en nous-mêmes et de notre aptitude à vivre notre quotidien avec sérénité. Je ne fais pas allusion ici, bien sûr, au perfectionnisme rationnel, une tendance pouvant être salutaire. Je me réfère au perfectionnisme rigide qui ne laisse aucune place à l'erreur, à la fatigue ou même à l'expérimentation. Utilisez le mieux possible les ressources de la restructuration cognitive pour bannir de votre cœur et de votre esprit le perfectionnisme irrationnel, et votre organisme vous en sera reconnaissant.

La restructuration cognitive en action

Avec mes patientes, je pratique la restructuration cognitive en séances individuelles mais aussi, comme je l'ai dit plus haut, en thérapie de groupe. J'ai constaté qu'il était plus facile aux femmes de se remettre en question et de modifier leurs façons de voir avec l'aide des autres. Réfléchissez-y : la plupart d'entre nous laissent leur sentiment de culpabilité les martyriser depuis vingt, trente, voire quarante ans. Il n'est pas facile de changer de disque. Un entourage attentionné, concerné, même s'il se résume à une seule personne peut nous aider. Cela permet non seulement de bénéficier d'un soutien affectif, mais aussi de disposer d'une vision plus objective, d'un autre son de cloche, pour contrebalancer notre propension à l'autodépréciation.

Certaines pensées obsessionnelles sont si douloureuses qu'elles déclenchent des dépressions ou des angoisses persistantes. Dans ce cas, je vous conseille de trouver un psychologue qui puisse suivre votre restructuration cognitive, qui pourrait alors se combiner avec d'autres formes de psychothérapie et avec la prise de médicaments. Même si vous n'êtes pas cliniquement déprimée, un psychologue spécialisé dans la restructuration cognitive peut vous épauler de façon extraordinaire.

Vous pouvez également vous concerter avec une amie ou votre compagnon sur vos doutes les plus lancinants, et vous poser mutuellement les quatre questions clés de la restructuration cognitive. Tandis que vous parlez, l'amie ou le compagnon note par écrit vos réponses. Essayez de restructurer vos propres pensées. Si vous tombez sur un obstacle, vous pouvez solliciter quelque encouragement auprès de votre interlocuteur (un *feed-back,* pour utiliser le terme technique), mais n'attendez pas de vos proches qu'ils fassent le travail à votre place. Il est d'ailleurs le plus souvent infructueux, voire contraire aux principes d'une bonne thérapie, de tirer des conclusions hâtives sur les pensées négatives d'un autre. Vous pouvez ensuite échanger les rôles.

Si vous pratiquez la restructuration cognitive toute seule, vous pouvez mettre par écrit vos pensées dépréciatrices et vos réponses aux quatre questions. De nombreuses patientes ont trouvé cette méthode efficace. Le seul fait de porter sur le papier ses obsessions a une vertu thérapeutique : *La voilà, je la tiens, la cause de tant de souffrances.* Si vous n'êtes pas certaine que telle pensée négative constitue réellement un dysfonctionnement, référez-vous à la liste des distorsions cognitives de David Burns et voyez si elle correspond à l'une d'entre elles.

Certaines de mes patientes tiennent un « répertoire de distorsions » où elles portent quotidiennement leurs automatismes dépréciateurs. Les carnets qu'elles conservent constituent un vibrant témoignage de la souffrance causée par ces tricheries mentales. Elles utilisent aussi ces carnets de bord pour combattre et restructurer leurs pensées, en notant par écrit celles qu'elles viennent de se forger rationnellement, en sachant qu'il leur faudra désormais vivre avec.

Quel que soit votre état de santé, je vous conseille de vous relaxer (voir au chapitre 3) avant de tenter une restructuration cognitive. Je ne veux pas dire qu'il est nécessaire de pratiquer la relaxation juste avant la restructuration, mais rôdez-vous à la relaxation avant de vous engager dans votre métamorphose cognitive. La relaxation aide à débarrasser l'esprit et le corps des tensions excessives qui vont à l'encontre de la concentration intellectuelle et de tout effort de lucidité. C'est ainsi que la relaxation et la restructuration cognitive peuvent fonctionner en synergie.

Dans votre chasse aux idées déprimantes, soyez ouverte aux mots, aux phrases ou aux notions susceptibles de métamorphoser radicalement votre façon de voir. La majorité de mes patientes ont éprouvé une fois cette sorte de déclic qui change tout. J'ai cité un jour les propos d'une ancienne patiente devant des femmes inscrites au suivi psychosomatique de la stérilité : « J'ai passé le cap de la trentaine à me sentir nulle à cause de ma stérilité », avait-elle dit. Une des femmes du groupe, Helen, fut bouleversée de reconnaître ce constat chez une autre. À trente-quatre ans, elle essayait vraiment d'avoir un enfant, et depuis plusieurs années. Des traitements médicaux de pointe avaient échoué et le disque rayé tournait sans cesse dans sa tête : « Je ne me sentirai jamais bien dans ma peau si je n'ai pas mon propre enfant. » Elle se rendit compte tout à coup qu'elle ne voulait pas passer le reste de sa trentaine à se mépriser et à se sentir nulle ; une pensée qui en fait l'affectait encore plus vivement que la peur de ne pas être bien dans sa peau. Depuis, Helen et son mari ont adopté un enfant et elle considère cet instant de la thérapie — cette sorte d'eurêka de la restructuration cognitive — comme un tournant de sa vie.

Lorsque vous vous excercerez à la restructuration cognitive —, rappelez-vous qu'il n'est pas nécessaire d'être un génie pour réussir. Vous devez utiliser votre bon sens et prendre l'engagement de vous montrer aussi ouverte que possible à vos propres processus cognitifs. Rappelez-vous que tout le monde a des pensées parasites dans la tête, en partie vraies ou totalement fausses. Mais nous possédons toutes une forme de sagesse à laquelle il faut faire appel pour traquer ces idées tordues qui nous égarent.

6

On n'est jamais si bien soignée
que par soi-même

Rappelez-vous l'époque où vous étiez éperdument amoureuse. Vous avez probablement considéré l'objet de vos ardeurs comme un être d'une intelligence, d'un charme et d'une bonté sans pareilles. Par une avalanche de cadeaux et de gestes tendres, vous lui avez prouvé que vous lui étiez dévouée corps et âme. S'il vous est arrivé de constater quelques indélicatesses, vous les avez perçues comme des touches d'humanité, qui ne l'ont rendu que *plus* séduisant. Cette phase précoce de la relation amoureuse est celle de l'amour inconditionnel et elle ne dure généralement que quelques semaines ou quelques mois. Un âge d'or pendant lequel tout ce que fait votre partenaire est merveilleux.

Mais quand donc, pour la dernière fois, vous est-il arrivé de vous regarder avec le même amour inconditionnel ?

Si vous êtes comme la plupart de mes patientes, vous aurez bien du mal à vous souvenir d'une telle époque. N'ayez crainte, vous n'êtes pas la seule : les femmes qui se refusent à elles-mêmes la tendresse et les petits soins qu'elles prodiguent aux autres sont légion. Nous sommes trop conditionnées à aller vers les autres, à nous échiner à devancer les besoins des époux, des membres de la famille ou même d'étrangers. Nous sommes trop dressées à être altruistes pour ne pas nous sentir coupables dès que nous nous accordons du temps à nous-mêmes, pour nos plaisirs et notre épanouissement physique et moral. Beaucoup d'entre nous ne sont pas convaincues que tel est pourtant leur bon droit et que cela fait partie des conditions de l'estime de soi.

On a parlé à ce propos de négation de soi, de dépendance, de vie par procuration, de soumission féminine, d'existences sous influence — les appellations sont nombreuses et connues. Peu importe la formule qu'on utilise. La tendance à prendre soin des autres en négligeant sa propre individualité est endémique chez les femmes, même chez celles qui ne sont pas dupes. Je connais des femmes intelligentes et subtiles, dont une bonne partie de mes patientes, qui, malgré leur niveau de conscience élevé, restent prisonnières du mépris d'elles-mêmes qu'on leur a inculqué.

Depuis longtemps, les sociologues, les psychiatres et les psychologues ont souligné cette propension des femmes à valoriser les autres et à se sous-estimer elles-mêmes. À mon avis, toutefois, le problème n'est pas seulement psychologique. *Il y va de notre santé.* Ces femmes, sans cesse aux petits soins pour les autres et ne s'accordant jamais une pause, en subissent de lourdes conséquences physiques et psychiques. Des études psychosomatiques ont souligné une corrélation entre les diverses formes de négation de soi et certaines déficiences immunitaires, voire l'évolution de certains types de cancer.

Prenons pour exemple la recherche menée dans les années 1960 par le Dr George F. Solomon et son collègue de l'université de Stanford, le Pr Rudolf Moos, qui ont étudié les traits de caractère de femmes atteintes de rhumatisme articulaire, une maladie auto-immune qui se manifeste par une inflammation des articulations très douloureuse. Ils ont décrit les patientes de ce groupe comme généralement « calmes, introverties, fiables, consciencieuses, réservées dans l'expression de leurs émotions — et de la colère en particulier —, soumises, ayant la vocation du sacrifice, enclines à se laisser dominer, sensibles aux critiques, distantes, hyperactives et toujours affairées »... entre autres. Une étude postérieure a montré que ces mêmes traits de caractère n'apparaissaient pas chez les sœurs de ces femmes qui, elles, n'étaient pas atteintes de rhumatisme articulaire.

Bien que le refoulement des émotions, l'obéissance et le sacrifice de soi ne puissent pas être considérés comme la cause de la maladie, ces caractéristiques psychologiques semblent favoriser sa progression. Au terme de trois décennies d'études cliniques, le Dr Solomon a mis en évidence que des femmes souffrant de rhumatisme articulaire et autres maladies auto-immunes et qui s'enhardissaient à affirmer leurs besoins et à assurer leur propre épanouissement avaient une meilleure perception de leur valeur et se portaient mieux.

Lors de mon expérience clinique, j'ai moi-même eu la preuve que les femmes dont l'estime de soi est dégradé et qui se sacrifient sur l'autel de l'altruisme sont davantage sujettes à certains symptômes et maladies physiques. Lorsque ces femmes apprennent à s'occuper d'elles-mêmes, elles prennent conscience de leur propre valeur et leur santé s'en ressent de façon notable.

Les femmes malades peuvent accélérer leur guérison en s'aimant. Mes patientes souffrant de stérilité, de fausses-couches à répétition, de cancer, de douleurs chroniques, de migraines ou de maladies auto-immunes, ont besoin de plus de loisirs pour contrebalancer le stress dont leur organisme est saturé, et elles le méritent. À la ménopause, les femmes qui accordent davantage de temps pour elles-mêmes se jouent du temps qui passe en retournant la situation à leur bénéfice.

Au chapitre précédent, j'ai montré comment les femmes se jugent durement. Dans celui-ci, je m'attache à souligner à quel point elles se maltraitent. Quelles sont les façons dont les femmes se nient ou se dévalorisent ? Je vais les énumérer, en citant Elizabeth Barrett Browning. Nous nous réservons trop peu de temps, chaque jour, à des activités agréables ayant notre plaisir pour seule finalité. Nous attendons des autres, et non de nous-mêmes, qu'ils nous rassurent sur notre aspect physique, nos talents, notre maison, nos robes, nos qualités humaines. Lorsque nous nous accordons du bon temps, nous le gâchons à la minute suivante par des scrupules et des remords. Au lieu de suivre un régime et de nous imposer des règles de santé, nous nous punissons et compensons en mangeant des sucreries et autres friandises peu diététiques. Nous nous lançons souvent dans des relations sentimentales avec des partenaires dont nous attendons qu'ils nous valorisent, et nous nous embarquons dans un combat pour gagner l'exclusivité de leur amour au détriment de nos besoins.

Toutes les femmes ne correspondent pas à ce portrait, évidemment. Si vous ne vous reconnaissez dans aucun de ces tableaux, sautez ce chapitre. Mais une faille dans l'estime de soi existe chez beaucoup, un trou béant même. Et la perception de ce qui nous est dû est également viciée. Certes, nous estimons mériter l'amour, l'attention et la tendresse des autres, mais en sommes rarement *convaincues* au fond de nous-mêmes.

Cette différence a conduit à une incompréhension grave au sujet de l'altruisme et du manque d'estime de soi chez les femmes. Les médias se sont souvent gaussé de cette quête du respect de soi-même, comme si elle n'était qu'une marotte de psychologues. Vous avez probablement vu Stewart Smalley, le pauvre type qui suit sa cure de désintoxication « en douze étapes » dans *Saturday Night Live* (interprété par le désopilant Al Franken), qui débute son talk show télévisé par un mantra digne de la méthode Coué : « Je suis très bon, très intelligent, bravo aux gens comme moi ! » Fort heureusement, la prestation touchante de Franken tempère le ridicule, mais, pour beaucoup, Stewart n'en apparaît pas moins comme la caricature grossière de ceux qui cherchent à échapper à l'emprise de la drogue et à retrouver le respect d'eux-mêmes. Dans l'édition de poche de *Revolution from Within* (« La Révolution intérieure »), un solide ouvrage sur la conquête féminine de l'estime de soi, Gloria Steinem relate la façon dont les médias ont assassiné son livre à l'occasion de sa première parution grand-public. Elle raconte aussi comment les mêmes médias rejetèrent les conclusions des travaux d'une équipe californienne qui voyait dans le manque de respect de soi-même la « cause première » de problèmes sociaux majeurs tels que le crime, l'abus de drogue et d'alcool, le drame d'adolescentes se retrouvant enceintes, la dépendance à l'égard de l'aide sociale et la maltraitance des enfants. J'ajouterai à cette liste les problèmes de santé rencontrés par les femmes. Les conséquences, sur le corps et l'esprit, de la carence d'estime de soi sont loin d'être une plaisanterie.

Considérons les effets du manque de confiance en soi chez Lorrie, cette conseillère d'orientation dont j'ai décrit les succès dans le domaine de la relaxation, au chapitre 3.

Lorrie avait été élevée par des parents incapables d'amour inconditionnel et ses frères et sœurs, comme elle-même, en souffrirent de bien des façons. Tous les quatre eurent des problèmes affectifs, comportementaux et scolaires. « Le message que m'ont transmis mes parents, dit Lorrie, était que notre valeur se mesurait aux choses importantes que nous saurions mener à bien. Désormais, j'ai sans cesse l'impression de n'avoir rien accompli. » Les seules activités présentées à Lorrie et ses frères et sœurs comme dignes d'estime, étaient celles visant la réussite. « Jusqu'à ce jour, chacun de nous a eu des difficultés à réaliser quelque chose qui sorte du cadre de la lutte pour la gloire, dit-elle. Nous culpabilisons à la simple idée de nous relaxer, de nous détendre. »

Depuis, Lorrie, qui a désormais quarante ans, a souffert de crises d'anxiété, de dépressions nerveuses caractérisées et d'une myriade de symptômes physiques. Ses désordres gastro-intestinaux furent parfois si atroces qu'ils l'empêchaient de dormir normalement des semaines ou des mois d'affilée. Elle fut hospitalisée des années durant pour de multiples opérations et symptômes intestinaux. Elle avait du mal à poursuivre toute relation amoureuse, par manque de confiance en elle ou par aigreur à l'égard des hommes. La liste des médicaments qu'elle a ingurgités pour ses problèmes psychiatriques et gastro-intestinaux serait trop longue à dresser.

Le revirement de Lorrie est intervenu lorsqu'elle a intégré un de nos groupes psychosomatiques et qu'elle a commencé à prendre en compte ses besoins. Lorrie ne s'accorda pas seulement du temps pour se détendre, mais aussi pour fréquenter ses amis, s'engager dans les activités de son Église et s'investir dans la vie sociale. Elle fit l'expérience de notre groupe dans un état d'esprit que je souhaite toujours à mes patientes : se saisir de cette occasion pour prendre soin d'elle-même. Pour Lorrie, cela voulait dire mener des activités agréables en soi, apprécier les autres membres du groupe, entretenir des amitiés et oser avoir ses propres « jardins secrets » sans honte ni appréhension.

Une fois qu'elle eut commencé à faire preuve de sollicitude envers elle-même — dans ses pensées, ses sentiments et ses actes —, ses symptômes se mirent à régresser. Elle put désormais contrôler ses crises gastro-intestinales, et son insertion dans la société s'améliora de façon spectaculaire. Avant d'intégrer notre programme, cela faisait sept ans qu'elle se faisait hospitaliser plusieurs fois par an ; depuis, elle ne l'a pas été une seule fois. Avant le soutien psycho-somatique, elle avait consulté de nombreux thérapeutes mais ce n'est que récemment qu'elle a trouvé celui qui l'aide à surmonter son anxiété et sa dépression. Au cours de ses thérapies, Lorrie ne manquait pas d'exprimer sa colère envers ses parents ; elle commence à leur pardonner. Elle a finalement trouvé un travail avec une équipe d'hommes qu'elle admire et en qui elle a confiance. Lorrie espère toujours trouver un compagnon mais elle ne se lance plus, comme elle en avait pris l'habitude, dans des aventures sexuelles sans lendemain qui ne faisaient qu'ébranler un peu plus sa confiance en elle. Elle est d'ailleurs trop investie dans ses nouveaux centres d'intérêt, ses amitiés et ses activités spirituelles.

Évidemment, nous n'avons pas toutes des problèmes aussi graves que Lorrie. Mais beaucoup de femmes sous-estiment ce qu'elles valent et ce qu'elles méritent. Nos crises d'angoisse, nos dépressions et nos maladies sont souvent liées, directement ou non, à cette carence. Certaines affichent certes une belle assurance, même si parfois elles se mystifient elles-mêmes. Mais la vérité ne peut éclater que si nous répondons honnêtement à ces questions : est-ce que je m'accorde chaque jour assez de temps pour mon propre plaisir ? Ma valeur dépend-elle essentiellement de l'approbation des autres, de leurs cadeaux ou de leur gratitude ? Est-ce que je pense que le seul moyen de me réaliser est de me consacrer aux autres ? Mon identité se confond-elle avec mon dévouement ?

Dans ce chapitre, je vous offre des moyens concrets de satisfaire vos propres besoins. En suivant mes conseils, vous pouvez briser votre sujétion aux réactions d'autrui pour ne plus devoir votre bien-être qu'à vous-même. La clé est d'apprendre à trouver l'aliment spirituel et hédoniste qui vous convient, en prenant le temps qu'il faut pour des activités distrayantes et moralement enrichissantes. Aussi étrange que cela puisse paraître, j'en suis arrivée à la ferme conviction qu'on n'est jamais si bien soignée, sur le plan médical comme sur d'autres plans, que par l'attention qu'on prodigue à soi-même.

Existe-t-il des plaisirs bons pour la santé ?

Y a-t-il vraiment, physiquement, quelque avantage à être aux petits soins pour soi-même ? Cela ne fait aucun doute pour le psychologue Robert Ornstein et le Dr David Sobel, auteurs des *Vertus du plaisir*[1] qui avancent l'hypothèse que « les personnes qui ont une santé florissante semblent être des individus qui aiment le plaisir, le recherchent et savent le faire naître ». Bien qu'ils prônent des règles de vie saines et diététiques, ils déplorent l'absurdité de l'ascétisme de la voie qui mène à la santé dans notre civilisation. Ils citent à l'appui de fascinantes études scientifiques qui confirment leur hypothèse, et démontrent que vivre en cultivant tous les plaisirs des sens peut améliorer la santé.

La bonne humeur et les émotions agréables stimulent le système immunitaire et, selon certaines études, aident à la guérison. Qu'est-ce qui favorise cet état d'esprit ? Selon Ornstein et Sobel, on peut compter au nombre des facteurs positifs : le soutien affectueux des amis et des proches ; la gamme des activités distrayantes allant du violon d'Ingres aux loisirs de vacances ; et toute recherche raisonnable du plaisir des sens, tant qu'elle ne compromet pas la santé (la cigarette, par exemple) ou qu'elle ne piétine pas les besoins d'autrui. Les joies de la littérature, de la peinture, du cinéma et de la musique sont indiscutablement enrichissantes pour l'esprit ; certaines études suggèrent qu'elles aussi favorisent la santé. Ornstein et Sobel affirment même, preuves à l'appui, que les petits « écarts » tant décriés, de bonne chère ou d'alcool, ne sont pas mauvais, eux non plus, pour le moral et sans risque si l'on sait mesure garder.

Voici les plaisirs des sens qui, selon certaines de ces études, sont bons pour la santé :

La vue : le chercheur Aaron Katcher et ses collègues ont mis en évidence que des gens plongés dans l'observation d'un aquarium rempli de poissons tropicaux aux couleurs vives, d'algues et de rochers, parviennent non seulement à un état de profonde relaxation mais encore voient leur pression artérielle diminuer de façon significative. Cet effet ne fut qu'exceptionnellement constaté chez ceux à qui l'on avait demandé

---

1. *Les Vertus du plaisir*, R. Ornstein, D. Sobel, Laffont, 1992.

d'observer un aquarium vide. Apparemment, prendre le temps du plaisir des yeux, calme à la fois l'esprit et le corps.

L'ouïe : bien que j'aie mené une expérimentation sans mettre en évidence un quelconque effet positif de la musique sur la réduction de la douleur lors d'une investigation médicale (voir au chapitre 2), d'autres études prouvent au contraire que la musique réduit l'anxiété et la douleur chez les patients, avant ou après une opération. La musique a également été utilisée avec succès dans le traitement des dépressions nerveuses, des douleurs chroniques — y compris des maux de tête —, des effets secondaires d'une chimiothérapie et des souffrances subies par les grands brûlés. Une étude du chercheur Mark Rider, spécialiste de la thérapie par la musique, montre que les taux d'hormones du stress des infirmières, perturbées par des horaires professionnels aberrants, baissent après l'audition de cassettes combinant relaxation, imagerie guidée et musique douce.

L'odorat : s'il reste beaucoup d'investigations à mener sur les effets physiologiques de l'aromathérapie — recours aux diverses essences, dont les plus précieuses, pour améliorer l'humeur et l'état physiologique —, certaines études confirment déjà son efficacité. Une expérimentation a consisté à poser à des sujets reliés à un monitoring enregistrant leurs réactions physiologiques des questions destinées à provoquer le stress. Avant d'être interrogés, ils ont respiré des effluves de parfums. Les chercheurs ont constaté qu'une pomme très parfumée tempérait les effets du stress chez les sujets, dont la pression artérielle baissait, le rythme cardiaque et respiratoire ralentissait et les muscles se décontractaient.

Le goût : certains aliments provoquent la libération de neurotransmetteurs — médiateurs chimiques cérébraux — à laquelle sont associés des états d'esprit et sentiments positifs. Il a été montré que les hydrates de carbone complexes, tels que les pâtes et les céréales, stimulent la production de sérotonine, un neurotransmetteur qui détend, apaise la tension et aide à s'endormir. Certaines expérimentations sur des animaux indiquent que l'ingestion d'aliments sucrés fait croître le taux d'endorphines — ces substances chimiques cérébrales qui tuent la douleur et remontent le moral.

Le toucher : les données qui révèlent les bienfaits du toucher sur l'état physique et psychologique sont tellement nombreuses qu'il faudrait un ouvrage entier pour les exposer. Le livre d'Ashley Montagu, *Touching : The Human Significance of the Skin* (« Le Toucher ou l'importance de la peau chez l'être humain »), constitue une bonne introduction au sujet, bien que de nombreuses recherches scientifiques plus récentes aient confirmé et précisé ces découvertes. Des études sur les animaux et sur l'homme ont montré que les sensations et approches tactiles précoces ont un effet positif significatif, à long terme, sur la croissance. Mais le toucher peut-il nous mettre à l'abri de la maladie ? George F. Solomon, médecin et psychiatre de l'université de Los Angeles, s'est associé à des collègues pour publier une étude qui montre que des souris, habituées à être prises dans la main par les chercheurs très tôt après la naissance, développent ensuite des systèmes immunitaires plus résistants. Le médecin-psychiatre Gail Ironson, de l'université de Miami, a constaté une amélioration des fonctions immunitaires chez les malades du sida ayant bénéficié de massages.

Si je n'adhère pas à toutes les prises de position d'Ornstein et Sobel (il me semble qu'ils minimisent la nocivité de l'alcool et d'une alimentation trop riche), leur point de vue fondamental, exprimé dans *Les Vertus du plaisir*[1], est scientifiquement valide. Cette étude et d'autres suggèrent que nos systèmes nerveux, immunitaire et cardio-vasculaire sont tout autant « sous le charme » de nos sens que notre intellect. Les beaux paysages, les sons mélodieux, les odeurs enivrantes, les goûts subtils et les chaudes caresses ne devraient pas être rejetés comme de purs frissons hédonistes. Grâce à eux, nous franchissons un seuil de plaisir et de compréhension qui accroît notre bien-être.

Que cherchons-nous inlassablement ? Qu'est-ce qui apaise notre âme, nous donne de l'espoir et nous inspire ? Les réponses impliquent presque toujours les sens, car c'est par leur médiation que nous recevons la vie et l'amour, qu'il s'agisse des spectacles et des parfums de la nature, du goût des aliments dont nous avons besoin, des sons qui charment l'esprit — chants d'oiseaux ou sonorités artificielles de CD — des caresses de ceux dont les attentions et le soutien nous aident à vivre.

Quelles implications cela peut-il avoir pour les femmes et leur santé ? Il ne suffit pas de prescrire sur une ordonnance : « Jouissez de vos sens. » Généralement, les femmes qui n'ont pas l'habitude du plaisir sont hyper-stressées par les pressions contradictoires qu'elles subissent au quotidien.

---

1. *Op. cit.*

Souvent elles se sacrifient pour les autres, ou sont des femmes-orchestres, des « superwomen » qui se démènent pour satisfaire leur famille ou se conformer aux stéréotypes culturels du moment. Elles peuvent aussi, comme je l'ai déjà souligné, manquer de ce sens fondamental de leur bon droit qui voudrait qu'elles satisfassent leurs propres besoins. Ces femmes — et vous êtes peut-être l'une d'entre elles — en sont venues à croire qu'il n'y a pas de moment pour se détendre, ou se livrer à des activités « frivoles » sans autre finalité que leur plaisir.

Notre santé est renforcée lorsque nous veillons à la satisfaction de nos besoins sentimentaux, physiques, sensuels et spirituels. Pourtant nous avons tendance à nous refuser le temps et le loisir nécessaires pour nous occuper pleinement de nous-mêmes.

Prendre le temps

Deirdre avait été nounou, pendant plusieurs années, dans une famille où il y avait trois jeunes enfants.

À la naissance de son premier bébé, elle dut prendre un congé. Deirdre craignait que ses employeurs ne la remplacent définitivement. Ce ne fut pas le cas et elle en fut très heureuse car elle aimait son travail et s'était sincèrement attachée aux trois enfants. Mais, lorsqu'elle reprit son poste et dut chercher quelqu'un pour s'occuper de son propre enfant, elle commença à accuser le coup du stress engendré par ces chassés-croisés de responsabilités. Bien qu'elle fût enchantée d'être mère, elle avait l'impression d'être écartelée entre divers pôles affectifs.

J'ai conseillé à Deirdre, qui faisait partie d'un de mes groupes, de s'accorder du temps, non seulement pour se relaxer mais aussi pour goûter des plaisirs qu'elle ne devrait à personne d'autre qu'à elle-même. Elle commença par de petites choses, comme aller chez la manucure ; ce n'était pas par simple souci de son apparence, c'était une façon d'agir rien que pour elle.

Et puis un jour, à la fin de l'été dernier, lui vint l'idée d'aller chez le pépiniériste le plus proche. Elle fit alors quelque chose qui, compte tenu de son maigre budget et de son sens de l'économie, lui parut extraordinaire comme à sa famille. Elle acheta pour 350 dollars[1] de plantes en pot. Deirdre rapporta les plantes chez elle dans le coffre de sa voiture et les installa dans le jardin d'hiver, devant l'entrée principale. Durant cette fin de printemps, et tout l'été, elle s'installait souvent là, à contempler cette magnifique rangée de fleurs dont les couleurs couvraient tout le spectre de l'arc-en-ciel.

Deirdre, dont le naturel et la profession la portaient vers les autres, aimait se dévouer aux enfants, les siens et ceux des autres, et appréciait son travail et sa situation de mère. Mais elle souffrait parce que ses propres aspirations — mis à part son altruisme naturel — n'étaient pas comblées. En s'occupant de ces plantes, qui ne demandaient que d'être arrosées, elle s'occupait d'elle-même. Ce jardin d'hiver devint son domaine, l'occasion pour elle de jouir de la beauté et d'un profond sentiment de paix, chaque fois qu'elle pouvait s'offrir quelques échappées au cours de la journée.

Bien que l'envie de se faire plaisir à soi-même soit une étape importante dans la gestion du stress, l'étape décisive est celle qui suit : passer aux actes et se faire effectivement plaisir. Deirdre franchit le pas, ce qui eut un effet positif spectaculaire sur tous les aspects de son existence. Ses relations avec sa famille, son goût au travail et son estime d'elle-même s'améliorèrent.

Se soigner en s'occupant de soi suppose de se ménager du temps. Au chapitre 3, je vous ai conseillé de prendre environ vingt minutes chaque jour pour pratiquer la relaxation volontaire. Dans ce chapitre-ci, je vous conseille de vous accorder encore une demi-heure au moins, chaque jour, pour vous consacrer à une activité enrichissante pour l'esprit. C'est tout à fait différent de la relaxation, même s'il s'agit évidemment d'une détente. Il est temps de vous occuper de vos propres besoins, d'apprécier une nouvelle facette de vous-même, d'expérimenter le plaisir que vous donnent vos propres sens.

Commencez par vous donner le feu vert pour prendre le temps nécessaire. Ce sera probablement l'étape la plus difficile, car nombre d'entre nous n'ont pas été éduquées à agir ainsi. Nos mères, et surtout celles qui nous ont élevées dans

---

1. Soit environ 2 100 francs. *(N.d.T.)*

les années quarante et cinquante, ne s'accordaient que rarement, voire jamais, des moments de liberté. Elles étaient trop prises par leur foyer et leurs enfants et ne bénéficiaient pas des facilités de la vie courante d'aujourd'hui — lave-vaisselle, fours à micro-ondes... — qui nous font gagner du temps sur les corvées ménagères. En outre, la plupart de nos mères furent elles-mêmes élevées par des femmes qui transmettaient des traditions strictes en matière de dévouement à la famille, synonyme d'un sacrifice de soi constant.

Sachez que si vous avez du mal à vous accorder cette permission, c'est parce que vous manquez d'un modèle de vie qui vous soit propre. Il n'y a aucune raison de faire des reproches à votre mère. Elle vous a inculqué une attitude apprise de sa mère, qui la tenait de la sienne, et ainsi de suite depuis des temps immémoriaux. Considérez votre effort comme le correctif indispensable, à mi-course, pour infléchir cette tendance à la vocation du sacrifice, suivie depuis des générations. Partez de l'idée que votre mère se serait probablement mieux portée si elle s'était accordé plus de temps. Et si vous avez une fille, pensez qu'elle s'en sortira mieux si vous lui offrez l'image d'une mère convaincue que son rôle est aussi de vivre pour elle-même.

Certaines de mes patientes, harassées par le stress, se sentent si peu en droit de s'autoriser quoi que ce soit que je suis tentée de sortir mon carnet d'ordonnances et de leur prescrire : « Une demi-heure, chaque jour, pour vous-même — recommandation du médecin. » Une fois encouragées par une professionnelle de la santé, elles finissent par prendre ce besoin au sérieux et admettent que leur santé morale et physique est en jeu.

Récemment, deux éminents chercheurs en médecine psychosomatique ont découvert un indice du pouvoir thérapeutique des soins que l'on porte à soi-même. Le Dr George F. Solomon et le Pr Lydia Temoshok ont étudié un groupe de patients ayant vécu au-delà de ce que le virus du sida et les prévisions des médecins leur permettaient d'espérer. Chez ces patients très particuliers, Solomon et Temoshok ont mis en évidence des corrélations entre certains traits de caractère et la présence dans l'organisme d'anticorps plus puissants. Un de ces traits de caractère est la détermination. Un autre, selon la réponse donnée à l'un des points d'un questionnaire, est la volonté de « se préserver pour s'occuper de soi ». Chez les patients qui s'accordent du temps pour s'occuper d'eux-mêmes, il y a davantage de cellules tueuses (NK, *natural killers*), dont le rôle semble primordial dans la résistance immunitaire au virus du sida. Ces cellules nous aident aussi à résister aux maladies auto-immunes. La recherche menée par Solomon et Temoshok fournit un premier indice confirmant que la satisfaction de nos besoins émotionnels, physiques et spirituels, protège notre système immunitaire.

Ce chapitre, dans son ensemble, est l'ordonnance que je vous prescris afin que vous preniez soin de vous-même. Avec le temps, mes patientes apprendront à la renouveler sans mes prescriptions. Elles se sentiront mieux, elles seront plus heureuses, et cela suffira à les motiver pour persévérer.

Mais combien de temps encore allez-vous persister à vous sentir coupable de réserver ces instants pour vous ? Pour mieux vous convaincre que vous êtes vraiment en droit de le faire, regardez les autres autour de vous, dont les membres de votre famille qui n'ont aucun mal à le faire. Et au lieu d'en éprouver de la rancœur, ce qui serait nuisible à votre santé et à votre bien-être, trouvez-y plutôt motif à agir de même.

Il y a le stéréotype du mari à qui ça ne pose aucun problème de passer le plus clair de son dimanche devant la télévision à regarder des matches avec ses copains (le dimanche du Superbowl américain[1] est le type même de ces folles journées). Il est difficile d'imaginer beaucoup de mères de famille s'accordant trois heures ou davantage tel jour ou tel autre, pour un simple divertissement.

J'ai rencontré des femmes qui avaient pris en grippe les dimanches « tout pour le sport » de leurs maris et qui harcelaient ces derniers de remarques sarcastiques ou de questions posées au moment fatidique d'un match crucial. J'ai envie de dire à ces femmes : « Laissez donc votre mari jouir en paix de son temps libre, de ses amis et de ses sports préférés, du moins tant qu'il ne vous demande pas, par-dessus le marché, de le servir sur un plateau. Il travaille dur (vraisemblablement), donc il le mérite. Mais dites-vous plutôt que vous méritez la même chose. Votre ressentiment vient très probablement — bien que vous n'en ayez sans doute pas

---

1. Équivalent d'une finale de coupe de football, ici. *(N.d.T.)*

conscience — du fait que vous ne vous accordez jamais de tels plaisirs. Plutôt que de tenter de confisquer à votre mari ses moments de loisir, offrez-vous les vôtres. Vous pouvez même marchander avec lui : "Regarde le match pendant que je surveille les enfants. Mais dimanche matin (ou soir), tu t'occuperas de la maison et des enfants pendant que je prendrai du temps pour moi." Promenez-vous dans le parc le matin, ou allez voir un film dans la soirée. Quoi que vous fassiez, cela tempèrera votre acrimonie et rendra justice à une plus saine conception de vos droits. »

Si vous ne prenez pas le temps de vous occuper de vous-même, vous ne prendrez pas non plus soin des vôtres comme il convient. Votre énergie et votre tendresse s'épuiseront, tandis que vous vous acquitterez de vos responsabilités comme de fastidieuses corvées. C'est là que vous perdrez patience au moindre verre brisé, que vous vous emporterez pour un rien. Car comme Gloria Steinem l'a récemment écrit : « C'est un truisme d'affirmer que nous ne pouvons pas aimer les autres tant que nous ne nous aimons pas nous-mêmes — mais le mot *truisme* contient la racine anglaise *true* qui veut dire *vrai*. »

Le camembert du temps... qui coule

Un autre moyen de se motiver est de porter un regard lucide sur votre façon de passer le temps. Le Dr Ann Webster, une collègue du département de médecine comportementale de l'hôpital des Diaconesses, m'a transmis un tuyau remarquable pour aider les gens à mieux apprécier la façon dont ils se traitent. Il s'agit de l'exercice suivant.

Tracez un cercle sur une feuille de papier et faites-en un camembert partagé selon les vingt-quatre heures d'une journée type. Si vous avez l'habitude de dormir six heures par nuit, taillez un quart du camembert ; s'il vous faut vos huit heures de sommeil, taillez une portion d'un tiers. Puis une part qui représente le nombre d'heures que vous travaillez chaque jour. Déterminez ensuite le temps que vous passez dans les transports, à faire des démarches diverses ou les courses, la cuisine, à vous occuper des enfants, à faire du sport, l'amour, à prendre votre douche ou à regarder la télévision, etc. Dans chacune des « parts de camembert », inscrivez l'activité et le nombre de minutes ou d'heures que vous y consacrez. Soyez aussi honnête et précise que possible. Utilisez la figure ci-contre (6-1) comme modèle.

Le camenbert de l'emploi du temps

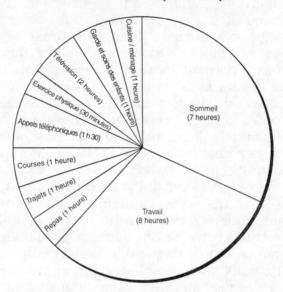

Mettez de côté votre camembert de vingt-quatre heures. Sur une feuille séparée, portez des numéros de 1 à 20. Puis, aussi vite que possible et sans trop réfléchir, énumérez vingt choses qui vous procurent du plaisir.

Comparez alors cette liste avec votre camembert. Quelle durée indique-t-il pour chacune de ces vingt activités qui vous procurent du plaisir ? Je connais des femmes à qui l'exercice a au moins servi à se rendre compte qu'elles n'y consacraient pas un poil de temps. Et nombreuses sont celles qui comptent en minutes plutôt qu'en heures.

L'étape suivante consiste à confectionner un camembert idéal pour l'avenir. À partir de l'actuel, dessinez-en un autre en introduisant les modifications nécessaires pour ménager du temps à ce qui vous est le plus cher. Un conseil : soyez réaliste dans vos estimations. Vous ne pourrez probablement rien prélever sur votre temps de travail ni sur le temps consacré aux enfants, ni sur vos heures de sommeil. Je ne vous demande pas davantage de fantasmer sur d'interminables heures de farniente, à vous faire les ongles en sirotant des margaritas [1] sous une véranda en bord de mer. Mais jouez au mieux et raisonnablement avec les moments dont vous disposez, interchangez-les jusqu'à ce que vous ayez dégagé un laps de temps, même modeste, pour votre plaisir exclusif.

La plupart des femmes qui se livrent à cet exercice découvrent qu'elles gaspillent beaucoup de temps. Une caractéristique des anxieux. Pour moi, c'est faire du sur place. Celles qui, faute de savoir se détendre ou de le faire intelligemment, perdent souvent beaucoup trop de temps à flemmarder devant la télévision ou à papoter au téléphone, vaines tentatives d'échapper aux tensions ou à la solitude (je n'ai rien contre le fait de rester passif devant le petit écran ou suspendu au téléphone, mais nous savons toutes qu'il est très facile de dépasser les bornes). Prélevez des minutes voire des heures sur ces moments gâchés sur votre camembert de l'avenir, et reportez-les sur des activités enrichissantes.

Servez-vous de votre camembert du futur réaliste, comme d'un guide. Trouvez au moins une demi-heure par jour à consacrer à votre plaisir, davantage si possible. Réservez des tranches plus conséquentes de votre emploi du temps à des occupations plus durables, seule ou avec des amis. Il ne s'agit pas de créer un cadre rigide pour de nouveaux projets, mais plutôt de vous ménager du temps chaque jour pour vous-même.

L'ensemble pourpre : les mille façons de se charger soi-même

Il y a autant de façons de s'occuper de soi que de diversité de personnalités. Je ne vous proposerai donc aucune liste type d'activités, plutôt des exemples pour vous mettre sur la voie.

Zelda était une patiente participant à mon programme de médecine psychosomatique contre la stérilité. Durant trois ans, elle avait été emportée dans le maelström des traitements de pointe, dont elle avait été très déçue. Sa propre image de femme avait sombré. Elle s'en voulait de ne pouvoir enfanter, bien qu'on n'ait trouvé aucune cause à sa stéri-

---

1. Cocktail mexicain de tequila et de citron vert. *(N.d.T.)*

lité. Zelda éprouvait peu de compassion envers ses propres souffrances. Elle ne s'était quasiment pas ménagé de temps pour elle-même. Cela faisait des années qu'elle ne s'était acheté de nouveaux vêtements sous prétexte qu'elle avait pris du poids et qu'elle ne méritait pas ce luxe.

Zelda confia son angoisse au groupe qui constata qu'elle était déprimée. Elle recourut à la relaxation pour retrouver peu à peu ses repères. Ensuite, à la troisième session de notre programme, durant laquelle chacune avait à mettre au point quelque chose de merveilleux pour elle-même et en faire part au groupe la semaine suivante, Zelda prit sa tâche au sérieux. À la séance suivante, non seulement elle raconta ce qu'elle avait fait mais elle en décortiqua le pourquoi et le comment.

Zelda fit une entrée remarquée à notre réunion, vêtue d'un superbe ensemble pourpre. La veste, le long chemisier et jusqu'au ravissant chapeau de feutre, étaient tous de la même couleur moirée. À son entrée, le groupe lui fit une ovation et tout le monde l'écouta, captivé, lorsqu'elle parla de son choix. Zelda reconnut réaliser combien elle avait été dure avec elle-même ; et comme le pourpre était sa couleur préférée, elle s'en était vêtue de la tête aux pieds. Le résultat avait beaucoup d'allure et le groupe la félicita de s'être parée de façon si flamboyante. L'état d'esprit de Zelda avait changé aussi radicalement que sa façon de s'habiller, elle rayonnait autant que son nouvel ensemble (à peine quatre semaines plus tard, le groupe eut une nouvelle occasion de l'applaudir quand elle annonça qu'elle était enceinte).

Quel est votre « ensemble pourpre » à vous ?

L'attention portée à soi-même se mesure à ces plaisirs qu'on s'accorde, comme l'a fait Zelda. Lorsque j'en intime l'ordre à mes patientes, leurs choix sont aussi divers que leurs personnalités. Nombreuses sont celles qui programment des séances régulières de massage, non seulement parce que cela les relaxent physiquement mais parce que c'est une heure entière réservée exclusivement à leur bien-être. On tire le même avantage d'autres formes de traitement corporel, comme le shiatsu[1] ou

---

1. Massage traditionnel japonais. *(N.d.T.)*

l'acupressure [1]. D'autres peaufinent leur apparence physique en allant chez des manucures, pédicures ou esthéticiennes. D'autres encore s'offrent des fleurs, de nouveaux vêtements, des chaussures. Et se choyer un peu ne coûte pas forcément les yeux de la tête. Je connais des femmes qui trouvent leur bonheur dans un cappuccino et un magazine de mode.

De nombreuses femmes s'offrent des mets qu'elles ne mangeraient pas en temps ordinaire, ou qu'elles ont parfois dégusté en se le reprochant ensuite cruellement. Un cornet de glace à l'occasion, ou quelque délice coupable, peut suffire à satisfaire une envie à condition qu'aucun remords ne s'ensuive.

Dans un récent groupe psychosomatique, des femmes ont mis par écrit ce qu'elles s'étaient offert pour le plaisir. Voici cet échantillon des diverses façons de se choyer :

> Faire un petit somme en fin d'après-midi
> Suivre régulièrement des séances de massage et se concentrer sur ce plaisir
> Lire des romans à l'eau de rose
> S'offrir une bouteille de bon vin et un petit dîner le vendredi soir, à la maison
> Écouter du hard-rock le matin
> Acheter la nouvelle paire de bottes dont on rêve depuis des mois
> Prendre de grands bains chauds chaque soir
> Faire de longues promenades sur la plage
> S'offrir une coupe de cheveux chez un nouveau coiffeur
> Prendre le large, à quelques mois d'intervalle, pour échapper à un travail épuisant nerveusement
> Se livrer au jardinage
> Ne pas rendre visite à la belle-famille pour les fêtes de Pâques
> Aller passer un week-end dans une chambre d'hôte à la campagne
> Aller régulièrement chez le pédicure

La clé du succès n'est pas d'avoir des goûts de luxe. Peu d'entre nous peuvent se le permettre. *Le secret, c'est de s'accorder le plus souvent possible des plaisirs qu'on avait coutume de se refuser.* Si vous êtes par exemple une mordue

---

1. Même principe que l'acupuncture, mais à base de pressions ponctuelles, et non d'aiguilles. *(N.d.T.)*

du lèche-vitrines, vous ne serez pas plus avancée de faire deux fois de suite la tournée des magasins. Mais si vous ne vous êtes pas acheté de nouvelles chaussures depuis des années, faites-le, absolument. De la même façon, si vous êtes boulimique, ce n'est pas en vous gavant que vous vous donnerez une preuve d'amour. Vous avez sans doute besoin d'un nouvel aliment, mais dans des domaines qui stimulent d'autres sens — le toucher, par exemple (par les massages), ou l'ouïe (par la musique). Cela dit, si en temps ordinaire vous ne vous accordez jamais le moindre écart alimentaire, une entorse passagère à un régime strict peut être le plaisir idoine.

Il ne s'agit pas de choisir l'extravagance. Vous pouvez tout simplement vous décontracter et vous enrichir en prenant par exemple davantage de temps pour lire. Adaptez vos choix à vos besoins spécifiques. Si vous avez un travail ou des activités créatrices hautement intellectuelles, offrez-vous un break en lisant un roman facile. Si vous avez tendance, au contraire, à perdre du temps en distractions faciles, choisissez la poésie, les grands romans de la littérature ou des ouvrages biographiques. Si vous vous sentez fatiguée, écoutez de la musique qui vous fait bouger. Si vous êtes hyperexcitée, écoutez de la musique apaisante. Si vous êtes en quête de solitude, allez au cinéma. Si vous manquez de relations sociales, inscrivez-vous à un club ou une association qui vous intéresse.

S'occuper de soi ne doit jamais devenir une obligation comme les autres. Privilégiez le plaisir, le jeu, l'amusement dans vos choix. Aller voir une exposition dans un musée, ce dont vous ne raffolez pas vraiment, parce qu'un ami cultivé vous a dit qu'il le fallait, ne vous comblera sûrement pas. Bien qu'il soit salutaire de s'enrichir l'esprit, le corps et l'âme, l'essentiel est de vous faire plaisir. Nous sommes nombreuses à être saturées de stimulations intellectuelles et d'informations médiatisées.

Je me retrouve tout à fait dans ce que le Dr George F. Solomon explique : « Freud a parlé du besoin d'accomplissement dans la vie affective et professionnelle, mais il a omis de mentionner le jeu. Or l'activité ludique est gratuite, frivole, on l'apprécie pour le seul plaisir qu'on y prend. Certaines personnes ne savent pas jouer. Je pense que les êtres humains, pour garder la santé, ont besoin d'un équilibre entre l'amour, le travail et le jeu. »

Au fait, de quel « moi » parle-t-on ?

« Je peux répondre à mes propres besoins et me sentir bien dans ma peau sans l'aide de quiconque », telle est la profession de foi de celle qui prend soin d'elle et pense, consciemment, ou inconsciemment, que cela est bon pour elle.

Bien qu'elles n'aiment pas le reconnaître, de nombreuses femmes ne se sentent bien dans leur peau que dans la dépendance d'autrui. Vous êtes peut-être de celles-là. L'exemple classique est celui de l'héroïne d'une idylle naissante dont l'estime de soi oscille au gré du moindre geste de l'être aimé. Va-t-il l'appeler ? Lui apportera-t-il des fleurs ? Se rappellera-t-il la date de son anniversaire ? Lui proposera-t-il de l'emmener en week-end ?

Admettre que sa propre valeur se mesure à l'aune des actes d'un autre est bien périlleux. Entretenir ce type de relations conduit à aggraver sa passivité et son manque d'assurance. Il est possible que les origines d'un tel comportement se trouvent dans l'environnement de votre petite enfance. Si vous pensez que c'est le cas, je vous conseille de suivre une psychothérapie pour explorer les racines de votre sentiment d'insécurité. Cependant, que vous suiviez ou non une psychothérapie, vous avez tout avantage à changer consciemment d'attitude. Plus précisément, n'attendez pas que les autres vous renvoient une meilleure image de vous-même ; créez-la vous-même. N'attendez pas que celui que vous aimez vous offre des fleurs ; achetez-les vous-même. Si votre patron ne reconnaît pas la qualité de votre travail, comptez sur vos collègues et néanmoins ami(e)s pour vous remonter le moral. N'acceptez pas d'être victime des humeurs, des caprices ou des vues étriquées des uns ou des autres.

Une de mes patientes, Gina, se plaignait sans cesse de problèmes de santé liés au stress — rhumes ou douleurs dans le dos. Elle se sentait également solitaire, parce qu'à l'âge de trente-cinq ans elle n'avait toujours pas rencontré l'homme de sa vie. Gina fantasmait sur cet homme idéal et sur les futurs épisodes de son histoire d'amour, du premier rendez-vous au mariage en passant par les fiançailles. Elle rêvait particulièrement d'une bague sertie de diamants et de saphirs. Après plusieurs séances thérapeutiques, Gina finit par admettre qu'elle pouvait être heureuse sans attendre la venue de l'homme de sa vie.

Alors qu'elle passait ses vacances dans les Caraïbes où certains bijoux sont assez bon marché, Gina découvrit la fameuse bague de ses rêves. Elle se demanda combien de temps il lui faudrait avant de rencontrer l'homme qui la lui offrirait. Mais sa nouvelle tournure d'esprit fit germer en elle une idée saugrenue : « Pourquoi ne pas me l'offrir moi-même ? La bague ne symbolisera pas des fiançailles, et alors ? Elle sera l'emblème de la tendresse que je me porte. » Et Gina acheta le bijou.

Est-ce une coïncidence si Gina rencontra l'homme qu'elle allait épouser quelques mois plus tard ? Vraisemblablement. Mais j'ai maintes fois remarqué que les femmes obtiennent ce qu'elles désirent lorsqu'elles cessent de croire au paradis et qu'elles pourvoient elles-mêmes à leurs propres besoins. À ce moment-là, leur façon de respirer le bonheur suffit à les rendre séduisantes. Elles sont aussi plus disponibles envers des partenaires masculins potentiels qui, de leur côté, les traitent avec l'amour et le respect qu'elles méritent.

Lorsque j'insiste sur la nécessité de prendre soin de soi-même, je ne veux pas dire que les femmes ne devraient jamais dépendre des autres, de leur aide, de leur tendresse, de leur soutien. Les femmes indépendantes — le terme « autonomes » serait plus approprié — ne sont pas des « îles coupées du continent » qui pourraient, si nécessaire, vivre en autarcie. Comme je l'aborderai plus systématiquement au chapitre suivant, la véritable attention à soi-même consiste aussi à savoir solliciter et accepter l'aide des autres. Nous appartenons toutes à des familles et à des communautés, et notre santé comme notre bien-être reposent sur ce réseau de relations sociales. Mais la femme autonome ne vit ni ne respire pour décrocher l'approbation des autres : centrée en elle, au cœur de son être, la solitude ne signifie pas pour elle l'esseulement. Elle est capable de goûter aux plaisirs de l'existence — la nature, la beauté, la vie du corps et de l'esprit — sans avoir besoin d'un autre pour authentifier son expérience. Ses propres jugements lui suffisent.

Quand les femmes décident consciemment de cesser de faire dépendre le sentiment de leur valeur du regard des autres, il y a parmi leurs amis et leurs proches ceux qui réagissent bien. Soulagés de ne plus avoir à les prendre en charge, ils se montrent heureux de leur métamorphose. Mais il y a ceux pour qui c'est l'inverse, car ils se sentent menacés. Quand une femme abandonne sa quasi-soumission aux autres et agit en prenant ses responsabilités, un équilibre fragile risque de se rompre. Il se peut que les êtres chers résistent au changement parce qu'ils se sentent inutiles, parce que la femme, la mère, l'amie en consacrant plus de temps à elle-même, leur en consacrera moins.

Si vous sentez de la part des membres de votre famille et/ou de vos amis ce type de résistance ou que vous attirez des reproches pour le temps que vous vous accordez, continuez néanmoins, avec douceur mais fermeté, à imposer votre droit à ce temps libre. Faites-leur comprendre que vous ne cherchez pas la rupture. Au contraire, vous respectez cette nouvelle règle de vie qui veut que votre propre estime étaie solidement vos rapports avec vos proches. En ayant de la tendresse et des égards pour vous-même, vous serez davantage capable d'en délivrer aux autres, cette fois par inclination et pas seulement par devoir.

Soyez attentive à la façon dont vous exprimez ce besoin. Ne reprochez pas à votre entourage votre manque de temps, dans le passé comme dans le présent. Ce n'était ni leur faute, ni la vôtre. Le problème a surgi dans le bouillonnement d'une existence stressée, vous le reconnaissez désormais et désirez assumer la pleine responsabilité de la métamorphose. Évitez les affirmations qui commencent par « tu ne m'as pas laissé le temps de... » ou « tu ne m'as pas donné la possibilité de... ». Lorsque vous faites de telles remarques, non seulement vous blâmez les autres, ce qui alimente le ressentiment et l'amertume, mais vous vous mettez en position de victime impuissante.

J'ai connu des patientes qui disaient à leur mari, « Je dois prendre davantage soin de moi-même ». Et le mari réagissait par la défensive, croyant à tort qu'elle lui reprochait de ne pas s'occuper d'elle. J'ai conseillé à ces patientes d'être sans ambiguïté sur le fait qu'elles ne formulaient aucun jugement sur l'attitude des autres à leur égard ; qu'elles avouaient simplement l'existence d'un besoin qu'elles étaient seules à pouvoir satisfaire. Si l'on interprète vos propos de travers, simplifiez les choses : « J'ai besoin de temps pour me reposer. » « J'ai besoin de temps pour dessiner. » « J'ai des envies de promenades, de me bouger et de disposer d'un peu de temps pour moi. »

Si les êtres qui vous sont chers continuent de vous chercher querelle, soyez aussi patiente que possible. Sachez que plus vous prendrez soin de vous, plus vous deviendrez forte et sûre de vous, et que cela génèrera un processus qui apaisera les inquiétudes de l'entourage. Peu à peu, vos proches découvriront et apprécieront plus aisément votre nouvelle assurance. Si ce n'est pas le cas, vous recourrez à l'aide d'un spécialiste — un psychologue ou un conseiller conjugal — qui vous aidera à reconstruire vos relations en fonction des changements intervenus.

Cultiver l'estime de soi

Sylvia avait travaillé pendant presque dix ans pour une agence de chercheurs de tête, et elle se sentait épuisée par le stress. Son chef était tyrannique et attisait les rivalités au sein de l'équipe. Les réclamations fréquentes de clients capricieux ajoutaient à l'atmosphère survoltée qui régnait au travail. Les répercussions sur Sylvia furent désastreuses, et elle se mit à souffrir de maux de tête, maux de dos et rhumes à répétition.

Avant d'accepter cet emploi, Sylvia se tenait en grande estime. « Ma mère avait toujours eu une bonne opinion d'elle-même, disait-elle, et voulait que je me sente bien dans ma peau. » Mais l'implacable stress de son job vint à bout de son bon naturel et réveilla de vieilles vulnérabilités. Lorsque je l'ai rencontrée pour la première fois, Sylvia avait depuis longtemps cessé de s'accorder le moindre instant. « Après des années de luttes et de sacrifices, vous finissez par vous convaincre que vous n'avez droit à rien, disait-elle. J'en étais à me refuser vingt minutes pour une douche. »

Une fois que Sylvia prit conscience de ce qu'elle s'était imposée jusque-là, elle décida de tourner la page. Avoir du temps pour elle-même devint la priorité des priorités. « Cela faisait des années que je ne m'étais pas offert des soins du visage ni des séances de massage, dit-elle. Désormais, j'y vais toutes les quatre semaines. Je joue au golf tous les dimanches. Je fais des promenades agréables, et je prends d'interminables douches brûlantes. »

C'est un environnement familial défectueux qui est parfois à l'origine du sentiment d'infériorité de certaines femmes. Mais d'autres, comme Sylvia, élevées dans le respect d'elles-mêmes, voient ce sens de leur valeur miné, peu à peu, par les avanies de la vie quotidienne. Mais, d'où que vienne votre perte de confiance en vous, il est possible d'entamer le processus de reconstruction, comme Sylvia, par de petits gestes simples et attentionnés à votre égard. Faites la comparaison avec un pot rempli de cailloux au milieu desquels se trouve un bulbe. Si vous l'arrosez chaque jour, il se métamorphosera en une belle fleur. Imaginez maintenant que ce bulbe est un symbole de l'estime de soi, qui, « arrosé » tous les jours de soins délicats, finira par s'épanouir. Quand l'estime de soi commença d'éclore chez Sylvia, cette dernière refusa de se laisser piéger par les rivalités professionnelles. Elle s'accorda plus de temps pour ses loisirs et l'effet positif de ce changement s'étendit par ricochet à tous les aspects de son existence, à commencer par ses rapports avec les autres.

« Arroser » ou cultiver l'estime de soi signifie être bonne envers soi-même, dans tous les domaines : alimentation, exercice physique, équilibre affectif, créativité, relations sociales et sentimentales, famille. Pour réussir, il faut d'abord savoir que les situations peuvent varier à l'extrême dans ces différents domaines. Trop, parmi nous, adoptent des comportements qui sont tout l'un ou tout l'autre. Ou nous nous punissons pour le moindre écart alimentaire, ou nous nous goinfrons à en tomber malades. Ou nous menons une vie végétative, ou nous ne quittons plus le club de remise en forme. Ou nous refoulons nos pulsions sous des dehors stoïques, ou nous nous épanchons pour le moindre motif de chagrin ou de colère. Ou nous négligeons nos besoins artistiques, ou nous mendions les approbations pour la moindre de nos réalisations. Ou nous nous livrons pieds et poings liés aux jugements et caprices de l'être aimé, ou nous restons sur la réserve par peur d'être rejetées. Ou nous restons prisonnières du cocon familial, ou nous nous isolons au nom de notre droit à la différence.

Se faire plaisir, c'est trouver un équilibre dans tous ces domaines en agissant d'abord de son propre chef. Prenez par exemple le cas de Jessica, qui avait du mal à affirmer ses goûts artistiques. Cette infirmière de quarante-huit ans avait reçu une éducation qui l'incitait à être toujours pleine d'attentions pour les autres. Quand j'ai fais sa connaissance, elle travaillait à plein temps comme infirmière, tout en s'occupant de son mari et de ses trois enfants. Elle était angoissée, épuisée et fréquemment malade, victime de divers troubles liés au stress.

Jessica avait toujours eu un violon d'Ingres, la musique et le violon, précisément. Elle avait étudié cet instrument lorsqu'elle était enfant et avec le temps, elle avait réussi à jouer comme professionnelle dans des orchestres régionaux. Mais, étant donné son travail et ses responsabilités familiales, elle n'avait pas réussi à se consacrer à sa carrière musicale. Après avoir participé à l'un de nos groupes de médecine psychosomatique, elle commença à s'occuper d'elle-même et prit une décision capitale : elle abandonna son métier d'infirmière pour la carrière musicale.

« Toutes ces années, où en tant qu'infirmière j'étais absorbée par mes malades m'ont enrichie, dit-elle. Si j'ai beaucoup aimé cette profession, je suis à bout de forces et n'ai plus envie de continuer à m'occuper des autres... J'ai maintenant le sentiment d'avoir trouvé un meilleur équilibre, même si ce que je fais demande aussi du travail. J'ai un enfant de onze ans et je voudrais donner un coup de main à ma fille aînée, à mon beau-fils et à leur bébé. Je suis mariée et toujours entourée d'une nombreuse famille. Mais j'ai désormais plus de temps pour me consacrer à cette autre activité, diamétralement opposée au reste de ma vie. La musique est directe et pure et n'implique personne d'autre que soi-même, le compositeur et l'instrument. »

Le fait de troquer le statut d'infirmière contre la vie d'artiste rendit Jessica plus calme, plus énergique, et moins sujette aux symptômes liés au stress.

Évidemment, nous sommes rarement en situation d'abandonner la vie professionnelle pour une carrière artistique. Mais nous pouvons trouver des moyens d'exprimer ce que Lawrence LeShan appelle notre « feu créateur latent ».

Dans son livre, *The Artist's Way* (« La Voie artistique »), Julia Cameron conseille de prendre rendez-vous avec « l'artiste qui sommeille en nous ». « Le rendez-vous de l'art, écrit-elle, c'est se tailler un morceau de temps, disons deux heures par semaine, pour que l'artiste qui s'éveille en nous puisse s'y désaltérer. Le rendez-vous de l'artiste dans sa forme élémentaire est une escapade, un précieux moment de loisir qu'il s'agit de préserver contre toute intrusion. Vous n'y invitez personne d'autre que vous-même et votre élan intérieur. »

Cameron insiste bien sur le fait que la rencontre ne doit en rien ressembler à la visite obligée du musée régional. Il s'agit de vous faire plaisir, de stimuler votre imagination, sans vous souciez de vous conformer au point de vue esthétique de quiconque. Allez plutôt à la découverte d'un musée oublié, d'un aquarium, d'une exposition de photos ou d'une galerie de peinture particulièrement originale. Fréquentez un quartier étranger et appréciez l'exotisme du cadre, des saveurs, des bruits qui ne vous sont pas familiers. Assistez au concert de musique dont vous rêviez. Faites une longue promenade sur la plage ou dans la campagne pendant laquelle vous laisserez courir votre imagination à propos du roman que vous aimeriez écrire, d'une chanson, d'un rôle que vous voudriez interpréter, du dessin que vous auriez envie d'exécuter. Puis tentez de passer à l'acte.

Une étude remarquable, menée sur trente ans, a montré que les femmes qui développent les différentes facettes de leur personnalité sont moins vulnérables à la maladie et vivent plus longtemps que les autres. Le Pr Phyllis Moen, spécialiste du développement familial à l'université Cornell d'Ithaca, près de New York, a suivi 427 femmes mariées et mères de famille âgées de vingt-cinq à cinquante ans, vivant dans la région nord de New York. L'enquête s'est étalée de 1956 à 1986.

Le Dr Moen et ses collègues, Donna Dempster-McClain et Robin M. Williams Jr., ont constaté que les femmes qui avaient conservé une solide santé pendant plus de trente ans présentaient deux traits caractéristiques : elles étaient membres d'associations bénévoles et assumaient de multiples rôles. Sur trois décennies, ces femmes avaient dans des proportions significatives moins souffert de maladies graves, manifesté une meilleure santé mentale et vécu plus longtemps que les autres.

Ces femmes bénévoles voyageaient partout dans le monde, s'adonnant à l'aide humanitaire, rencontrant parfois à l'étranger des membres de leur communauté (un point sur lequel je reviendrai dans le prochain chapitre). Elles ont assumé de multiples tâches sans se sentir enfermées dans leur rôle familial. Certes, excellentes épouses et bonnes mères, elles ne s'étaient pas cantonnées au modèle de la femme exemplaire des années cinquante, et avaient révélé d'autres aspects de leur personnalité. Moen les considéraient comme des femmes dynamiques qui savaient s'impliquer dans des activités professionnelles et sociales en joignant l'utile à l'agréable. L'étude du Dr Moen, intitulée à juste titre *The Women's Roles and Well-Being Project* (« La femme en action et le bonheur de vivre »), nous enseigne que les femmes peuvent conserver la santé et prolonger leur espérance de vie en extériorisant tous les aspects de leur personnalité et en participant pleinement à la vie du monde qui les entoure.

Lawrence LeShan déclara un jour : « Il nous faut partir passionnément à la découverte de toutes les facettes de notre personnalité, sans en laisser aucune à l'écart, et se lamenter : "Et moi ?" » Voilà qui protégera de l'angoisse, de la déprime, du désespoir. Battez-vous farouchement pour votre épanouissement, vous n'aurez pas besoin de vous venger sur la nourriture, la drogue, le sexe, et vous serez socialement plus autonome. Votre forme physique y gagnera. Cultivez l'estime de vous-même, tous les jours, et vous surmonterez les épreuves les plus rudes avec grâce et assurance.

7

Tournez-vous vers votre entourage

Il y a des moments dans la vie où nous avons envie de fuir. Le stress et la tension dépassent les bornes et la seule solution sensée serait de prendre ses jambes à son cou. Comme nous ne pouvons nous cacher dans un trou de souris, nous nous réfugions sous la couette. Nous mangeons trop, prenons racine devant la télé et en voulons à tout le monde : conjoints, enfants, amis. Nous sommes à deux doigts de succomber à la drogue, la dépression, ou aux deux à la fois. Nous n'avons plus goût à rien et nos projets d'avenir s'évanouissent.

Mais la fuite n'est jamais une solution. Elle n'apporte qu'un répit passager. Le stress, la tension et les symptômes réapparaissent identiques, comme les mille têtes de la méduse, au bout d'un jour, d'une semaine ou d'un mois. La seule façon de s'en sortir est de saisir ses problèmes et ses souffrances à bras-le-corps, et de trouver la force d'imaginer et d'appliquer des solutions réalistes. Dans cette tentative de faire face, de changer, de s'épanouir, le seul appui extérieur réside dans les relations humaines, dans l'affection et le soutien des amis et de la famille. La santé physique et mentale s'y ressource, comme en témoigne d'ailleurs la recherche scientifique.

Dans ce chapitre, je vais évoquer les pouvoirs surprenants de la thérapie de groupe sur la prévention et la guérison des maladies, qu'il s'agisse de simple psychothérapie, de groupes psychosomatiques ou de groupes d'accompagnement thérapeutique. Mais il faut insister aussi sur les avantages que notre tissu social apporte à notre santé. Certaines d'entre nous ont la chance d'avoir le réseau relationnel adéquat, et il suffit alors de le raviver. Mais d'autres ne bénéficient pas de relations appropriées. Il leur manque des maillons essentiels et elles en souffrent. L'une a beaucoup d'amis mais pas assez d'amies, ou l'inverse. L'autre souffre de son célibat et de l'absence d'une intimité conjugale. L'autre encore ne s'entend pas avec sa famille et ne peut donc pas compter sur elle. À moins que ce soit la qualité de la relation qui soit en cause : trop distante, ou au contraire trop envahissante, trop compétitive ou trop conflictuelle.

Ce chapitre aborde l'art et la manière de se rapprocher de ses amis et de sa famille, afin de bâtir la charpente sociale indispensable au bonheur et à la santé. Bien que j'anime des groupes thérapeutiques constitués dont je suis convaincue de l'efficacité, ces derniers ne sont pas indispensables (je les recommande néanmoins vivement à toute femme confrontée à un problème médical particulier, parce que la fréquentation de celles qui sont passées par les mêmes épreuves et les mêmes souffrances offrent un appui incomparable). Mais c'est à nous-mêmes de construire et de renforcer les structures de soutien bénéfiques à notre équilibre.

Le rôle du soutien social dans la santé : un problème d'importance majeure

Dans quelle mesure le soutien de l'entourage est-il favorable à la santé et au bien-être ? En 1988, le Pr James House, épidémiologiste à l'université du Michigan, publia un article qui fit date, où il passait en revue une demi-douzaine d'études concernant plus de 22 000 personnes, hommes et femmes. Ces recherches, menées sur différentes communautés réparties sur tout le territoire des États-Unis, montraient que les personnes dépourvues de structures de soutien solides avaient une espérance de vie significativement plus courte que celles qui disposaient de réseaux de relations très denses. En fait, le taux de mortalité des individus ayant peu d'amis et de relations sociales était de *deux à quatre fois plus élevé* que ceux qui bénéficiaient d'un réseau social satisfaisant.

« Au point où nous en sommes, nous ne voyons pas d'autre explication convaincante et pertinente à ces écarts de mortalité », a récemment déclaré le Dr House. Dans son article, House écrivait : « Ces développements suggèrent que les relations sociales, ou au contraire leur carence relative, sont des facteurs majeurs de prévention ou de risque pathologiques, aussi importants que le tabac, l'hypertension artérielle, l'excès de cholestérol, l'obésité ou l'activité physique. »

Il ressort des données du Dr House que le lien entre relations sociales et santé est plus fort chez les hommes que chez les femmes, bien que flagrant aussi chez celles-ci. Le mariage apparaît plus bénéfique à la santé des hommes qu'à celle des femmes. Les femmes semblent davantage profiter de leurs relations amicales et familiales, qui privilégient les liens avec les autres femmes. Comme David Spiegel, psychiatre à l'université de Stanford, le confiait ironiquement à Bill Moyers, au cours d'une émission télévisée consacrée aux rapports entre le moral et la guérison : « J'en tire la triste conclusion qu'il n'est pas sain d'entretenir des relations avec un homme, quel que soit votre sexe. »

Parmi les découvertes récentes les plus étonnantes, figure celle selon laquelle les femmes bénéficiant de structures de soutien solides sont moins susceptibles de développer un cancer fatal. Les épidémiologistes George Kaplan et Peggy Reynolds, professeurs à l'université de Berkeley en Californie, ont suivi 6 848 personnes pendant dix-sept ans. Il en ressort que les femmes les plus isolées courent deux fois plus de risques de mourir d'un cancer, au bas mot, que celles qui vivent entourées, et que les femmes seules sont particulièrement prédisposées aux cancers liés au système hormonal, entre autres au cancer du sein (une autre étude, portant sur 243 femmes atteintes de cancers du sein circonscrits aux ganglions lymphatiques axillaires, indique que les femmes qui ont autour d'elles deux ou plusieurs personnes à qui se confier présentent un taux de rémission de 76 % sur un laps de temps de sept ans ; ce taux n'est que de 56 % chez celles qui sont totalement isolées).

Le soutien de l'entourage semble être un facteur clé dans la prévention de nombreuses pathologies féminines. Pour preuve, les découvertes suivantes, réalisées par différentes équipes de chercheurs :

Les femmes, que des symptômes liés à la ménopause conduisent à consulter un médecin, bénéficient d'un soutien social significativement moindre qu'un groupe témoin de femmes arrivées à l'âge de la ménopause sans présenter ces symptômes.

Les femmes qui travaillent et qui souffrent de douleurs des règles et autres manifestations du syndrome prémenstruel témoignent d'un isolement social significativement plus grand que les femmes qui ne présentent pas ces symptômes.

Une étude réalisée sur un échantillon de 1 428 femmes enceintes a montré que le « soutien du partenaire » était l'un des facteurs les plus favorables au bon déroulement de la grossesse (on constate chez ces femmes moins d'avortements et moins de fausses-couches).

Une revue scientifique médicale montre que la santé de la mère pendant et après la naissance de l'enfant est étroitement liée au soutien matériel et moral dont elle bénéficie.

Ainsi, les relations sociales sont nécessaires à la santé de la femme et augmentent ses chances de guérison. Néanmoins, bon nombre d'études révèlent que leur qualité compte autant que leur quantité. Les personnes agressives ou distantes avec leur entourage ont des systèmes cardiovasculaires et immunitaires plus fragiles que celles qui établissent des rapports avec les autres dans un climat d'ouverture et de confiance.

La psychologue Janice Kiecolt-Glaser et son mari, l'immunologiste Ronald Glaser, figurent parmi les chefs de file de la médecine psychosomatique aux Etats-Unis. Dans leur laboratoire de l'école de médecine de l'université de l'Ohio, ils ont mis en évidence que la qualité des rapports sociaux — au sein du couple notamment — peut renforcer le système immunitaire, ce « guérisseur intérieur » qui nous maintient en forme.

Dans une étude menée de façon ingénieuse, les Glaser ont montré que notre façon de communiquer et de nous parler a un impact direct sur l'organisme. Ils ont convoqué à leur laboratoire quatre-vingt-dix couples dont ils ont contrôlé le système immunitaire avant et après une discussion sur un point de désaccord. « Chez les couples qui discutaient de la façon la plus agressive et la plus négative, on a pu constater un affaiblissement de l'activité immunitaire mesurée à huit reprises dans les vingt-quatre heures qui suivirent, déclara le Dr Kiecolt-Glaser au *New York Times*. Plus vous êtes teigneux lors d'une scène de ménage, plus votre système immunitaire en pâtit. » Les conséquences sont claires : c'est en cherchant à résoudre les conflits avec nos proches et en communiquant avec eux sans agressivité, que nous protégeons ces cellules immunitaires dont le travail consiste précisément à *nous* protéger des agents de maladies graves.

Depuis 1990, des travaux ayant fait date ont montré que la participation à des programmes de thérapie de groupe améliorent nettement l'état physique de patients atteints de maladies mortelles — tout en permettant, dans certains cas, d'allonger leur espérance de vie. Je mentionnerai brièvement certains d'entre eux, mais il est à noter que ces améliorations ont été constatées dans des cas de cancers du sein, de mélanomes (cancers agressifs de la peau), de sida et de maladies cardio-vasculaires. Bien que les chercheurs mettent ces rémissions inespérées sur le compte de différents facteurs, ils partagent tous la même conviction : le soutien que les malades trouvent auprès d'autres malades a des propriétés curatives particulières et joue un rôle décisif.

Cet ensemble de recherches remarquables nous permet déjà d'affirmer avec certitude que les relations affectives comptent pour beaucoup dans la préservation de la santé. Chaque femme, quel que soit son état de santé, a beaucoup à gagner au renforcement ou à l'extension du tissu social qui l'entoure, constitué de ses amis, collègues de travail, voisins, parents lointains et proches, enfants, maris et compagnons. La prescription peut sembler terriblement vague mais je me propose de vous en détailler les éléments afin de pouvoir l'utiliser au quotidien.

Comment se créer des structures de soutien

La bourgade assoupie de Roseto, à environ cent kilomètres au nord de Philadelphie, est nichée au pied de la chaîne des *Blue Mountains*. De mémoire de spécialiste, aucun de ses habitants n'a jamais participé à une thérapie de groupe, ni pratiqué la méditation ou le *biofeedback*. Pendant plusieurs décennies et jusqu'au milieu des années soixante, les habitants de Roseto ont suivi ce qui serait considéré aujourd'hui comme un régime alimentaire affreusement riche en matières grasses. Le lieu n'en est pas moins devenu célèbre pour son taux de mortalité extrêmement bas, et en particulier le faible nombre de victimes de maladies cardiaques. On a pu trouver une seule explication claire et précise à ce phénomène : l'extraordinaire réseau de liens familiaux et communautaires tissés entre les habitants.

Au cours des trois dernières décennies, le Dr Stewart Wolf a étudié cette bourgade fondée en 1882 par des immigrants venus d'une petite ville d'Italie. Pendant des décennies, Roseto est restée une enclave habitée par ces seuls immigrants et leurs descendants. Lorsque Wolf et ses collègues découvrirent que le taux de mortalité y était significativement inférieur à celui des trois communautés voisines, comme de l'ensemble des États-Unis, ils en cherchèrent les raisons. La bonne santé et la longévité des habitants n'avaient rien à voir avec le régime alimentaire, l'exercice physique ni la cigarette. Ils mangeaient une nourriture plus grasse que leurs voisins ou que l'Américain moyen, faisaient aussi peu d'exercice et fumaient tout autant. Mais les chercheurs avaient remarqué que les habitants de Roseto avaient conservé leurs traditions : vie en cercle familial fermé, mariages intracommunautaires, respect des traditions religieuses, participation à la vie sociale et liens de voisinage étroits.

Pourtant Roseto n'a pu conserver cette cohésion. Le Dr Wolf constata que le tissu social commençait à s'effilocher au cours des années soixante, lorsque la population quitta peu à peu la bourgade pour s'installer ailleurs, se marier en dehors du clan, abandonner ses coutumes culturelles et religieuses et succomber à des plaisirs plus bassement matériels. Tandis que cette tendance s'accentuait, le taux de mortalité dû à des maladies cardiaques commença à croître. Aujourd'hui, à Roseto, il atteint, voire dépasse, celui des villes des alentours.

L'histoire de Roseto illustre combien nos relations sociales ont souffert en quelques décennies des énormes mutations sociologiques et culturelles. Peu d'entre nous vivent encore au sein de ces communautés solidaires et de ces grandes familles que les générations précédentes considéraient pourtant comme immuables.

Nos mères ou nos grands-mères, selon l'âge que nous avons, avaient des parents qui vivaient près de chez elles, si ce n'est dans la même maison, qui les aidaient à tenir le foyer ou à élever les enfants. Elles avaient des voisins à portée de la main, disponibles à tout moment pour prendre soin des enfants. Elles ne travaillaient sans doute pas à l'extérieur, mais elles avaient des amies avec qui elles se retrouvaient pour « prendre une tasse de café » ou sans motif formel (les femmes d'aujourd'hui, qui travaillent, ont à coup sûr davantage de liberté et d'indépendance que leurs aînées, mais aucun cadre social ne leur est plus fourni d'emblée). Notre santé nerveuse et physique a souffert de la disparition de ces filets de sécurité. Il n'est certainement pas en notre pouvoir de faire revivre une époque définitivement disparue, mais nous avons cependant celui de recréer ce lien communautaire et trouver de nouvelles formes de structures de type familial au sens large.

Il est à peu près aussi difficile de convaincre une femme bien portante d'arrêter de fumer, sous prétexte que sa santé future en dépend, que de la convaincre de se trouver des points d'ancrage social pour la même raison. De nombreuses femmes se croient trop sur la brèche pour gaspiller encore du temps et de l'énergie à entretenir des relations sociales. Ce raisonnement est un piège qui les enferme dans leur propre isolement, car c'est une des raisons de leur stress.

J'ai constaté que bien des femmes stressées qui recourent aux techniques de relaxation et à la restructuration cognitive trouvent ensuite davantage d'énergie pour nouer des relations. Elles ne sont plus la proie de leurs angoisses et se débrouillent pour consacrer du temps à des fréquentations qui les enrichissent. S'enclenche ainsi une dynamique positive qui les conduit à un meilleur bien-être.

Chaque femme a ses propres besoins relationnels et il lui incombe de déterminer les domaines de sa vie sociale qui méritent d'être cultivé. Mais quelques principes d'ensemble sont à souligner : nous pouvons améliorer la qualité de nos rapports intimes grâce aux techniques de communication et tisser autour de nous un réseau social en ravivant de vieilles amitiés, et en nouant de nouvelles relations. Les femmes ont vraiment besoin de relations avec leurs congénères, comme l'indiquent les recherches du Dr House. Non pas que je sous-estime l'importance des amitiés masculines, mais nos amitiés féminines nous font particulièrement du bien.

Barbara souffrait en silence de sa ménopause. Elle n'osait pas discuter de sa baisse de tonus, de son atrophie vaginale, de la chute de sa libido ou des violentes bouffées de chaleur qui la prenaient à l'improviste, de crainte d'inspirer l'étonnement ou la pitié. Son attitude changea du jour où elle rejoignit notre groupe de soutien aux femmes ménopausées, qui souffraient des mêmes maux. Toutes portaient les stigmates sociaux de cette ménopause que la rumeur publique présente comme une perte irréversible d'énergie, de créativité et de séduction. Ces différents préjugés leur faisaient appréhender comme la peste l'apparition de chaque nouveau symptôme, chaque altération physique.

Mais le groupe permit à toutes les femmes, y compris Barbara, de rejeter ces pensées autopunitives. Si Barbara était restée seule dans son coin, difficile de dire si elle aurait pu s'en débarrasser. Mais, avec ses compagnes, elle prit conscience qu'elle n'était pas seule. Et l'exemple de celles qui avaient surmonté leurs symptômes et embrayé sur une phase énergique et créative de leur existence lui donna du courage.

De nombreuses femmes victimes de fausses-couches à répétition disent qu'avant leur première interruption de grossesse elles ne connaissaient personne à qui cela soit arrivé. Ensuite, lors de la thérapie de groupe, elles ont découvert d'autres femmes qui, étant passées par les mêmes épreuves, relataient leur expérience. Leur soutien les aida à traverser les crises de douleur et de frustration les plus aiguës. J'ai observé le même phénomène chez des femmes souffrant d'autres pathologies. J'ai également constaté que des femmes en bonne santé, mais à la vie stressante, se tissent des réseaux de soutien à partir de vieilles amitiés et de nouvelles relations, sortent ainsi de leur isolement et réduisent les effets du stress sur l'organisme.

Souvent, nous ne parvenons à développer de solides réseaux de relations sociales qu'*après* avoir recouru à d'autres méthodes de gestion du stress, dont la relaxation, la restructuration cognitive et l'attention à soi-même (d'où le plan de ce livre). Il n'est pas sorcier de comprendre pourquoi. Lorsque nous subissons un grave stress, nous nous réfugions souvent dans une vie d'ermite, ne souhaitant rien d'autre que l'hibernation solitaire (les plus angoissées ou les dépressives s'isolent même des semaines ou des mois durant). Quand nous sommes prostrées de la sorte, l'énergie pour en sortir et nous relier au monde nous fait défaut. Nous préférons nous blottir sous la fameuse couette. C'est alors que les techniques de gestion du stress nous donnent le ressort et la confiance de renouer avec les ami(e)s et la famille tout en rehaussant notre niveau de conscience et de sérénité dans nos rapports avec nos proches.

Il arrive souvent que le manque de soutien social solide provienne de notre sentiment de ne pas le mériter. La peur, la timidité excessive, la honte et la crainte de déranger, nous empêchent de le rechercher. Plus l'on devient vulnérable, moins on a conscience de ses besoins sociaux. La restructuration cognitive nous permet alors de rejeter les angoisses qui nous paralysent et nous isolent.

Les amitiés : renouer avec les anciennes, en forger de nouvelles

Renouer les mailles d'un filet social signifie à la fois raviver des amitiés passées et récentes, et en forger de nouvelles. Quand nous nous sentons esseulées, c'est en général que le stress, la dépression ou la fatigue (ou les trois à la fois) nous détournent d'autrui. Dans ces périodes où nous avons le cœur et l'esprit brouillés, il est difficile de surmonter les différents et les petites rancunes qui sont le lot de toute relation amicale. C'est ainsi que nous laissons partir à la dérive les amitiés que nous aurions dû préserver et consolider.

Mindy souffrait de douleurs pelviennes, sans parler de son stress professionnel. Elle n'avait pas adressé la parole à sa meilleure amie depuis plus d'un an. Dans le groupe, elle se plaignait de l'indifférence de ladite amie. « Impossible de discuter avec elle », disait-elle. Après avoir creusé la question, Mindy reconnut qu'elle avait l'habitude de discuter très franchement avec son amie jusqu'au jour où celle-ci changea de comportement à la suite d'une douloureuse rupture sentimentale. Son amie n'avait probablement pas surmonté sa propre peine. Une fois que Mindy eut fait le rapprochement et pris conscience de combien son amie lui manquait, elle lui écrivit. La réponse fut rapide et chaleureuse. La réconciliation remonta le moral de Mindy.

Lorsque je conseille à mes patientes de se ménager des petits plaisirs, certaines choisissent d'écrire à des ami(e)s ou des membres de leur famille perdus de vue. Elles reconnaissent que ces ruptures leur ont fait perdre un peu d'elles-mêmes ; que renouer des relations est une façon de rendre justice à leurs secrètes aspirations. Mais reprendre le contact suppose de passer l'éponge sur les vieilles rancunes. Savoir pardonner est un exercice psychosomatique qui soulage le cœur et apaise l'organisme. « Le pardon, écrit le Pr Joan Borysenko — une de mes anciennes collègues ayant beaucoup contribué à l'essor de la médecine psychosomatique —, c'est-à-dire le rejet du besoin récurrent et égocentrique de juger les autres et soi-même débouche sur le bonheur et la sérénité. »

Lorsque j'encourage les femmes à se débarrasser de leurs rancœurs, je ne leur dis pas de passer l'éponge sur leurs motifs d'irritation à l'égard d'amis ou de proches. Je les incité plutôt à explorer et à exprimer cette irritation, afin qu'elles puissent la surmonter et accéder à la magnanimité. Stephen Levine, qui travaille avec des malades incurables, donne le conseil suivant en matière de pardon (et le conseil vaut pour toutes les femmes, malades ou non) : « Il ne faut pas forcer le pardon, l'appliquer à une situation que nous avons peine à aborder en toute conscience n'est d'aucune utilité. La pratique du pardon n'atteint son efficacité optimale qu'utilisée au moment opportun. Nous devons d'abord tenir compte de notre colère, de notre défiance, de notre état d'esprit avant que les profondes ressources de la miséricorde ne puissent donner toute leur mesure. »

Le Dr Herbert Benson, reprenant à son compte les paroles d'un sage, me disait que personne ne devrait juger autrui avant d'avoir parcouru vingt kilomètres dans les mocassins du présumé coupable. Lorsque nous considérons honnêtement la douleur de ceux qui nous ont blessés, nos critiques baissent d'un ton. Comme le souligne Levine, cela ne veut pas dire que nous ayons forcément tort. Chercher à comprendre et à exprimer sa colère (à part soi ou en s'adressant directement à l'objet de notre frustration) est le prélude indispensable au pardon. Et la magnanimité préside toujours aux meilleures réconciliations.

Le pardon ne consiste pas à passer l'éponge sur des comportements blessants et préjudiciables. En pardonnant, nous ne donnons pas un quitus au manque de sensibilité ou à la mauvaise foi. Nous cherchons à guérir nos propres blessures et à rendre justice à celles des autres.

Bien qu'il y ait des exceptions à la règle, certaines amitiés — et certaines relations conjugales — sont tellement dévastatrices que le mieux à faire est de rompre définitivement. Camille était tombée enceinte en même temps que Arlène, sa meilleure amie. Mais Camille fit une fausse-couche tandis qu'Arlène donna le jour à un magnifique bébé. Camille se plaignit de l'incroyable manque de tact dont son amie fit preuve par la suite en parlant sans cesse du bonheur qu'elle éprouvait avec sa fille et dans sa vie, sans se préoccuper des états d'âme de Camille. Camille fit une nouvelle fausse-couche, qui n'ébranla pas davantage l'égocentrisme d'Arlène, de telle sorte qu'elles finirent par se facher si violemment qu'elles ne se parlèrent plus pendant six mois.

Au sein du groupe de soutien, Camille commença par essayer de clarifier ses sentiments et décida d'écrire à Arlène. Elle lui disait combien elle partageait son bonheur, mais combien il lui était dur de l'entendre parler de son bébé, et si ses fausses-couches l'avaient beaucoup affectée elle avait néanmoins envie de la revoir. Dans une brève missive, Arlène remercia Camille d'avoir donné de ses nouvelles, mais elle ne manifesta ni intérêt pour l'angoisse de son amie, ni envie explicite d'une vraie réconciliation. Profondément blessée, Camille déclara au groupe qu'elle ne regrettait pas sa lettre, qui lui avait permis de tirer un trait sur le passé. Elle avait souffert pendant six mois de cette rupture mais reconnaissait désormais qu'Arlène ne lui était plus d'aucun secours.

Le pardon permet néanmoins de rétablir l'amitié, en évacuant peu à peu ces rancunes tenaces souvent dérisoires, qui nous coupent de ceux qui nous sont chers. Grâce à lui nous surmontons ces phases d'instabilité qui nous enlèvent le courage de renouer de vieilles relations et d'en forger de nouvelles.

Quand nous nous tournons vers les amis et la famille, il ne faut jamais oublier que nos proches, le plus souvent, désirent qu'on les recherche. La plupart du temps, il en va de même pour nos nouvelles connaissances. Les lettres et les coups de fil font plaisir en général, sauf exceptions, évidemment. Mais nos actes (ou notre refus d'agir) ne devraient pas être affectés par la crainte de se faire rabrouer. Car dans ce cas, nous vivrons ce désespoir silencieux que décrit si pertinemment Henry David Thoreau.

Les femmes, en particulier, sont enchantées à l'idée de faire de nouvelles rencontres ou de renouer de vieilles relations. Dans nos efforts épiques pour jongler avec nos responsabilités familiales et professionnelles, nous avons non seulement perdu les liens qui nous rattachent à la communauté, mais aussi, et surtout, le temps et le goût du jeu. Mes patientes trop stressées ne se distraient pas assez avec d'autres femmes, comme elles le faisaient quand elles étaient petites filles ou adolescentes.

N'avez-vous pas la nostalgie de ces relations insouciantes entre copines ou de ces crises de fou rire ? Si c'est le cas, vous ressemblez à la plupart des femmes que je connais. Il est de bon ton de parler de l'enfant qui sommeille en nous. Mais qu'en est-il de l'adolescente ? Je ne suggère pas que vous êtes en phase de régression, mais plutôt d'intégrer à votre personnalité adulte « l'adolescente qui sommeille » en vous. Une fois ces désirs juvéniles assumés, vous trouverez d'autres femmes dans le même cas. Ne ratez surtout pas les occasions de ces « virées entre filles » dont parlent bon nombre de mes patientes.

Éviter les pièges qui isolent : la jalousie, la suspicion, la peur

Les rivalités et les jalousies professionnelles ou conjugales sont des obstacles à l'amitié, surtout chez les femmes. Certaines de mes patientes rentrent dans leur coquille parce qu'elles sont jalouses d'amies qui paraissent posséder ce qu'elles n'ont pas. Elles ne veulent pas fréquenter des femmes ayant mieux réussi qu'elles, ou plus heureuses en amour ou qu'elles jugent plus jolies.

Si vous êtes de celles que la jalousie asphyxie et isole, il est grand temps de restructurer votre façon de penser. À première vue, nous aimerions toutes être Christie Brinkley ou la princesse Diana. Mais en y regardant de plus près, cela se discute. Accepterions-nous vraiment de voir nos déboires conjugaux étalés sur la place publique, en échange de la richesse, la gloire ou la beauté ? Appliquez ce même raisonnement à vos relations d'amitié. Si vous faites une fixation sur des qualités que vous enviez à vos amies, seriez-vous prête à tout brader contre ce que vous leur enviez ? Si vous vous sentez en situation d'infériorité par rapport à une amie, songez à vos atouts. Il est possible de reconnaître les qualités des autres, sans pour autant oublier les vôtres.

Les malentendus s'installent vite quand nous nous faisons des idées fausses sur nos amis et nos proches. Mara traversait une très mauvaise passe à la suite de sa troisième fausse-couche. Peu après, elle rendit visite à une amie en compagnie de Brendan, son mari, avant d'aller au cinéma. À leur arrivée, les deux bambins de l'amie pleuraient, et celle-ci les reçut plutôt mal. Mara exprima son dépit en ces termes : « Pourquoi les gens qui ont des gosses sont-ils si odieux ? »

De toute évidence la jalousie de Mara à l'égard des enfants de son amie lui obscurcissait la vue. Nous avons posé à Mara davantage de questions sur ce qui s'était passé et elle nous a expliqué que la mine de ladite amie s'était assombrie juste après que Brendan et elle eurent glissé dans la conversation qu'ils allaient au cinéma. Mara était tellement obnubilée par ses propres problèmes qu'il ne lui était pas venu à l'idée que son amie puisse l'envier *elle*. Car l'amie, de son côté, pensait : « Ce n'est pas *moi* qui pourrais me payer le luxe d'aller au cinéma avec *mon* mari ! » Voilà l'exemple parfait de la façon dont la jalousie féminine rend aveugle.

L'autre piège banal, en matière d'amitiés féminines, est de transformer la relation en « bureau des lamentations ». Valérie racontait tout à sa meilleure amie. Elle lui annonça qu'elle allait épouser Marty, l'homme qu'elle fréquentait depuis plus d'un an sans avoir encore franchi le pas des fiançailles. L'amie s'écria : « Toi, épouser *Marty* ? Tu ne fais que te plaindre de lui et vous vous disputez tout le temps ! » Valérie fut stupéfaite de la réaction, car elle aimait Marty et avait senti dès leur première rencontre qu'ils étaient faits l'un pour l'autre. Mais elle n'avait parlé que de ce qui allait mal. Difficile pour sa confidente, dans ces conditions, de comprendre de quoi il retournait vraiment.

Il est important d'avoir des amies à qui confier ses angoisses et ses peines. Mais pourquoi pas ses joies, ses espoirs, ses extases, ses ardeurs et ses satisfactions ? L'amitié n'a rien à gagner à privilégier les pleurnicheries et jérémiades. Pour citer une vieille formule de William Safire, l'éditorialiste politique, c'est ainsi qu'on devient de « vieux râleurs », en l'occurrence de vieilles râleuses. Les amitiés qui se nourrissent de pleurs et de grincements de dents sont tout aussi étriquées que celles qui ne se satisfont que de bulletins de victoire. Dans toute relation intime, nous devrions être capables d'exprimer tout le registre des émotions et les nombreuses facettes de notre personnalité. Dans la vie courante, ce n'est certes pas toujours possible mais c'est un objectif à garder en tête.

Le pionnier de la médecine psychosomatique, le Dr George F. Solomon, remarque que de nombreuses femmes très entourées restent néanmoins esseulées parce qu'elles ne se tournent pas vers leurs proches. Elles gardent leurs distances et restent dans leur tour d'ivoire, avec leurs souffrances et leurs problèmes : « Je ne veux pas les perturber », « Pourquoi les rendre responsables de mes erreurs ? », « Ils ont déjà assez de chats à fouetter ; je vais encore ajouter à leurs problèmes. »

Le Dr Solomon, lors d'une récente conversation, nous résumait les effets nocifs de telles réticences : « Si vous avez un bon pote qui vous demande comment ça va et que vous lui dites *Sensas !*, il risque fort de vous répondre *Formidable, on se voit dans une semaine*. Si au contraire, vous lui dites *J'ai le moral à zéro*, il y a des chances pour qu'il réponde : *Est-ce que je peux faire quelque chose pour t'aider* ? *De quoi as-tu besoin* ? Si vous refusez de communiquer dans le système relationnel qui vous soutient, celui-ci ne vous assiste plus. »

Se rapprocher de la famille

Si vous ne communiquez pas avec votre famille, elle ne peut vous être d'aucun secours.

Miriam, une infirmière surmenée, avait la réputation d'être un vrai « glaçon » dans sa famille. Elle avait pris la remarque au premier degré et fini par se considérer comme telle. Pis encore, elle se conforma au jugement de ses parents, de ses frères et de sa sœur. Si on l'accusait d'insensibilité, c'était, n'est-ce pas, qu'on ne l'aimait guère, et Miriam *s'enferma dans son propre monde*, par réflexe d'autodéfense. Un phénomène dont elle ne prit conscience qu'après avoir rejoint notre groupe de soutien psychosomatique. Avec notre aide, elle reconstruisit sa propre image.

« Le groupe m'a aidée à comprendre que mes réactions à l'égard de ma famille étaient un réflexe de défense, destiné à me protéger, expliquait-elle. Cela n'avait pas lieu d'être. Je suis infirmière et ne suis pas inhumaine avec mes malades. Dans la vie, par ailleurs, je ne suis pas insensible. Mais je ressentais le besoin de prendre des distances à l'égard de ma famille. »

Les réticences et ressentiments de Miriam envers ses proches commencèrent à tomber quand elle fit preuve de plus de tolérance à leur égard. Elle s'ouvrit progressivement à différents membres de sa famille. Ce ne fut certes pas facile parce que sa mère affichait depuis belle lurette une préférence pour ses frères et sa sœur et que son père avait toujours été distant. Mais Miriam fit part de ses difficultés professionnelles à sa mère et reprit contact avec sa sœur, avec laquelle elle avait de fait rompu depuis des années. Bien qu'elle restât réservée avec son père et ses frères, elle abandonna ses vieilles rancunes à leur égard.

En se rapprochant de certains membres de sa famille Miriam cicatrisa quelques profondes blessures. Et y gagna une lucidité, une confiance en elle qui se répercutèrent dans d'autres domaines, y compris dans son travail d'infirmière. Ses rapports avec ses collègues s'améliorèrent, son stress régressa et elle se sentit déborder d'une vitalité nouvelle.

Les liens familiaux aident à prévenir et à guérir la maladie. Cependant, leur secours est moindre sur le plan psychologique et physique si l'on n'y a pas recours à bon escient. Cela signifie qu'il faut appeler à l'aide les membres de la famille quand c'est vraiment indispensable, quand on a besoin de se confier à quelqu'un ou de sortir d'une situation conflictuelle. Mais les femmes ne devraient jamais se sentir *obligées* de se rapprocher de leur famille. Certaines ont des parents, des grands-parents, des frères et sœurs ou autres, désespérément froids, indifférents ou sans gêne. Il n'est alors pas question de rechercher leur soutien en faisant abstraction de leur comportement. Mais il faut savoir que même des personnalités difficiles peuvent se laisser fléchir et qu'au prix d'épisodes parfois éprouvants, nous pouvons arriver à une issue bénéfique.

Dans certains cas, surtout si nous tombons malades, nous pouvons faire le choix de laisser de côté les vieilles rancœurs pour nous rapprocher d'un parent, d'un frère ou d'une sœur. En cas de maladie, le soutien ardemment désiré qu'apporte la famille s'impose alors. Le plus souhaitable, lorsqu'on reprend contact avec un proche en de telles circonstances est de commencer par crever l'abcès des démêlés passés, pour repartir d'un bon pied. Je l'ai constaté à maintes reprises avec mes patientes.

Lila avait rejoint un de mes groupes de soutien constitué de femmes devant recourir à une procédure de fécondation *in vitro*. Elle avait subit huit inséminations *in utero*, une procédure de transfert d'ovocytes dans les trompes, et quatre procédures de FIV (fécondation *in vitro*[1]), toutes sans succès. Lila avait du mal à faire part de ses problèmes aux membres de sa famille de crainte de les affoler. Son frère, qui avait deux enfants, s'inquiétait chaque fois qu'il entendait parler de ses tentatives. Toutefois, lorsqu'elle apprit que sa belle-sœur était à nouveau enceinte et que son frère le lui avait caché par crainte de ses réactions, Lisa jugea que les cachotteries familiales avaient dépassé les bornes. Elle n'était pas à ce point fragile, pensa-t-elle. « Je lui ai dit que je ne voulais pas apprendre de la bouche de quelqu'un d'autre que sa femme était enceinte. Nous avons toujours été proches et cela serait aberrant. »

La mise au point entre le frère et la sœur les rapprocha. « Il m'a dit qu'il aurait bien aimé avoir un bébé pour moi... se rappelait Lisa. Sa femme avait même proposé d'être la

---

1. *La fécondation in vitro (FIV)* : la procédure comprend quatre phases. 1) On prélève des ovocytes par ponction du liquide folliculaire sur les ovaires, le plus souvent après une stimulation hormonale. 2) On obtient des spermatozoïdes isolés à partir du sperme, facilement obtenu par masturbation. 3) On procède en laboratoire à la fécondation et à la survie du jeune embryon hors de l'organisme de la femme. 4) On transfère ensuite l'embryon dans l'utérus.

Le cycle complet d'une tentative pour le couple traité dure entre un mois et un mois et demi et se décompose en une phase « pré-FIV » (douze à trente jours pour obtenir les ovocytes), la « phase FIV (trois jours) et la « phase post-FIV » qui débute par le transfert d'embryons et se termine par la nidation (douze jours). On comprend que l'ensemble de la procédure, assez lourde, puisse être éprouvante pour la femme, d'autant que le succès est souvent aléatoire *(N.d.T.)*.

mère-porteuse, mais ce n'était pas mon utérus qui posait problème. L'offre, néanmoins, m'a beaucoup touchée. »

Lila avait un autre type de problème avec sa mère qui lui posait sans cesse des questions indiscrètes sur les moindres détails des procédures sophistiquées auxquelles elle devait se soumettre. « Elle voulait savoir combien d'ovules j'avais, combien d'embryons étaient fertilisés, et ainsi de suite. Je n'avais vraiment aucune envie de discuter de tout ce bazar. » L'amélioration de la communication avec sa mère impliquait de limiter strictement les sujets de discussion. Aussi Lila lui annonça-t-elle, sur un ton mesuré, qu'elle lui ferait part de ses problèmes et de ses expériences quand elle en ressentirait le besoin. Sinon, elle préférait partager avec elle d'autres aspects de sa vie. Sa mère se montra compréhensive, Lila n'eut plus besoin de se protéger de ses questions et leur relation ne s'en porta que mieux.

Nous avons toutes des rapports complexes avec nos proches, que nous devons considérer comme autant de cas particuliers. Il s'agit d'accepter les besoins de chacun, sans empiéter sur le domaine de quiconque, de trouver un équilibre délicat entre l'intimité et l'indépendance — certains liens exigent l'intimité, d'autres davantage de distance. La recherche de cette harmonie améliore la qualité de ces relations familiales si nécessaires, surtout en cas de maladie.

Aider les autres

On peut se rapprocher des autres autant par compassion que par besoin. Contrairement à l'idée reçue, l'engagement envers les autres n'implique pas obligatoirement une sujétion réciproque. Il est vrai que de nombreuses femmes se figent dans un rôle protecteur, surtout au sein de leur famille, mais nous avons néanmoins beaucoup à gagner à aider les membres de notre milieu ou des communautés auxquelles nous appartenons. De récentes études montrent que l'implication dans des activités sociales ou humanitaires — quand il se fait par choix conscient et dans un esprit d'ouverture — apporte autant à la personne qui donne qu'à celle qui reçoit et profite même à notre santé.

Au chapitre précédent, j'ai cité l'ouvrage *The Women's Roles and Well-Being Project* (« La Femme en action et le bonheur de vivre »), exposant les travaux menés par le Pr Phyllis Moen auprès de 427 épouses et mères du nord de l'État de New York. Le Pr Moen a suivi l'évolution de ces femmes sur trente ans et a mis en évidence que celles qui étaient membres d'associations bénévoles présentaient, de façon significative, une moins grande vulnérabilité aux maladies graves, une meilleure santé mentale et une longévité supérieure.

Le Pr Moen pense également que les femmes engagées dans des activités bénévoles sont mieux « intégrées socialement » et du coup moins isolées. Le fait d'aider les autres crée des liens sociaux, aussi bien avec les membres de l'équipe bénévole qu'avec ceux qui bénéficient de l'aide.

J'encourage mes patientes à aider les autres, du moins tant qu'elles ne s'y usent pas nerveusement et physiquement. Nicole, atteinte d'un cancer, a recouvré la santé après une lutte acharnée. Une fois qu'elle eut récupéré sa forme et son énergie, elle décida de proposer bénévolement ses services à une association locale d'assistance juridique à des victimes du cancer. L'association ne se contentait pas de la défense des droits et des besoins des malades ; elle avait organisé des groupes de soutien. Nicole n'occupait pas de poste en vue mais rencontrait des malades aussi souvent que possible. Lorsqu'elle évoque ces patients ou ses collègues bénévoles, elle les présente comme « les gens les plus gentils qu'elle ait jamais connus ».

Évidemment, s'il s'agit d'entretenir des liens sociaux dans le seul but de satisfaire ses propres besoins, l'effort ne nous sort pas de notre égocentrisme. Se forger des relations sociales doit précisément permettre que la circulation ne soit pas à sens unique. N'hésitez pas à vous engager dans le bénévolat, par le biais d'associations ou de façon informelle. Allan Luks, auteur du livre *The Healing Power of Doing Good* (« Guérir par le bénévolat »), vous conseille de trouver des actions humanitaires qui vous mettent en contact direct avec les gens. Il est louable d'envoyer des chèques mais cela ne multiplie pas les contacts humains. Les possibilités sont multiples : vous pouvez contribuer à organiser des soupes populaires, consacrer du temps aux enfants en difficulté ou proposer vos services à l'hôpital le plus proche. Quel que soit votre choix, votre altruisme vous enrichira, sur le plan physique, psychique et spirituel, autant qu'il apportera à ceux que vous aiderez.

La communication au sein du couple

Que vous ayez un problème de stress, de santé, que vous affrontiez une passe difficile ou tout autre problème évoqué précédemment, il est important que vous restiez toujours en communication avec votre époux ou votre compagnon, si vous en avez un. Le soutien de celui-ci (ou de celle-ci) peut se révéler vital pour votre santé et votre bien-être.

Mes recherches et mon expérience clinique, ainsi que celles d'autres collègues, m'ont permis de mettre au point quelques conseils facilitant la communication au sein du couple. Ces recommandations valent pour les couples mariés comme pour tous les couples imaginables. Elles s'appuient sur des principes assez largement admis dans les milieux de psychologues, assistantes sociales et conseillers conjugaux. Mais elles sont profitables avant tout aux couples confrontés au stress aigu engendré par les problèmes de santé ou les difficultés de la vie.

Voici sept conseils clés qui tiennent dans un mouchoir de poche :

1. *Exprimez vos besoins*. N'attendez pas de votre compagnon qu'il lise dans vos pensées.

2. *Écoutez, n'ayez pas de solution à tout*. N'attendez pas de votre compagnon qu'il règle vos problèmes ou supprime vos souffrances. De même, vous ne résoudrez pas les siens. Répondre aux besoins des autres ne signifie pas « tout régler de A à Z ». Pour vous comme pour votre compagnon ou compagne, cela signifie écouter, compatir et se montrer plus disponible.

3. *Évitez de faire des reproches*. Essayez de ne pas insister trop lourdement quand votre partenaire ne donne pas de réponse satisfaisante à vos questions. Exprimez la peine ou le mécontentement que vous ressentez, mais ne faites pas de reproches (voyez, au chapitre suivant, les conseils sur la façon la plus saine d'exprimer son irritation). Si vous en formulez, vous cautionnez l'idée que c'est à votre compagnon (ou compagne) qu'incombe la responsabilité de vous rendre heu-

reuse. Et, inévitablement, vous serez déçue et vous vous poserez en victime.

4. *Ne tolérez aucune violence*. Vous ne devez jamais accepter d'être maltraitée par votre conjoint. Demandez-vous si vous avez affaire à des faiblesses ou à des défauts trop humains, ou bien à une volonté destructrice pure et simple. Ce qui serait tout à fait inacceptable. Apprenez et appliquez les techniques d'affirmation de soi pour mieux défendre vos droits (vous trouverez au chapitre suivant un guide vous permettant de prendre de l'assurance et de l'autorité).

5. *Mettez-vous dans la peau de votre compagnon*. Lorsque vous pensez qu'on vous a fait du tort, demandez-vous ce qui suscite l'inconscience, l'égoïsme ou l'indifférence de votre partenaire. N'étouffez pas vos propres sentiments ; tentez plutôt de les surmonter par le recours aux techniques de communication déjà mentionnées. Vous serez ainsi capable de vous mettre à sa place. Et si vous vous rappelez vos propres écarts de comportement, vous comprendrez que votre compagnon est frappé d'un même mal, contagieux — la condition humaine.

6. *Tournez-vous, aussi, vers les autres*. Trouvez un équilibre dans vos relations, afin de ne pas vous replier exclusivement sur votre vie de couple. Votre compagnon ne peut être parfait. Personne ne l'est au point de satisfaire les multiples facettes de nos personnalités complexes. Si vous avez un problème, une question qu'il vous est impossible d'aborder avec lui, des émotions ou des activités qu'il vous est difficile de lui faire partager, trouvez une amie mieux disposée, qui soit au diapason.

7. *Positivez*. Partagez vos joies, vos plaisirs et votre sens de l'humour avec votre compagnon. Ne laissez pas les questions délicates ou les pensées et les sentiments négatifs gangrener votre relation. La vie que vous partagez avec une autre personne ne se résume pas à votre dernière dispute.

Apprendre le langage de l'autre et réciproquement

Le fait qu'on ait diagnostiqué un cancer chez Serena et qu'elle ait subi une ablation du sein mit à rude épreuve sa vie conjugale. Jeff pensait que Serena avait surtout besoin d'être rassurée et que tout irait bien. En réalité, elle voulait qu'il soit à l'écoute de ses appréhensions. « Il n'arrêtait pas de parler pour me rassurer, explique Serena. Mais il est difficile à un homme de comprendre. Je ne rejette pas la faute sur lui. Il ne subit pas ce que j'endure. Mais s'il me dit : *tu vas bientôt te porter comme un charme*, je ne peux m'empêcher de penser : *mais qu'est-ce que tu en sais ?* »

La situation changea quand Serena et Jeff commencèrent à pratiquer « l'écoute réciproque », une technique que j'enseigne dans mes thérapies de couples. Lors de l'écoute réciproque, un des deux membres du couple écoute l'autre pendant environ cinq minutes, parfois plus. Celui qui a la parole est libre de dire tout ce qu'il veut, d'aborder les points conflictuels de leur relation, d'exprimer ses sentiments, de dire ce qu'il apprécie ou non chez son (ou sa) partenaire ou dans leur relation. Celui qui écoute doit garder le silence.

L'écoute réciproque rétablit une profonde complicité entre Serena et Jeff. Jeff cessa de faire du zèle pour la rassurer avant même qu'elle ait fini d'exprimer ses angoisses et sa peine. Désormais, elle n'avait plus l'impression qu'il ne la comprenait pas. Quoique chacun ait sa façon propre de communiquer, ils ont appris à respecter leurs différences, et leurs concessions mutuelles ont accru leur intimité.

« Nous nous entendons beaucoup mieux, dit Serena. Nous nous parlons plus, nous nous comprenons, nous prenons le temps. Avant de rejoindre le groupe, nous en étions de moins en moins capables. Quand il parlait, j'avais l'impression qu'il ne saisissait pas ce que je voulais dire. Je pense désormais qu'il me comprend. »

Les relations de Serena et Jeff illustrent parfaitement les nombreux malentendus provenant des différentes façons de s'exprimer des hommes et des femmes, si bien relevés par le Dr Deborah Tannen[1] dans son livre *Décidément, tu ne me comprends pas !* : « Si l'on part du principe que l'acquisition du langage se fait pour chacun de nous avec ses semblables et dans un univers social distinct, on peut alors considérer la relation homme/femme comme une communication interculturelle. Chacun des styles adoptés est en soi valable mais les malentendus surviennent à cause de leur différence...

« Comprendre ces différences ne les fera pas disparaître mais peut diminuer l'incompréhension et les reproches. Il est réconfortant de saisir le comportement de ceux qui nous entourent, même si nous ne sommes pas du même avis

---

1. *Décidément, tu ne me comprends pas !*, Deborah Tannen, Laffont, 1993.

qu'eux. Notre monde devient alors moins déconcertant. Et le fait que les autres comprennent le pourquoi de notre comportement nous met à l'abri de leur incompréhension et de leurs reproches. »

La ligne de conduite définie dans les pages précédentes n'est pas destinée à changer les styles respectifs de communication entre les hommes et les femmes mais plutôt à aider les deux parties à accepter les différences tout en prenant conscience des points communs. Tannen souligne que les femmes baignent, pour la plupart, dans un univers essentiellement relationnel qui érige l'intimité en valeur suprême. Les hommes, au contraire, vivent dans un monde où la position sociale et l'indépendance sont valorisées. De nombreuses différences dans le style de communication sont liées à ces divergences d'orientation, profondément enracinées dans notre culture, voire pour certains dans notre nature. Les hommes ont néanmoins besoin d'intimité, de la même façon que les femmes, de leur côté, recherchent aussi l'indépendance. C'est pourquoi il est possible de trouver un terrain d'entente.

Deborah Tannen nous conseille d'éviter le piège de croire que nous devrions imposer notre style aux hommes (ou qu'eux devraient nous imposer le leur). Nous ferions bien en revanche d'assimiler mutuellement nos modes différents de communication afin de pouvoir interpréter sans contresens nos messages respectifs. Il est certain que bien des hommes auraient tout à gagner à exprimer leur besoin d'intimité et que la plupart des femmes ne perdraient rien à réaliser leur aspiration à l'autonomie. Selon Tannen, les hommes peuvent apprendre des femmes « à accepter l'interdépendance sans la considérer comme une atteinte à leur liberté », et les femmes apprendre des hommes « à accepter les conflits et les différences sans pour autant y voir la fin de leur intimité ».

Lorsque je donne des conseils à des couples, je leur demande souvent : « Comment vos parents réglaient-ils les conflits et exprimaient-ils leurs émotions ? » Car les modèles parentaux peuvent être à l'origine du style ultérieur des enfants, y compris de leurs handicaps. Mes patientes, par exemple, se plaignent fréquemment que leurs maris ne manifestent pas leurs « sentiments ». Lorsque j'interroge le mari sur ses parents, il n'est pas rare qu'il décrive un père, parfois même une mère, incapable d'exprimer ses émotions. L'élucidation de cette relation de cause à effet aide la femme à avoir une attitude plus compréhensive et l'homme à être plus indulgent envers lui-même. Remonter aux modèles précoces de comportement constitue donc un bon antidote aux reproches et mesures de rétorsion que s'infligent les couples aux rapports difficiles.

Lorsque nous exprimons clairement nos besoins, lorsque nous écoutons au lieu de nous précipiter vers une solution, lorsque nous évitons les accusations, gardons le sens des proportions et faisons preuve de l'indulgence nécessaire, nous créons les conditions de cette compréhension mutuelle recherchée *de part et d'autre*. En dépit de leurs différences, les hommes et les femmes aspirent à la même chose : être unis dans une relation de respect et de confiance.

La technique de l'écoute réciproque

Vous avez peut-être envie de brûler des étapes dans le processus de rapprochement, en recourant à cette technique de l'écoute réciproque dont j'ai fait état. Les règles de base sont des plus simples. Vous évoquez une expérience, un problème, un sentiment significatif. Cela peut toucher à vos propres rapports comme à tout autre sujet ou d'autres relations. Votre partenaire écoute sans un mot, sans même un murmure. Mais il ou elle se concentre totalement sur ce que vous dites pendant cinq minutes. Vous inversez ensuite les rôles et c'est vous qui écoutez votre partenaire parler pendant cinq minutes.

Je ne vous conseille pas de faire cet exercice chaque jour, indéfiniment. Contentez-vous de le pratiquer pendant quelques jours, voire plus si vous en ressentez le besoin. L'objectif est que vous vous habituiez à parler librement, sans être interrompue, mal comprise ou contredite, et à écouter de la même façon. Votre sens de l'écoute et de la compréhension s'accroîtra à mesure que vous avancerez dans l'exercice.

Après avoir répété cet exercice d'écoute réciproque, laissez la méthode imprégner votre vie. Lorsqu'un problème important surgit, accordez-vous quinze ou vingt minutes pour parler tandis que votre partenaire écoute, ou vice versa. Les femmes ont souvent l'impression qu'elles ne parviennent pas à confier leurs sentiments ou leurs problèmes à leur compagnon. Les hommes, eux, trouvent leur compagne intarissable dès qu'il s'agit de parler d'elle et de ses états d'âme. Quand un laps de temps déterminé est réservé à l'écoute authentique, le besoin de la femme de se sentir écoutée est alors satisfait aussi bien que celui de l'homme de ne pas en avoir trop à entendre. Dans mon groupe de patientes confrontées à des problèmes de stérilité, j'utilise un exercice de communication souvent efficace, que m'a enseigné Steven Maurer, et destiné à raviver la qualité de la relation du couple. Il faut se réserver un dimanche où les maris rejoignent les séances de gestion du stress et d'activités de loisirs de leurs épouses. A un moment donné, chaque couple s'isole dans une pièce où chaque épouse devra parler pendant six minutes. Je demande d'aborder trois sujets, en consacrant deux minutes à chacun. Le premier sujet porte sur « une caractéristique de votre partenaire que vous aimez sans le lui avoir jamais dit ». Le deuxième sur « quelque chose que vous aimez en vous dont vous ne lui avez jamais parlé ». Pour finir, chaque membre du couple révèle « un aspect qu'il apprécie particulièrement dans leur relation sans l'avoir jamais évoqué à l'autre ».

Cet exercice montre qu'aucune règle — écrite ou non écrite — n'exige des membres d'un couple qu'ils discutent uniquement de leurs traumatismes, drames, conflits, rancœurs ou autres sujets désagréables (même si les couples confrontés à des problèmes de stérilité ont évidemment passé *des années* à souffrir de leurs angoisses et de leurs déceptions). Il ne faut pas refouler les sentiments négatifs pas plus que les sentiments positifs. Ce sont surtout les maris qui découvrent alors un certain charme à la conversation de leur épouse.

Les résultats de telles séances sont spectaculaires. Les deux partenaires sont dans un état de grâce quand ils quittent la pièce, cela saute aux yeux. Beaucoup n'avaient pas entendu des aveux aussi doux de la part de leur conjoint, depuis, le plus souvent, l'origine de leur idylle. Si les tensions professionnelles, les difficultés financières, les conflits de famille, les problèmes sexuels, les ennuis de santé ou de stérilité vous mènent la vie dure, pratiquez cet exercice avec votre partenaire. Vous retrouverez toute la saveur de votre intimité initiale.

« *Quoi de neuf, quoi de bon ?* »

C'est ma collègue, Margaret Ennis, qui m'a indiqué un exercice destiné à ressusciter tous les charmes de la vie quotidienne. Cela s'appelle « Quoi de neuf, quoi de bon ? »

Pensez à une journée ordinaire. Parmi les événements qui la composent, pourriez-vous évaluer la proportion de ceux qui sont positifs, négatifs ou neutres ? Bien que les variations soient importantes d'un jour sur l'autre, vous serez probablement capable de donner une réponse approximative. Sauf exception, la journée sera sans doute composée de 70 % d'événements dont vous n'avez rien à dire, 15 % de négatifs et 15 % de positifs (c'est une réponse qui revient souvent). Mais sur quoi mettez-vous le doigt, quand vous retrouvez votre compagnon à la maison ? Le positif ou le négatif ? Si ce n'est pas le négatif, c'est que vous appartenez à la minorité gâtée.

Le test du « quoi de neuf, quoi de bon ? » est une façon de chasser le négatif des relations intimes. Quand votre partenaire ou votre époux rentre à la maison (ou lorsque c'est vous qui rentrez), demandez-lui : « Quoi de neuf et de bon, aujourd'hui ? » Il ou elle vous posera la même question.

Que faire si rien de bon n'est arrivé ? Si pour vous, le « bon » se résume à une promotion professionnelle, à une augmentation de salaire ou à l'achat d'un billet gagnant au loto, vous risquez évidemment de n'avoir que peu de sujets de satisfaction dans l'existence. Cet exercice oblige à creuser un peu les événements de la journée.

Leslie avait le chic pour détecter les perles rares dans la grisaille des jours. Elle les offrait chaque soir en cadeau à Lee, son mari. Un jour où rien de bon ne semblait lui être arrivé, Leslie se rappela qu'elle avait entendu son chien grogner et s'étrangler, dans la matinée. Elle fit un tour sous la véranda et découvrit que le chien avait avalé un tube de crème solaire. Insolite, mais pas spécialement bon en soi ! Pourtant, la découverte lui apparut si loufoque qu'elle en pleura de rire. Au retour de Lee, elle lui raconta la mésaventure du chien, et ils en rirent ensemble. Bien que pour le reste, la journée de Leslie ait plutôt été un calvaire, le souvenir de cette minute cocasse donna une tonalité positive à leur soirée.

« Quoi de bon, quoi de neuf ? » vous incite à vous accrocher à de petits épisodes heureux : quelques mots sympathiques échangés avec un collègue, une plaisanterie, un pas en avant dans un projet en chantier. Le « bon et le neuf » peut se résumer à goûter un instant le soleil couchant, la clarté du ciel au petit matin ou le spectacle d'un arbre en fleur. Être à la recherche du « neuf et du bon » oblige à voir la journée d'un autre œil (pour le couple, c'est une forme de restructuration cognitive). De plus, cela améliore la qualité du contact avec votre partenaire. Cela crée une atmosphère propice au bonheur d'être ensemble.

Guérir de sa solitude : le soutien du groupe

Je dirige des groupes de soutien psychosomatique destinés aux femmes depuis plus de huit ans. J'ai eu la responsabilité de groupes « généralistes », c'est-à-dire composés de personnes souffrant de maux variés, aussi bien que de groupes destinés aux femmes atteintes de maladies bien précises. Dans tous ces groupes, j'ai enseigné des techniques psychosomatiques qui ont fait la preuve de leur efficacité. Toutefois, il est un facteur de guérison propre au groupe qui n'a rien à voir avec ces techniques. Il s'agit de la qualité de la solidarité qui se noue entre les femmes qui se rassemblent pour partager leur stress et leurs souffrances, et qui apporte une incomparable contribution à leur équilibre affectif et leur forme physique.

On a beaucoup écrit sur les avantages psychologiques de la thérapie de groupe et je n'y reviendrai pas de façon détaillée. Je présenterai néanmoins quelques exemples tirés de mon expérience clinique, les principes de base assurant le succès de l'efficacité de cette thérapie.

Certaines de ces données proviennent de mes propres recherches, mentionnées plus haut, qui montrent que la participation à des groupes de médecine psychosomatique réduit la détresse affective chez les femmes confrontées à la stérilité (il semble également qu'il y ait augmentation du taux de fécondations, bien qu'il ne s'agisse que des résultats provisoires d'une recherche en cours). Étant donné que mes groupes recourent à diverses méthodes — dont celles de la médecine psychosomatique —, il n'y a aucun moyen d'évaluer ce qui revient au soutien du groupe en tant que tel dans les améliorations constatées. Mais je sais que l'aide apportée par les autres femmes peut être un élément déterminant dans la réussite de chacune.

D'autres études ont montré l'efficacité des méthodes de groupe chez les femmes et les hommes souffrant de maladies graves, voire incurables. Au début des années quatre-vingt, le Dr David Spiegel, psychiatre à l'université Stanford, a lancé un programme de thérapie de groupe destiné à des femmes atteintes de cancers du sein à un stade avancé. Spiegel était persuadé que ce programme aiderait ces femmes à faire face à la maladie, mais tout aussi persuadé que cela *ne pouvait pas* augmenter leur espérance de vie. Les déclarations sur les vertus du traitement psychologique quant à la longévité des cancéreux l'exaspéraient tellement qu'il voulut prouver le contraire. Il compara son premier groupe de patientes atteintes d'un cancer du sein à un stade avancé (aucune d'elles n'avait d'espoir de survie à long terme) à un groupe témoin — de femmes aux diagnostics et pronostics similaires — mais ne participant à aucune thérapie de groupe. Après avoir suivi ces deux groupes de patientes pendant dix ans, Spiegel fut bouleversé par ses propres découvertes : les femmes participant à sa thérapie de groupe avaient vécu deux fois plus longtemps que les autres. Autre élément : trois femmes seulement survécurent, et toutes trois avaient participé à sa thérapie de groupe.

Au chapitre 15, intitulé « Du traumatisme à la métamorphose », j'aurai d'autres choses à ajouter sur les découvertes de Spiegel. Comme c'est également le cas dans mes groupes, Spiegel avait à gérer de nombreux paramètres et il est difficile de dire lequel contribua le plus aux évolutions positives de ses patientes. Mais Spiegel lui-même est désormais convaincu que le soutien psychologique que les membres des groupes s'apportent mutuellement joue un rôle primordial dans leur bien-être psychologique et leur amélioration physique.

D'autres chercheurs, tels ceux de l'université de Los Angeles, ont découvert que des patients atteints de mélanomes (dont l'issue est souvent fatale) participant à un groupe de médecine psychosomatique présentaient trois fois moins de risques que d'autres de faire une récidive ou de mourir. A l'université de Miami, une équipe de chercheurs a démontré que des malades du sida ayant rejoint des groupes de médecine psychosomatique ont conservé un système immunitaire plus résistant. Dans un article désormais célèbre, le Dr Dean Ornish, qui dirige l'institut de médecine préventive de Sausalito en Californie, a constaté une vraie régression de la maladie chez les victimes d'attaques cardiaques qui avaient suivi son programme d'alimentation diététique, d'exercice physique, de gestion du stress et de thérapie de groupe.

Mises bout à bout, ces études arrivent toutes aux mêmes conclusions.

Les groupes sont efficaces, non seulement parce qu'ils offrent de l'aide, mais parce que cette aide permet aux patientes de se sentir moins seules avec leurs problèmes. En nous tournant vers des personnes victimes des mêmes souffrances et des mêmes maladies que les nôtres, qu'il s'agisse de troubles bénins liés au stress, ou de cancers gravissimes, nous trouvons d'emblée un terrain d'entente. Lorsqu'il règne une bonne ambiance, nous trouvons dans le groupe de la compassion mutuelle pour nos épreuves communes.

Souvent, lorsque nous nous isolons avec nos problèmes ou nos maladies, nous sentons bien que quelque chose ne tourne pas rond. Nous avons vite fait d'attribuer nos malheurs à nos propres insuffisances ou à notre statut de victimes désignées. Mais pour peu que nous puissions lire le reflet de notre douleur, nos difficultés, nos symptômes et nos luttes dans les yeux et les paroles des autres, notre vision des choses change du tout au tout. Participer à un groupe avec des femmes confrontées aux mêmes épreuves, nous aide à relativiser nos sentiments.

Ce dont les femmes atteintes des mêmes maladies ont envie de parler en premier lieu, c'est de la honte qu'elles ressentent. Honte des bouffées de chaleur à la ménopause. Honte de la mutilation du sein. Honte de ne pouvoir concevoir d'enfants. Partager cette honte avec d'autres, qui la ressentent de la même manière, la calme sur-le-champ. Comme si ce sentiment ne résistait pas à l'exhumation au grand jour et à l'examen minutieux par un groupe de personnes chaleureusement soudées entre elles. Débarrassées de cette honte fatidique, capables d'assumer et d'exprimer nos émotions face au stress, à la douleur ou à la maladie, nous ne sommes plus en guerre contre nous-mêmes, et le processus de rémission psychologique s'enclenche.

Nina, électricienne dans une compagnie de téléphone, avait rejoint un de mes groupes « généralistes » car elle souffrait de crises d'angoisse et d'atroces migraines. Chez Nina comme chez la plupart d'entre nous, c'était bel et bien le sentiment de solitude et le dégoût d'elle-même qui alimentaient ses symptômes. Elle manquait d'assurance et de confiance en elle et elle eut bien du mal à rejoindre notre groupe. Voici comment Nina décrivit le premier contact :

« Chaque fois que l'on s'engage dans une voie nouvelle, on se pose des questions. À quoi cela va bien pouvoir ressembler ? Et comment je vais le prendre ? Va-t-on me demander de drôles de choses, qui font peur ? Vais-je me sentir mal à l'aise ? En fait, j'avais envie de tenter le coup, car lorsqu'on souffre de douleurs chroniques, on est au fond du désespoir. Au tout début, j'allais si mal que j'ai cru que mes nerfs allaient lâcher. C'est que je n'arrivais pas à faire le tri entre tout ce qui m'était arrivé dans la vie. Je me demandais si je ne devenais pas un peu bizarre.

« Dans l'état où j'étais, il était impossible que la détresse ne se lise pas sur mon visage. Puis je me suis sentie mieux. Nous étions toutes réunies là par le stress et la maladie et nous savions toutes qu'il fallait trouver un moyen de s'en sortir. J'ai fini par réaliser qu'on se trouvait en sécurité dans le groupe. »

Nina suivit tous les cours du programme : la relaxation, la restructuration cognitive et l'expression des émotions. Cela l'aida à avoir barre sur sa vie et ses symptômes. Mais le fait de découvrir ces méthodes au sein d'un groupe de personnes ayant mené les mêmes luttes, qui se tenaient les coudes, lui rendit l'expérience agréable. Lorsque des membres du groupe avaient quelques petites victoires à partager, l'espoir et l'engagement de Nina s'en trouvaient renforcés. Avec le temps, son anxiété et ses migraines devinrent tolérables.

Si vous ne pouvez participer à un groupe, développez un réseau de relations qui vous permette de rencontrer d'autres femmes qui ont vécu ou vivent les mêmes difficultés que les vôtres. Si vous gardez le silence, vous ne rencontrerez jamais personne à qui parler de vos épreuves. Mais si vous vous confiez à vos amis et à votre famille et leur demandez s'ils connaissent des personnes qui vivent la même galère, vous parviendrez à établir ces relations indispensables.

Si vos problèmes restent obscurs, continuez à tisser ce réseau de relations jusqu'à ce que vous trouviez au moins une personne affligée des mêmes troubles que vous. J'ai mis ainsi en contact des femmes qui avaient subi une « réduction embryonnaire », autrement dit l'élimination sélective, au cours d'une grossesse multiple, d'un ou plusieurs fœtus. Ces femmes vivent une série de sentiments douloureux, la plupart empreints de culpabilité. J'ai également mis en contact des femmes stériles confrontées au « don d'ovule », des femmes à grossesse à risque et des femmes ayant accouché d'un bébé mort-né. Si votre gynécologue ou votre obstétricien a l'esprit ouvert, il peut se montrer disposé à vous mettre en relation avec quelqu'un qui a vécu ce que vous vivez.

Une grande variété de thérapies de groupe, à dominantes différentes, sont à la disposition des femmes totalement désemparées. Des groupes de gestion du stress se créent partout sur le territoire des États-Unis, dont beaucoup à l'intérieur même des structures hospitalières. Trouvez-en un près de chez vous qui convienne à vos objectifs. La plupart enseignent des techniques de relaxation, y compris la méditation et la concentration sur l'instant. Certains programmes, tels ceux des groupes de « guérison comportementale » qui disposent d'antennes dans tous les États-Unis, insistent surtout sur le développement émotionnel et spirituel. Des programmes de « désintoxication » en douze étapes vous feront rencontrer d'autres personnes sous dépendance (qu'il s'agisse d'alcool, de drogue, du sexe, etc.) ou victimes de comportements compulsifs. Lorsque vous sentez que vous perdez le contrôle de vous-même face aux assauts du stress ou de la douleur, pensez à intégrer de tels groupes.

Rappelez-vous que la thérapie de groupe n'est qu'un des moyens à votre portée pour vous en sortir en cas de stress ou de maladie. Amis et parents nous sont aussi indispensables.

Servez-vous de ces conseils et de ces exercices pour tisser un réseau solide de relations.

La plupart d'entre nous se bourrent de vitamines, ne cessent d'interroger leur balance, s'adonnent à l'exercice et évitent de fumer, tout cela au nom de leur santé. Mais nous nous préoccupons beaucoup moins de nos structures de soutien, et nos médecins pas plus que nous. Le monde médical finira pourtant un jour par reconnaître que le soutien d'autrui a des effets curatifs, au même titre que n'importe quel médicament. En attendant, nous avons tout à gagner à nous prendre en charge.

8

Bonheur et colère de femme :
l'expression des émotions

Candace devait subir une grave intervention chirurgicale pour la seconde fois de sa vie. On lui avait enlevé un
sein quatre ans plus tôt après avoir diagnostiqué un cancer
débutant. Cette fois, après avoir détecté au scanner une grosseur suspecte à l'utérus, son médecin lui avait conseillé l'hystérectomie. Candace n'avait pas trop mal pris la
mastectomie. Mais sans trop savoir pourquoi, la nouvelle
opération la terrifiait. Elle avait littéralement la peur au
ventre.

Ce n'était pas la perspective d'être privée de ses organes
génitaux qui suscitait sa panique. Elle avait cinquante ans,
deux enfants adolescents et passé l'âge d'en avoir d'autres.
Ni vraiment le cancer, d'ailleurs, car son médecin lui avait
assurée que l'opération y mettrait bon ordre. Non. C'était
l'anesthésie générale.

Quant à confier ses appréhensions à Sam, son mari,
peine perdue. Chaque fois qu'elle s'y essayait, il la noyait
sous des propos réconfortants. « Il croyait bien faire, voulait
me rassurer, explique-t-elle. Quoi que je dise, il me débitait
les mêmes formules : ne te tracasse pas, tout ira bien. Il
n'empêche, je mourais de peur. Il avait beau me dire que la
seconde opération ne serait pas pire que la première, ce qui
était sans doute vrai, je n'arrivais pas à le croire. » Ce n'était
pas d'être rassurée dont Candace avait besoin.

La gynécologue m'avait adressé une femme en pleine

détresse. Candace ne dormait plus, ne mangeait plus. Je lui enseignai la relaxation pour conjurer les crises d'angoisse et lui proposai de l'accompagner à l'hôpital pour l'opération. Elle s'apaisa assez pour identifier certains des sentiments sous-jacents à sa panique. Elle commença par fondre en larmes, puis un ouragan d'émotions l'emporta jusqu'à l'origine de sa dépression : son père était mort d'un crise cardiaque quelques années auparavant.

Candace lui était très attachée. Elle l'avait perdu quelques mois avant que l'on diagnostique son cancer. Le désespoir de sa mère dont elle s'était occupée et ses propres problèmes de santé ne lui avaient pas permis de faire vraiment le deuil de son père, de pleurer vraiment. La perspective de devoir se faire enlever l'utérus s'ajoutait à tout le reste. À bout de forces, il lui fallait donner libre cours à des émotions trop longtemps contenues.

« Je n'ai pas réussi à me remettre de sa mort, expliquait-elle. J'ai tout gardé au fond de moi-même, n'ai rien laissé transparaître devant les autres, me suis montrée forte, ai refoulé mes larmes. Je ne voulais pas aggraver la douleur de ma mère. »

La panique qui s'emparait de Candace à l'idée de l'opération ressemblait à celle de l'enfant qui a besoin qu'on le prenne tendrement dans les bras et qu'on le console. Et c'est dans les bras de son père que Candace aurait voulu se réfugier. En se laissant enfin aller à son chagrin, elle surmonta sa panique enfantine. Avec mon aide et celle des antidépresseurs prescrits par le médecin, elle passa le cap de l'opération sans encombres.

Sa tumeur de l'utérus se révéla bénigne. Les hémorragies qu'elle provoquait avant l'opération cessèrent complètement. La convalescence se déroula parfaitement et dura beaucoup moins que prévu. Non seulement Candace était soulagée, mais son état psychologique général s'était amélioré. Elle était heureuse que je l'aie accompagnée à l'hôpital jusqu'aux portes du bloc opératoire (et je lui étais reconnaissante de m'avoir demandé de l'aide et d'avoir accepté ce geste). Candace était persuadée que d'avoir déversé ce trop-plein d'émotions accumulé depuis la mort de son père avait cicatrisé la blessure morale.

« Cela me fait toujours mal, j'ai toujours de la peine, mon cœur saigne toujours, disait-elle encore récemment.

Mais désormais, je peux en parler. Mon père me manquera toujours mais ça va quand même mieux. »

L'histoire de Candace illustre parfaitement les bienfaits procurés par l'extériorisation de nos émotions. Tout le monde convient d'ailleurs que c'est bon pour le moral, sans se rendre compte que c'est également bénéfique à la santé. Trois études différentes réalisées en Europe ont cherché à dégager le profil psychologique de femmes atteintes de tumeurs au sein, avant le résultat de leurs biopsies. Toutes trois ont donné des résultats convergents : les femmes atteintes d'un cancer, à la différence de celles qui n'ont qu'une tumeur bénigne, manifestaient une nette propension à « juguler leur colère » et à « éviter les conflits et problèmes ».

Ces études, entre autres, montrent que l'expression des émotions jugées négatives (comme la colère) stimule les défenses immunitaires contre la maladie. Mais une étude passionnante va plus avant dans les révélations. Le Pr Sandra Levy a suivi l'évolution de trente-six femmes victimes d'une récidive de cancer du sein, lors de son affectation à l'Institut du cancer de Pittsburgh. Sept ans plus tard, les deux tiers d'entre elles étaient décédées. Mais celles qui n'avaient pas succombé (le tiers) présentaient un point commun : dès le début de l'enquête, ces femmes avaient semblé plus *heureuses*. Ce seul facteur — la joie de vivre — était un meilleur critère d'espérance de vie que les paramètres médicaux habituels. Les femmes qui ont survécu manifestaient plus d'allant et plus d'optimisme que les autres, continue de penser Sandra Lévy.

Quelles conclusions tirer de ces révélations sur le cancer du sein ? Elles touchent toutes à l'art et la manière d'*extérioriser* ses émotions — heureuses ou douloureuses.

Dans ce chapitre, j'étudie comment l'expression des émotions influence l'état physique et mental féminin. Si j'en juge d'après les études ci-dessus et mes propres expériences cliniques, il n'est pas question d'affirmer que certaines émotions seraient meilleures que d'autres pour la santé. Le refoulement d'émotions prétendument néfastes, comme la tristesse ou la colère, ne vaccine pas contre la dépression et le désespoir. En fait, je tiens à souligner que la dépression et le désespoir, justement, ne sont pas en soi des émotions, mais des états psychiques qui résultent de notre incapacité à prendre en compte nos émotions.

Le chagrin est une de ces émotions qu'il faut exprimer pour pouvoir la surmonter. Si vous avez déjà perdu un être cher, vous pouvez aisément comprendre les affres de Candace. En pareille circonstance, il faut pouvoir pleurer toutes les larmes de son corps et confier sa peine à un ami, au risque de devoir traîner son boulet et sombrer. Et le boulet se fait sentir de différentes façons : la panique, la boule dans la gorge, la neurasthénie, la migraine... le vide que l'on comble en mangeant, en se mettant à boire. Vous ne pourrez pas vous libérer de ces symptômes sans aller jusqu'au fond de votre chagrin. Le poids s'allégera alors progressivement. Évidemment, la tristesse reviendra parfois et vous ne vous en débarrasserez jamais définitivement. Mais elle ne sera plus en mesure de vous miner le moral et de vous détruire la santé.

Ce qui est vrai pour le deuil l'est pour d'autres émotions. Le ressentiment suscité par une injustice ou une humiliation couve en soi faute d'être exprimé et analysé de façon constructive. La colère rentrée se transforme en rancœur, en agressivité, voire en haine. Il ne suffit pas de refouler les émotions primaires que sont la tristesse, la peur ou la colère, pour qu'elles disparaissent. Elles continuent alors à agir de façon sournoise en engendrant un état d'insatisfaction chronique pernicieux à l'extrême.

Nous aurions tort par conséquent de cataloguer nos émotions de façon trop tranchée — les *bonnes* ou les *mauvaises*, les *positives* ou les *négatives*. Il y a des façons positives de gérer les émotions négatives. Et vice versa, comme de s'échauffer la bile à tort ou de s'en prendre indistinctement à tous ses collègues de travail parce qu'on est sur les nerfs. Il y a l'art et la manière d'exprimer à bon escient les émotions les plus délicates, j'y reviendrai. Pour l'heure, contentons-nous de citer le Dr Rachel Naomi Remen, spécialiste en médecine psychosomatique : « La seule émotion qui soit néfaste est celle qui ne s'extériorise pas. »

C'est le refoulement d'une émotion qui nous empêche d'en éprouver d'autres. Le phénomène est assez comparable au scénario de l'accident de voiture qui bloque la circulation pendant des heures sur une autoroute à quatre voies. Les ambulances et la police arrivent sur les lieux, dressent des barrages, ne laissant plus qu'une voie de passage. Le trafic se ralentit jusqu'à l'embouteillage : quelques rares voitures peuvent encore se faufiler. De façon similaire, une forte émotion, comme le chagrin ou la colère crée en nous un véritable bouchon où il est difficile aux autres émotions, comme la joie ou l'espoir, de se frayer un passage jusqu'à notre conscience.

Pour mieux saisir l'importance de l'expression des émotions, il faut les considérer comme les multiples couleurs de l'arc-en-ciel. Si nous effaçons la partie trop vive du spectre émotionnel, il ne reste plus que la grisaille. La condition humaine exige d'accéder à toute la palette des émotions.

Exprimez vos émotions par écrit, c'est une prescription médicale !

L'une des pratiques les plus efficaces de la médecine psychosomatique est simple comme bonjour. Au cours d'une séance, je donne aux participantes une feuille de papier blanc. Elles doivent s'asseoir, au calme, et écrire sur le sujet suivant : « Rappelez-vous ce qui vous a le plus traumatisée pendant votre maladie. Mettez sur le papier les pensées et les sentiments les plus profondément enfouis à ce sujet. Écrivez sans vous arrêter pendant vingt minutes, laissez courir votre plume sur la feuille sans vous préoccuper de la grammaire ou de l'orthographe. » Les membres du groupe s'assoient les uns à côté des autres et, dans un premier temps, on n'entend plus une mouche voler. On ne perçoit que le grattement des stylos sur le papier. Jusqu'à ce qu'éclatent des sanglots étouffés car l'exercice de rédaction lève les inhibitions.

Ensuite, c'est la discussion sur ce qui s'est passé. Certaines femmes racontent aux autres ce qu'elles ont écrit, d'autres le gardent pour elles. Nous respectons la pudeur de certaines. Mais celles qui s'épanchent avouent qu'elles se libèrent ainsi du chagrin, de la peur ou de la colère qui s'étaient cristallisés en elle. Une fois les vannes ouvertes, elles découvrent des émotions ou des problèmes dont elles n'imaginaient pas qu'ils les aient à ce point marquées.

Cette expérience apporte aux femmes une meilleure connaissance d'elles-mêmes et un aperçu des moyens de surmonter le stress engendré par la maladie. Plus tard, ces patientes rapportent que l'exercice de rédaction a amélioré durablement leur bien-être psychique et physique.

Ce n'est pas moi qui ai inventé cette méthode et je ne suis pas la seule à en avoir constaté les résultats concluants. Elle a été mise au point par le Pr James W. Pennebaker, du département de psychologie de l'université méthodiste, à Dallas. Pennebaker a soumis un échantillon représentatif de la population à un test similaire. Il a demandé aux sujets de mettre par écrit leurs pensées et leurs sentiments intimes au sujet de l'événement le plus traumatisant qu'ils aient gardé en mémoire. Pennebaker leur a demandé d'écrire pendant vingt minutes et les a fait revenir quatre jours de suite pour continuer.

Les personnes qui ont participé à l'expérience du Pr Pennebaker l'ont beaucoup appréciée. Non seulement elles ont déclaré en avoir éprouvé un soulagement affectif, mais de notables bienfaits physiques. Comparées à un groupe témoin à qui l'on avait simplement demandé de mettre par écrit des événements de la vie ordinaire, celles-ci consultèrent moins le médecin dans les mois suivants et manifestèrent moins de symptômes pathologiques, et ceci dans des proportions significatives. Plus extraordinaire, le Pr Pennebaker et ses collègues ont montré que chez les sujets soumis à l'expérience, les lymphocytes T — les cellules immunitaires qui dirigent la lutte de l'organisme contre les vecteurs de maladies — conservent pendant les six semaines qui suivent l'expérience une plus grande pugnacité.

Au fil de ses travaux, Pennebaker a prouvé que l'expression des émotions contribue à améliorer l'état de santé. Il a constaté, chez les étudiants de son université, des employés au chômage, des enseignants, des survivants de l'holocauste, qu'il était bénéfique de confier ses chocs émotionnels. Il s'est aperçu qu'il était possible de guérir de ses expériences traumatisantes, non seulement en les écrivant mais en en parlant. « La simple formulation verbale de leurs épreuves a des effets profondément positifs sur l'état physique et psychique des participants », expliquait-il récemment.

En quoi l'expression des émotions peut-elle être bénéfique à la santé ? Pennebaker a constaté au cours de ses expériences, que le refoulement des pensées et des sentiments consomme de « l'énergie », de l'énergie *physiologique* s'entend : la répression des émotions élève la pression sanguine, le rythme cardiaque et la tension musculaire. Le système immunitaire souffre également de l'inhibition des sentiments. D'où l'hypothèse de Pennebaker selon laquelle nous nous libérons d'un grand poids physique et mental en confiant à d'autres des pensées et des émotions trop longtemps gardées secrètes. Et ses travaux ont montré qu'il avait raison !

Selon Pennebaker, la pratique du « journal intime » permet de surmonter les traumatismes du passé mais aussi le stress de la vie quotidienne. J'ai adapté sa méthode aux femmes ayant des problèmes de santé, en leur demandant de raconter par écrit ce qui les avait le plus perturbées au cours de leur pathologie. Mais la technique vaut également pour les femmes qui sont simplement à bout de nerfs : la tenue d'un journal intime est un bon adjuvant aux traitements contre l'anxiété et la dépression.

Brenda était chef de bureau. Elle se sentait complètement dépassée par les problèmes somme toute mineurs de sa vie professionnelle et conjugale. À son moral en dents de scie s'ajoutaient certains symptômes physiques comme la migraine et de pénibles douleurs menstruelles. Sur mes conseils, elle mit par écrit tout ce qu'elle ressentait. Au bout de quelques séances de rédaction elle alla physiquement et moralement beaucoup mieux.

Elle poursuivit plus loin cette thérapie de l'écriture. C'est ainsi qu'elle découvrit qu'elle n'avait toujours pas pleinement surmonté la disparition d'une amie intime, Patricia, morte d'un cancer un an plus tôt. Elle avait été sa confidente, la seule à qui elle pouvait faire part de ses peines et ses sujets d'irritation. Sa mort avait laissé un grand vide, et c'est en exprimant ce chagrin par écrit que Brenda put enfin pleurer tout son soûl.

Après quelques séances de ce qu'elle considéra comme une catharsis, le style de Brenda se mit à changer : au lieu d'écrire *à propos* de la mort de Patricia, elle écrivit *à* Patricia. Elle lui confia ses frustrations du moment, lui avoua ce qu'elle n'aurait dit à personne d'autre. Cette correspondance fictive apaisa mystérieusement son sentiment de solitude.

La plupart des patientes qui se livrent à cet exercice de rédaction vivent la même libération dont les effets sont instantanés. Elles appréhendent mieux la nature de leur stress et de ses symptômes et ont le sentiment de mettre de l'ordre dans leur univers émotionnel. Mais toutes n'en tirent pas un bilan positif. Certaines m'ont avoué qu'elles allaient plus mal, comme si une boîte de Pandore s'était ouverte dont elles ne pouvaient plus refermer le couvercle. Ces patientes-là pleurent en écrivant, sans que la blessure se referme. Par la suite, j'en ai compris la raison. La première fois que j'ai utilisé la méthode de Pennebaker dans mes groupes de médecine psychosomatique, je demandais aux patientes de se livrer à l'expérience au cours d'une seule des séances de la semaine, sans les enjoindre à continuer d'écrire plusieurs jours de suite. Je me suis bientôt rendu compte que cela avait brisé la carapace qui emprisonnait les émotions les plus douloureuses, mais en laissant la plaie ouverte.

Quand je leur ai demandé de poursuivre l'expérience pendant quelques jours — comme l'avait fait Pennebaker —, les résultats s'améliorèrent nettement. Vingt minutes de rédaction par jour, pendant trois ou quatre jours, et les patientes commencent à surmonter leur tristesse, leur angoisse ou leur colère. Le tournant survient en général à la deuxième ou troisième séance. Après s'être épanchées, elle se mettent à mieux comprendre les effets d'un traumatisme ou d'un facteur de stress particulier sur leur comportement et leur existence. Comme chez Brenda, la libération émotionnelle ouvre la voie à l'introspection, à la réceptivité, puis à la solution des problèmes.

Le Dr Pennebaker souligne que les gens hésitent à tenir un journal intime précisément parce qu'ils appréhendent la confrontation avec les émotions et les problèmes douloureux et qu'ils ne voient pas au-delà de ce premier obstacle. Je l'ai entendu récemment poser le problème de la façon suivante : « Au fond d'eux-mêmes, les gens n'ont pas envie de démarrer un journal intime, parce qu'ils savent que cela va les faire souffrir. Et je peux vous dire qu'ils ont raison. Si nous n'écrivons qu'une fois, c'est le fiasco assuré. » Tous les travaux de Pennebaker montrent qu'ils faut écrire trois à quatre jours d'affilée avant que l'angoisse cède la place à l'analyse. Chasser les vieux démons ne se fait pas en une seule fois.

L'exercice d'expression écrite, mode d'emploi

Si vous pensez que l'exercice d'expression écrite vous aidera à maîtriser les émotions qui nuisent à votre bien-être physique et psychique, suivez la procédure décrite plus haut. Si vous n'avez pas de problèmes de santé, confiez à votre journal les événements ou problèmes les plus stressants de votre vie quotidienne. Si vous pensez que vos problèmes actuels découlent d'événements plus lointains, évoquez-les dans votre journal. Écrivez ce qui est arrivé, ce que vous avez alors ressenti, ce que vous éprouvez aujourd'hui. Ne vous en tenez pas aux seuls faits ni aux seuls sentiments — évoquez les deux. Les faits à l'état brut ne vous libéreront pas. Les sentiments à l'état pur ne vous aideront pas à analyser ce qui vous est arrivé. L'exercice fait autant appel à la catharsis émotionnelle qu'à l'introspection. Recommencez ces vingt minutes d'exercice pendant au moins trois ou quatre jours, et même une semaine si vous estimez que c'est fructueux. Si après avoir évoqué un événement ou une situation traumatisante d'autres se bousculent à la porte, explorez-les, jusqu'au bout.

Si votre détresse émotionnelle découle de votre état de santé, relatez l'événement le plus traumatisant ou l'aspect le plus angoissant de votre maladie. Suivez les mêmes instructions que plus haut.

« Décongeler » ses émotions

Psychiatres et psychologues s'intéressent aujourd'hui de près aux troubles engendrés par le stress post-traumatique (en anglais, *postraumatic stress disorder*, ou PTSD) une réaction qui pousse les personnes à refouler le souvenir d'un événement traumatisant dont elles gardent des années durant les stigmates sous forme de symptômes émotionnels. Les formes bénignes du syndrome ne requièrent pas forcément le recours à la psychothérapie, tout en relevant du même mécanisme mental. Un événement passé, ou une série d'événements liés à la négligence parentale, par exemple, peuvent être si douloureux quand ils se produisent, qu'ils sont immédiatement refoulés. Tout se passe comme si l'on séquestrait les émotions qui leur sont associées dans un coin de notre cerveau et qu'on en cadenassait le souvenir. Le temps s'est arrêté pour un épisode de notre existence tout en gelant notre faculté de ressentir des émotions. Il arrive que le même processus survienne à l'occasion d'événements récents — rupture sentimentale, perte de son travail, diagnostic d'un cancer, combat contre la stérilité, fausses-couches à répétition ou douleurs chroniques.

La blessure psychique garde toute sa vivacité tant que l'on n'a pas mis un terme à cette séquestration. D'ailleurs, il ne suffit pas de confier ses rancœurs et meurtrissures à des amis ou des proches pour en être quitte. S'épancher ne procure aucun bienfait tant qu'on ne procède pas à une investigation plus profonde des émotions enfouies. C'est ce qui est arrivé à Candace : la sollicitude bien intentionnée de Sam, son mari, ne l'a en rien aidée à aller au fond de ses problèmes. On peut alors faire appel à un thérapeute professionnel qui sait exactement comment « décongeler » les expériences prises dans les glaces du passé. Le journal intime *ne peut* d'ailleurs *pas remplacer* la psychothérapie. Si vous souffrez d'angoisses chroniques ou d'une véritable dépression, votre généraliste pourra vous aiguiller vers un psychologue ou un psychiatre.

Avec ou sans psychothérapie, la tenue d'un journal intime aide à baisser sa garde et à libérer les émotions. L'écriture se fraie naturellement un chemin vers les sentiments les plus profondément enfouis. Elle incite à l'introspection et l'analyse, et permet de remonter de la source du traumatisme vers l'apaisement, avec le recul nécessaire au pardon de ses propres erreurs, et parfois celles des autres.

Écrire a aidé nombre de mes patientes à prendre différents types de décisions. En cas de stérilité, cela leur a permis de voir plus clair en elles-mêmes, de poursuivre un traitement médical en toute connaissance de cause ou d'y renoncer pour adopter un enfant ou décider de vivre sans enfant. En cas de cancers du sein débutants, de bouffées de chaleur de la ménopause ou de syndrome prémenstruel, cela leur a permis de faire judicieusement leur choix parmi les différents traitements possibles.

L'écriture, qui donne libre cours au sentiments les plus difficiles à exprimer, aide à franchir les étapes de l'existence. Prenez Viola, venue me consulter pour une dépression légère qui n'en affectait pas moins sa qualité de vie. Cadre d'entreprise, de trente-huit ans, elle ne se plaignait pas de son travail, au contraire, mais souffrait de son célibat. Elle avait connu bien des aventures, mais rêvait en vain d'un homme avec lequel partager sa vie. C'était, selon elle, ce qui la rendait malheureuse.

Je lui conseillai de tenir régulièrement un journal intime. Elle commença par se défouler sur le papier et c'est son amertume, sa rancœur à l'encontre des hommes qu'elle avait connus qui jaillirent. Elle analysa également son sentiment de solitude. « J'ai d'abord éprouvé un immense soulagement, comme si j'avais tout vidé sur la feuille blanche », expliquait-elle. Curieusement, le fait d'écrire lui fit oublier sa solitude. « J'avais un compagnon qui m'attendait à la maison, ajoutait-elle. C'était le cahier dans lequel j'écrivais tous les soirs. »

L'écriture permit à Viola de remonter le courant et de retrouver ses points de repère. À ma demande, elle détailla par écrit les qualités qu'elle se reconnaissait, ce qui l'aida à retrouver l'estime d'elle-même tout en la délivrant de sa rancune et de son aliénation à l'égard de la gent masculine.

Neuf mois plus tard, Viola faisait la connaissance d'Allan, un comptable qui partageait ses centres d'intérêt. Ils se marièrent l'année suivante. Viola baigne désormais dans l'euphorie. Ce n'est bien sûr pas l'écriture qui en elle-même a forcé le destin et provoqué la rencontre des futurs époux. Mais Viola est persuadée que son journal l'a aidée à changer d'attitude, à être plus rayonnante. Toujours est-il qu'Allan a succombé à son pouvoir de séduction. « C'est que j'avais laissé tous mes problèmes à la maison », disait-elle.

D'après Viola, « les gens sentent si vous êtes heureuse, angoissée ou déprimée. Et ils ne sont pas spécialement portés vers les angoissées ou les déprimées. Quand j'ai rencontré Allan, je m'étais débarrassé de mon fardeau intérieur, je n'en portais plus les stigmates. Je m'étais trouvé un réceptacle à mes misères : c'était mon journal intime ».

Ainsi la tenue d'un journal est-elle un remarquable moyen d'accès à l'équilibre physique, mental et affectif.

La colère est votre alliée

Sans vouloir trop généraliser, c'est un fait que la plupart des femmes ne savent pas se mettre en colère. Si j'en crois mon expérience, nombre d'entre elles répugnent à manifester franchement leur irritation, même de la façon la plus constructive qui soit. Une minorité significative, en revanche, souffre du défaut inverse, s'excite pour des peccadilles et pique crise sur crise. Les premières ne peuvent se résoudre au coup de gueule qui soulage. Les secondes sont toujours au bord de l'explosion, comme une marmite sous pression.

Dans la mesure où la plupart de mes patientes ont des difficultés à extérioriser leur colère, je consacre une partie de mes cours à leur enseigner les aspects positifs de cette émotion et les moyens constructifs de la canaliser et de l'exprimer.

La colère aurait-elle donc des côtés positifs ? Dans son magnifique ouvrage, *La Danse de la colère*[1], la psychologue Harriet Lerner a fait le point sur la question en la dédramatisant :

« La colère est un signal, de ceux qu'il faut prendre en considération. Elle peut signifier que nous avons été blessées, que nos droits ont été violés, que nos besoins ou nos désirs n'ont pas été satisfaits comme ils le méritaient, ou que quelque chose va de travers, tout simplement. La colère peut signifier que nous n'avons pas donné de réponse satisfaisante à un problème émotionnel grave ou que nos convictions, nos valeurs, nos aspirations — en somme une part importante de nous-mêmes — ont été lésées. La colère peut être également l'indice que nous outrepassons nos possibilités, que nous voulons faire plus que nous n'en avons la possibilité. Elle peut aussi nous avertir que certains en font trop pour nous, aux dépens de notre autonomie et notre épanouissement. »

Si la colère est une précieuse sonnette d'alarme, pourquoi tant de femmes la craignent-elles, la refoulent-elles ou évitent-elles à tout prix de s'y laisser aller ? L'éducation, la société, nous inculquent que la colère n'est pas une qualité féminine. On fait croire aux femmes que ce sentiment ne

---

1. *La Danse de la colère*, Harriet Goldhor Lerner, First, 1990.

leur sied pas, voire qu'elles devraient en avoir honte. La colère serait le privilège de l'homme, alors que la femme aurait le monopole de la tristesse et de la pusillanimité.

Voilà un préjugé dont les femmes doivent se débarrasser, individuellement et collectivement. La première étape consiste à admettre les aspects positifs de la colère. Comme le souligne le Dr Lerner, la colère est un signal qui transmet de pertinentes informations sur nos besoins, nos relations, notre entourage. C'est aussi une émotion porteuse d'énergie, qui peut aider à sortir de la dépression et du désespoir.

Dans son livre intitulé *Les Voies de l'extase*[1], Gabrielle Roth décrit la saine réaction de colère : « La colère justifiée... est brève, nette et se passe d'explication. Ce sont les babines retroussées de la chienne protégeant sa portée, le dos hérissé et le crachement du chat menacé par un voyou. Il n'y a rien de plus direct et efficace qu'une bonne colère bien à propos. Celle-là a sa spécificité et son utilité. Son caractère abrupt exprime précisément l'aberration de la situation et la justesse de la réaction de défense. De telle sorte que nul ne l'ignore. »

Avez-vous déjà été profondément blessée par un amant ou une amie ? En restant passive, vous risquez de connaître les affres de l'incertitude ou du désespoir. En vous mettant en colère, vous vous dressez au contraire pour vous défendre, avec toute votre énergie. La saine colère est une émotion protectrice. Elle signifie aux autres et à nous-mêmes que nous sommes dignes d'être défendues, que nos besoins et nos sentiments sont à respecter.

Les femmes qui ont des problèmes de santé maudissent souvent leur organisme. Elles s'en prennent à la ménopause, aux bouffées de chaleur, à la sécheresse vaginale, aux douleurs menstruelles, aux douleurs chroniques... Elles accusent leur corps d'avoir laissé la tumeur se développer, de ne pas leur donner d'enfant...

Quand vous ressassez la rancœur relative aux troubles en question, il y a quelque chose à faire. Tout d'abord, la reconnaître ; vous n'avez rien à gagner à nier vos états d'âme. Puis utiliser les méthodes de la restructuration cognitive pour substituer un point de vue plus réaliste et plus amène

---

1. *Les Voies de l'extase : enseignement d'une chamane des villes*, Gabrielle Roth, Carthame, 1994.

à vos condamnations sans appel. Vous vous sentez trahie par votre organisme ? Soit. Mais admettez que votre constitution biologique ne peut pas être parfaite ; vous n'êtes pas une machine.

En vouloir farouchement à son corps parce qu'il manifeste des faiblesses, c'est, pour le coup, le trahir et l'abandonner. Il faut réconcilier le corps avec l'esprit. Stephen Levine, auteur de nombreux guides thérapeutiques, donne l'exemple typique de ce fâcheux dédoublement. Que se passe-t-il, demande-t-il, quand nous nous écrasons un orteil ? Nous piquons un coup de colère contre cet orteil. La douleur se propage et la rage se mêle à la douleur. Et pourquoi ne pas traiter gentiment notre malheureux orteil ? Pourquoi ne pas compatir à notre douleur, plutôt que de s'en prendre à elle ? Peut-être disparaîtrait-elle plus vite.

Sans une certaine mansuétude, ce serait la guérilla permanente entre le corps et l'esprit. Exprimez votre bienveillance à l'égard de votre corps en répondant à ses besoins de relaxation.

Les femmes constamment soumises au stress, sur leur lieu de travail comme dans leurs relations personnelles, nourrissent souvent à l'égard des autres un ressentiment permanent. Celles qui ont des problèmes de santé en veulent aux médecins pas assez disponibles, aux amies florissantes, aux enfants qu'elles n'ont pas, aux époux qui ne les comprennent pas. Ces aigreurs et cette agressivité rampante n'ont rien à voir avec la saine colère, la claire et ferme expression de son mécontentement. Car l'amertume est une émotion qui bloque la situation, qui rôde, comme un trouble-fête que l'on n'a pas invité.

Joan Borysenko a comparé la femme ombrageuse à une créature portant à mains nues les braises qu'elle destine à l'adversaire. Toute la question étant de savoir qui se brûle.

Si vous nourrissez de ces rancunes incandescentes, pratiquez l'écriture afin de ne pas vous consumer de l'intérieur. Posez-vous les questions suivantes : en quoi consiste mon ressentiment ? La personne qui me met dans cet état est-elle seule en cause ? Mon hostilité me rappelle-t-elle ce que j'ai éprouvé en d'autres occasions ? Quelle est le vrai motif de mon insatisfaction ? Pourrais-je envisager de renoncer à ce sentiment qui me ronge ? La tenue d'un journal intime contribue à libérer cette agressivité rentrée et mettre au jour les différentes émotions qui se sont déposées et cristallisées au fil des ans.

Vous pouvez aussi ressentir le besoin d'aller dire en face son fait à celui ou celle qui vous a fait du mal. Mais il est extrêmement utile de dresser l'inventaire de vos doléances préalablement à toute démarche, de les porter sur le papier ou de les confier oralement à une amie ou à une psychologue. Car il s'agit de viser juste et d'être clair avec la personne incriminée. Vous serez moins portée aux éclats irrationnels ou à commettre des gestes que vous auriez à regretter. L'expression judicieuse de la colère exige quelques règles que je détaille dans le paragraphe de ce chapitre consacré à la confiance en soi.

L'acquisition de la confiance en soi associée à la restructuration cognitive est essentiel pour les femmes sujettes aux emportements. Je leur enseigne comment maîtriser leur colère et exprimer efficacement leurs besoins et leurs sentiments sans s'aliéner quiconque. Je leur apprend à se défaire de ces pensées néfastes qui alimentent le cercle vicieux des accusations et des remords. En revanche, quand j'ai affaire à des femmes qui ont tendance à refouler leur colère, je leur apprend à valoriser leurs sentiments cachés et leur explique que la colère est un réflexe humain qu'on ne méprise pas impunément.

J'initie les unes et les autres à des exercices qui donnent une conscience claire des avantages et des inconvénients de la colère. Ils vous seront utiles, que votre tendance à l'emportement vous crée des problèmes relationnels, ou que vous ayez besoin au contraire de pugnacité dans votre lutte contre la maladie.

Exploration du sentiment de colère : exercices

Les exercices suivants, qui intègrent des techniques d'imagerie guidée, m'ont été enseignés par Joan Borysenko. Tout d'abord, complétez les deux phrases suivantes qui vous permettront de mieux cibler le problème :

1. Ce qui me met en colère, c'est...
2. Quand je me mets en colère, j'ai peur de..., j'ai peur que...

En complétant la première phrase, essayez de trouver la ou les raisons qui motivent votre colère. Est-ce que vous vous emportez quand un ami ou un membre de la famille dit ou fait quelque chose de blessant ou d'injuste ? Quand un proche vous fait un affront ? Ne tient pas compte de vous, ignore vos besoins ? En somme, qu'est-ce qui vous met en colère ? L'indifférence, l'injustice, l'irrespect, l'abus d'autorité, voire la violence ? Il ne s'agit pas pour autant de vous prendre pour une victime. Utilisez cette énumération pour cerner le type de relations et de situations qui provoquent votre colère, évaluer votre part de responsabilité et celle des autres, et réfléchissez à une façon ferme et claire de faire valoir vos droits et vos aspirations.

En complétant la seconde phrase, cherchez à exhumer vos hantises secrètes. Si vous craignez vraiment de vous mettre en colère, quelle en est la raison ? Croyez-vous que la personne à qui vous en voulez va vous mépriser, vous rejeter ou vous abandonner ? Craignez-vous que, dès que vous aurez commencé à vider votre sac, tout y passe ? de perdre le contrôle de vous-même ? de blesser l'amour-propre de votre interlocuteur, voire d'en venir aux coups ? Redoutez-vous d'en venir à la rupture ?

Les femmes que la colère effraie éprouvent toujours au moins une des appréhensions que je viens d'énumérer. Certaines peuvent être fondées (si vous êtes sujette à de terribles coups de colère, vos relations peuvent s'en trouver sérieusement mises à mal). Mais d'autres sont irrationnelles. La colère justifiée conduit rarement autrui à vous rejeter ou vous abandonner.

Vous ne serez pas à même d'intégrer les aspects positifs de la colère tant que vous n'aurez pas passé au crible vos réticences. Jetez un coup d'œil à vos réponses à la seconde question, et vous verrez que pour être bien ancrées, vos craintes n'ont pour la plupart aucun fondement. On nous répète depuis toujours que la colère est une mauvaise émotion, néfaste, irrationnelle et incontrôlable, qui ne sied pas aux jeunes filles ni, *a fortiori*, aux femmes adultes. Avec une telle éducation, pas étonnant que la femme voie en la colère un champ de bataille gros de désolations et de ruptures.

Examinez vos réticences et séparez le bon grain de l'ivraie. Vous préparez ainsi le terrain pour l'étape suivante :

l'art d'exprimer votre colère positivement, sans reproches, violence ni éclats intempestifs.

Voici un exercice de visualisation mentale destiné à vous faire explorer votre rapport à la colère. Installez-vous confortablement et imaginez que vous traversez un beau pré d'herbe grasse. Dirigez-vous vers la lisière du pré où commence une forêt de chênes et de pins majestueux. Empruntez un petit sentier, enfoncez-vous sous les frondaisons jusqu'à une grotte. Ne bougez plus et mettez-vous à l'affût. Observez en silence comment la colère va sortir de la grotte. Elle prendra la forme que vous voudrez — une personne, un animal, un monstre velu, une figure mythologique, une boule de feu ou un gros nuage noir. Laissez votre imagination choisir la représentation la plus évocatrice.

Imaginez maintenant que vous vous approchez de la colère — de son image — et que vous la prenez par la main. Ressortez de la forêt avec elle jusqu'au pré. Asseyez-vous à ses côtés dans l'herbe et engagez la conversation. Interrogez-la avec le maximum de bienveillance et d'esprit d'ouverture. N'oubliez pas qu'elle vous a protégée quand vous étiez enfant. Elle vous a défendue contre les insultes, les vexations et les mauvais traitements. Prenez conscience de son caractère protecteur et remerciez-la de vous rendre service. Sachez-lui gré d'être à vos côtés.

Racontez-lui ce qu'elle a fait de bien pour vous. Dites-lui qu'elle vous a souvent sauvé la mise mais qu'elle n'est plus désormais le seul système de défense à votre disposition. L'adulte que vous êtes devenu dispose d'autres ressources — l'autorité, la conviction, le contrôle de soi, le sang-froid. Parlez à votre colère de ce qui lui revient et de ce qui n'est plus de son ressort.

Quand votre entretien avec la colère est terminé, levez-vous, raccompagnez-la jusqu'à l'orée du bois et dites-lui au revoir. Faites demi-tour vers le pré. Retournez-vous une fois pour voir si elle a disparu. Est-elle retournée dans la grotte ou est-elle toujours à l'orée du bois ? Avec son image en tête, continuez sereinement votre chemin.

Cet exercice permet d'apprivoiser la colère, cet objet de toutes nos appréhensions. Le monstre se transforme en un gentil Frankenstein ; la boule de feu rapetisse ; l'ours devient pareil à ses frères de peluche, comme dans un livre pour enfants. Une de mes patientes voyait en guise de monstre velu la silhouette du cousin Itt, de *La Famille Addams*[1] [je me demande d'ailleurs si la série télévisée des années soixante *The Munsters* (« Les Monstres ») n'a pas dû son succès à la métamorphose des méchants monstres en gentils personnages dont raffolaient les enfants].

Le but de l'exercice est d'en appeler à l'imagination plutôt qu'à l'intellect pour appréhender la colère comme une amie et non comme un adversaire. Certes, elle risque d'échapper à tout contrôle et il faut s'entraîner à la maîtriser. Mais elle a ses raisons et n'est jamais qu'une manifestation naturelle de notre répertoire d'émotions destinée à nous protéger contre le stress, les atteintes à notre intégrité et à notre bien-être. Il ne suffit pas de comprendre que la colère est une alliée, encore faut-il le ressentir dans sa chair. Le dialogue avec la colère instaure un rapport « amical » avec elle qui empêche d'y voir une force destructrice envers les autres comme envers soi-même. La plupart des femmes ont des révélations lors de cet exercice. Geraldine dut attendre un bon moment pour que la colère daigne sortir de son trou. Quand elle se montra, elle fut effrayée de la voir apparaître sous les traits de... sa mère. Ce qui amena Geraldine à repérer la cause de son appréhension. Elle avait tellement peur de ressembler à sa mère — une boule de nerfs capable d'explosions terribles et imprévisibles — qu'elle avait progressivement occulté tout rapport personnel à la colère. Elle avait sacrifié son propre système de défense parce qu'elle l'avait assimilé aux débordements maternels. Cet exercice aida Geraldine à résoudre des problèmes relationnels et professionnels qui lui empoisonnaient l'existence depuis des années.

À la fin de l'exercice, je demande à mes patientes comment l'image de la colère s'est métamorphosée, entre le moment où elles l'ont vue surgir de la grotte et celui où elles l'ont raccompagnée et vue disparaître. Il est clair que la colère a changé radicalement d'allure, bien que par étapes. Elle apparaît d'abord sous une forme monstrueuse, puis s'amenuise et s'adoucit quand on la prend par la main, et se tempère encore plus quand on bavarde avec elle. Chez une de mes patientes, l'apparition terrifiante s'est progressive-

---

1. Comédie américaine dont les personnages de la même famille sont des monstres de tous acabits *(N.d.T.)*

ment muée en Casper[1], le gentil fantôme. Pour la plupart de mes patientes, une image de danger devient vite protectrice, chaleureuse, voire attendrissante.

Pratiquez cet exercice d'autosuggestion visuelle sans aucune idée préconçue. Les réactions précédentes sont courantes, mais chaque femme a les siennes propres. Suivez vos intuitions, découvrez vos réactions et appréciez ensuite vos pensées et vos sentiments.

Dans la mesure où la colère est le signe que quelque chose va mal en nous ou dans nos relations avec l'entourage, il faut y prêter attention. C'est en l'écoutant et non en la niant qu'on l'apaise — ainsi identifie-t-on les aspirations qui n'ont pas été satisfaites, les droits bafoués. Si nous apprenons à décrypter correctement ses messages, ils nous serviront ensuite pour communiquer, changer de comportement, corriger des injustices ou rétablir des relations plus équilibrées.

L'affirmation de soi : le bon usage de la colère

Une fois que nous avons pris conscience du rôle de la colère, que nous savons interpréter ses messages et désamorcer ses explosions, nous pouvons l'utiliser pour modifier certains de nos comportements relationnels. En deux mots, nous pouvons apprendre à nous imposer.

L'affirmation de soi est le meilleur canal comportemental de la colère, qui, par ce biais, devient constructive. Quand nous affirmons clairement et posément ce que nous voulons et ce que nous considérons comme notre bon droit, nous risquons beaucoup moins de nous aliéner nos proches, collègues, amis ou membres de la famille.

Si la confiance en soi témoigne d'un bon équilibre psychologique, elle est aussi un moyen de renforcer notre système immunitaire. Il y a trente ans, le Dr George F. Solomon avait suivi un groupe de femmes atteintes de rhumatisme articulaire et un autre groupe constitué de leurs sœurs en bonne santé. Bien que les sœurs aient disposé d'un patrimoine génétique proche — qui n'est pas étranger au développement du rhumatisme articulaire —, Solomon s'était demandé si la différence entre les caractères pouvait expli-

_____

1. Dessin animé américain *(N.d.T.)*.

quer pourquoi un groupe tombait malade et l'autre pas. À partir de jeux de rôle et de tests psychologiques, il compara les femmes atteintes de rhumatisme articulaire avec leurs sœurs bien portantes. « Dans tous les cas, sans exception, rapporte Solomon, la sœur bien portante avait plus d'assurance que la sœur malade. » Dans une étude plus récente, Solomon a montré que les porteurs du virus du sida « à forte personnalité peuvent vivre plus longtemps, et c'est aussi le cas chez les personnes âgées ».

Passons à une autre généralisation hâtive, selon laquelle les femmes auraient plus de mal à s'affirmer que les hommes — préjugé dont le semblant de vérité provient de l'endoctrinement social. Malgré le progrès incontestable vers l'égalité des sexes, la préséance masculine dissuade toujours les femmes de parler haut et fort. Et le conditionnement familial, qui tolère moins les crises de colère et le sens du territoire chez la fillette que chez le petit garçon, donne une femme adulte moins sûre d'elle.

Pour acquérir de l'assurance, il faut d'abord savoir de quoi il s'agit. L'assurance, c'est l'inverse de la passivité, bien sûr, sans qu'elle signifie pour autant l'agressivité ou la colère à tout va. S'affirmer, c'est dire franchement ce que l'on veut, exprimer ses sentiments et son point de vue sans récriminer, sans exploser, sans se laisser aller à des manifestations de violence. Le tableau qui suit, que l'on doit aux professeurs Edward A. Charlesworth et Ronald G. Nathan, compare les comportements dits de soumission, de confiance en soi et d'agressivité.

La soumission

Vous évitez de dire ce que vous voulez, pensez ou ressentez. Si vous le faites, c'est de telle façon que vous rampez plus bas que terre. Vous vous confondez en excuses obscures. Vous vous réfugiez derrière l'écran de fumée de formules vagues ou derrière des silences. Vous truffez vos propos de : « Vous savez », « Eh bien », « Je veux dire » et « Je suis désolé ». Vous laissez les autres décider à votre place.

La confiance en soi

Vous dites en toute sincérité ce que vous voulez, pensez ou ressentez, d'une façon directe et efficace. Vous êtes maître de vos choix. Vous faites preuve de tact et d'humour dans vos relations. Vous parlez à la première personne. Vos phrases sont claires et objectives. Vous aimez la concision et choisissez vos mots.

L'agressivité

Vous dites ce que vous voulez, pensez et ressentez mais aux dépens des autres. Vous utilisez des mots lourds de sens et passez votre temps à juger et accuser l'interlocuteur. Vous avez recours aux menaces et aux accusations et vous considérez comme supérieur aux autres. Vous choisissez à la place des autres.

La confiance en soi permet de canaliser à bon escient son irritation et sa frustration. Identifiez vos attitudes de soumission et efforcez-vous de les modifier en faisant preuve de plus d'assurance. Cet effort fera appel à votre réflexe d'autodéfense. Prenez conscience également de vos réactions agressives et efforcez-vous de leur substituer un comportement ferme mais mesuré, qui là aussi reflète la confiance en soi. Cela signifiera explorer vos pulsions agressives internes tout en affichant en public un comportement direct et serein dénué de suspicion et de violence.

Pour bien des femmes « non » est un gros mot. Pourtant, en disant *non*, on trace des limites, on proclame son indépendance, on fait savoir aux autres qu'on est là. Le *non* nous protège de notre propension au sacrifice et de notre écrasant sentiment du devoir. Apprendre à dire non est donc un des atouts maîtres de l'affirmation de soi.

Dans mes groupes, j'utilise un exercice qui aide à dire non et que j'ai appris du Dr Matthew Budd, praticien en médecine psychosomatique. Je demande à mes patientes de s'isoler deux par deux et de s'asseoir l'une en face de l'autre. Je donne à chaque tandem une liste de vingt-cinq questions. Chaque question constitue une demande difficile à refuser. Dans chaque groupe, l'une des deux pose les questions et l'autre doit dire *non*. Elles recommencent ensuite l'exercice en intervertissant les rôles. Voici le type de demandes qui sont faites. Puis-je vous emprunter deux pièces de un franc pour téléphoner ? Voulez-vous dîner avec moi ce soir ? Pouvez-vous me donner l'adresse de votre coiffeur ? Voulez-vous approcher un peu votre chaise pour que je vous entende mieux ? En temps normal il est mal vu de décliner de telles demandes et il est extrêmement difficile de dire non, même dans une situation de jeu de rôles.

Lors de la deuxième phase de l'exercice, la personne qui répond aux questions doit motiver d'une façon ou d'une autre son refus et celle qui pose la question doit néanmoins maintenir sa requête. Parfois la scène est drôle et frise l'absurde. Une femme demande à sa coéquipière deux francs pour téléphoner. L'autre refuse. La première insiste en s'écriant : « Mais je vois que tu as la poche pleine de monnaie. » La seconde réplique : « Oui, mais je dois acheter des choses avec toutes ces pièces et j'en ai besoin. » Les questions trop insistantes suscitent des refus cocasses, les autres, qui poussent le bouchon moins loin, se contentent de semblants de justification.

Lors de la troisième et dernière phase de l'exercice, je demande à celle qui répond de continuer à refuser, mais en proposant une stratégie de rechange. Dans le cas de la femme qui demande à l'autre de lui prêter deux pièces de un franc, cette dernière répond : « Je les ai mais j'en ai besoin pour téléphoner tout à l'heure. Je te donne une pièce de dix francs et tu iras faire la monnaie à l'épicerie en bas de la rue. »

Cet exercice enseigne qu'il y a trois façons de dire non : 1) Non tout court. 2) Non, parce que... et 3) Non, mais que diriez-vous de... Je demande à mes patientes de se rôder aux trois approches qui leur offrent différentes échappatoires. Cet apprentissage du « non » enseigne aux femmes qu'elles ont le choix — qu'elles peuvent dire non sans offenser personne ni détériorer leurs relations. L'exercice montre aussi qu'il y a des circonstances où il faut savoir opposer un refus tout net. Quand un collègue de travail, avec une insistance qui frise le harcèlement, ne cesse de vous inviter à sortir avec lui, le non sec et sans bavure est la réponse idoine.

Souvent pourtant, un simple refus heurte notre envie de faire plaisir et de ménager les autres. Dans ce cas, il faut savoir tracer des limites sans léser quiconque. Si nécessaire, nous pouvons combiner une explication (approche 2) avec une offre alternative (approche 3), en disant : « Non, je ne peux pas venir dîner ce soir parce que je suis complètement vannée, mais un autre soir peut-être ». « Non, je ne peux pas rapprocher ma chaise parce que j'ai des problèmes de dos. Mais rapproche la tienne ». « Oui, je sais que tu adores ma recette de poulet, mais je suis trop fatiguée pour m'y mettre ce soir. Que dirais-tu si nous sortions manger une pizza ? »

Et — paradoxe étrange mais logique — plus vous êtes sûre de vous, moins vous êtes agressive. Pourquoi ? Pour la simple raison que la colère ne cesse de monter en nous quand nous disons oui, alors que nous désirons ardemment et désespérément dire non. Quand nous maîtrisons mal nos émotions, la conscience s'obscurcit et l'effet boule de neige de la colère rentrée mène son travail de sape avec les ravages physiologiques et psychologiques qui l'accompagnent. Nous nous obstinons à dire oui, mais la colère contenue s'accumule : et de lâcher des remarques acerbes, de se rebeller en son for intérieur, de rechigner aux corvées et aux obligations. Cette expression imparfaite de la colère, c'est l'*agressivité passive*, pour reprendre le terme consacré. Nombre d'entre nous endossent alors le rôle de martyres passives-agressives. Il ne s'agit pas de se le reprocher ni d'en avoir honte, mais d'en comprendre la raison.

Si vous vous reconnaissez dans ce portrait, prenez l'habitude d'affirmer haut et clair ce que vous êtes en droit d'exiger. N'hésitez pas à dire oui, quand cela vient du fond du cœur. Il serait aberrant de dire toujours non juste pour montrer qu'on fait preuve d'autorité, et de passer pour une âme insensible. Seulement, chaque fois que vous dites oui, guettez les moindres signes — angoisse, fatigue, rancœur — qui trahiraient que vous vous faites violence. Dans certains cas, pour citer ma collègue Ann Webster, dire non, c'est se dire oui à soi-même.

En définitive, défendre fermement ses besoins et ses droits sans agresser les autres, n'est jamais que la preuve d'une forte personnalité. Harriet Goldhor Lerner a mis au point des directives très explicites. En voici quelques extraits essentiels, tirés de son livre *La Danse de la colère*[1] :

> *Ne visez pas « en dessous de la ceinture ».* Autrement dit, quand vous vous adressez à autrui, gardez-vous de blâmer, d'interpréter, de mettre des étiquettes, de juger, d'analyser, de prêcher, de faire la morale, de donner des ordres, de mettre en garde, de harceler de questions, de railler et de pontifier.

---

1. *Op. cit.*

Prenez l'habitude de dire « Je ». Apprenez à dire : « Je pense que... », « J'ai le sentiment que... », « Je voudrais que... », au lieu de « Fais ceci... », « Ne fais pas cela... ». Donner son avis, son opinion personnelle, c'est dire quelque chose sur soi-même, sans critiquer ni blâmer autrui ni les impliquer dans ses sentiments et réactions. Attention aux jugements portés sur l'autre, aux critiques déguisées en avis personnel du style « *Je* pense que *tu* veux tout contrôler et que tu es égocentrique ».

Considérez chaque individu comme responsable de son propre comportement. Ne reprochez pas à la nouvelle compagne de votre père de chercher à « vous éloigner de lui ». Si vous craignez d'être coupée de votre père, à vous de trouver une façon de résoudre le problème. C'est votre père qui assume ses propres actes, pas sa nouvelle femme.

Ne pensez pas à la place de l'autre, ne lui dites pas ce qu'il devrait penser ou ressentir. Si votre changement de comportement suscite la colère de quelqu'un, ne le lui reprochez pas, c'est son droit de le prendre mal. Dites-lui plutôt : « Je comprends que cela te rende furieux, et si j'étais dans ta peau je le serais probablement aussi. Mais j'ai retourné la question dans tous les sens et ma décision est prise. »

Suivez ces conseils dans vos relations avec votre patron et vos collègues de travail, votre mari, votre compagnon, vos parents, enfants, amis, frères et sœurs. Si vous avez des problèmes de santé — en particulier si vous souffrez d'une longue maladie qui vous impose de nombreuses consultations et séances de soins — servez-vous de ces techniques d'affirmation de soi pour défendre vos droits de patiente et d'être humain. On vit mieux son séjour à l'hôpital quand on sait communiquer. Les médecins et les infirmières n'aiment pas plus que votre conjoint se faire rabrouer. Informez-vous, mais ne donnez pas de leçon et ne persiflez pas. Demandez gentiment mais fermement à être impliquée dans chaque décision mettant en jeu votre état de santé.

Balayer tout le spectre des émotions

Il est bon de chercher à accéder à toute la gamme des émotions du registre humain. Cela donne une tonalité plus riche et plus harmonieuse à l'existence. Mais c'est quelquefois extrêmement difficile. Les exercices et les méthodes que je vous ai recommandés vous faciliteront la tâche, mais vous pourrez avoir besoin de l'aide d'un thérapeute en cas de blocages particuliers. Vous pouvez aussi faire le point par vous-même. Posez-vous les questions suivantes : Quelles émotions suis-je capable d'exprimer ? Quelles sont celles que je ne sais pas exprimer ? D'où me vient cette tendance ?

Dans mes groupes de médecine psychosomatique, je demande aux participantes de citer les émotions qui leur viennent à l'esprit. Puis je les écris au tableau : colère, joie, amour, haine, anxiété, peur, tristesse, chagrin, jalousie, dégoût, espoir, extase, etc. Cette liste comprend immanquablement des émotions négatives et positives. Je demande aux participantes de se remémorer leur enfance : « Mes parents savaient-ils exprimer leurs émotions ? M'ont-ils servi d'exemple en la matière ? M'autorisait-on à exprimer aussi bien les émotions positives que négatives ? »

Les réponses sont variables, mais rares sont les femmes dont les parents savaient jouer de toute la gamme émotionnelle. Guère étonnant, dans ces conditions, que les femmes (les hommes aussi, mais de façon différente) aient tant de difficultés en ce domaine, faute de modèle. La réponse aux questions précédentes leur permet de prendre conscience de leurs comportements quotidiens et d'en mesurer les limites. Les femmes frappées par la maladie peuvent vivre des sentiments intenses — l'affliction, la colère — qu'elles auront du mal à maîtriser. Si c'est votre cas, remontez dans votre passé, pratiquez l'introspection et, surtout, bannissez tout sentiment de culpabilité. Ne nous étonnons pas de nos blocages, nous avons manqué de références. La seule chose qu'on nous ait apprise est le refoulement.

Janice abordait la ménopause. Elle avait été élevée dans un milieu traditionnel où l'expression des émotions n'était pas de mise. Son père avait le privilège des colères, pas sa mère. Dans sa petite enfance, aucun de ses parents ne l'auto-

risait à faire des crises. Aujourd'hui, confrontée à ce « tournant de la vie » avec son cortège de symptômes, de regrets
et de ressentiments à l'encontre du corps médical, Janice en
voulait à tout et à tous. À son corps, aux amies plus jeunes
qu'elle, aux médecins... Elle ne savait comment surmonter
ses rancœurs.

Quand Janice porta un regard plus critique sur son héri-
tage familial, ce fut une manière de révélation. Elle fit l'expérience de ce que j'appelle le phénomène du « Ah-ah ! » — cet
instant où l'on prend conscience du lien entre notre éducation et nos problèmes actuels. « Je sais maintenant pourquoi
tout a été aussi dur pour moi », disait-elle.

Lorsque dans une famille le père se permet des explosions de colère mais pas la mère, le message implicite délivré
aux jeunes filles par le modèle de leur sexe — la mère — est :
« Garde ça pour toi. » Mais chaque famille a son style et il
existe une myriade de configurations possibles. Quand la
mère est irascible, il se peut que la fille ait la hantise de s'emporter, ou au contraire présente un tempérament de « type A
colérique », et que, systématiquement agressive, elle ne
sache exprimer ses autres émotions. Si le père est violent ou
tyrannique, il arrive que les filles grandissent avec la peur
que toute expression de mécontentement — y compris le
moindre signe d'impatience — provoque le courroux d'autrui. Elles passent alors le plus clair de leur vie à étouffer
leurs moindres frustrations et désaccords.

Dans certaines familles, il règne un climat qui interdit
aux petites filles d'exprimer la peur, la tristesse ou la colère
et autres émotions « déplaisantes ». La justification des
parents, c'est qu'ils ne veulent pas de « pleurnicheuses ».
Dans d'autres familles, on est rétif aux manifestations de joie
intempestives, aux marques de fierté, on n'aime pas féliciter,
récompenser. « Je ne veux pas que ma fille soit préten-
tieuse », disent les parents.

Dès que le présent vous rappelle le passé et que vous
vous dites « Ah ! ah ! », les jours de la tyrannie de la vieille
éducation sont comptés. Vous comprenez qu'elle était fondée sur des principes non seulement contraignants mais
mensongers. On ne pleurniche pas quand on exprime sa
peur, sa tristesse ou sa colère. On ne fait pas preuve de pré-
tention en fêtant ses succès et en montrant sa joie et sa fierté.
Mais nous avons tellement intériorisé les préceptes de notre

enfance que, non contents de réprimer nos sentiments, nous effaçons totalement de notre conscience certaines émotions. Le psychiatre britannique R.D. Laing, aujourd'hui disparu, a décrit ce processus d'autocensure : « Nous commençons par oublier, écrit-il, puis nous oublions que nous avons oublié. » Comment réapprendre le langage des émotions ? En se remémorant comment toute cette histoire a commencé. Cela vaut en tout cas la peine d'essayer.

Nous pouvons aussi recourir aux techniques de relaxation pour faire sauter le bouchon d'anxiété qui empêche toute émotion d'arriver au grand jour. On assiste alors à un défilé en bon ordre. La première émotion qui surgit est souvent une terrible rage contre les humiliations et traumatismes présents ou passés. Après la tempête de la colère, vient généralement la tristesse. Car la fureur initiale nous protégeait de profondes blessures affectives.

Le stress et les traumatismes à l'origine de nos émotions négatives remontent à des événements de la petite enfance, surgissent de difficultés professionnelles ou relationnelles, ou sont liés à des problèmes de santé. La plupart de mes patientes ont été doublement traumatisées d'abord par les aléas de la vie, ensuite par la maladie. Elles dévoilent successivement leurs différentes strates émotionnelles, jusqu'à en atteindre le cœur et retrouver joie de vivre et sérénité. Comme Joan Borysenko l'a dit un jour : « Nous éprouvons la paix et la plénitude au fond de nous-mêmes. Le processus de guérison consiste à se dépouiller de la gangue des peurs et des phobies du passé, qui nous sépare de notre vraie nature [...] Il consiste à découvrir cette paix intérieure qui restitue notre intégrité et nous permet d'être heureux, en dépits de nos handicaps physiques. »

En plongeant au plus profond d'elle-même, la femme apprend à identifier ses souffrances et se libère de leur emprise. Elle ne se pose pas en victime. Elle ne permet pas aux erreurs parentales, aux ennuis professionnels, à la mésentente conjugale, aux troubles de santé ou épreuves médicales, de détruire sa vie émotionnelle. Elle reprend les choses en main en honorant sa vie intérieure, plutôt qu'en la reniant.

Quand vous vous engagez dans la voie de la guérison émotionnelle, soyez indulgente envers vous-même. Mais ne nourrissez pas de faux espoirs, ne vous fixez pas d'objectifs déraisonnables. La rédaction d'un journal intime, la domestication de la colère par imagerie mentale, l'entraînement à l'affirmation de soi sont autant d'étapes dans l'épanouissement de votre personnalité. Vous y connaîtrez des instants privilégiés, mais ces méthodes ne sont pas des pillules du bonheur. Ce ne sont pas des médicaments à effet retard qui promettent un changement dans un délai prévisible. La guérison émotionnelle se manifeste différemment pour chaque femme, avec ses péripéties, ses instants de déprime ou d'euphorie, de catharsis et de prise de conscience. En fait, il n'y a pas de voie royale, ni de raccourci vers la santé émotionnelle et le bien-être physique.

Je ne saurais trouver de meilleure façon de cerner le problème que de citer le cas de Holly, qui souffrait de stérilité : « J'aimerais être une héroïne de série télévisée qui éprouve toujours des sentiments rangés dans le bon ordre, expliquait-elle. C'est le problème, avec la génération télé à laquelle nous appartenons. On nous a inculqué des idéaux irréalistes, presque moralistes. Mais la vie ne se déroule pas de cette façon. Moi, je ne ressemble pas à ces femmes merveilleuses qui éprouvent les sentiments qu'il faut, aux moments qu'il faut et dans le bon ordre. Ma vie à moi, elle ne fonctionne pas comme ça. »

Holly n'a pas suivi le scénario d'un feuilleton télévisé, mais elle a épousé les sinuosités de sa propre route avec beaucoup de courage. Elle avait décidé de changer de vie et, pour commencer, avait démissionné de son poste lucratif pour se consacrer à l'éducation de son enfant et s'était inscrite à l'université dans une toute nouvelle discipline. Mais les beaux plans qu'elle avait échafaudés et les espoirs qu'elle avait nourris furent balayés par une stérilité résistant à tous les traitement de pointe. Elle se brouilla alors avec sa famille, parce que ses frères et sœurs, qui avaient eu des enfants, n'avaient pas su trouver le ton qu'il fallait avec elle.

Elle rejoignit le groupe de soutien psychosomatique avec la volonté forcenée d'explorer tous les méandres de ses déconvenues afin d'en sortir avec une force et un espoir renouvelés. Elle tint ses résolutions. Elle a envisagé avec son mari la solution de l'adoption. Mais pour l'heure, elle désire vivre pleinement sa vie. Elle s'est finalement accordé « l'autorisation d'éprouver toutes les émotions auxquelles j'aspire », quoi qu'il arrive. Et en dépit de tous les coups du sort et de ses espoirs déçus, Holly a découvert quelque chose qu'elle n'attendait pas — la paix intérieure.

9

Alimentation bien pensée, activité physique modérée

Le régime et l'exercice physique, en ce qui concerne les femmes, vont bien au-delà des questions de nutrition, de métabolisme, de prévention du cancer et des maladies cardio-vasculaires. Notre mode d'alimentation et la manière dont nous nous servons de notre corps affectent énormément nos façons de penser, de sentir, de vivre et d'affronter les problèmes. Ces états mentaux, à leur tour, influent sur la santé en empruntant d'autres voies biologiques, celles des connexions psychosomatiques. L'obsession de la nourriture, la hantise de grossir et l'absence d'exercice physique dégradent l'humeur et compromettent la santé. Nous avons tout avantage à nous libérer des problèmes de régimes et de poids et à nous plier à une activité physique quotidienne : l'équilibre psychologique qui en résulte ne peut qu'améliorer le bien-être, la vitalité et la résistance aux maladies.

Les livres ne manquent pas qui soulignent à juste titre les bienfaits d'une alimentation équilibrée et de l'exercice. Les femmes, surtout, doivent prendre conscience de l'influence de l'alimentation et de l'activité physique sur leur forme à toutes les étapes de leur vie. C'est ainsi qu'elles peuvent se prémunir contre les troubles cardiaques, le cancer, l'ostéoporose et autres maladies. Mais l'alimentation malsaine, le rapport angoissant à la nourriture, l'obsession du poids et l'absence d'activité physique ont également un impact négatif sur l'état psychologique. C'est pourquoi j'enseigne qu'une alimentation raisonnable et une activité physique modérée sont d'excellentes ordonnances pour la santé de l'esprit comme du corps.

Un régime nutritionnel équilibré suppose que l'on ait au préalable rétabli un rapport sensé à la nourriture. Or celui-ci est souvent perturbé. Les femmes sont soumises tout au long de leur vie à un flux incessant d'informations contradictoires à ce sujet : la publicité nous vante toutes sortes de mets à haute teneur en matières grasses tandis que les médias nous éblouissent de beautés filiformes ; livres et revues nous assaillent de régimes miraculeux toujours plus fantaisistes. Qui croire ? Plus nous sommes obsédées par notre image corporelle, plus nous cherchons à compenser en engloutissant une quantité excessive de corps gras. Et plus nous prenons du poids, plus nous suivons de régimes afin de correspondre aux canons de la beauté qu'on nous impose. Or nous savons aujourd'hui que les régimes traditionnels sont généralement inefficaces : chaque échec, chaque kilo repris, nous replonge dans le cercle vicieux.

Nous adoptons la ronde sempiternelle des régimes, jusqu'à ce que notre santé en pâtisse et que certaines d'entre nous soient atteintes de véritables troubles de l'alimentation. J'aborderai les aspects médicaux et psychologiques des troubles de l'alimentation — et le rôle de la médecine psychosomatique dans leur traitement, au chapitre 14. La plupart d'entre nous ne souffrent pas de véritables troubles du comportement alimentaire clairement diagnostiqués, mais notre rapport à la nourriture est souvent quelque peu perturbé : nous mangeons trop, ou trop peu, ou de façon déséquilibrée. Beaucoup se font piéger dans le cycle des régimes yo-yo et se mettent à grossir. Et quand les problèmes perdurent, ils finissent par virer au trouble caractérisé du comportement alimentaire.

Le régime et la crainte de grossir sont souvent aussi angoissants que les problèmes conjugaux et familiaux, les tensions professionnelles ou la maladie physique. La maîtrise de soi (qui témoigne au premier chef de la santé psychologique) face aux fringales et aux fluctuations de poids est atteinte. Or les régimes traditionnels, il faut bien le constater, n'aident pas à retrouver le contrôle de soi. Les nutritionnistes et les psychologues du comportement rendent même les régimes *responsables* de bien des troubles de l'alimentation. Pour peu qu'elle se soit laissée aller à quelques écarts lors d'un régime d'amaigrissement traditionnel, la femme éprouve un tel sentiment de culpabilité qu'elle baisse alors les bras et se livre à tous les excès de boulimie ou d'abstinence. Les jeunes femmes qui souffrent d'anorexie — qui ne mangent pratiquement plus — présentent souvent cette pathologie à la suite d'un régime.

Mais comment adopter une bonne hygiène alimentaire et contrôler son poids ? Tout d'abord, en privilégiant les compensations et satisfactions morales et spirituelles, au lieu de se venger des frustrations de la vie quotidienne sur la nourriture. Ensuite, en diminuant la tension psychologique à l'origine du comportement boulimique par des techniques de relaxation. Enfin, en adoptant avec souplesse une alimentation saine et équilibrée, exempte de toute logique ascétique. Il est possible de se nourrir de façon diététique (sans se mettre à la diète) par le biais de changements progressifs plutôt qu'en s'imposant des restrictions aussi pénibles qu'artificielles.

J'ai baptisé ces modifications de régime les « transitions alimentaires ». Il s'agit de procéder par petites étapes et de se fixer des objectifs accessibles. Les femmes peuvent se défaire de leurs mauvaises habitudes alimentaires et adopter petit à petit un régime sain, en quelques semaines. Cela suppose de passer par des transitions alimentaires débouchant sur des succès partiels, grâce à une approche comportementale que je décrirai brièvement. Cette méthode a permis à nombre de mes patientes de transformer leurs habitudes alimentaires et de conserver un poids raisonnable comme de préserver leur santé. Une telle approche évite le cercle vicieux du yo-yo, des échecs et des abandons, tout en atténuant le sentiment de culpabilité au premier grignotage interdit.

Certaines femmes doivent perdre du poids car l'obésité aggrave les risques de maladies cardio-vasculaires, d'hypertension, de diabète, d'arthrose et de certains cancers (les femmes dont le poids dépasse de 20 % le poids idéal sont considérées comme obèses). Celles-ci ont intérêt à changer leurs habitudes alimentaires, et elles peuvent y réussir en procédant par étapes. Cela dit, la plupart des femmes n'ont pas besoin de maigrir autant qu'elles se l'imaginent et n'ont bien souvent pas besoin de maigrir du tout. Dans ce dernier

cas, les objectifs d'un changement de régime alimentaire se résument comme suit :
— une bonne hygiène alimentaire
— des aliments permettant d'optimiser leur énergie et leur bien-être.
— une alimentation équilibrée susceptible de prévenir les maladies et de conserver sa vigueur.

De tels objectifs n'exigent qu'un effort raisonnable qui substitue l'écoute de soi à la culpabilité, d'où l'on exclut tout plan drastique voué à l'échec. Pour ce faire, j'ai mis au point un programme d'alimentation équilibrée facile à suivre, qui n'engendre aucune forme d'anxiété. Il s'agit d'adopter un rapport rationnel avec la nourriture qu'on puisse suivre la vie durant. La méthode consiste avant tout à prévenir les maladies cardiaques, l'hypertension, l'ostéoporose et, comme certaines études l'ont montré, les cancers du sein ou de l'appareil génital féminin.

La méthode des 80/20 % : ou comment privilégier la simplicité

L'alimentation trop riche en graisses est manifestement responsable de l'obésité et de nombreuses pathologies. La plupart d'entre nous, conscientes de ce fait élémentaire, sont malheureusement incapables d'adopter les nouvelles habitudes indispensables. Il est désormais acquis qu'un régime très riche en graisses — au-dessus de 30 % de l'ensemble des calories — constitue un risque majeur de maladies cardiaques et de cancer, la première cause de mortalité tant chez les hommes que chez les femmes. Les graisses saturées de provenance animale (viandes et laitages), les plus nocives, font monter le niveau de cholestérol et prédisposent aux attaques cardiaques et d'athérosclérose[1].

Cela dit, les contradictions apparentes des articles de presse sur la recherche diététique ont de quoi nous rendre

---

1. *Athérosclérose* : maladie artérielle généralisée qui associe une sclérose de la paroi des artères (*artériosclérose*) à la présence de plaques d'*athéromes*, un mélange jaunâtre de cellules chargées de graisse et de cristaux de cholestérol. (*N.d.T.*)

perplexes. Certaines études rendent les régimes riches en graisses responsables du cancer du sein, d'autres pas. Certaines accusent les graisses saturées, d'autres les graisses polyinsaturées des huiles végétales. Un fait reste incontestable : *il nous faut diminuer notre consommation globale de lipides*, d'origine animale ou végétale. La femme américaine moyenne ingère 36 à 42 % de graisses sur l'ensemble des calories qu'elle consomme. C'est beaucoup trop. Même s'il se révélait que l'assimilation de trop de lipides n'est pour rien dans le cancer du sein, cette surconsommation prédispose au cancer du côlon, à l'obésité, au diabète, à l'hypertension, à l'excès de cholestérol et aux attaques cardiaques. N'est-ce pas assez convaincant ?

Il est plus facile de succomber au scepticisme et de baisser les bras que de nous débarrasser de nos dépendances alimentaires. « Mais j'entends tous les jours des conseils différents ! » me dit-on souvent. « Tous ces chercheurs, ils n'arrivent pas à avoir un avis. Ce qu'il me reste à faire, c'est de manger ce que j'aime. » Qui parmi nous n'a jamais justifié ainsi son refus des contraintes, surtout celles visant nos aliments préférés ? D'un autre côté, certains régimes pauvres en graisses sont si rigides que nous les écartons à juste titre. Le comportement obsessionnel propre à notre culture sévit chez les femmes, notamment et surtout en matière de régimes : que l'on fasse un écart, et l'on a le sentiment d'avoir commis un péché impardonnable qui sera puni de maladie ou d'une aversion perpétuelle pour son propre corps.

La solution n'est pourtant pas compliquée. Il est indiscutable que nous pouvons et devons manger moins de graisses. Mais tout en nous gardant de tout fanatisme et en proscrivant les attitudes autopunitives. Non seulement les régimes drastiques sont à l'origine de souffrances psychologiques — ce qui en soi compromet déjà la santé — mais sont voués à l'échec. L'abandon et l'obsession masochiste se succèdent alors en un cycle infernal. La solution réside dans une méthode simple d'hygiène alimentaire. (À force de surveiller nos moindres bouchées — comme si un biscuit ou une tranche de rosbif pouvait ruiner notre image ou boucher nos artères —, nous vivons dans la phobie constante de la nourriture, et c'est intolérable.)

Je conseillerais une démarche simple que deux diététiciens ont présentée lors d'une conférence à laquelle j'ai assisté en 1986. Leur méthode, qu'ils ont appelée la méthode des 80/20 %, est si pertinente que je n'ai cessé depuis de la recommander à mes patientes. Si 80 % de ce que vous mangez est sain, peu gras et équilibré, vous pouvez vous autoriser des plaisirs en petites quantités pour les 20 % restants. Certaines de ces gâteries seront sans doute trop riches en matières grasses, mais dans le cadre de la méthode des 80/20 %, le pourcentage global de lipides restera relativement faible.

L'Association américaine pour le cœur, la Société américaine de lutte contre le cancer et l'Institut gouvernemental national pour le cœur, les poumons et le sang recommandent tous de réduire la consommation de lipides à 30 % ou moins de la consommation de calories. En fait, il est avéré que l'on réduit de façon significative le risque de maladies cardio-vasculaires et certains cancers en abaissant encore plus le taux de matières grasses, à 25 ou 20 %, voire moins, de la ration calorique globale. Seulement, bien des femmes ont du mal à se restreindre autant en un court laps de temps, et je crains qu'elles ne se découragent dans la mesure où un tel objectif — et les moyens d'y parvenir — leur sont inaccessibles.

Le problème est d'autant plus ardu qu'il est difficile de traquer les matières grasses dans les calories que nous ingérons. Il faudrait un compteur de matières grasses, la volonté de vérifier leur quantité sur l'étiquette de chaque produit, et le temps et la volonté d'aligner les chiffres et d'en évaluer la consommation chaque jour. Je dis bravo aux femmes capables de suivre une telle discipline, mais j'en connais peu.

La méthode des 80/20 % n'a pas cette précision, mais j'ai constaté que les femmes qui respectaient ces deux seuls paramètres réduisaient sensiblement leur consommation de matières grasses, car elles sont plus *à même* de la suivre que de se livrer à de nombreux calculs.

Quels sont les aliments sains susceptibles de composer ces 80 % de notre ration alimentaire ?

— la volaille sans sa peau, les viandes maigres, les légumineuses et produits à base de soja comme source de protéine,
— les hydrates de carbone complexes, dont les fruits, les légumes verts et les céréales,

— les féculents, dont le pain, les céréales, les pommes de terre et les pâtes,

— les laitages maigres : lait, fromage et yaourts écrémés.

Il est possible que les 20 % d'aliments n'entrant pas dans cette catégorie comprennent des matières grasses (l'huile, la margarine, le beurre et autres produits laitiers) comme la viande rouge, les pâtisseries et les plats préparés dans la restauration rapide. Je ne préconise pas d'utiliser vos 20 % de marge en abusant d'aliments riches en matières grasses. Cela vous ferait prendre des kilos et compromettrait vos efforts d'hygiène alimentaire. Il s'agit plutôt d'utiliser ces 20 % comme une soupape : il n'y a pas d'inconvénient, par exemple, à manger un steak ou un hamburger de temps en temps, de mettre un peu de beurre sur une pomme de terre, de l'huile d'olive et de l'ail dans vos pâtes et de s'offrir à l'occasion des desserts raisonnables.

Ces 20 % donnent une souplesse qui vous évite une prison alimentaire qui n'a jamais enchanté personne. J'explique à mes patientes que si elles se contentent de déjeuner d'une volaille grillée sans sa peau accompagnée de légumes verts, elles pourront à l'occasion s'offrir une coupe de sorbet aux fruits. Les 80 % restants sont un objectif accessible dès lors qu'on souhaite s'alimenter de façon plus saine.

La méthode des 80/20 % se fixe également d'autres buts : diminuer les risques pathologiques reconnus et se maintenir en bonne santé. Outre la diminution de consommation globale de matières grasses, il s'agit :

— d'obtenir un équilibre raisonnable entre la consommation de protéines, de glucides, de féculents et de laitages ;

— d'utiliser l'huile d'olive ou de colza pour la cuisine, l'assaisonnement des salades, les beignets etc., à chaque fois que possible ;

— de ne pas abuser des sucres raffinés (dans la plupart des desserts et pâtisseries, céréales pour petit déjeuner, glaces et confiseries) ;

— de limiter raisonnablement sa consommation
• de sel,
• de caféine (café, thé, sodas, chocolat),
• d'alcool.

La consommation excessive de sucres raffinés — de bonbons et de friandises — est nocive parce qu'elle contribue à l'obésité, en elle-même facteur de risque (sans compter que les aliments sucrés sont souvent surchargés de matières grasses). Des études ont démontré la corrélation entre l'obésité, d'une part, l'hypertension, le diabète et les maladies cardio-vasculaires, d'autre part. Une étude sur le long terme menée par la *Société américaine contre le cancer* a mis en évidence un lien entre l'obésité et une surmortalité due aux cancers du sein, de l'endomètre ou du col de l'utérus. Il ne semble pas que le sucre soit la cause directe de ces différentes maladies, mais que sa consommation excessive, en faisant prendre du poids, risque d'avoir des conséquences pathologiques. Par ailleurs, le sucre a sa part de responsabilité dans le diabète et l'hypoglycémie.

Les féculents tels que le pain, les pâtes ou le riz blanc, naturellement pauvres en lipides, risquent néanmoins, selon les diététiciens d'aujourd'hui, s'ils sont ingérés en trop grandes quantités, d'augmenter chez certaines personnes les taux d'insuline — l'hormone que l'organisme fabrique pour assimiler les sucres simples et les sucres complexes des féculents. Plus nous produisons d'insuline, plus notre corps convertit de calories en graisses. Ce n'est pas le cas de tout le monde, mais pour certains la surconsommation de féculents et de sucres entraîne une résistance à l'insuline, des taux élevés de lipides dans le sang, un poids excessif et une incapacité à maigrir. La plupart des femmes ont donc intérêt à faire preuve de bon sens et de modération.

Les graisses sont essentielles à notre alimentation, en particulier « les acides gras essentiels » tels que l'acide linoléique. Différentes études récentes tendent à montrer qu'un régime trop pauvre en acide linoléique peut contribuer au durcissement des artères. La solution ? Mangez des légumes verts, des noix, amandes et noisettes, du poisson, du soja, de l'huile d'olive — autant d'aliments riches en acides gras essentiels.

Les femmes abordant la ménopause et au-delà ont intérêt à réduire leur consommation de sel, car leur prédisposition aux maladies cardiaques augmente de façon exponentielle. Celles connaissant des cas d'hypertension dans la famille auront avantage à consulter leur médecin à ce sujet.

L'abus d'alcool affecte pratiquement l'ensemble du système biologique en provoquant des troubles gastro-intestinaux, des maladies de foie et des troubles cardiaques et cérébraux. Chez les femmes, l'alcoolisme est cause d'irrégularités menstruelles, de fausses-couches et de complications de la grossesse. Le bébé d'une femme qui boit pendant sa grossesse risque de présenter une affection congénitale connue sous le nom du « syndrome du fœtus alcoolique ». La surconsommation de boissons alcoolisées accroît le risque d'hypertension et des études récentes suggèrent qu'au-delà de un ou deux verres d'alcool par jour, l'on accroît le risque de cancer du sein (je m'étendrai plus sur la corrélation entre l'alcool et le cancer du sein au chapitre 15). S'il est vrai qu'une consommation légère ou modérée d'alcool est bénéfique au système cardio-vasculaire, sa consommation excessive est indiscutablement mauvaise pour le cœur.

Les femmes ne devraient pas abuser de la caféine, pour diverses raisons. Au-delà de quelques tasses par jour, cela aggrave l'anxiété. Les femmes souffrant d'un prolapsus de la valvule mitrale, une prédisposition cardiaque bénigne, peuvent être sujettes à des arythmies cardiaques très gênantes, même si elles ne mettent pas leur vie en danger, la caféine exacerbant ce phénomène. (Si c'est votre cas, essayez de diminuer très progressivement la caféine ou de vous en passer, et vérifiez les effets de cette restriction. La meilleure façon de réduire sa consommation de caféine sans symptômes de sevrage est de la diminuer d'une demi-tasse par jour.) L'excès de caféine affecte aussi la densité osseuse : les femmes ménopausées sujettes à l'ostéoporose doivent donc surveiller leur consommation de thé ou de café.

On a beaucoup écrit sur la corrélation éventuelle entre la caféine et les douleurs mammaires ou les kystes du sein (la maladie dite fribrokystique). Dans son beau livre, *Le Livre du sein*, le Dr Susan Love révèle qu'aucun fait scientifique ne corrobore cette thèse. Mais elle reconnaît que l'état de certaines femmes s'améliore à la suite d'une réduction de leur consommation de caféine. Bien que chacune ait ses propres réactions, si vous souffrez de tels symptômes, la réduction, voire la suppression du café, du thé et du chocolat valent la peine d'être tentées.

L'intérêt des recommandations de la méthode des 80/20 %, outre de contribuer au bon état de santé et à la prévention des maladies, consiste à définir clairement des repères tout en ménageant de grandes marges de liberté. Vous aurez noté que je ne conseille pas de *supprimer* les graisses, le sucre, le sel, la caféine et l'alcool. Si vous êtes assez motivée pour vous en abstenir, soit par souci de santé, soit par adhésion à un certain style de vie ou par conviction morale, je vous y encourage. (Cela dit, attention : nous avons besoin d'une certaine proportion de graisses dans notre alimentation. On peut compromettre sa santé quand elles tombent à moins de 10 %.) Mais je ne pense pas que toutes les femmes doivent fuir comme la peste ces aliments comme s'il s'agissait de poisons violents (à l'exception notable de la consommation d'alcool pendant la grossesse qui peut entraîner des tares sérieuses chez le nouveau-né). À hautes doses, ces substances nuisent certainement à la santé. Mais il est tout aussi pernicieux de considérer notre incapacité à respecter des règles inaccessibles comme la preuve de notre veulerie ou de notre nullité.

Les transitions alimentaires : la victoire en petites étapes

Au lieu de prescrire des régimes très stricts, je suggère à mes patientes un itinéraire par petites étapes, une rampe d'accès vers l'objectif des 80/20 %. Le changement dans les habitudes alimentaires est alors aisé car il n'exige pas de prendre d'assaut une forteresse, ni de s'infliger la torture.

La méthode consiste en de petites modifications des habitudes établissant progressivement un rapport normal à la nourriture et permettant de maîtriser son comportement alimentaire comme sa corpulence. Le premier objectif consiste à passer des aliments riches aux aliments moins riches, puis pauvres en graisses, voire totalement dépourvus de graisses. Un exemple : l'une de mes patientes, Louise, avait l'habitude de prendre du lait entier dans son café ou ses céréales le matin. Un quart de litre de lait entier comprend au moins 8 g de graisses, surtout saturées. J'ai donc conseillé à Louise de prendre du lait à 2 %, c'est-à-dire comprenant 5 g de graisses, pour la semaine en cours. Puis de passer au lait à 1 % pour la semaine suivante, contenant 2,5 g de lipides. À la fin du mois, elle passa au lait écrémé. À ce moment-là, le changement ne lui parut pas trop sévère car elle s'était déjà accoutumée au goût d'un lait de plus en plus écrémé. Je lui ai expliqué qu'elle pouvait se féliciter de cette simple modification, même si elle n'avait pas encore abandonné des habitudes datant de plusieurs décennies. Il lui restait à continuer dans cette voie, à petits pas, jusqu'à diminuer beaucoup sa consommation globale de graisses.

Le tableau 9-1 donne la liste des transitions alimentaires types que je recommande. S'il manque à cette longue liste un aliment riche en lipide dont vous raffolez, créez votre propre transition vers un autre aliment de la même catégorie. Si par exemple vous avez un faible pour les crèmes glacées, n'hésitez pas à vous en offrir deux fois par semaine, puis remplacez-les par des sorbets aux fruits. En revanche, une ou deux fois par mois, autorisez-vous une vraie glace !

Tableau 9-1
Transitions alimentaires

passer des aliments suivants	à ceux-ci	puis à ceux-ci
Viandes, volailles, poissons		
Viande hachée	Viande hachée maigre	Dinde hachée
Crêpes/chili à la viande hachée	Crêpes/chili moitié viande hachée, moitié dinde hachée	Crêpes/chili à la dinde hachée
Entrecôte	Rumsteck ou bifteck dans les parties maigres (bavette, aloyau...)	Rosbif ou steaks grillés
Hot dogs	Hot dogs allégés	Hot dogs à la volaille ou sans matières grasses

passer des aliments suivants	à ceux-ci	puis à ceux-ci
Poulet frit avec sa peau	Poulet frit sans sa peau	Poulet grillé sans sa peau
Poisson frit avec sauce hollandaise	Poisson frit sans sauce	Poisson poché au citron
Viandes ou volailles grasses à chaque repas du soir	Viandes maigres ou volailles sans leur peau à chaque repas du soir	Poisson cuit sans graisse ou protéines d'origines végétales deux ou trois fois par semaine

Huiles et graisses

Beurre, margarine	Huile d'olive, huile de colza	Tartines à la confiture ; cuisson à la vapeur ou sans graisses

Laitages

Lait entier	Lait demi-écrémé	Lait écrémé
Yaourt entier	Yaourt allégé	Yaourt maigre
Fromages	Fromages allégés	Fromages maigres
Crèmes de gruyère et pâte à tartiner	Crèmes de gruyère allégées	Confitures ou gelées
Crèmes glacées	Glaces allégées	Sorbets
Crèmes glacées	Yaourts glacées	Yaourts maigres glacés
Crèmes glacées	Sorbets	Barres de jus de fruits glacées

Pains, céréales, pâtes, pâtisseries, noix, noisettes, cacahuètes

Pain blanc, petits pains	pain de seigle	pains complets
Croissants	brioches	petits pains complets
Pâtes ordinaires	pâtes vertes (aux épinards)	Pâtes de blé dur
Riz pilaf	Riz blanc cuit à l'eau	Riz complet

passer des aliments suivants	à ceux-ci	puis à ceux-ci
Frites	Pommes de terre à l'eau avec noisette de beurre	Pommes de terre à l'eau agrémentées de yaourt maigre
Céréales pour petit déjeuner	même chose	Céréales riches en fibres
Croissants au beurre	Croissants ordinaires	Petits pains complets
Petits-beurres	Biscuits sans beurre	Pop-corn ou autres céréales éclatées
Gâteaux	Gâteaux allégés	Fruits frais
Cacahuètes, amandes salées...	Amandes et noisettes natures	Moins de noix, noisettes, amandes et cacahuètes, plus de fruits

Réservez deux semaines à un mois pour chacune des transitions indiquées, avant de passer à la suivante. Cette approche à « petits pas » vous permet de cibler un aliment riche en graisses et calories, sans que vous vous sentiez trop frustrée. Vous aurez remarqué que dans bien des cas la transition passe par deux étapes — de l'aliment riche en graisses à celui moins riche, puis pauvre en graisses. Si vous avez le sentiment de ne pas pouvoir tenir la troisième étape, contentez-vous de la deuxième. (Par exemple, si vous détestez le riz complet, tenez-vous en au riz blanc en guise de substitution provisoire au riz pilaf.)

Souvenez-vous que le but ultime, en la circonstance, n'est pas de supprimer toute graisse de votre alimentation pendant des mois et des années. Il s'agit simplement de réussir à tenir l'objectif, au mieux de vos possibilités, de la méthode des 80/20 %. Les tableaux vous donnent des exemples des transitions alimentaires possibles. Ciblez les aliments dont vous avez l'habitude et dont vous voulez réduire la consommation.

Plus important encore, faites en sorte d'être bien dans votre peau à chacune des transitions particulières. Ne vous jugez pas selon les critères de l'industrie de l'amaigrissement pour laquelle seuls sont valables les régimes qui font perdre du poids en quelques jours. L'approche par « transitions alimentaires » fondée sur les principes de la médecine du comportement témoigne de l'aptitude des êtres humains à transformer leur conduite dans la mesure de réactions positives en eux-mêmes et de la part des autres. Considérez ce livre comme le point de vue d'experts, garants de la valeur de chacune des transitions. Puis faites-vous plaisir en adoptant une meilleure hygiène alimentaire.

Autre recommandation : tout en abordant ces transitions, prenez conscience de ce que vous mangez et de votre façon de manger. Faites vos choix non pas en fonction de vos frustrations et de vos angoisses, mais en partant de vos connaissances. Enfin, mangez lentement, dégustez chaque bouchée. Découvrez le plaisir du goût ; mâchez jusqu'au bout, donnez-vous le temps de respirer, n'engloutissez pas de nouveaux morceaux avant d'avoir pleinement profité des précédents. Mieux, pratiquez l'exercice de la page XX du chapitre 3 où il vous faut manger une bouchée au chocolat lentement et en vous concentrant (vous pouvez de la même façon déguster des raisins secs ou une orange). Faites de cette pratique une nouvelle habitude.

Manger trop vite et sans se concentrer est typique du recours à la nourriture comme palliatif de l'angoisse, de la frustration et du vide émotionnel et affectif. Hélas, le réconfort, fugace, ne supprime pas les causes des difficultés psychologiques. L'alimentation consciente, en brisant le cercle vicieux, vous permet de manger pour le plaisir, par besoin, non par fuite de vous-même, de découvrir de nouvelles saveurs, et d'apprécier le goût des aliments sains.

En adoptant les transitions alimentaires, vous échappez : 1) aux difficultés psychologiques liées à la mauvaise alimentation et à la crainte de grossir ; 2) à la frustration liée au régime lui-même et à la fatigue engendrée par le cycle du yo-yo ; 3) à l'obsession des maladies associées à la surconsommation de graisses et de calories et à l'obésité. C'est ainsi que le succès de cette lente progression consiste moins en une perte de poids qu'en la maîtrise de son alimentation, la redécouverte de l'estime de soi, la conquête de la santé et de l'équilibre psychologique.

Vitamines et minéraux nécessaires à la femme

Il n'existe évidemment pas de meilleures substances nutritives vitales que les aliments. Les diététiciens et les bio-chimistes sont les premiers à l'affirmer. Mais, nous le savons toutes, il ne nous est pas toujours possible d'obtenir la quantité optimale de vitamines et de minéraux à partir de la seule nourriture, soit parce que les produits frais manquent tel ou tel jour, soit parce que nous voyageons ou mangeons trop souvent à l'extérieur, soit encore parce que les aliments conditionnés dans le commerce n'en contiennent pas assez. Certains minéraux et vitamines jouent un rôle très important dans la prévention des maladies et affections féminines, et leur adjonction à la nourriture peut être utile pour un bon équilibre alimentaire.

Vitamine A et bêtacarotène

La vitamine A et son précurseur biochimique dans l'organisme, le bêtacarotène, que l'on trouve dans les fruits et légumes verts très frais, sont indispensables au bon fonctionnement du système immunitaire. Le bêtacarotène (l'une de ces substances que l'on appelle les caroténoïdes) est un puissant antioxydant, ce qui signifie qu'il protège nos cellules des dommages occasionnés par les radicaux libres, ces molécules instables qui sont le produit du métabolisme. Des études statistiques ayant montré que les individus consommant beaucoup d'aliments riches en bêtacarotène et autres caroténoïdes sont moins vulnérables à de nombreux cancers et aux maladies cardiaques, la plupart des diététiciens conseillent d'en consommer plus. Les meilleures sources de bêtacarotène et autres caroténoïdes sont les légumes verts très frais (laitues, épinards...), les carottes, les poivrons, les asperges et les patates douces.

Selon d'autres études statistiques, les personnes qui n'absorbent pas assez de vitamine A et de bêtacarotène risquent plus d'avoir différents cancers, dont celui du col de l'utérus. Si ces mêmes études confirment l'utilité des sources alimentaires des mêmes vitamines, il n'en va pas de même quant à l'utilité des suppléments en vitamine A ou bêtacarotène. Que savons-nous des bienfaits et de l'innocuité de tels apports supplémentaires ?

Quelques études — en particulier l'une d'elles faite en Chine — accréditent l'idée que les comprimés de bêtacarotène aident à la prévention du cancer. Cependant, d'après une récente étude finlandaise, on a conclu que les suppléments en bêtacarotène ne jouent pas de rôle dans la prévention du cancer du poumon chez les grands fumeurs de long date. (En fait, le taux des cancers chez les fumeurs prenant du bêtacarotène serait même légèrement supérieur). Cette étude reste très controversée et son protocole contesté, d'autant qu'une foule de données milite plutôt en faveur du bêtacarotène. Des travaux en cours à l'école de médecine de Harvard et ailleurs devraient permettre de trancher sur le rôle des comprimés de bêtacarotène dans la prévention de différents cancers. Mais la même équipe de recherche a d'ores et déjà fait une étonnante découverte après avoir suivi 22 000 médecins de sexe masculin : le taux d'attaques cardiaques était deux fois moindre que la moyenne chez ceux qui prenaient du bêtacarotène.

En attendant plus d'informations, il n'est pas possible de recommander la prise supplémentaire de vitamine A et de bêtacarotène en tant que moyen de prévention efficace et sans risque contre le cancer. Cela dit, si vous faites le choix d'en prendre, on considère que le taux de 25 000 UI (unités internationales) de bêtacarotène est sans risque. En revanche, consommez prudemment les comprimés de vitamine A. Une étude récente montre que la prise de suppléments de vitamine A au-delà de 10 000 unités provoque des malformations congénitales chez le fœtus des femmes enceintes. En fait, les comprimés de vitamine A pris plusieurs semaines, voire plusieurs mois *avant* la conception, peuvent avoir un effet néfaste sur le futur fœtus. Plus généralement, une forte consommation de vitamine A peut provoquer de sérieux effets secondaires. En revanche, le bêtacarotène est dégradé par l'organisme en vitamine A selon les besoins et à des taux bien tolérés.

Les vitamines B

Toutes les vitamines B indispensables à l'organisme et à sa vitalité ont de multiples effets, mais certaines d'entre elles sont très salutaires à la santé féminine. Les femmes qui produisent naturellement de forts taux d'œstrogènes ont en général besoin de plus de vitamines B, car le foie les utilise dans la dégradation et l'inactivation des œstrogènes au cours du métabolisme. Les femmes souffrant de douleurs prémenstruelles ont souvent des taux d'œstrogènes naturels très élevés, comme les femmes ménopausées sous traitement hormonal. Dans leur cas, la supplémentation en vitamines B peut être envisagé.

La vitamine B6 a, d'autre part, un rôle essentiel dans le maintien du système immunitaire. Mais ne prenez pas plus de 200 mg d'apport supplémentaire, car il y peut y avoir des effets secondaires.

L'acide folique, l'une des vitamines B, s'est révélé un nutriment de première importance pour la femme. Une étude au moins a montré qu'un surcroît d'acide folique ralentissait ou faisait régresser les modifications précancéreuses chez les femmes atteintes de dysplasies[1] du col de l'utérus, un trouble qui, non traité, peut se transformer en cancer du col. Des recherches ont montré que les femmes enceintes au taux d'acide folique déficient sont plus prédisposées à donner le jour à des enfants présentant des malformations, dont celles du tube neural avec parfois un spinabifida (une anomalie de la moelle épinière). La plupart des diététiciens préconisent désormais un complément d'acide folique durant la grossesse dosé à 400 mcg. Dans la mesure où notre alimentation est trop pauvre en acide folique, les femmes peuvent s'en tenir à cet apport supplémentaire de 400 mcg, ce qui correspond à la recommandation officielle américaine. Des recherches très récentes font miroiter des pistes terriblement tentantes sur le rôle préventif de l'acide folique dans l'athérosclérose souvent responsable des crises cardiaques.

Les amandes, noix et noisettes, les céréales, la levure de bière, les haricots, les pois, la viande, le poisson, la volaille,

---

1. Déformation et excroissance des tissus *(N.d.T.)*.

le foie, les œufs et les produits laitiers sont les sources par excellence de la vitamine B.

La vitamine C

C'est celle qui prête le plus à la polémique, étant donné son pouvoir supposé contre le rhume. Même si cette vertu lui est hautement contestée, la vitamine C présente incontestablement un pouvoir protecteur sur plusieurs fronts. C'est un puissant antioxydant, un stimulant immunitaire, un antiviral et un détoxiquant. Elle est essentielle à la synthèse et la réparation du collagène, ce qui est crucial au fur et à mesure que nous avançons en âge. Une forte consommation de vitamine C en provenance de la nourriture est associée à la résistance contre différents cancers, en particulier de l'estomac, de l'œsophage, du colon, du rectum, de la vésicule, de la bouche et du larynx.

On a montré que chez les femmes la consommation des différents aliments riches en nutriments antioxydants, dont la vitamine C, prévient et parfois fait régresser les dysplasies du col de l'utérus. Les propriétés antivirales de la vitamine C, même si elles restent du domaine de l'hypothèse, peuvent contribuer à combattre le cancer du col de l'utérus peut être causé par certaines souches du virus humain papilloma (*Human papilloma virus*, HPV).

Les fruits frais et les légumes verts sont les meilleures sources alimentaires de vitamine C. En tête de liste les citrons, melons, fraises, asperges, brocolis, légumes verts à feuilles, choux, choux-fleurs, choux de Bruxelles, poivrons rouges et verts, patates douces, tomates. Certains diététiciens recommandent une prise supplémentaire de 500 mg à 1 000 mg de vitamine C par jour, d'autres des doses beaucoup plus importantes, mais les données ne sont pas suffisantes pour que je me range à leur avis. Il semble toutefois que la vitamine C soluble dans l'eau ait peu d'effets secondaires, bien que de très fortes doses puissent causer des dérangements intestinaux — surtout des diarrhées, qui cessent dès que l'on baisse les doses.

La vitamine D

L'incidence la plus fréquente des cancers du sein ou colorectaux se manifeste dans les zones géographiques où les individus sont le moins exposés à la lumière naturelle, essentielle à la synthèse de la vitamine D par l'organisme. On a pu vérifier que la vitamine D, nécessaire à l'absorption et au transport du calcium, contribue à la prévention de ces cancers, bien qu'on manque de données fiables permettant d'affirmer que la prise de comprimés de vitamine D protège du cancer du sein ou du colon.

Le rôle de la vitamine D dans le transport et l'absorption du calcium signifie qu'elle joue également un rôle dans la prévention de l'ostéoporose. Les produits laitiers et les céréales sont une bonne source de vitamine D, comme le foie et les poissons gras. Mais si vous ne consommez pas assez de tels aliments et ne vous exposez pas au soleil (à cause du climat, votre manque de goût pour les bains de soleil, ou par crainte du cancer de la peau), vous pouvez avoir avantage à prendre un supplément de 300 à 400 unités de vitamine D, pas plus, car le surdosage peut avoir des effets secondaires.

La vitamine E

Dans les années soixante, on attribuait à la vitamine E toutes les vertus. La déception a suivi, forcément, mais la vitamine E a néanmoins gagné une réputation de micronutriment de grande valeur dans la prévention des maladies et pour l'équilibre de l'organisme, surtout chez la femme.

Des travaux récents menés par des chercheurs de l'école de santé publique à Harvard et à l'hôpital des femmes de Boston, ont porté sur 120 000 hommes et femmes prenant des suppléments en vitamine E. On a ainsi découvert que chez les personnes qui consommaient les plus fortes doses quotidiennes de vitamines E (100 à 200 UI), la fréquence des maladies cardiaques était de 40 % moins importante qu'au sein d'un échantillon comparable d'hommes et de femmes qui en absorbaient moins. Comme le risque cardiaque, chez les femmes, s'accroît notablement après la ménopause, un apport supplémentaire en vitamine E peut alors être envisagé. Les chercheurs de Harvard affirment qu'ils ne sont pas encore en mesure de donner une prescription générale, et mettent en garde contre des doses excessives. Mais ils n'ont constaté aucun effet secondaire chez les personnes qui prennent 400 UI de vitamine E. Il existe au moins une étude scientifique au protocole incontestable qui met en évidence les effets bénéfiques de la vitamine E dans le traitement des crampes menstruelles, du syndrome prémenstruel et des états fibrokystiques du sein. Certains praticiens font état d'améliorations des bouffées de chaleur chez les patientes ménopausées qui prennent des suppléments en vitamine E. Malgré leur intérêt, ces données et faits cliniques n'apportent pas encore de preuves flagrantes. Cela devrait certainement changer dans les années à venir.

On trouve la vitamine E dans les différentes céréales à grains, le germe de blé, les légumes verts, le foie, les noix, les amandes, les cacahuètes et les huiles végétales. Le Dr Patricia Hausman, spécialiste des vitamines, a vérifié toutes les données concernant l'innocuité des apports supplémentaires. Selon elle, la prise de 400 UI de vitamine E est « une bonne dose, sans danger ».

Le calcium

Le calcium est essentiel à la santé osseuse et à la prévention de l'ostéoporose chez les femmes. Plus la prise de calcium sous forme d'aliments ou de comprimés est précoce, meilleures sont les chances d'éviter la perte de la densité osseuse avec les symptômes qui l'accompagnent : affaissement de la taille et voussure de l'épine dorsale, douleurs du dos, fractures de la hanche et de la colonne vertébrale.

Le calcium est également nécessaire à la santé cardiaque, à la transmission nerveuse et à la contraction musculaire. Vu les difficultés d'ingérer une quantité adéquate de calcium, je conseillerais de consommer les aliments riches en calcium ainsi qu'un apport supplémentaire. Parmi les aliments qui comprennent le plus de calcium : les produits laitiers écrémés, des légumes verts à feuilles vertes ainsi que les brocolis et les choux frisés, les produits à base de soja, le saumon et les sardines en boîte, les crevettes, les figues et la rhubarbe. La plupart des diététiciens recommandent une prise supplémentaire de calcium comprise entre 1 000 et 1 500 mg afin de prévenir la perte osseuse. Il vaut mieux ingérer certains suppléments en calcium directement assimilables, comme le carbonate et le citrate de calcium, avec d'autres aliments afin d'éviter les troubles de l'estomac. Les femmes qui prennent du calcium ont également avantage à prendre du magnésium qui contribue également à la santé osseuse. (Se reporter au chapitre 13 pour plus d'informations sur le magnésium et la prévention de l'ostéoporose.)

Le fer

Les jeunes femmes manquent souvent de fer à la suite de leurs règles abondantes. Elles peuvent ou non avoir besoin d'un apport supplémentaire en fer, selon la sévérité des pertes de sang. L'apport alimentaire en fer peut être suffisant. Les viandes rouges, le poulet, le poisson, le foie, les épinards et autres légumes verts, les haricots rouges et les produits céréaliers sont tous riches en fer. (Il peut être utile d'ingérer des aliments riches en vitamine C, celle-ci facilitant l'absorption du fer). Si la carence en fer est substantielle et contribue à un état anémique, on peut envisager un apport supplémentaire de 10 à 15 mg par jour.

Les femmes enceintes ont plus besoin de fer que les autres, et l'anémie par carence en fer en affecte près de la moitié. Dans ce cas, l'apport alimentaire n'est pas suffisant et les obstétriciens comme les diététiciens conseillent souvent une prise supplémentaire pendant la grossesse, surtout au cours des quatre derniers mois.

Après la ménopause, les femmes ont généralement moins besoin de fer et il vaut mieux alors s'abstenir d'apports supplémentaires, même par le biais des cocktails de vitamines. D'une façon générale, on doit éviter les apports supplémentaires en fer chez les femmes qui n'en ont pas besoin. Des études récentes laissent penser que des réserves trop importantes en fer peuvent compromettre le système immunitaire et contribuer aux maladies artérielles et coronariennes. On s'est également aperçu que les surcharges en fer constituent un problème plus fréquent qu'on ne le soupçonnait.

Pour résumer, un apport supplémentaire en fer ne doit

être envisagé que si vous croyez souffrir d'anémie ou de carence en fer, et toujours après avoir consulté votre médecin.

Le sélénium

On a découvert le rôle important de cet élément minéral dans la prévention du cancer. L'efficacité de l'apport supplémentaire en sélénium dans la prévention du cancer du sein reste à prouver, mais l'on sait que les femmes japonaises qui consomment de forts taux de sélénium y sont peu sujettes. Quand elles émigrent aux États-Unis, où la nourriture riche en sélénium est plus rare, leur prédisposition au cancer se met à croître de façon spectaculaire (la consommation excessive de graisses est un autre facteur de risque). Différentes études sur les animaux montrent que les rats et souris auxquels on a administré des apports supplémentaires en sélénium présentent moins de tumeurs mammaires. Une étude de Harvard datant de 1983 a analysé les échantillons de sang de volontaires humains en bonne santé et a suivi leur état médical pendant dix ans. Ceux qui présentaient au départ les taux de sélénium les plus élevés ont ultérieurement présenté deux fois moins de cancers que ceux dont les taux étaient les plus bas.

La plupart des diététiciens considèrent qu'un apport de 100 à 200 mcg de sélénium en supplément est sans danger. Le poisson, les produits céréaliers, les asperges, les champignons et l'ail sont des sources alimentaires riches en sélénium.

*
*   *

Afin de simplifier votre équilibre en vitamines, vous pouvez avoir recours à l'option suivante : prenez un cocktail de vitamines et de minéraux correctement dosé en vitamines A, C, E et B. Ajoutez vous-même votre apport en calcium. Et si vous vous apprêtez à concevoir un enfant ou si vous êtes enceinte, assurez-vous que vous ne manquez pas d'acide folique.

L'activité physique : une bénédiction pour la santé et le baume de l'âme

« Si l'exercice physique pouvait se délivrer sur ordonnance, ce serait le médicament le plus prescrit et le plus bénéfique à la nation », dit un jour le Dr Robert N. Butler, de l'école de médecine du Mont-Sinaï à New York.

Certains des effets bénéfiques de l'exercice physique sont bien connus : il abaisse le taux de cholestérol, réduit le risque de maladies cardio-vasculaires, diminue la pression sanguine, maîtrise l'insomnie, contrôle les taux de sucre dans le sang, facilite la digestion, améliore la force et la souplesse et, ne l'oublions pas, aide à perdre du poids.

Mais il a pour les femmes d'autres effets bénéfiques bien moins connus. Il joue un rôle clef dans la santé osseuse et la prévention de l'ostéoporose ; il semble que les femmes qui font régulièrement de l'exercice soient moins sujettes aux cancers du sein, de l'utérus, du vagin, des ovaires ou du col de l'utérus ; mieux, on le considère désormais comme un excellent antidépresseur.

Il ne manque pas de données avérées à l'appui de cette affirmation :

— De nombreuses études récentes ont prouvé que la pratique régulière de l'exercice physique contribuait à accroître la masse osseuse avant comme après la ménopause.

— Le Dr Rose E. Frisch, professeur au département démographique de l'école de Santé publique de Harvard, a analysé 5 398 femmes qui ont passé le baccalauréat entre 1925 et 1981. Parmi elles, les athlètes confirmées ont en moyenne présenté 50 % de moins de cancer de l'utérus, de l'ovaire, du col de l'utérus et du vagin que les femmes plus sédentaires, et deux fois moins de cancers du sein. Et ce constat est valable quels que soient les traitements contraceptifs, les œstrogènes de substitution, la tabagie ou les précédents cancéreux familiaux chez toutes ces femmes.

— Une série d'études menées par le psychiatre John Griest, de l'université du Wisconsin, a montré que l'exercice physique pouvait constituer une bonne psychothérapie dans le traitement des dépressions légères. D'autres chercheurs ont obtenu des résultats similaires.

Différents travaux témoignent du rôle apaisant de l'effort physique : une expérience sur une quinzaine de sujets a montré qu'une séance d'entraînement d'un quart d'heure diminuait la tension psychologique. Le Pr Kenneth Cooper, auteur de *The Aerobics Program for Total Well-Being* (« Le bien-être physique et moral par l'aérobic »), cite différentes études à l'appui de sa conviction que les exercices d'aérobic atténuent les conséquences physiques du stress, en particulier les réactions d'agressivité ou de fuite.

« Un meilleur état cardio-vasculaire contribue à *gérer* les effets des sécrétions d'adrénaline sur le cœur », dit Cooper. Les hormones du stress, dont l'adrénaline, sont sécrétées dans le sang lors des situations génératrices d'angoisse, de peur ou de colère.

Quand notre émotivité est excessive, le cœur réagi à l'avenant et il travaille trop. Les hormones du stress peuvent contribuer à la formation de caillots sanguins et causer des spasmes des artères coronariennes, les deux ayant leur responsabilité dans l'athérosclérose et les troubles cardiaques. En régulant ces effets, l'exercice physique contribue à protéger le cœur des ravages de la tension psychologique.

Nous avons aujourd'hui la preuve que l'effort physique stimule le système immunitaire, en particulier les « cellules tueuses innées » *(natural killer cells*, dites cellules *NK)*, dont le rôle est essentiel dans la protection contre les virus, les bactéries et la prolifération cellulaire cancéreuse. Ces cellules NK sont des francs-tireurs, capables d'éliminer les intrus pathogènes sans avoir besoin du concours des autres cellules du système immunitaire.

De plus en plus de médecins et de spécialistes de la mise en forme prescrivent l'activité physique en cas de dépression légère ou moyenne, et les résultats de nombreuses recherches militent en faveur de leurs recommandations. Je me suis aperçu que le sport soulage énormément mes patientes, qu'elles suivent ou non par ailleurs un traitement médical. L'exercice physique lui-même ne remplace ni la psychothérapie, ni, quand il le faut, le traitement médical. Mais il a un effet physique direct et des effets psychologiques indirects qui contribuent à soulager la dépression. L'activité physique régulière améliore l'humeur, redonne de la vigueur, rehausse l'estime de soi et aiguise les facultés mentales.

L'influence bénéfique des exercices d'aérobic sur l'humeur tient peut-être aux modifications biochimiques qu'ils déclenchent dans le cerveau. Des chercheurs ont montré que l'effort physique incitait la glande pituitaire à sécréter plus d'endorphines, ces puissants antidouleurs et euphorisants qui sont les cousins chimiques de la morphine de synthèse. Les personnes qui pratiquent régulièrement la course à pied, en particulier, semblent bénéficier de ces montées d'endorphines à effet euphorisant : celles-ci soulagent la douleur musculaire et provoquent ce qu'on appelle l'ivresse du coureur. D'ailleurs, les habitués du jogging font état de symptômes proches de l'abattement quand ils interrompent leur entraînement, ce qui laisse penser qu'ils ont acquis une véritable dépendance aux montées récurrentes d'endorphines.

L'activité physique : laquelle ?

Les femmes répugnent souvent à pratiquer régulièrement un sport. Leurs raisons sont multiples : manque de temps, honte de leur corps, appréhension de la fatigue, peur de se blesser ou incapacité à changer de mode de vie, « à mon âge ». Heureusement, il existe des moyens de contourner ces obstacles.

Certes, il faut une certaine volonté pour faire de l'exercice régulièrement. La plupart des femmes s'en font une montagne au vu des retransmissions télévisées de marathons, de gymnastique sportive, des levers de poids et d'entraînement intensif en chambre. Une bonne nouvelle : ces pratiques ne sont nullement indispensables pour parvenir au bien-être biologique et psychologique dispensé par l'exercice physique. Il y a quelques années, les centres de contrôle sanitaire et l'Université américaine de la médecine sportive, s'appuyant sur des travaux de recherche récents, ont révélé qu'une activité physique modérée répartie dans la journée procurait les mêmes effets bénéfiques que l'effort physique systématique et prolongé. Il vous suffit de marcher, ou de grimper et descendre les escaliers dix minutes trois fois par jour, pour aboutir aux mêmes effets physiologiques obtenus par une marche intensive d'une demi-heure.

Aussi, ne vous laissez pas piéger par l'idée qu'une activité physique modérée est inefficace. La moindre évasion de votre mode de vie sédentaire sera la bienvenue. Une fois que avez pris l'habitude de l'activité physique, l'amélioration évidente du tonus, de l'agilité mentale et de l'estime de soi qui en découlent vous incitera à continuer. Ces résultats positifs fonctionnent comme une roue à rochets : le niveau des efforts physiques auxquels vous consentez passe alors d'un cran au suivant, sans retour en arrière. Je vous conseillerais, toutefois, de consulter un médecin et de faire un bilan de santé avant de vous lancer dans toute activité physique systématique.

On a beaucoup écrit sur les bienfaits de l'activité en aérobie. L'exercice en aérobie consiste en tout effort physique qui exige de l'oxygène et élève le rythme cardiaque à partir d'un certain seuil. Quinze ou vingt minutes de jogging, de marche rapide ou sportive, de natation, de vélo, peuvent élever le rythme cardiaque à son seuil d'aérobie. Les femmes qui veulent améliorer leur état cardio-vasculaire ont tout intérêt à se livrer à ce type d'exercice. Mais deux conseils : ne vous détournez pas de l'activité physique sous prétexte que l'aérobic ne vous dit rien. Et si vous souhaitez le pratiquer mais ne vous sentez pas assez en forme ou assez entraînée, donnez-vous les moyens d'accéder très progressivement au niveau voulu. Pour plus d'informations sur les exercices d'aérobic et savoir à quel niveau vous pouvez commencer, je vous recommande l'excellent chapitre intitulé « Accéder à la santé » du *Livre du bien-être* du professeur d'éducation physique et docteur es sciences, James S. Huddleston.

L'exercice physique en anaérobie, qui n'exige pas d'oxygène, suppose un effort physique très intense mais de courte durée. Toute forme d'exercice commence par un court démarrage en anaérobie, mais si vous devez tenir l'effort à un certain niveau d'intensité, vous passez en aérobie, qui favorise la santé cardio-vasculaire et contribue à brûler les graisses. Les femmes qui désirent perdre du poids auront donc avantage à pousser l'effort physique aux niveaux nécessitant l'aérobie. Quant à l'exercice en anaérobie, il brûle les réserves de glucose (le sucre) et forge les muscles. Voici une liste d'exercice en aérobie et en anaérobie :

Exemples d'exercices physiques

En aérobie	*En anaérobie*
marche	lever de poids
jogging	course à pied ou natation sur courte distance
aviron	sprint
natation	gymnastique suédoise
vélo	tractions à terre (« pompes »)
aérobic	abdominaux
ski de fond	tractions sur barre

Les professeurs d'éducation physique conseillent de pratiquer 70 à 80 % de l'activité physique en aérobie et de consacrer les 20 à 30 % restants en anaérobie.

Plus généralement, les femmes au moment de la ménopause peuvent consolider leurs os et prévenir l'ostéoporose par des exercices qui leur font porter un certain poids, et parmi eux tous ceux qui vous font porter votre propre poids comme la marche, la course ou la danse, le ski de fond et, dans une certaine mesure, le cyclisme. L'objectif est de peser sur les os, qu'il s'agisse de ceux de la hanche, du pelvis ou de l'épine dorsale. Le fait de porter des charges accroît la densité osseuse. Cela contribue également à accroître la force musculaire, ce qui à son tour prévient les chutes entraînant des fractures de la hanche ou de la colonne vertébrale chez les femmes âgées. L'utilisation de petits poids ou de boules à serrer renforce les os du poignet, particulièrement vulnérables aux fractures.

Pour les femmes souffrant d'arthrose ou de douleurs articulaires et qui ont du mal à marcher ou courir, la natation est idéale. L'eau porte les muscles et les articulations tout en les massant, diminue la tension et facilite les mouvements. L'aérobic aquatique est une merveilleuse activité dont les cours, plutôt bon marché, sont accessibles à tous, handicapés ou non. Cela dit, la natation comme la gymnastique aquatique ne fait porter aucune charge, et les femmes qui veulent prévenir les risques d'ostéoporose ne doivent pas s'y cantonner.

Je conseille volontiers l'aérobic, tout en sachant que beaucoup de femmes doivent s'entraîner lentement pour parvenir au niveau et à la durée de l'effort correspondant au rythme cardiaque requis. Il vous suffit de commencer par une activité physique modérée mais quotidienne, *même de quelques minutes*. La marche à pied en la circonstance, est sans doute le meilleur exercice.

La marche à pied : le tremplin de la vie active

Mises à part celles qui souffrent d'arthrose sévère, de lésions graves, de maladie de cœur ou d'autres handicaps majeurs, toutes les femmes sont capables de marcher, et les joies potentielles des promenades à pied sont inestimables. Si vous êtes de celles qui n'ont jamais une minute pour se détendre, prenez la très modeste résolution de marchez cinq à dix minutes par jour. Faites le tour de votre pâté de maison, descendez dans la rue, imprégnez-vous de ce que vous observez, des bruits, des odeurs. Si vous êtes à la maison avec les enfants, emmenez-les avec vous.

Au bout d'un mois, marchez un quart d'heure par jour, en poussant la promenade quelques rues plus loin ou de quelques centaines de mètres de plus si vous habitez la campagne. Au bout de plusieurs mois, voire plus longtemps si nécessaire, essayez de marcher une demi-heure par jour. Vous parviendrez finalement à consacrer trois quarts d'heure par jour à la marche, si votre emploi du temps le permet.

Une fois le rituel de la promenade à pied bien intégré, essayez d'accélérer le rythme de la marche jusqu'à ce que vous sentiez votre cœur battre, le signe de l'effort en aérobie.

Pour gagner du temps et ajouter une dimension à votre activité physique, vous pouvez intégrer des réflexes de relaxation à votre exercice de marche ou à tout autre exercice physique. Concentrez-vous sur votre respiration et sur ce qui vous entoure. Répétez votre phrase ou vos mots d'accompagnement tout en respirant et en marchant. Si des sujets de préoccupation vous distraient, reportez lentement votre concentration sur votre respiration et vos mouvements. La répétition rythmique de la marche — ou de tout autre exercice tel le jogging, la natation ou le vélo — incite à la relaxation et à la respiration conscientes.

Afin d'intégrer la marche à pied à votre vie quotidienne, je vous conseille instamment d'éviter tout objectif inaccessible. Tenez-vous-en aux progrès « à petits pas ». Faites en sorte que l'habitude devienne aussi agréable que possible ; si vous le pouvez, joignez-vous à quelqu'un dont vous appréciez la compagnie. J'ai souvent constaté que les femmes qui marchent ensemble n'hésitent pas à se rabrouer mutuellement avec humour quand elles ont pris leurs habitudes, ce qui est une excellente émulation quand elle est suscitée par quelqu'un qu'on aime bien.

Je conseille la marche, car c'est l'activité la plus simple et la plus susceptible d'être pratiquée régulièrement par les femmes. Le bénéfice physique et psychologique en est immédiat.

*
*   *

Essayez. Considérez ce simple exercice comme un traitement psychosomatique de premier ordre, qui réduit les risques cardiaques et de cancer, aide à passer la transition de la ménopause, stimule votre système immunitaire, augmente votre énergie, soulage la tension psychologique comme la dépression, améliore l'humeur et renforce l'amour-propre. Conjuguée à la relaxation, l'activité physique est une excellente stratégie dans la conquête de la maîtrise de soi. Quand les vicissitudes de la vie vous incitent à basculer dans le désespoir, faites bouger votre corps. C'est le meilleur antidote, aux effets bénéfiques immédiats.

II

LA FEMME DANS TOUS SES ÉTATS : TRAITEMENTS ET REMÈDES

Avertissement

Dans la seconde partie de ce livre, chaque chapitre est consacré à l'un des différents états physiologiques spécifiques à la femme. J'aborderai chacun d'entre eux en donnant une vue d'ensemble des techniques psychosomatiques professionnelles décrites aux chapitres 2 à 9 de la première partie (il m'arrivera de préciser les pages auxquelles se reporter, afin de faciliter la lecture). J'ai voulu ainsi fournir aux femmes un guide synthétique et pleinement compréhensible leur permettant de surmonter les différents bouleversements de la physiologie féminine au cours de l'existence.

10

La tempête avant le calme :
le syndrome prémenstruel

Chaque mois, c'est la même chose. Environ huit jours avant la venue de vos règles, des bouffées d'anxiété vous submergent, détruisant votre équilibre et détériorant votre humeur. Les jours qui précèdent les règles, vous passez successivement par des phases d'excitation et d'épuisement. Vous êtes irritable et les querelles conjugales commencent, même après des semaines idylliques. Quand ce n'est pas l'angoisse ni la colère, c'est la déprime qui s'empare de vous. Vous voyez tout en noir. Vous avez le ventre ballonné et les seins douloureusement congestionnés. Vous succombez aux sucreries, vos fringales sont irrépressibles. Si quelqu'un a le malheur de vous demander ce qui ne va pas, vous l'envoyez au diable, ou en mourez d'envie.

Dès l'apparition des règles, tous ces symptômes et idées noires disparaissent comme par enchantement, comme la nuée après l'orage.

Si ces différents tourments vous sont familiers, eh bien ! c'est que vous avez une connaissance de première main du syndrome prémenstruel. Bien que les symptômes varient d'une femme à une autre, nous sommes des millions à souffrir incontestablement d'une des formes de ce syndrome. Selon certaines estimations, 5 % des femmes sont victimes d'un syndrome prémenstruel si sévère que ses manifestations ont un effet dévastateur sur leur vie quotidienne. Le pourcentage de celles qui en sont plus ou moins affectées est beaucoup plus grand : entre un tiers et la moitié des femmes de moins de cinquante ans sont sujettes à des troubles psychologiques et physiques avant leurs règles. En d'autres termes, entre dix et quatorze millions de femmes doivent se battre avec leur syndrome prémenstruel.

La femme qui en pâtit prête souvent à plaisanteries. Mais cet état physiologique n'a rien de drôle. L'humour ne gâte rien, à condition de ne pas oublier que le syndrome est bien réel et qu'il peut affecter sérieusement la qualité de vie des femmes.

Le syndrome prémenstruel est un trouble frustrant, souvent difficile à traiter, dont nous ne connaissons toujours pas les causes exactes. On sait que ce syndrome, aux manifestations plus ou moins sévères, regroupe des symptômes qui surviennent à la fin de la deuxième partie du cycle féminin, en général au cours de la semaine qui précède le début des règles — mais il arrive qu'il se manifeste deux semaines avant et se prolonge un ou deux jours après. Les symptômes les plus courants sont psychologiques — irritabilité, angoisse et dépression —, souvent accompagnés de nausées, diarrhée, maux de tête, douleurs articulaires, mammaires et génitales, sans oublier les problèmes de peau, la boulimie, la prise de poids et la fatigue.

La médecine courante offre quelques palliatifs, limités au demeurant. La « pilule magique », en la circonstance, n'existe pas. Si un changement de régime et d'exercice ont une certaine efficacité, toute la gamme des traitements médicaux, des vitamines aux hormones et aux antidépresseurs, n'ont pas donné de résultats fiables et prévisibles. Depuis peu, les scientifiques ont montré néanmoins que la dernière génération d'antidépresseurs — Prozac en tête — soulage un pourcentage significatif de patientes. D'après une étude datant de 1995 publiée dans le *New England Journal of Medicine*, le Prozac semble réduire les symptômes du syndrome prémenstruel chez la moitié des femmes qui en sont atteintes.

Mais question à un million de dollars : combien de femmes consentiront à prendre du Prozac tous les jours pendant des décennies pour éviter de souffrir une semaine par mois ?

« Tout d'abord, tu ne feras pas de mal », adjure le serment d'Hippocrate. En d'autres termes, nous, médecins, avons le devoir de préconiser des traitements si possible efficaces mais surtout inoffensifs, avant de passer à des traitements trop lourds ou dont les effets secondaires sont trop prononcés. Le Prozac n'offre pas un risque terrible, mais il est cher et provoque certains effets secondaires.

Heureusement, grâce à la médecine psychosomatique, nous savons malgré tout aborder le problème du syndrome prémenstruel avec efficacité et sans aucun effet secondaire. Le Dr Herbert Benson et moi-même, ainsi que notre collègue, le Pr Irene Goodale, décédée en 1994, avons publié une étude en 1990 dans la revue *Obstetrics and Gynecology*, montrant que les femmes souffrant d'un syndrome prémenstruel sévère voyaient leurs symptômes diminuer de 58 %.

Comment la relaxation, dans le cas de ce syndrome, peut-elle rivaliser avec le Prozac ? Les comparaisons absolues sont difficiles, car notre étude sur les effets de la relaxation dans le cas du syndrome prémenstruel est la seule du genre, alors que de nombreuses recherches ont été conduites sur le Prozac. Mais l'étude du *New England Journal* de 1995, qui utilise plusieurs types de mesures et deux dosages différents, montre une amélioration des symptômes par Prozac de 39 à 52 % chez les patientes.

D'autres recherches sur l'effet du Prozac dans le syndrome prémenstruel donnent des résultats divers : certains sont moins favorables que ceux de l'étude parue dans le *New England Journal*, d'autres plus. Globalement, le Prozac est d'une aide incontestable que je préconise aux femmes victimes de symptômes sévères, *du moins à celles qui ont vu tous les autres traitements échouer*. Mais je crois préférable de mettre à la disposition des femmes une méthode sûre qui les soulage, de faible coût, voire gratuite, *avant* de leur proposer un médicament coûteux qui peut avoir des effets secondaires.

Dans quelle mesure la relaxation est-elle efficace ? Tracy, qui exerçait une profession juridique, était mariée et avait un jeune fils. Elle vint me consulter car le syndrome prémenstruel lui gâchait la vie. Elle allait bien jusqu'aux dix jours qui précèdent les règles. Puis gagnée par l'épuisement, elle perdait le sommeil, avait la migraine, et gonflait tellement qu'elle n'entrait plus dans ses vêtements.

Mais c'était encore sa vie émotive qui en pâtissait le plus. Devenant acariâtre et irascible, elle s'emportait contre son mari et son fils. Non seulement elle fuyait tout contact sexuel, mais elle n'adressait quasiment plus la parole à son mari. Son humeur avait beau s'améliorer de façon spectaculaire dès le premier jour de ses règles, les dégâts étaient là : la tension familiale ne disparaissait pas aussi miraculeusement que ses symptômes. Ses relations avec son mari commencèrent à se dégrader et leur vie conjugale fut compromise.

Je lui ai parlé de la relaxation et lui ai enseigné les techniques évoquées dans la première partie du livre ; je lui ai prêté des cassettes d'instructions afin qu'elle s'entraîne chez elle. Les effets du syndrome prémenstruel étaient pour elle si ravageurs qu'elle s'est investie totalement dans la relaxation. Elle entreprit ce nouveau traitement de façon méthodique.

Ses efforts furent récompensés, et au bout de huit semaines d'exercices réguliers, ses symptômes prémenstruels s'atténuèrent. Si ses sautes d'humeur persistaient, elles étaient bénignes. La congestion mammaire et abdominale diminua sensiblement.

Plus important, la pratique de la relaxation permit à Tracy de briser le cercle vicieux des scènes familiales. Avec le temps, ses liens conjugaux se resserrèrent.

L'histoire de Tracy montre ce que les techniques de relaxation peuvent apporter dans le cas d'un syndrome prémenstruel. Tracy profita aussi de la restructuration cognitive et de quelques conseils de base permettant de gérer ses accès de colère. Mais le noyau de son traitement fut la relaxation.

Selon mon expérience clinique, le traitement non médical le plus efficace du syndrome prémenstruel consiste en l'association des approches suivantes :

— *La relaxation* : d'abord et toujours, la pratiquer régulièrement.

— *La gestion des émotions* : recours aux autres méthodes psychosomatiques telles la restructuration cognitive, la gestion de la colère, l'autoéducation, le soutien du milieu.

— *La nutrition* : un régime relativement pauvre en matières grasses et en sucres, tout en privilégiant les aliments riches en hydrates de carbones complexes : fruits frais, légumes verts et quelques féculents.

— *L'activité physique* : pratique régulière d'un exercice pas trop fatigant ni contraignant, comme la marche à pied.

Nous savons déjà que la seule relaxation, à condition d'être pratiquée régulièrement, contribue à atténuer sensiblement les symptômes du syndrome prémenstruel. Associé à d'autres techniques, ce que les spécialistes de la psychosomatique appellent un « package », ou, si l'on préfère, une approche globale, le traitement est encore plus efficace.

Je reviendrai brièvement sur chacune de ces méthodes et sur ce que signifie un traitement psychosomatique global face au syndrome prémenstruel. Mais revenons d'abord sur le syndrome lui-même, et sur les recherches qui militent en faveur de l'approche psychosomatique.

Le syndrome prémenstruel : faits, manifestations, symptômes

En dépit de son mystère, le syndrome prémenstruel présente des caractéristiques bien établies. Il peut survenir à n'importe quel moment de la vie de la femme, de la puberté (au moment des premières règles) à la ménopause. Il reste que la plupart des femmes qui viennent consulter pour de sérieux troubles prémenstruels le font entre trente et quarante ans. On constate que les symptômes ont tendance à s'aggraver avec les années. Il semble que les femmes sujettes à la dépression ou l'anxiété y soient particulièrement sensibles (57 % de femmes souffrant du syndrome ont connu auparavant des problèmes affectifs et émotionnels). Mais les douleurs prémenstruelles elles-mêmes ne sont ni une dépression, ni une névrose d'angoisse : il s'agit d'un syndrome bien spécifique qui peut apparaître sur un certain terrain psychique qui lui-même peut en accentuer la gravité.

Quelle est la cause du syndrome prémenstruel, et qu'est-ce qui en favorise l'apparition ? Différents facteurs sans doute, dont les déséquilibres hormonaux, une alimentation défectueuse et la souffrance psychologique. Bien que cette dernière n'en soit pas la cause principale, il semble qu'elle y contribue chez beaucoup de femmes. Selon trois études menées indépendamment l'une de l'autre, les femmes qui déclarent avoir subi des épreuves pénibles sont aussi celles qui présentent le plus de symptômes prémenstruels : états dépressifs, rétention d'eau, douleurs diverses... affectant sérieusement leur vie quotidienne.

L'Association américaine de psychiatrie a distingué récemment le syndrome prémenstruel *bénin* de ce qu'elle appelle le trouble prémenstruel *dysphorique* (dont les symptômes sont difficilement supportables). 5 % de femmes souffrent de cette dernière variante aux manifestations très pénibles : elles n'arrivent plus à travailler, dormir, communiquer normalement avec les autres, ce qui engendre une onde de choc perturbant toute la vie quotidienne.

Les deux listes suivantes énumèrent les symptômes les plus courants des femmes atteintes de ce syndrome, la seule différence entre la version dysphorique ou bénigne étant l'intensité des symptômes.

Symptômes physiques du syndrome prémenstruel

— tension mammaire douloureuse
— ballonnements, prise de quelques kilos
— crampes abdominales
— modification de l'appétit
— asthénie, fatigue, apathie
— maux de tête (éventuellement migraines)
— modification du sommeil
— douleurs musculaires et articulaires

Symptômes émotionnels et psychologiques du syndrome prémenstruel

— accès de colère, irritabilité (manifestations émotives les plus courantes)
— anxiété, crises de panique, nervosité
— sautes d'humeur, tendance à s'emporter
— intolérance, impatience
— idées noires
— crises de larmes, dépression, repli sur soi
— difficultés de concentration, pertes de mémoire

Cette liste vous permettra d'avoir une idée de l'intensité de votre syndrome. Notez pendant deux mois ceux dont vous souffrez tous les jours. Inscrivez simplement sur une feuille les différents jours du mois en laissant de la place pour indiquer vos troubles psychologiques et physiques. Ainsi vous repérerez à quel moment de la phase lutéale de votre cycle ils surviennent, et lesquels sont les plus gênants. (Si vous avez remarqué des symptômes psychologiques *en dehors* du cycle, c'est l'indice que le syndrome prémenstruel n'est pas à l'origine de vos troubles et qu'il vous faut sans doute consulter un psychologue.) Le tableau que vous aurez ainsi établi vous permettra d'être plus précise lors de la consultation médicale et d'aider à définir le traitement qui convient le mieux.

Il est également souhaitable de savoir si vous souffrez de la forme la plus grave du syndrome. Si c'est le cas, le choix du traitement importe beaucoup, car votre équilibre et votre joie de vivre sont en cause. Sachez que nous ne sommes plus impuissants devant ce syndrome. Votre état peut s'améliorer grâce au traitement psychosomatique[1]. C'est également le cas si vous prenez du Prozac, quand toutes les autres méthodes ont échoué.

L'Association américaine de psychiatrie a établi un *Manuel de diagnostic et de pronostic statistique* permettant aux psychologues et psychiatres de diagnostiquer avec précision les troubles spécifiques du syndrome. Les critères de sa forme grave sont clairs : si vous présentez cinq des onze symptômes suivants et s'ils entravent votre vie quotidienne, vous en souffrez effectivement. Ils surviennent une semaine ou deux avant les règles et s'arrêtent brutalement au début des règles. Repérez ceux qui gênent le plus votre vie quotidienne[2] :

1. État dépressif manifeste, bouffées de désespoir, autodépréciation
2. Grande anxiété, tension, surexcitation, nervosité
3. Accès de tristesse, crises de larmes, sensibilité inhabituelle aux rebuffades
4. Humeur particulièrement coléreuse et querelleuse, irritabilité systématique

---

1. Notre étude sur la relaxation et le syndrome prémenstruel montre que les femmes qui souffrent de sa forme aggravée sont les premières bénéficiaires du traitement, bien que nos critères caractérisant la variante sévère ne soient pas exactement les mêmes que ceux actuellement en vigueur. En fait, nos critères respectifs se recouvrent tout de même assez largement.
2. La liste suivante s'inspire de celle du livre de T.C. Semler, *All About Eve : The Complete Guide to Women's Health and Well-Being* (« Ève dans tous ses états : le guide complet de la santé et du bien-être de la femme »), New York, Harper Collins, 1995.

5. Désintérêt pour les activités habituelles : travail, loisirs, relations amicales, activités scolaires...

6. Difficultés de concentration

7. Léthargie, fatigue, asthénie

8. Modification notable de l'appétit, tendance à la boulimie ou fringales spécifiques

9. Hypersomnies ou insomnies

10. Sentiment d'être dépassée, incapable de se maîtriser

11. Malaises physiques tels que congestion douloureuse des seins, maux de tête, fatigue, ballonnements, douleurs articulaires et musculaires.

Si vous n'êtes pas sûre de souffrir du syndrome prémenstruel aggravé, consultez soit votre généraliste, soit votre gynécologue ou un psychologue.

Pour simplifier, j'inclurai dans le syndrome prémenstruel aussi bien ses formes légères que graves. La distinction se justifie d'un point de vue médical, mais le traitement que je propose est globalement le même dans les deux cas. Il importe toutefois de distinguer les formes légère et grave du syndrome : si vous pensez être atteinte de la forme sévère et que les méthodes sans médicaments ne vous soulagent pas assez, un traitement médical est à envisager avec votre docteur.

En dépit de notre ignorance des mécanismes exacts du syndrome prémenstruel, il semble qu'il soit déclenché par les fluctuations d'hormones sexuelles au cours de la phase lutéinique — entre l'ovulation et le début des règles. Ces fluctuations hormonales, à leur tour, sont susceptibles de perturber l'équilibre des hormones cérébrales et d'altérer du même coup l'état émotionnel. Les difficultés psychologiques jouent apparemment un rôle dans le processus. On a constaté que les femmes sont particulièrement vulnérables aux tensions psychologiques au cours de la deuxième phase de leur cycle. Elles réagissent aux stimuli stressants par une accélération cardiaque, une hausse de la pression sanguine et une sécrétion de l'hormone du stress, dans des proportions plus notables qu'à d'autres moments du cycle.

Enfin, on a découvert qu'avant leurs règles les femmes sont plus sensibles aux effets négatifs de la noradrénaline, l'une des hormones du stress. La noradrénaline est une hormone dont on connaît bien la corrélation avec certains états émotionnels, en particulier l'irritabilité, l'anxiété et les accès de colère. Ajoutez le stress à cette équation, et l'hypersensibilité féminine à la noradrénaline pourrait constituer le facteur déclenchant de ces troubles si familiers du syndrome prémenstruel.

Pourquoi attacher tant d'importance à cette observation ? Rappelez-vous les recherches (citées au chapitre 2) du Dr Herbert Benson et du Dr John Hoffman, d'après lesquelles *la relaxation diminue la sensibilité à la noradrénaline.* Ce constat fournit une explication convaincante de l'efficacité de la relaxation dans le soulagement du syndrome prémenstruel. La patiente souffrant de ce syndrome qui pratique régulièrement des exercices de relaxation réduit probablement sa propre réactivité à la noradrénaline. Même si nous ne disposons pas encore de preuves indiscutables à l'appui de cette hypothèse, les études que j'ai mentionnées militent toutes dans ce sens.

La relaxation et le syndrome prémenstruel : une efficacité évidente

Si les femmes qui souffrent du syndrome prémenstruel n'ont pas besoin de publications scientifiques pour mesurer la part du stress dans leur état, ces dernières leur sont utiles en revanche pour se convaincre de la nécessité d'agir sur leurs problèmes psychologiques qui les fragilisent les jours précédant leurs règles.

En vue de l'étude de 1990 que j'ai mentionnée plus haut, mes collègues avaient recruté quarante-six femmes atteintes d'un syndrome prémenstruel caractérisé qu'elles avaient réparties au hasard en trois groupes. Les femmes du premier groupe se contentaient de recenser les symptômes se produisant au cours du cycle. Celles du deuxième groupe devaient se livrer à des lectures distrayantes deux fois par jour. Celles du troisième s'exerçaient à la relaxation également deux fois par jour. Les deux derniers groupes devaient également recenser leurs symptômes.

Pourquoi trois groupes ? Comme tout chercheur sérieux, nous avons à cœur de nous assurer que les améliorations constatées dans le troisième groupe n'étaient dues qu'à la pratique de la relaxation. Les deux groupes témoins permettaient de voir si les femmes étaient soulagées parce qu'elles recensaient leurs symptômes ou parce qu'elles lisaient, par exemple. Pendant les cinq mois d'observations, les trois groupes ont soigneusement noté leurs symptômes et rempli des questionnaires d'évaluation.

À l'issue de ces travaux, voilà ce que nous avons constaté :

Les symptômes du syndrome prémenstruel des femmes qui pratiquaient la relaxation s'amélioraient nettement plus que ceux des deux autres groupes.

— Les femmes souffrant d'un syndrome sévère et pratiquant la relaxation virent s'atténuer leurs symptômes émotionnels et eurent moins tendance à s'isoler. On ne constata aucune de ces améliorations spécifiques dans le groupe qui se contentait de recenser les symptômes ni dans celui qui pratiquait la lecture.

— Les femmes souffrant d'un syndrome sévère et pratiquant la relaxation virent une amélioration globale des symptômes de 58 %, celles du groupe de lecture de 27 % et celles du groupe se contentant de les recenser, de 17 %. (L'amélioration constatée dans ce dernier groupe n'était pas pour nous étonner : les travaux sur le comportement n'ont cessé de montrer que la simple observation, donc la prise de conscience des symptômes, est bénéfique, sans doute parce qu'elle stimule la maîtrise de soi.)

Les 58 % d'amélioration chez les femmes pratiquant la relaxation équivalent ou dépassent les résultats observés dans la plupart des travaux consacrés au Prozac dans les cas de syndrome prémenstruel aggravé. Le fait que l'efficacité de la relaxation soit bien supérieure à celle de la lecture ou du seul recensement des symptômes dans les groupes témoins montre que la relaxation présente des avantages particuliers.

L'étude renforce donc notre conviction que la pratique de la relaxation réduit la vulnérabilité féminine à la noradrénaline. Nous avons aussi constaté l'efficacité particulière de la relaxation dans le cas des femmes souffrant de symptômes sévères.

La médecine psychosomatique et le syndrome prémenstruel

Même si la relaxation constitue sans doute la pierre angulaire du traitement psychosomatique du syndrome prémenstruel, la démarche la plus efficace consiste à l'associer aux autres techniques psychosomatiques, ainsi qu'à la diététique et l'exercice physique. En fait, le chercheur australien Robert J. Kirkby a publié en 1994 les résultats d'une étude comparant le traitement psychosomatique du syndrome prémenstruel à la thérapie gestuelle ainsi qu'à un groupe témoin. Les trois groupes virent une amélioration, mais les résultats de la méthode psychosomatique — qui privilégie la restructuration cognitive avec relaxation et autres exercices de maîtrise de soi — dépassèrent ceux des deux autres groupes. Les symptômes des patientes qui l'avaient pratiquées diminuèrent de 60 % — un score assez spectaculaire.

Quelle relaxation ?

« Choisissez ce qui vous fait du bien. » Telle est ma devise dès qu'il s'agit de conseiller une technique de relaxation appropriée à un problème médical. (Vous souvenez-vous de la notion de « buffet chinois » décrite au chapitre 3 ?) Dans ce chapitre et ceux qui suivent, je ferai part de mon expérience professionnelle relative aux techniques qui *semblent* le mieux convenir à tel ou tel trouble particulier. Suivez mes conseils en les adaptant, comme s'il s'agissait d'un guide indicatif, et non de directives impératives. Chaque femme est un être unique.

Curieusement, j'ai constaté que les femmes souffrant d'un syndrome prémenstruel voyaient leur état s'améliorer quand elles pratiquaient la relaxation au cours de la phase « folliculaire » de leur cycle, mais qu'il leur fallait recourir à des techniques de relaxation différentes au cours de la phase « lutéale ». Il n'y a là guère de mystère. Au cours de la phase folliculaire, le syndrome prémenstruel ne se manifeste pas. Il leur est alors plus facile de se livrer à des méthodes de relaxation « silencieuses », comme les exercices de méditation et de concentration.

Mais dès que les mêmes patientes entrent dans la deuxième phase « de leur cycle » — quand l'irritabilité et les perturbations physiques apparaissent — la situation change du tout au tout. Il leur faut alors des méthodes qui *leur* fournissent de quoi fixer leur concentration, et maîtriser leur agitation psychique sans trop d'efforts. C'est une façon d'occuper l'esprit à autre chose qu'à ses propres tourments. Ce faisant, la relaxation corporelle entraîne à son tour l'apaisement mental.

Ce n'est pas au plus fort de vos symptômes qu'il vous faut vous attaquer à la concentration « silencieuse », sauf bien sûr « si ça marche ». Ayez plutôt recours, pendant cette phase du cycle, à la relaxation musculaire. Ou bien servez-vous d'images mentales, conseillées en particulier aux femmes dont le principal symptôme est l'épuisement. Ou encore pratiquez le yoga qui oblige à concentrer toute l'attention sur son corps. Quand les symptômes décroissent, toutes les techniques marchent, y compris celles de la relaxation « silencieuse » comme la méditation. Vous n'aurez pas forcément besoin de changer de méthode au moment du passage de la phase folliculaire à la phase lutéale. Si c'est le cas, sachez vous adapter aux changements de rythmes de l'esprit et du corps.

« Pourquoi faut-il avoir recours à la relaxation pendant la phase folliculaire, quand je n'ai aucun symptôme ? » vous demanderez-vous. La réponse est simple : le soulagement serait alors moindre pendant la phase lutéale, quand le syndrome prémenstruel agit sur vous comme un marteau pilon. Mes recherches comme ma propre expérience clinique le confirment.

Je ne soulignerai jamais assez l'importance de la motivation dans le traitement psychosomatique. Bon nombre de mes patientes n'avaient plus envie de continuer dès la venue de leurs règles et la disparition des symptômes. « Mais je vais bien », se disaient-elle en abandonnant la relaxation et les autres pratiques. Résultat : elles n'aboutirent à aucune sérénité psychologique durable, un facteur essentiel de l'atténuation du syndrome prémenstruel. Elles se disaient alors : « Ce truc psychosomatique, ça ne marche pas. » Il leur restait à souffrir, ou à recourir à des médicaments aux éventuels effets secondaires. C'est pourquoi j'incite mes patientes à être fidèles au traitement psychosomatique tout au long du cycle.

Considérez que le traitement se partage en deux phases.

Pendant la première, quand vous souffrez du syndrome, les exercices de relaxation comme la discipline alimentaire et physique visent à atténuer les symptômes. Au cours de la seconde, le reste du mois, quand les symptômes ont disparu, il s'agit d'améliorer votre bien-être général — votre confiance en vous et votre équilibre — tout au long des événements de votre vie et de leur incidence sur votre santé. C'est le meilleur moyen de vous protéger contre l'installation d'un syndrome prémenstruel aggravé.

Iris était venue consulter il y a quelques années. Elle exerçait des responsabilités dans un cabinet d'avocats réputé de Boston, et c'était une femme très tendue. Son profil psychologique de type A — impatience, angoisse... — semblait lui empoisonner la vie. Elle souffrait cinq jours par mois d'un sévère syndrome prémenstruel et se sentait « normale » le reste du temps. Mais être « normale », pour Iris, rimait avec agitation, travail acharné et surmenage.

Dans l'espoir de ralentir le rythme de son mode de vie et lui faire recouvrer un équilibre corporel et mental, je lui conseillai de choisir un acte quotidien, n'importe lequel, mais à condition qu'elle y prête attention. Prendre une douche, décida-t-elle. Le choix était excellent. Iris, levée à 6 h, entrait dans sa salle de bains à 6 h 01, se trouvait sous la douche à 6 h 02, en sortait à 6 h 08 et s'habillait à 6 h 15. Pour elle, la douche, c'était six minutes d'hygiène obligatoire. Ni plus ni moins.

À la consultation suivante, elle était euphorique : « C'est incroyable le plaisir que je prends désormais à me doucher, déclara-t-elle. Le parfum du shampooing ! Et la chaleur de l'eau sur ma peau... Cela me fait revivre. Je sens le sang circuler à la surface de mon corps ! Et quand je m'essuie lentement, avec une serviette bien sèche, cette sensation du coton qui frotte sur ma peau... Cela n'a plus rien à voir avec les douches que je prenais auparavant. »

Auparavant, quand Iris prenait sa douche, elle n'existait pas dans le présent. Son esprit allait à la rencontre des événements de la journée, avec ses projets, son emploi du temps, ses stratégies. Elle reléguait corps et sensations à l'arrière-plan. Elle avait troqué six minutes de frénésie mentale contre un quart d'heure de relaxation pure.

Grâce à cette pratique et à bien d'autres, Iris surmonta son syndrome prémenstruel. Les changements apportés à son mode de vie tout au long du mois lui permirent d'aborder beaucoup plus facilement les jours critiques. Sa conception de la vie en fut aussi transformée. Elle vécut plus consciemment ses journées, prit le temps d'apprécier les expériences sensorielles et de mieux équilibrer la part qu'elle consacrait au travail et celle qu'elle devait aux amis et aux menus plaisirs de l'existence.

Comment se libérer de l'état psychique propre au syndrome prémenstruel

Les femmes souffrant du syndrome prémenstruel ont avant tout le sentiment de ne plus arriver à se contrôler et s'inquiètent des répercussions de leur comportement sur leur entourage, voire sur leur carrière. Par la restructuration cognitive elles peuvent déjà atténuer les symptômes dépressifs et l'irritabilité qui y sont associés. Cependant, il n'est pas toujours facile de restructurer ses pensées au moment où les symptômes prémenstruels sont les plus aigus. Dans ce cas, essayez de sortir de vos idées noires avant et après l'installation du syndrome. Vos efforts vous permettront d'être plus calme pendant la crise.

Sachez avant tout — comme je le rappelle toujours à mes patientes — qu'il est possible de surmonter le syndrome prémenstruel.

Ainsi Tracy, la juriste qui en souffrait, pensait constamment : « Mon mari va me quitter. » Pour l'aider à restructurer cette idée fixe, je ne lui ai pas dit : « Ne vous en faites donc pas, votre mari ne vous quittera jamais. » Cela n'aurait pas correspondu à la réalité. En revanche, je lui ai demandé de réfléchir à l'énoncé suivant : « Je suis capable de contrôler mes symptômes. À partir de là, je serai à même de rétablir une vie conjugale satisfaisante et mon mari *n'aura plus envie* de me quitter. » Tracy fit sienne cette pensée qui fut prémonitoire. Elle réussit sur les deux plans.

Les patientes ont souvent tendance à s'autodénigrer : « Je suis grosse, je suis affreuse. » Ce sont des femmes sujettes à l'anxiété, aux accès de boulimie et à la rétention d'eau. En additionnant ces différents facteurs, on arrive à l'abus de nourriture et à la prise de poids. La plupart de ces femmes ne sont pas franchement obèses, elles pèsent seulement quelques kilos de trop.

Si vous êtes victime d'un tel état d'esprit, restructurez votre point de vue négatif. Arrêtez de vous punir mentalement parce que vous êtes sujette à des fringales dont l'origine est physiologique. Prenez ensuite conscience des modifications graduelles à apporter à votre alimentation, afin d'éliminer ces kilos qui vous rendent si malheureuse. (Reportez-vous au chapitre 9.)

Se libérer de la prison psychologique du syndrome prémenstruel signifie également savoir reconnaître et exprimer ses émotions négatives. La tristesse, l'appréhension et la colère réprimées ou niées, peuvent exploser pendant ces quelques jours d'hypersensibilité. Certaines patientes sujettes au syndrome arrivent par l'écriture ou à toute autre forme d'expression personnelle à explorer leurs états émotionnels, et font des découvertes sur elles-mêmes dont elles ne se seraient jamais douté.

Quand s'installe le cercle le vicieux : la gestion des accès de colère

Bien que les patientes souffrant de syndrome prémenstruel aient tout intérêt à exprimer leurs émotions, il en est une, la colère, dont la particularité est d'échapper à tout contrôle. Celles d'entre vous qui sont sujettes aux éclats intempestifs les jours précédant leurs règles en connaissent trop bien les conséquences. La tension qui en résulte dans leur vie familiale et conjugale et dans leur entourage peut devenir désastreuse. Dans ce cas, vous avez conscience de dépasser les bornes, tout en étant incapables de vous maîtriser. « C'est ta faute, non, c'est la tienne ! » La journée passe en accusations et représailles mutuelles. Le phénomène a inspiré l'humoriste Richard Lewis qui a suggéré de lancer un téléthon en faveur des maris et amants victimes du harcèlement prémenstruel ! Bien vu, à une nuance près : les femmes recherchent encore plus désespérément que l'homme de leur vie un remède à la situation.

On ne sait pas « soigner » les accès de colère prémenstruels. En revanche, on peut les gérer. Si vous vous reportez aux conseils préconisés par la « gestion de la colère » (chapitre 8), vous saurez très bien quand vous allez trop loin, quand vous passez du jet de vapeur au lance-flammes... Même si les modifications physiologiques prémenstruelles ne vous facilitent pas la tâche, *il vous est toujours possible d'exercer un certain contrôle sur vous-même*.

« Mais comment calmer mes accès de rage ? » vous demanderez-vous. En premier lieu, recherchez les éléments rationnels de votre courroux et faites le tri. Respirez un bon coup ou profitez d'un temps de pause, avant de vous lancer dans cette investigation. Exprimez vos besoins et frustrations réels, aussi clairement que possible et sans accuser quiconque. Puis emportez votre colère dans un espace privé, et exprimez-la sur du papier. Ou dansez-la en écoutant de la musique, écrasez-la sur des oreillers... ce que vous voulez. Ce qui importe, c'est de trouver un moyen d'expression intime, sûr et efficace. Si nécessaire, confiez votre fureur à un conseiller ou un psychologue. Mais distinguez toujours les causes rationnelles de votre irritation envers autrui des crises de rage irrationnelles qui, en réalité, n'ont strictement rien à voir avec « les autres ». Travaillez chaque point en vous concentrant, et vous réussirez à désamorcer les symptômes les plus perturbants.

Il arrive que le syndrome prémenstruel ait des conséquences sur toute la famille. Les symptômes de la femme visent non seulement le mari ou l'amant, mais également les enfants. La patiente comme ses proches ont alors tout intérêt à consulter un psychologue, qui leur expliquera ce qui se passe. Tous les membres de la famille découvriront qu'ils vivent une situation caractéristique. La femme souffrant du syndrome, souvent désemparée, peut devenir très agressive. Il est fréquent, et somme toute normal, que ses proches éprouvent soit un sentiment de culpabilité, soit de l'inquiétude, de l'incompréhension, de la peur et du ressentiment.

Le soutien éducatif aux familles affectées par le syndrome prémenstruel peut largement contribuer à enrayer la spirale des dégâts. La simple prise de conscience de ce qui est en jeu soulage de façon notable les femmes et leur famille. Les conseillers et les psychologues enseignent la plupart des méthodes que j'ai mentionnées qui rétablissent la communication entre les membres de la famille.

La diététique et l'exercice physique face au syndrome prémenstruel

L'alimentation équilibrée et l'exercice physique associés aux méthodes psychosomatiques constituent un traitement global du syndrome prémenstruel. L'efficacité des régimes diététiques en eux-mêmes est sujette à chaudes controverses. Mais la modification des habitudes alimentaires aide beaucoup de femmes et ceci, si j'en crois mon expérience professionnelle, d'autant mieux que l'effort diététique survient dans le contexte d'autres mesures de rééducation comportementale. Il faut toujours se souvenir que ce qui arrive pendant les derniers jours de la phase lutéinique influe notre état d'esprit du mois entier : si nos fringales prémenstruelles nous font prendre des kilos, nous passerons le reste du temps à vouloir les perdre. La solution raisonnable est donc de trouver le moyen de contrôler ces fringales, pour préserver sa santé comme sa silhouette.

L'alimentation

Heureusement, les prescriptions diététiques qui valent pour le syndrome prémenstruel sont les mêmes que ceux pour la santé cardiaque, la prévention de l'obésité, l'équilibre immunitaire et le bien-être psychologique. Voici les principaux point à se rappeler :

MANGEZ PLUS D'HYDRATES DE CARBONE COMPLEXES ET MOINS DE SUCRES

Des études ont montré que les femmes souffrant du syndrome prémenstruel se jetaient sur les hydrates de carbone pour une raison simple : ils stimulent les modifications biochimiques qui réduisent la souffrance psychique. Les hydrates de carbone semblent déclencher une réaction en chaîne d'ordre chimique aboutissant à l'augmentation de la sécrétion de la sérotonine cérébrale, un neurotransmetteur qui contribue à l'équilibre émotif. Le Prozac et les médicaments similaires ont un effet sur la dépression parce qu'ils permettent à la sérotonine de jouer son rôle dans le cerveau, et sont efficaces dans le cas du syndrome prémenstruel pour la même raison. Bien que leur mode d'action soit différent, les hydrates de carbone ont également un effet positif. Autrement dit, quand vous mangez toute une boîte de bonbons ou de chocolats ou craquez devant un gâteau, c'est que vous tentez inconsciemment de vous soigner, ni plus ni moins !

L'ennui, c'est que la consommation de friandises, c'est-à-dire d'hydrates de carbone simples (le sucre raffiné), suscite des montées et des chutes rapides du taux de sucre dans le sang qui aggravant la fatigue et l'irritabilité. Sans compter que la plupart des friandises — barres chocolatées, glaces, gâteaux, etc. — contiennent également beaucoup de matières grasses. Ce qui vous fait prendre des kilos, compromet votre santé comme le regard que vous portez sur vous-même.

Heureusement, il existe une solution simple. Les hydrates de carbone complexes, dont les féculents comme le pain, les pâtes ainsi que toute la corne d'abondance des fruits et légumes frais, semblent provoquer le même effet positif sur la chimie du cerveau et l'humeur que les friandises sucrées, sans en avoir les inconvénients. Pas besoin de vous jeter sur les barres de chocolat pour vous sentir mieux. En revanche, user et abuser des fruits et légumes et n'hésitez pas à succomber devant un plat de spaghettis au repas du soir.

Une seule réserve : des études récentes montrent qu'une trop grande consommation de féculents peut déclencher une prise de poids. C'est pourquoi je vous conseille, dans votre consommation d'hydrates de carbone complexes, de privilégier les fruits et légumes frais. Le pain et les pâtes ne vous sont pas interdits, à condition de les consommer avec une certaine modération.

Et si vous n'arrivez pas à vous libérer de vos envies de sucreries, rassurez-vous : une friandise de temps en temps ne nuit pas. L'important est de savoir faire certains choix.

MODÉREZ VOTRE CONSOMMATION DE VIANDE

Certaines recherches suggèrent qu'il serait souhaitable de diminuer sa ration globale de protéines, de manger moins de viande rouge, de poulet, de poisson que nous ne le faisons actuellement. Selon une étude récente, les femmes qui ont l'habitude de consommer un taux plutôt faible de protéines semblent en meilleure forme avant et pendant leurs règles. Un excès de protéines contribue à accroître les taux de graisses. Je m'en tiendrai à l'état actuel de la recherche et ne vous conseillerai pas de réduire radicalement votre consommation de protéines, mais simplement de manger moins de viande rouge, laquelle, de toute façon, contient beaucoup de graisses insaturées. Sans compter que si vous mangez plus de fruits et de légumes frais, vous aurez moins d'appétit pour la viande.

BUVEZ MOINS D'ALCOOL ET DE CAFÉ

Certaines femmes ont recours à l'alcool pour atténuer l'excès d'émotivité propre au syndrome prémenstruel, mais les médecins savent que l'alcool ne fait qu'aggraver les choses. L'excès d'alcool fait baisser le taux de sucre dans le sang, ce qui peut déclencher de l'anxiété, de l'irritabilité, des vertiges et des maux de tête. La trop grande consommation de café peut également aggraver l'anxiété, l'irritabilité, la nervosité et l'insomnie. Si vous ne pouvez vous arrêter, entraînez-vous à diminuer les quantités ingérées : réduisez le café à une ou deux tasses par jour.

PRENEZ GARDE À L'EXCÈS DE SEL

Trop de sel provoque la rétention d'eau, la raison pour laquelle tant de femmes se plaignent d'être bouffies pendant la phase prémenstruelle. La rétention d'eau contribue également au gonflement douloureux des seins. Les aliments salés, voire pimentés, peuvent aggraver les symptômes. Faites-y attention.

*
*   *

On recommande souvent de prendre un surcroît de minéraux et vitamines dans le traitement du syndrome prémenstruel. Étant donné l'insuffisance de preuves quant à l'efficacité de ces apports, considérez-les avec une certaine circonspection.

LA VITAMINE B6 : différentes études ont évalué l'efficacité de la vitamine B6 (également connue sous le nom de pyridoxine) dans le traitement du syndrome prémenstruel, avec des résultats très disparates. Certaines d'entre elles ont fait apparaître clairement une amélioration de l'humeur et l'atténuation de certains symptômes avec des doses de 100 à 500 mg, alors que les femmes prenant un placebo ne voyaient aucun effet. En dernière analyse, on constate que certaines femmes éprouvent des effets bénéfiques, d'autres pas. Si vous choisissez d'en prendre, attention aux dosages : on déconseille des doses supérieures à 200 mg qui risquent de provoquer fourmillements, vertiges et maux de tête.

LE CALCIUM : il est avant tout prescrit aux femmes présentant un risque d'ostéoporose. Mais il peut être également d'un certain secours pour le syndrome prémenstruel. Une étude montre que les femmes qui ingèrent 1 000 mg de carbonate de calcium par jour voient leur humeur s'améliorer, la rétention d'eau et les douleurs diminuer. Il faudra procéder à de nouvelles études, c'est évident.

LA VITAMINE E, LE MAGNÉSIUM ET L'HUILE D'ONAGRE (ou « primevère du soir ») : les généralistes préconisent souvent ces trois substances dans le traitement du syndrome prémenstruel. Il y a peu de preuves à l'appui de leur efficacité — quelques rares études ont mis en évidence des effets bénéfiques d'un apport supplémentaire en vitamine E, en magnésium et en acides gras essentiels contenus dans l'huile d'onagre. De très faibles doses ne sont pas nocives et peuvent avoir un effet bénéfique. Chacune de ces substances ont en tout cas d'autres avantages : la vitamine E est un puissant antioxydant, le magnésium est nécessaire au bon fonctionnement du cœur, et les acides gras essentiels jouent un rôle vital dans les réactions biochimiques de l'organisme. Mais n'espérez pas de résultats miraculeux et consultez votre médecin ou un diététicien diplômé avant tout apport supplémentaire.

L'exercice physique

De nombreuses études confirment les effets positifs de l'exercice modéré ou intensif dans l'atténuation du syndrome prémenstruel, surtout quand on le pratique en aérobie. L'effort physique fait transpirer, diminue la rétention d'eau. Il active la circulation du sang, ce qui élimine les toxines, accroît la sécrétion d'endorphines — les molécules cérébrales qui améliorent l'humeur combattent la dépression et diminuent la douleur. En lui-même, l'effort physique favorise la perte de poids et améliore l'état psychique — des atouts indéniables pour les femmes souffrant du syndrome prémenstruel.

En revanche, on déconseille les sports trop fatigants, qui peuvent avoir des effets négatifs sur le cycle menstruel. De toute façon, la plupart des femmes répugnent aux exigences sportives trop contraignantes. Je conseille de commencer par dix ou quinze minutes de marche à pied tous les jours. Vous passerez progressivement à une marche plus longue et plus rapide en quelques semaines.

Les médicaments et le syndrome prémenstruel

Comme je l'ai déjà mentionné, le Prozac peut être efficace chez les patientes souffrant de syndrome prémenstruel. Selon certaines estimations, il permet à certaines femmes (pas toutes) de réduire leurs symptômes de 50 %. Certaines d'entre elles voient une rémission complète. Mais je crois que l'on ne devrait recourir au Prozac et aux antidépresseurs du même type (comme le Zoloft et le Paxil) qu'en dernier recours. Ce sont des médicaments chers qui, de surcroît, ont des effets secondaires sur certaines personnes : perte du désir sexuel, nervosité, insomnie, maux de tête, vertiges... Il n'est guère raisonnable de les prescrire tout au long du mois à des femmes ne souffrant que d'un syndrome prémenstruel bénin. D'autant que selon nos propres recherches, les femmes qui souffrent d'un syndrome *sévère* ont toutes les chances d'aller mieux à la suite de la pratique des techniques de relaxation.

Cela dit, vous pouvez obtenir un certain soulagement en prenant du Prozac si vous souffrez d'un syndrome prémenstruel sévère. Si toutes vos tentatives non médicamenteuses ont échoué, ce médicament a de bonnes chances d'être efficace.

Je ne peux en dire autant des autres médicaments utilisés pour le syndrome prémenstruel. On ne constate que très peu de résultats avec les antidépresseurs d'une autre génération que le Prozac. Pendant des années, les médecins ont également prescrit des produits à base de progestérone dont le succès est limité. La progestérone provoque aussi des effets secondaires, comme l'irritabilité, des pertes de sang ou une irrégularité du cycle. Certains praticiens prescrivent ce qu'on appelle la progestérone naturelle, avec d'assez bons résultats, selon eux. Mais il n'existe toujours pas d'études scientifiques venant confirmer leurs dires.

Les anxiolytiques comme l'alprazolam aident mais ils sont à utiliser avec précaution car on peut en devenir dépendant si on les prend trop longtemps. Si les diurétiques diminuent la rétention d'eau, ils ont aussi leurs inconvénients : possibilité de déshydratation, asthénie, carence en potassium. Le fait de boire beaucoup d'eau et de se dépenser physiquement est tout aussi diurétique et sans danger.

N'hésitez pas à confier à votre médecin vos réticences à propos de certains médicaments. Faites vos choix en connaissance de cause, et ne culpabilisez pas si au bout du compte vous vous rabattez sur le Prozac ou toute autre thérapie médicamenteuse. En fait, la plupart des femmes que je soigne et que je connais font preuve de bon sens. Elles préfèrent se prendre en main en ayant recours à la médecine psychosomatique, à la diététique et à l'exercice physique avant de recourir aux médicaments.

L'histoire de Marta : sur la voie de la guérison

Pour finir, voici l'histoire d'une patiente qui s'est forgé sa propre méthode psychosomatique face au syndrome prémenstruel. Son cas illustre le lien intime entre l'état psychique général et les symptômes qui ne se déclarent que les jours précédant les règles. Marta, une scénariste de trente-deux ans, avait rejoint l'un de nos groupes de rééducation psychosomatique à l'hôpital des Diaconesses, sous la direction de ma collègue, le Dr Cynthia Medich. La semaine avant ses règles, elle souffrait invariablement de dépression, d'angoisse et de colère rentrée. Avant de rejoindre l'équipe, Marta avait entamé une psychothérapie et participé à un groupe pratiquant la rééducation « en douze étapes ». Violée pendant son enfance, elle était restée traumatisée. Elle perdait tous ses moyens face à la moindre forme d'agressivité ou de comportement manipulateur, ce qui lui créait des difficultés au travail, et des problèmes relationnels dans la vie courante. Elle se sentait très vulnérable et n'avait pas noué de relation amoureuse depuis des années. Mais Marta voulait à tout prix s'en sortir, cicatriser les blessures passées et bâtir sur le présent.

Il lui arrivait d'être déprimée le mois entier. Elle était harcelée de maux de tête, de sensations de brûlures et de crampes menstruelles très aiguës. Mais le pire survenait les jours précédant les règles, quand les symptômes physiques et psychiques s'aggravaient de façon spectaculaire. La psychothérapie et la rééducation progressive lui avaient procuré un certain soulagement, mais ses troubles n'en persistaient pas moins : « Il me faut recourir à d'autres moyens pour maîtriser mon syndrome prémenstruel », décida-t-elle.

C'est ainsi que Marta rejoignit le groupe de médecine psychosomatique. Elle écoutait tous les jours nos cassettes d'entraînement à la méditation et pratiquait la relaxation corporelle afin de relâcher sa tension musculaire. Elle prit goût au yoga, et s'y plia au rythme de cinq séances par semaine. Elle avait recours aux exercices de mini-relaxation dès qu'un symptôme physique ou psychique la surprenait au cours de la journée.

Ce faisant, elle poursuivait également sa psychothérapie et la rééducation en « douze étapes ». Des émotions intenses — en particulier de profonde tristesse — s'emparaient d'elle au cours du travail thérapeutique, mais la relaxation l'aidait à tolérer et accepter ces sentiments. « Au tout début, cela me plongeait dans un océan de souffrance affective qui m'effrayait. Puis la méditation réflexive m'a aidée à surmonter ma peur. »

Marta se rendit compte que ses sensations de brûlures étaient directement associées au viol originel. Sa dépression, son angoisse et son sentiment de vulnérabilité avaient pris leur source dans un environnement familial où elle ne s'était jamais sentie en sécurité. Au fur et à mesure que ses blessures affectives se cicatrisaient, elle utilisa différemment la relaxation et le yoga — y cherchant la paix mentale.

Elle avait également recours à la méditation afin de se distraire de ses symptômes prémenstruels. « J'arrive à prendre du recul par rapport à mon désespoir, expliquait-elle. Il ne se dissipe pas totalement. Cela dépend de ce qui m'arrive dans la vie. Mais ce dont je suis sûre, c'est que pendant une demi-heure je peux vraiment m'en détacher. Quand je pratique la relaxation, quelque chose se passe, physiquement et mentalement. On dirait qu'une sorte de relation spirituelle s'instaure. Je ressens pleinement la transformation physiologique. Et c'est ce qui arrive quand la relaxation soulage le syndrome prémenstruel. »

Marta savait merveilleusement puiser dans son arsenal thérapeutique pour traiter ses symptômes. Dans certains cas, elle avait surtout besoin de s'en distraire. À d'autres moments, il lui suffisait de prêter attention à ses malaises. « Je me suis rendu compte que, parfois, la meilleure réaction face à la souffrance physique et psychique était de s'asseoir et de faire avec ». Souvent, il suffisait à Marta de se concentrer sur sa souffrance pour en remarquer les fluctuations jusqu'à sa disparition.

Elle associait intelligemment l'approche psychosomatique aux autres efforts sur elle-même. Ainsi avait-elle recours à la restructuration cognitive pour modifier ses idées quelque peu paranoïaques, du style « les gens me veulent du mal, on me harcèle ». Dès lors qu'elle prit conscience de l'origine précoce de cette obsession, elle considéra son rapport avec autrui sous un autre éclairage. Elle convint que les gens n'avaient pas de mauvaises intentions à son égard, qu'ils avaient simplement leurs propres problèmes. Cette découverte la délivra de ses appréhensions maladives. Elle prit confiance en elle, osa affronter son chef quand il s'autorisait des écarts verbaux : un jour, elle prit son courage à deux mains et sut le remettre à sa place après les remontrances publiques qu'il lui avait assenées au sujet d'un travail qu'elle avait parfaitement accompli.

Quelques mois après avoir achevé la rééducation psychosomatique, Marta rencontra un jeune homme. C'était la première fois depuis des années qu'elle vivait une idylle. D'après elle, c'étaient la psychothérapie et le traitement psychosomatique qui lui en avaient donné le courage. « Je me suis rendu compte que cela me redonnait de la joie de vivre, constata-t-elle. Il est gentil avec moi, c'est un garçon très bien. Je sais, en revanche, que ce n'est pas à lui de résoudre mes problèmes, mais à moi de m'en charger. »

Les efforts de Marta l'avaient libérée. Cessant de se considérer comme une victime, elle surmontait le passé et se prenait en main. Elle n'aurait sans doute pas été capable de nouer cette relation amoureuse, et d'y puiser du bonheur, si elle s'était obstinée à rechercher quelqu'un qui « vienne à son secours ».

Tous les symptômes de Marta se sont atténués. Les sensations de brûlure et les maux de tête ont cessé. Sa dépression et son angoisse sont passées à l'arrière-plan. Le syndrome prémenstruel n'a pas complètement disparu mais elle sait désormais le maîtriser. En outre, chaque mois qui passe voit sa forme physique comme sa vie affective s'améliorer de plus en plus.

11

Face à la stérilité : d'abord, revivre !

Naomi et Arthur désiraient ardemment un enfant. Ils ne pensaient plus qu'à cela. Tous leurs efforts avaient échoué. La conquête de la procréation biologique avait si bien empoisonné leur existence que celle-ci était bloquée de toutes parts. Non seulement ils ne pouvaient avoir d'enfant, mais leur vie professionnelle et amoureuse s'en ressentait. Plus l'espoir s'éloignait, plus l'amertume et la rancœur montaient. Leur vie conjugale battait de l'aile.

Ils étaient passés par toutes les épreuves familières aux couples en butte à la stérilité. Naomi avait trente-cinq ans quand elle se décida à avoir un enfant. Elle crut que ce serait facile, car, enceinte à deux reprises, elle s'était fait avorter. L'analyse du sperme d'Arthur n'avait rien révélé de particulier. Un an plus tard, pas d'enfant. Ils s'inquiétèrent et Naomi consulta un spécialiste qui prescrivit une cœlioscopie afin de vérifier si elle ne souffrait pas d'une obturation des trompes à la suite d'une infection de l'endomètre ou d'une salpingite. C'était bien le cas et son chirurgien l'opéra avec succès. Le diagnostic du gynécologue fut réconfortant : « Vous devriez facilement être enceinte désormais. »

Nouvel échec. La perplexité du couple s'aggrava. Les dix-huit mois suivants, ils firent tout ce que l'on fait dans ces cas-là. Naomi nota régulièrement sa température pour repérer ses dates d'ovulation et ils s'efforcèrent d'avoir des rapports sexuels aux dates voulues. Ce qui aboutit au problème classique des couples stériles : leur vie sexuelle perdit toute spontanéité, et pas seulement au moment de l'ovulation. L'acharnement à vouloir un enfant prenait le pas sur le désir mutuel, et ceci tout le mois durant. Pis, chaque mois, l'attente et l'espoir causaient des ravages : Naomi et Arthur faisaient tout ce qu'il fallait, puis guettaient nerveusement les symptômes de la grossesse pour sombrer dans la déception au moment de la venue des règles. Les secousses de l'espérance et de l'amertume les épuisèrent : ils devinrent anxieux, tristes et irascibles.

« Ce cycle mensuel est dévastateur pour le couple comme pour soi-même, remarquait Naomi. Vous finissez par vous demander si vous vivez avec la bonne personne. L'exaspération est telle que l'on met tout en question. »

Une amie de Naomi et Arthur lui-même avaient entendu parler de notre programme d'accompagnement psychosomatique de la stérilité à l'hôpital des Diaconesses. Ils poussèrent tous deux Naomi à s'y inscrire. Elle avait bien envisagé d'avoir recours aux traitements hormonaux les plus récents, mais elle ne voulait s'y résoudre que le plus tard possible. Elle s'inscrivit à nos séances tant pour se calmer que pour éviter un traitement médical.

« J'ai dit à mon mari : j'oublie tout pendant douze semaines, de prendre ma température, le moment où il faut faire l'amour, tout. J'en ai par-dessus la tête. Les trois prochains mois, je vais essayer de me détendre. Ensuite, nous prendrons une décision. »

Ce que Naomi apprit lors des premières leçons l'étonna fort, puis la combla d'aise. Dès le premier jour, elle découvrit que le traitement ne consistait pas à accroître ses chances d'être enceinte. En fait, la méthode consistait à le lui faire *oublier*. L'objectif était de lui permettre de revivre — de fuir les à-coups de l'espoir et de la déconvenue. Naomi était à la fois déprimée et irritable et le traitement de soutien devait l'aider à gérer sa colère et soulager la dépression. Elle se plia pleinement aux instructions du cours et commença à reprendre sa vie en main.

Le soutien du groupe convenait particulièrement à Naomi. « Je m'étais mise à croire que j'étais une déséquilibrée mentale, nous dit-elle. Mais grâce au groupe, je me suis rendu compte que non seulement j'étais normale, mais que mon mari réagissait lui aussi normalement et qu'en fait nous avions tous deux besoin d'être aidés pour faire face à la situation. »

Le couple finit par retrouver une vie sexuelle satisfaisante. « Cela faisait des années que je guettais le bon moment de faire l'amour et que nous n'avions aucun rapport sexuel entre-temps. » Deux mois après le début du traitement, Naomi et Arthur s'offrirent un dîner d'amoureux pour la Saint-Valentin, ce qu'ils n'avaient pas fait depuis des lustres. Ils burent du champagne, rentrèrent à la maison et firent l'amour. « Je ne savais pas si j'avais ovulé ou pas, raconta-t-elle, mais cela ne me vint même pas à l'esprit. »

À la dernière séance de thérapie de groupe, Naomi annonça qu'elle était enceinte. Rétrospectivement, elle calcula qu'elle avait dû concevoir l'enfant le jour de la Saint-Valentin. La fillette de Naomi et Arthur a aujourd'hui quatre ans. Leur mariage va bien et Naomi continue de se servir des techniques psychosomatiques comme d'un « outil de vie ».

L'histoire de ce couple prouve avant tout qu'un traitement psychosomatique global sauve les femmes du maelström de la lutte contre la stérilité. C'est un fait connu : les troubles de la fécondité engendrent une grande tension psychologique, de la dépression et de l'anxiété. Or nos recherches ont montré que notre méthode de thérapie soulage ces trois affections psychiques. Mais l'épilogue de l'histoire de Naomi et Arthur ne peut manquer de susciter la question suivante : les femmes stériles peuvent-elles concevoir un enfant grâce aux méthodes psychosomatiques ?

Si la question est fascinante, elle n'a pour le moment aucune réponse définitive. Notre premier objectif n'était d'ailleurs pas tant le retour à la fécondité qu'au bien-être et à l'équilibre psychique des femmes stériles. Cela dit, nous sommes aujourd'hui en train d'évaluer dans quelle mesure cette approche accroît les taux de procréations.

Je poursuis des travaux sur l'approche psychosomatique de la stérilité depuis neuf ans, et suis convaincue, sur la base de nos résultats scientifiques, que la médecine psychosomatique permet aux femmes stériles de se réapproprier leur vie. Nous sommes en passe d'établir aussi que la méthode accroît les chances de maternité biologique. Ce qui, à mon sens, ouvre de toutes nouvelles espérances à d'innombrables couples à une époque où le taux des stérilités semble augmenter.

Un couple sur six (soit 15 %) est actuellement stérile. Environ dix millions d'Américains sont touchés par le problème. « ... A croire que c'est une épidémie », disent souvent les femmes en se fondant sur ce qu'elles voient dans leur entourage. Le phénomène semble avoir plusieurs causes. Les progrès de la médecine de pointe incitent davantage de couples à suivre un traitement, donc à être recensés comme stériles. La pollution de l'environnement a peut-être un effet sur la fertilité masculine et féminine. Bien des femmes de la génération du *baby-boom* ont poursuivi avec acharnement une carrière professionnelle avant de réveiller leur horloge biologique procréatrice aux alentours de la quarantaine. En repoussant l'échéance de la grossesse plus tardivement que les générations précédentes, elles ont accru le risque de stérilité dû à l'âge. Il faut également prendre en compte les épidémies de maladies sexuellement transmissibles telles les infections à chlamydia, qui peuvent provoquer une inflammation de l'endomètre avec obturation consécutive des trompes, cause fréquente de stérilité. Enfin, dans la mesure où la tension psychique peut affecter la fécondité, le mode de vie stressant de notre époque a peut-être également sa modeste part dans l'augmentation des taux de stérilité.

Les percées récentes dans le traitement médical de la stérilité redonnent espoir aux couples qui auparavant devaient renoncer à concevoir un enfant. Mais 50 % des couples ayant recours aux traitements médicaux ne parviennent pas à avoir d'enfant. Quant à ceux qui y réussissent, il doivent payer la longue conquête de cette parenté biologique au prix fort, dans tous les sens du terme.

La médecine psychosomatique est là pour leur procurer appui. Quand j'ai entrepris de mettre sur pied un programme de soutien psychosomatique aux femmes souffrant de stérilité, on ne trouvait rien d'équivalent au sein de la médecine officielle. Il existait bien des structures d'accueil, en particulier celles de RESOLVE, le magnifique réseau national américain destiné aux couples stériles. Mais je n'ai jamais entendu parlé de méthodes psychosomatiques destinées spécifiquement aux femmes stériles. Ces deux dernières années j'ai commencé à y initier les professionnels de la santé de différentes villes afin que toutes les femmes du pays puissent avoir accès à ce type d'approche. Pour le moment, nous avons déjà créé de telles structures de soutien à New York, dans le New Jersey et au Texas.

J'insiste, nos résultats ne nous permettent pas encore d'assurer aux patientes qui suivent nos cours qu'elles auront plus de chance d'être enceintes. Je me garde de faire ce type de promesses qui nuirait au traitement, d'ailleurs ! Comme pour Naomi et Arthur, l'origine des dégâts affectifs causés par la stérilité provient essentiellement du cycle infernal des espoirs et des attentes déçues. Mes patientes me disent souvent vivre au rythme de cycles de 28 jours, guettant anxieusement le résultat des tests de grossesse, les jours d'ovulation et les premiers symptômes de l'arrivée des règles. Si le soutien psychosomatique se résumait à ajouter un nouvel espoir incertain aux autres, cela ne ferait qu'aggraver leur stress.

Oh ! bien sûr, les femmes allaient parler de la stérilité et de ses traitements au cours de nos séances thérapeutiques, comme de ses effets sur leur vie de couple et leur vie tout court. Mais il ne s'agissait surtout pas de partir en quête d'une solution magique. L'objectif était d'exprimer des sentiments, de mieux se comprendre, d'envisager des solutions et d'apprendre des techniques de relaxation — de façon à recouvrer sa joie de vivre et reprendre le cours de la vie quotidienne et de la vie sociale. Débarrassées de l'obsession du cycle menstruel, des taux d'hormones, des tests de grossesse, des traitements programmés, ces femmes devaient réapprendre à vivre dans le présent, avec leur intelligence, leur cœur et leurs sens.

Avant d'en passer à la description de ce programme de soutien psychosomatique et à la façon dont vous pouvez vous y entraîner vous-même, quelques mots sur les preuves scientifiques du lien entre le stress et la dépression, d'un côté, et la stérilité, de l'autre, ainsi que sur les résultats de notre méthode.

Souffrance psychique, dépression et stérilité

Deux questions prédominent dans le débat actuel sur les aspects psychologiques de la stérilité : d'abord, la stérilité entraîne-t-elle des états anxieux et dépressifs ? Ensuite, la souffrance psychique est-elle à l'origine de la stérilité ?

La réponse à la première question qui prête moins à controverse est aisée. Les femmes qui n'arrivent pas à avoir d'enfant en souffrent et sont anxieuses et déprimés ; c'est une question de bon sens. « Cela fait huit ans que je ne vis plus », me confiait Delores, l'une de mes patientes. Il est déjà triste de ne pas réussir à être mère quand on le désire. Cela devient catastrophique pour peu que le reste de votre vie se mette à déraper.

J'ai vérifié au cours de chaque thérapie de groupe que les femmes arrivaient effectivement déprimées et anxieuses. Mais leurs résultats aux tests psychologiques montraient qu'aux dernières séances elles allaient beaucoup mieux — comme quoi le traitement psychosomatique avait été efficace.

Compte tenu de ces résultats, j'ai voulu voir si nous pouvions avoir un rôle effectif dans la prévention des graves dépressions chez les femmes atteintes de stérilité. J'ai pris contact avec les représentants du National Institute of Mental Health (NIMH, « l'Institut national pour la santé mentale »), l'agence gouvernementale qui finance ce type de recherches. On m'a rétorqué : « Mais qui vous dit que les femmes stériles sont plus déprimées que la moyenne ? » La réponse évidente, selon moi, manquait de preuves. Avant de poursuivre mes recherches, il me fallait démontrer que les femmes stériles sont effectivement très dépressives.

Nous avons donc constitué un groupe de 338 femmes suivant un traitement contre la stérilité, avec comme référence un groupe témoin de 39 femmes en bonne santé qui avaient été soumises à des tests psychologiques de routine. Nous avons fait passer aux 338 femmes différents tests d'évaluation de la dépression. Le résultat fut sans surprise : il y avait deux fois plus de dépressions chez les femmes stériles que chez les autres, et leur dépression culminait au bout de deux ans de stérilité.

À l'époque, j'avais encore la naïveté du jeune chercheur, et, une lueur de triomphe dans le regard, je suis retournée à l'agence gouvernementale pleine d'espoir. « Vous voyez, leur ai-je dit en substance, ces femmes-là sont vraiment déprimées. Avons-nous le feu vert pour vérifier si le traitement psychosomatique peut prévenir la dépression qui atteint les femmes souffrant de stérilité depuis plusieurs années ? » Le responsable du NIMH de mon secteur de recherche me posa alors une nouvelle question : « D'accord, elles sont dépressives. Mais qu'est-ce qui nous prouve que c'est à cause de leur stérilité ? Après tout, cela ne tient peut-être qu'à leur état de santé ? »

Sur le coup, je ne sus quoi répondre. Je me suis rendue à la bibliothèque de l'école de médecine de Harvard pour trouver des études comparatives entre des patientes atteintes de stérilité et des patientes souffrant d'autres affections. Je n'ai rien découvert. Mais la chance était avec moi. De retour à l'hôpital, j'ai trouvé sur mon bureau les feuilles d'un rapport d'une collègue, la statisticienne Patricia Zuttermeister. L'idée lui était venue de comparer les résultats des tests psychologiques de nos patientes stériles à ceux d'autres malades atteintes de cancer, de maladies de cœur, d'hypertension, de douleurs chroniques ou séropositives, que nous suivions par ailleurs en médecine du comportement.

Je fus sidérée par ce que je lus. Patricia et moi rédigeâmes un article qui étayait nos résultats. Nous avions découvert que les femmes stériles étaient statistiquement aussi souvent déprimées que les femmes souffrant de cancers, de maladies cardiaques, d'hypertension ou du virus du sida ! Seules les malades atteintes de souffrances chroniques étaient significativement plus anxieuses et déprimées qu'elles. (Le graphique, page suivante, donne un tableau comparatif édifiant des taux de détresse psychique — anxiété, dépression et autres états mentaux négatifs — chez les femmes stériles et chez celles qui souffrent de graves maladies.)

Nos conclusions étaient exemptes de toute ambiguïté. Notre étude fut publiée et, en 1994, le NIMH m'envoya une autorisation pour un programme de recherches de cinq ans sur l'efficacité de notre soutien psychosomatique aux femmes atteintes de stérilité.

Ce protocole clinique révélera si le traitement psychosomatique diminue davantage le stress et la dépression qu'un simple groupe de soutien ou un groupe témoin. Il nous faudra aussi trancher la question de savoir si la médecine psychosomatique augmente les taux de procréations. Dans ce cas, nous serons en mesure d'affirmer que le stress et la dépression contribuent à la stérilité.

Certains indices nous permettent d'ores et déjà de soupçonner un certain rôle du stress et de la dépression dans la stérilité. Du côté féminin, on a déjà la preuve de l'impact des troubles émotifs sur les spasmes utérins, l'irrégularité de l'ovulation et les troubles hormonaux, autant de facteurs de stérilité. Du côté masculin, on a établi le lien entre le stress et une diminution de production de sperme et de sa qualité (une patiente m'a fait part un jour qu'au début de son traitement contre la stérilité, le sperme de son mari montait à cent millions de spermatozoïdes, un score assez fabuleux ; un an et demi plus tard, angoisses et déceptions aidant, son score était tombé à quatorze millions — de quoi rendre la fécondation problématique).

Quelle est l'origine d'une telle association ? Comme je l'ai souligné au premier chapitre, l'hypothalamus, ce petit joyau du tissu cérébral qui contrôle le flux et le rythme des hormones sexuelles, régule également nos réponses émotives. C'est ainsi que le stress peut modifier les taux d'œstrogènes chez la femme (un certain seuil est indispensable à l'ovulation normale) et de progestérone (nécessaire à l'implantation de l'embryon).

Comparaison des taux de détresse psychique chez les patientes de la médecine comportementale

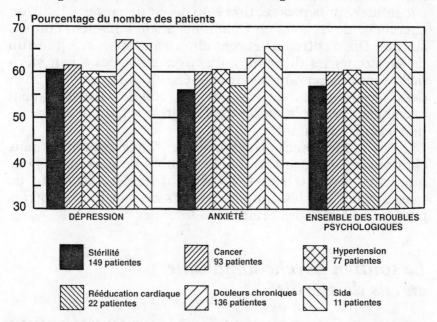

Source : Domar, A.D., P. C. Zuttermeister, et R. Friedman, *Journal of Psychosomatic Obstetrics ans Gynecology n° 14 (1993) : pp. 45-52.*

Les chercheurs en quête de facteurs psychosomatiques de la stérilité se sont donc penchés sur les cas où le déséquilibre hormonal est la cause apparente. L'un d'entre eux, le Dr Samuel Wasser, biologiste de la reproduction à l'université de Washington de Seattle, a établi une batterie de tests psychologiques destinés à un échantillon de 38 femmes souffrant de stérilité, avant même leurs résultats d'analyses médicales. La conclusion s'est révélé saisissante. Les femmes dont la stérilité avait une cause hormonale présentaient plus de détresse psychosociale que celles dont la stérilité provenait de facteurs anatomiques telle l'obturation des trompes de Fallope. Elles bénéficiaient également d'un moindre soutien social et psychologique.

Les résultats correspondaient parfaitement à l'hypothèse de Wasser : le stress n'est *pas* en cause dans le cas d'un trouble anatomique comme l'obturation des trompes, mais la souffrance psychique et les facteurs émotionnels entrent en lice dès qu'il y a déséquilibre hormonal.

Par ailleurs, quelques travaux d'avant-garde ont soulevé une question de taille : si le stress et les troubles psychologiques contribuent à la stérilité, la thérapie psychique peut-elle influer sur la procréation ? Au début des années 1980, un chercheur de Bogota, en Colombie, a suivi dix-neuf couples stériles. Dix d'entre eux eurent affaire à un psychologue afin de surmonter les difficultés affectives associées à leur stérilité, les autres servant de groupe témoin. Au bout d'un an et demi, les femmes de six des dix couples suivis étaient enceintes. Une seule sur les neuf du groupe témoin est parvenue à avoir un enfant.

Ces études ouvrent des pistes enthousiasmantes, mais elles ont porté sur un trop petit nombre de personnes pour que leurs résultats soient totalement fiables. Au début de mes travaux sur les couples atteints de stérilité, j'espérais pouvoir apporter des preuves plus solides.

Le soutien psychosomatique en cas de stérilité

L'unité psychosomatique destinée aux couples stériles a vu le jour sous les auspices du département de médecine comportementale de l'hôpital des Diaconesses, avec l'aide et le soutien des docteurs Herbert Benson et Machelle Seibel, spécialiste de la stérilité. Le programme des cours comprenait les différentes méthodes décrites dans la première partie de ce livre. Le tout durait dix semaines, avec l'enseignement d'une nouvelle technique à chacune des séances hebdomadaires de deux heures et demie. Le groupe comprenait en moyenne une quinzaine de femmes, désireuses de retrouver une vie normale.

La seule façon scientifique de parvenir à mon objectif, à savoir prouver dans quelle mesure les séances de médecine psychosomatique pouvaient réduire le stress, l'anxiété et la dépression, et éventuellement améliorer les taux de procréation, était de me conformer à un protocole clinique rigoureux. Il me fallait donc répartir au hasard les femmes stériles en un groupe thérapeutique et un groupe témoin, et comparer les résultats. Je me suis donc mise à recruter des femmes stériles pour cette étude, quand tous mes plans furent anéantis. Le hasard avait assigné mes trois premières patientes au groupe témoin. Elles n'arrêtaient pas de pleurer, si bien que je dus renoncer à leur faire remplir les formulaires adéquats. Elles savaient que d'autres seraient affectées à des groupes destinés à gérer leur stress, et l'idée d'être écartées les avaient rendues inconsolables.

Sur l'heure, je ne me sentis pas le courage de refuser de l'aide à ces femmes en détresse. J'ai donc remisé mon plan de recherche initial, et me suis contentée de recruter des femmes pour le groupe de soutien en suivant leurs progrès psychologiques du début à la fin. J'ai ensuite décompté celles qui avaient réussi à procréer, mais en l'absence de groupe témoin il me fut impossible de prouver si le traitement psychosomatique y avait contribué. En revanche, il était possible de montrer si la rééducation psychosomatique leur rendait leur équilibre psychique.

Au cours du premier suivi, nous avons pris en charge un groupe de cinquante-quatre femmes dont nous avons mesuré l'état psychique et émotionnel avant et après la thérapie psychosomatique. Ces patientes présentèrent une réduction significative de leur anxiété, dépression et fatigue, ainsi qu'un meilleur dynamisme. Au début du traitement de soutien, la plupart accusaient de sérieux symptômes de dépression, d'irritabilité et d'anxiété. À l'issue du traitement, leurs résultats aux tests psychologiques se situaient dans la norme.

Ces femmes, pour la moyenne d'entre elles, souffraient de stérilité depuis plus de trois ans. Dans les six mois qui ont suivi le soutien thérapeutique, 34 % d'entre elles étaient enceintes. Nous fûmes sidérés d'un tel score.

Encouragés par ces résultats, nous avons repris la même étude avec un nouveau groupe de cinquante-deux femmes. Leurs symptômes psychologiques s'atténuèrent également très rapidement. Mais le plus remarquable fut que dans les six mois qui suivirent la fin des séances, près d'un tiers d'entre elles (32 %) se retrouvèrent enceintes, un score quasi identique à celui du groupe précédent.

En l'absence de groupe témoin, nous ne pouvions affirmer avec certitude que les grossesses résultaient de la participation au groupe de soutien psychosomatique. Mais nous avions l'impression que ce score d'un tiers de grossesses était très élevé. Notre pressentiment trouva sa confirmation dans une étude menée quelques mois plus tard par les docteurs John Collins et Timothy Rowe, de l'université McMaster et de celle de Colombie-britannique. Chez un groupe similaire de femmes stériles ne participant pas aux séances de soutien psychosomatique, le taux de grossesses n'était que de 18 %.

Au fil des années, je m'étonne toujours du nombre de mes patientes ayant résolu rapidement leur problème de stérilité après avoir suivi nos séances. Soit elles mènent à bien une grossesse, soit elles adoptent un enfant, ou encore choisissent de vivre sans enfant. La plupart finissent d'une façon ou d'une autre par avoir des enfants. Les murs de mon bureau sont constellés de photos des bébés qu'elles ont conçus ou adoptés. Mon plus grand bonheur, professionnel et personnel, est d'apprendre qu'une de mes patientes, après des années d'acharnement, a réussi à devenir mère.

Tout récemment, nous avons analysé les résultats des 284 femmes stériles que nous avons suivies les sept premières années de notre travail et pour lesquelles nous disposions de l'ensemble des renseignements nécessaires. Voilà le bilan que nous avons établi à partir de ce vaste échantillon :

Les symptômes de dépression, d'anxiété, d'agressivité et de fatigue ont décru de façon significative. Globalement, à l'issue des dix semaines de rééducation psychosomatique, leur état psychique était revenu à la normale.

Dans les six mois qui ont suivi la fin de la rééducation, 42 % se sont retrouvé enceintes. Au total, 36 % ont donné naissance à un bébé.

Les femmes qui étaient arrivées les plus déprimées, anxieuses et stressées, ont été les plus nombreuses à parvenir à une grossesse dans les six mois suivant le traitement.

Vous aurez noté que nos résultats psychologiques s'appliquent à un important échantillon statistique, 284 femmes, et que la proportion totale de grossesses (42 %) est ici encore plus élevée que celle de nos deux premières études portant sur un nombre bien plus restreint de personnes. Mais c'est le dernier résultat qui est peut-être le plus intéressant. Pourquoi les femmes les *plus* stressées et déprimées, au départ, sont-elles celles qui, ensuite, se retrouvent le plus facilement enceintes ?

En fait, ce résultat correspond à notre hypothèse. Nous savons que notre programme de soutien soulage efficacement le stress et la dépression. Ces femmes étaient aux abois. Après avoir suivi le traitement — qui leur avait fait recouvrer maîtrise d'elle-même et joie de vivre —, un bon pourcentage d'entre elles se retrouvaient enceintes. Nous pouvons donc en déduire que chez ces femmes, c'était bien le stress et la dépression qui contribuaient à la stérilité. Chez les femmes moins déprimées et moins perturbées, la stérilité tenait sans doute avant tout à des causes physiologiques, et c'est pourquoi le traitement psychosomatique semblait moins susceptible de favoriser une grossesse.

Parmi ces femmes qui nous arrivaient très perturbées, combien, finalement, parvenaient à une grossesse ? Nous les avons d'abord regroupées sur la base de leurs résultats à une batterie de tests psychologiques. Puis nous avons constaté que près de la moitié de celles-ci devenaient enceintes (entre 45 et 49 %) à l'issue de leur suivi psychosomatique. Plus récemment, nous avons commencé à utiliser comme critères psychologiques une évaluation standard de la dépression (*les critères d'évaluation de la dépression de Beck* [1]) réputée pour

---

1. A.T. Beck, théoricien de la thérapie cognitive de la dépression, fondée sur des *systèmes d'évaluation négatifs* (fondés sur différentes erreurs d'appréciation du malade sur l'avenir, l'environnement et sa propre personne). *(N.d.T.)*

sa pertinence. Nous avons fait passer cette nouvelle batterie de tests à nos 115 dernières patientes. Parmi les 25 % qui accusaient les scores dépressifs les plus élevés, 57 % se retrouvèrent enceintes dans les six mois !

Quels enseignements tirer de ces résultats ? Je suis convaincue que la dépression — une forme de réaction au stress chronique — a sa part de responsabilité dans la stérilité. Chez certaines femmes, la dépression peut même en être le facteur *déclenchant*. Chez d'autres, c'est la lutte contre la stérilité qui entraîne l'état dépressif, en entretenant la spirale infernale des à-coups psychiques associés aux péripéties et déconvenues des traitements. Dans les deux cas, la dépression est susceptible d'entraver un ou plusieurs processus biologiques essentiels à la fécondation, comme la maturation de l'ovocyte en ovule, l'ovulation elle-même et l'implantation ovulaire. En traitant le stress et la dépression, nous favorisons alors le retour à la fertilité.

Je ferais néanmoins une réserve : tout en étant persuadée du rôle bénéfique de la médecine psychosomatique sur le stress et la dépression et de ses effets consécutifs sur la fécondité, il peut y avoir également d'autres raisons aux taux de grossesses constatés chez les femmes qui ont suivi notre traitement. Celles qui retrouvent leur équilibre psychique ont sans doute plus de rapports sexuels avec leur partenaire. Il est possible aussi qu'elles aient plus de ressort pour se lancer dans des traitement médicaux. Il est d'ailleurs manifeste que mes patientes deviennent plus actives. Toutes ces considérations ne sont sans doute pas étrangères à nos résultats, mais je reste persuadée que les facteurs psychosomatiques ont également leur part de responsabilité. Enfin, je ne saurais trop insister là-dessus, nous attendons des réponses plus définitives sur la question à l'issue du programme de recherches que nous menons actuellement pour une période de cinq ans.

Toutefois la médecine psychosomatique n'offre pas un traitement à toute épreuve. Comme tout problème médical majeur, la stérilité est un phénomène complexe qui ne peut être réduit à l'une de ses composantes. Les techniques psychosomatiques ne prétendent pas guérir. Simplement, on leur reconnaîtra un jour un rôle à part entière dans le traitement de la stérilité.

Nous savons que beaucoup de femmes réussissent une

grossesse au sortir de leur dépression. Mais nous savons également que des femmes calmes et équilibrées restent stériles. Il n'y a ni remède ni réponse simples. Nous commençons seulement à lever le voile sur la corrélation entre l'état psychique et le système reproducteur, et à mettre au point une démarche permettant aux femmes d'améliorer simultanément leur santé psychique et leur fécondité.

Quand j'explique en quoi consiste notre approche psychosomatique de la stérilité, on me demande souvent : « Mais quels sont vos taux de réussite ? » Mes interlocuteurs restent sans voix quand je leur réponds « Oh ! environ 98 % », ce à quoi ils s'empressent d'ajouter « Vous voulez dire que 98 % de vos patientes réussissent à tomber enceintes ? — Non. 98 % des mes patientes, à l'issue de nos séances, connaissent une amélioration psychique spectaculaire. » C'est le but que je me suis fixé : aider mes patientes à retrouver le goût de la vie, leur entrain et leur dynamisme. Quant à la réussite de la maternité, quand c'est le cas, c'est un merveilleux effet secondaire du suivi psychosomatique — au demeurant assez fréquent.

L'objectif de la méthode : de la relaxation à la reconquête de soi

Les femmes qui viennent suivre nos classes de soutien psychosomatique ont eu bien des parcours différents, mais leurs réactions émotionnelles à la stérilité sont remarquablement semblables. Toutes sont suivies par des médecins ou des spécialistes de la stérilité, sans pour autant être concernées de la même façon par la médecine de pointe et tout son éventail de techniques. Il y a celles qui ne suivent aucun traitement ; celles qui viennent juste d'entamer des procédures sophistiquées comme la *Fivète*[1] celles encore qui ont parcouru plusieurs cycles de fécondation *in vitro* sans parler d'autres méthodes de procréation assistées telles que le transfert de gamètes ou de zygote (l'œuf fécondé) dans la trompe utérine.

J'ai systématiquement un entretien individuel avec cha

---

1. Acronyme français de « fécondation *in vitro* » (ou FIV) et transfert d'embryon *(N.d.T.)*.

cune des femmes inscrites à notre cours. Je tiens à les connaître et à m'assurer qu'elles peuvent tirer bénéfice de la participation au groupe. Il arrive, très rarement, qu'une candidate ait un profil réfractaire à nos objectifs. J'ai probablement de la chance, car la quasi-totalité des centaines de femmes inscrites à nos séances se sont révélé très motivées et consciencieuses. Elles font leurs « devoirs à la maison », s'entraînent régulièrement à une forme de relaxation ou une autre, participent activement aux exercices, tissent des liens avec les autres membres du groupe et font preuve d'initiative et d'intelligence.

Nancy correspondait à ce profil. Elle s'était inscrite aux séances de soutien psychosomatique pour femmes stériles après avoir vainement tenté d'avoir un enfant pendant dix ans. Elle avait essayé tous les traitements médicaux imaginables, y compris trois cycles de fécondation *in vitro*, toujours sans succès. Dix ans de tels zigzags émotionnels auraient fait des dégâts chez n'importe qui. Nancy n'était plus que l'ombre d'elle-même. Sa vie conjugale s'était fragilisée, son travail de technicienne dans un laboratoire de biologie ne l'intéressait plus. Après avoir rejoint le groupe thérapeutique, elle retrouva peu à peu son sens de l'humour, ses espoirs et son énergie. À la dernière séance, elle nous annonça que sa dernière tentative d'implantation *in vitro* (c'était la quatrième) avait réussi. Elle était enceinte !

Nancy et Cal, son mari, ne se quittaient plus et le regain de passion aidant, toute tension entre eux disparut. Puis, cinq semaines après avoir constaté qu'elle était enceinte, au bord du bonheur et du triomphe, sa vie faillit déraper à nouveau. Sa mère lui apprit la mort de sa sœur, malade depuis peu. Nancy prit une semaine de congé pour assister à l'enterrement et rester avec sa famille. Elle revint chez elle pour être confrontée à une nouvelle catastrophe, qui cette fois arriva par la poste : son entreprise la licenciait pour raisons économiques. Un mois plus tard, Cal eut un accident du travail qui l'obligea à prendre un congé maladie d'un mois, et lui laissa des douleurs chroniques lui minant le moral et absorbant une bonne part de son énergie.

Comment Nancy, enfin enceinte après tant d'années d'épreuves, trouva-t-elle la force de faire face à ces nouveaux coups du sort ? Elle se concentra sur elle-même, en faisant appel aux différentes techniques de maîtrise de soi auxquelles elle venait de s'entraîner. Mais elle se tourna également vers l'extérieur et fit fructifier les nouvelles amitiés qu'elle s'était forgées dans le groupe.

La session de dix semaines s'était achevée avant la mort de la sœur de Nancy, mais la plupart des patientes n'en continuaient pas moins de se voir. Ce groupe de treize femmes était particulièrement soudé et il en émanait une extraordinaire solidarité. Nancy se tourna vers ses compagnes avec son chagrin et toutes ses appréhensions au sujet d'une grossesse qui survenait au moment où son univers se délitait. Tout le monde prit soin d'elle, expliqua-t-elle plus tard, et l'encouragea à persévérer. Au sein de la tourmente de sa vie privée, elle trouva son révélateur, sa pierre de touche en quelque sorte, dans ce groupe de femmes très différentes qui mettaient en commun leurs forces et leurs faiblesses ainsi que toute la gamme de leurs expériences.

Nancy prit également quelques consultations individuelles pour surmonter sa dépression. Elle craignait que son état psychique fût pathologique. Je la rassurai en lui expliquant que ses sentiments étaient compréhensibles et normaux, vu ce qu'elle avait enduré et devait encore affronter. J'approuvai sa décision de ne pas se mettre immédiatement à la recherche d'un travail, car sa santé physique et morale, comme celle de son enfant, exigeait qu'elle préserve ses forces et son énergie pendant sa grossesse et les mois qui suivraient l'accouchement. C'était un sacrifice financier, mais Nancy et Cal estimaient que cela en valait la peine. Mon travail thérapeutique à son égard et, plus important, les réunions du groupe, permirent à Nancy de préserver son équilibre. « Les techniques de maîtrise de soi que j'avais apprises ont eu un rôle essentiel, dit-elle, mais le soutien du groupe m'a permis d'aller jusqu'au bout. »

La solidarité de ses compagnes, mais aussi une meilleure aptitude à surmonter le chagrin et la douleur, permirent à Nancy d'apprécier le miracle d'une grossesse après tant d'années d'espoirs déçus. La naissance de son fils, Jason, fut un nouveau point de départ, un merveilleux événement dont elle fit le symbole de sa nouvelle joie de vivre après tant d'années de stress et de souffrances.

Les patientes d'un groupe se sentent de plus en plus proches et solidaires au fur et à mesure qu'elles prennent conscience des rapports étroits existant entre les processus physiques et mentaux, et qu'elles s'initient aux moyens pratiques de les maîtriser. En dix semaines de séances hebdomadaires, on fait beaucoup de chemin. Les séances ordinaires durent deux heures et demie, mais nous en organisons une d'une demi-journée et une autre d'une journée entière où nous invitons les maris et compagnons. Je commence par ménager une demi-heure à trois quarts d'heures avant le début de la séance afin que les participantes se parlent entre elles. Au début, elles en profitent pour faire connaissance. Au fil des séances, elles y discutent des traitements récents qu'elles ont tentés, ou de toute autre question qui les intéresse. Cela constitue une mini-séance de thérapie collective très favorable à la cohésion du groupe.

À l'issue de ces préliminaires, je commence chaque séance par l'initiation à une méthode particulière de relaxation. Puis j'enchaîne sur une technique psychosomatique spécifique qui constituera le thème de la semaine (pour finir, elles auront pris connaissance des différentes méthodes indiquées aux chapitres 4 à 8 de ce livre). Je ne parle pas trop longtemps, car je tiens à ce que les participantes se répartissent en petits groupes pour s'entraîner à la méthode du jour. Je leur explique, par exemple, l'exercice du *carnet de bord* (chapitre 8), puis elle vont s'y essayer et partager leurs expériences et points de vue en petits groupes.

Ces exercices permettent aux femmes de se connaître dans un contexte positif où elles s'initient à la meilleure façon d'appréhender leurs émotions et d'affronter les épreuves médicales. Les liens qu'elles tissent entre elles ne consistent pas seulement à partager le pire, les aspects les plus pénibles de la stérilité. Tout en pouvant exprimer ouvertement leurs sentiments négatifs, elles se livrent à des exercices qui les aident à s'accepter soi-même et leur donnent accès à une plus grande maturité. Ces efforts sont consentis collectivement, avec un sens de l'aventure et de la fraternité. Cette approche se distingue des thérapies de groupes classiques, qui peuvent être excellentes mais n'enseignent pas les techniques psychosomatiques.

Je donne également quelques brèves leçons sur différentes questions relatives à la stérilité, comme les techniques d'assistance à la procréation et les procédures d'adoption. Ma collègue, le Dr Margaret Ennis, vient donner des cours de yoga où elle enseigne des postures faciles que les femmes peuvent reproduire toutes seules. Nous prenons également le temps de manger ensemble, ce qui permet de discuter à bâtons rompus.

L'enseignement que je viens de décrire peut également être donné individuellement. En fait, j'initie les patientes que je prends en consultation individuelle aux mêmes méthodes. Je vais vous expliquer maintenant les techniques psycho-somatiques qui vous permettront de faire face à la stérilité tout en menant pleinement votre vie. Le seul élément qui vous manquera sera le lien collectif, que vous pouvez créer vous-même en vous joignant à un groupe de soutien, en vous réunissant avec d'autres femmes souffrant de stérilité, ou ne serait-ce qu'en vous confiant à des ami(e)s intimes ou des membres de la famille.

La relaxation : « Maintenant, je me sens revivre ! »

Les femmes confrontées à la stérilité se prennent vite d'engouement pour la relaxation. Elles sont stressées depuis si longtemps qu'elles ne savent plus ni respirer, ni apprécier les plaisirs simples, ni rire, ni s'asseoir tranquillement. En apprenant à se relaxer, toutes ces facultés reviennent pro-gressivement.

Quand vous commencez à pratiquer la relaxation après des années de lutte et de tension, vous pouvez avoir la même impression que Vera, l'une de mes patientes : « J'étais si ten-due, depuis si longtemps, que je n'en avais même plus conscience. » Au début, les exercices de relaxation — ne serait-ce que s'asseoir tranquillement en faisant un effort de concentration intérieure — vous feront prendre conscience de l'étau qui vous enserre l'esprit comme le corps. Cela ne doit pas vous inquiéter. Acceptez la réalité avec une certaine compassion envers vous-même, en reconnaissant que vous en avez vu de toutes les couleurs. Sachez que plus vous vous entraînerez à reconnaître et accepter vos tensions, plus vous serez capable de les faire disparaître. Et avec le temps, elles disparaîtront effectivement.

Faites de votre mieux pour oublier que vous effectuez tout cela en vue d'avoir un enfant. Si vous vous concentrez sur la grossesse, vous risquez involontairement de vous ôter toute chance de vous détendre réellement. Gardez en tête que votre objectif est de revivre, ce qui veut dire prendre le temps de reléguer à l'arrière-plan les traitements de la stérilité et votre désir de grossesse. En la circonstance, quelles sont les techniques de relaxation les plus efficaces ? Chaque méthode a son avantage. Le plus simple est de vous en remettre à vos sensations corporelles et à votre intuition, et de choisir la technique qui convient le mieux à vos problèmes.

Il est très utile de recourir à l'exploration corporelle si l'on souhaite relâcher la contraction musculaire accumulée au fil de la lutte contre la stérilité. Ayez recours à la technique de la métaphore, c'est efficace : pensez à ce que votre corps ressentirait si vous montiez et descendiez les montagnes russes d'une fête foraine, vous sentirez chacun de vos muscles se contracter. Les examens gynécologiques, les analyses de sang, les traitements médicaux, autant de procédures stressantes et angoissantes. Mais les vicissitudes émotionnelles, non contentes de blesser l'âme, laissent également des cicatrices musculaires. Si vous avez du mal à vous concentrer et préférez des instructions plus précises, ayez recours à la relaxation musculaire progressive qui permet de passer le corps en revue de façon plus exhaustive, en contractant et relâchant successivement chaque groupe de muscles, de la tête aux doigts de pied.

La méditation fait du bien à beaucoup de femmes confrontées à la stérilité, bien que cela exige de s'y plier régulièrement. L'une de mes patientes, Yolanda, dont j'ai déjà parlé, avait choisi comme devise : « la persévérance sereine ». C'est exactement ce dont la plupart des femmes stériles ont besoin au cours de leurs traitements récurrents ponctués d'espoirs et de déceptions. L'une des expressions fétiches les plus efficaces pour les femmes piégées dans les multiples tentatives de grossesse, est la plus simple qui soit : « Laisse-toi aller. » En la circonstance, « laisse-toi aller » ne veut pas dire automatiquement « laisse tomber ». Cela signifie : « Désormais, j'arrête de penser à la stérilité, je mets au placard tout ce que je sens ou pense à ce sujet. »

La méditation peut procurer la sérénité indispensable à qui veut s'orienter vers une forme de guérison, quelle qu'en soit la concrétisation individuelle. C'est ce qui est arrivé à

Maria, une patiente qui vint nous voir après cinq ans de vains efforts de maternité biologique. Après d'innombrables injections d'hormones, six inséminations intra-utérines et quatre cycles de fécondation *in vitro*, Maria n'avait plus aucun ressort. Au premier abord, elle semblait faire preuve d'une détermination indomptable. Elle voulait poursuivre les traitements de pointe jusqu'à la victoire. Mais il ne fallait pas chercher très loin pour voir qu'elle était terrifiée, profondément blessée et proche du désespoir.

À la première séance, Maria portait beau. « J'étais la combativité même, remarqua-t-elle par la suite. Je disais à qui voulait m'entendre : *je viendrai à bout de cette saleté. J'aurais des jumeaux, j'en suis sûre*. En fait, j'étais au supplice et n'arrêtais pas de pleurer. Mon mari se faisait un mauvais sang du diable à mon sujet. »

Quand Maria se sentit plus à l'aise avec les autres membres du groupe, elle baissa sa garde. Elle commença à convenir de son désespoir ; elle s'ouvrit à ses compagnes et accepta plus volontiers leur sollicitude. « Je me suis réveillée tout d'un coup, et j'ai compris ce qui m'arrivait vraiment » dira-t-elle ensuite.

La méditation lui permit de reprendre ses esprits. Elle psalmodiait un mantra en sanskrit, qui l'apaisait et l'aidait à se concentrer. Maria savait ce qu'elle voulait : « J'exigeais de mon mari qu'il respecte et protège totalement le temps et l'espace que je consacrais à la méditation. C'est lui qui répondait alors au téléphone afin que je ne sois pas dérangée. » La découverte de la paix intérieure lui permit de réfléchir à son problème de stérilité sans être au bord des larmes. Dès lors, elle discuta tranquillement avec Gregory, son mari, des options à prendre avec un degré de lucidité dont ils n'avaient encore jamais été capables. La série de cours achevée, Maria et Gregory décidèrent d'adopter un enfant. La méditation avait aidé Maria à prendre du recul et à se libérer de son désir compulsif de maternité biologique. Le couple a adopté une fillette il y a près d'un an. L'enfant est leur joie de vivre.

Pour parvenir à la sérénité spirituelle et intellectuelle, certaines de mes patientes se tournent vers la prière. Le vocabulaire et les expressions propres à la foi ou la religion de chacun ont un pouvoir évocateur très précieux. Quelle que soit la religion ou l'idéologie à laquelle vous adhérez, optez pour une prière ou une devise qui vous apporte la paix spirituelle.

L'effort d'attention est d'une efficacité extraordinaire chez la plupart des femmes stériles qui ont perdu la faculté de vivre dans le présent, d'apprécier les plaisirs du corps et des sens. Cela faisait trois ans que Faith, l'une de mes patientes, se battait contre la stérilité. Elle avait subi quatre inséminations intra-utérines et trois transferts de gamètes dans les trompes de Fallope, cette dernière technique consistant à placer directement dans les trompes les ovules et le sperme. Après toutes ces épreuves médicales, sans parler des dégâts émotionnels associés à la persistance de la stérilité, Faith eut recours aux méthodes de concentration et d'attention mentales afin de redécouvrir le moment présent.

« Je finis par prendre conscience de ce qui m'entourait, au lieu de ne penser qu'à ce qui m'adviendrait la semaine ou le mois suivant, ou de ruminer les déconvenues survenues trois mois auparavant, expliquait-elle. La concentration mentale me permettait d'être vraiment présente, ici et maintenant. Je me mis à voir les choses de façon plus lucide, et ma situation ne parut moins terrible. »

L'entraînement à la présence attentive et le soutien du groupe permirent à Faith de redécouvrir le sens élémentaire de la vie. « Le groupe contribua à élargir ma vision du monde. Je pris plaisir à jouer au golf, à la compagnie de mon mari, sans penser constamment à la stérilité. »

La présence attentive permit également à Faith de poursuivre ses traitements médicaux, car ses malheurs passés et la crainte de l'avenir ne déterminaient plus ses actes. Elle considérait chaque phase médicale en elle-même, sans plus. Un an et demi après la fin du traitement psychosomatique, elle réussit à concevoir son premier enfant grâce à la fécondation *in vitro*. La fillette a aujourd'hui deux ans.

La suggestion par images mentales vous invite à une promenade très différente du parcours en dents de scie de la stérilité. Nous fournissons des cassettes enregistrées qui guident nonchalamment vos pas sur une belle plage imaginaire, ou le long d'un ruisseau de montagne. Si les cassettes ne vous conviennent pas, ou si vous vous en êtes lassées, il vous suffit de créer votre propre style d'imagerie de relaxation.

Selena, dont le parcours d'obstacles contre la stérilité

avait duré cinq ans, qui avait subit une opération et plusieurs procédures médicales de pointe, avait recours aux images mentales pour se relaxer. Elle persuada son mari de s'y livrer en sa compagnie. C'est ainsi qu'il se promenait à ses côtés dans des souvenirs de vacances sur une île tropicale. « Il me voyait me lever le matin pour ouvrir les volets d'une fenêtre donnant sur l'Océan. Les rayons du soleil envahissaient la chambre. J'enfilais mon maillot de bain, passais devant la piscine et les cabines de bain, puis rejoignais la plage. Je sentais le sable sous mes pieds, mon regard scrutait chaque coquillage, en détaillait les formes et les couleurs, et je me penchais de temps à autre pour ramasser celui qui enrichirait ma collection. »

Puis Selena eut recours à ces images de vacances pour se relaxer toute seule. Elle se créait également des images de maternité qui l'apaisaient. Elle se voyait enceinte : « Je visualisais l'implantation d'une graine, la grossesse, la naissance, le bébé dans mes bras, les soins aux bébé, tout le scénario... Cela me rendait euphorique, car je poursuivais toujours les différents traitements d'assistance médicale à la procréation. Ces fantasmes m'incitaient à une attitude positive, comme s'ils étaient l'enjeu de tous ces efforts. »

Selena finit par être enceinte à la suite d'une implantation embryonnaire intra-utérine. La relaxation que lui procurait la suggestion par l'image y était-elle pour quelque chose ? Cela l'avait-il, en quelque sorte, rendue physiologiquement plus « réceptive » ? Ou simplement incitée à continuer les traitements ? Nous n'avons pas la réponse, mais ce que nous savons, c'est que les fantasmes de Selena la rassuraient et la calmaient profondément.

Je ne conseillerais pas la méthode de Selena à tout le monde. Si vous vous créez des fantasmes de grossesse, prenez garde à ce que cela n'aggrave la spirale des espoirs et des déceptions, au lieu de vous en libérer. Renoncez-y s'ils vous angoissent et tenez-vous-en aux techniques de relaxation étrangères à toute idée de fécondité ou de maternité. Selena, quant à elle, satisfaisait ainsi un besoin intérieur, et la visualisation de ses espoirs l'aidait à poursuivre les traitements médicaux en cours. Au moment de vous forger des images mentales, fiez-vous à votre instinct et à votre intuition...

Les mini-relaxations sont très bénéfiques au moment des coups de cafards quotidiens, ou des examens médicaux éprouvants : examens gynécologiques, analyses de sang, implantations intra-utérines, ou toute forme de technique de procréation assistée. L'attente des résultats hormonaux, l'hystérosalpingographie[1], les tests de grossesse et autres examens indispensables peuvent être très traumatisants. Pratiquez la mini-relaxation pour soulager votre détresse intérieure.

Choisissez tous les jours un moment à consacrer à la relaxation, en utilisant la méthode qui vous convient le mieux. Rappelez-vous que l'entraînement régulier — environ vingt minutes une ou deux fois par jour — a des effets positifs durables. Avec le temps, vous retrouverez une bonne maîtrise de vous-même.

La pratique régulière de la relaxation inspira un jour à Faith la remarque suivante : « Maintenant, je me sens revivre ».

La restructuration cognitive : « *Oui, je* PEUX *avoir un bébé* »

L'esprit autodépréciateur de la femme stérile peut devenir très dévastateur. Les pensées défaitistes se bousculent : « Je ne serais jamais mère » et sa phrase sœur, « Je n'aurai jamais d'enfant », sont les plus courantes. Voici quelques autres formules caractéristiques relevées auprès de patientes que j'ai suivies au fil des ans :

« Je ne fais rien de bien. »

« Si je suis stérile, c'est ma faute ! »

« C'est Dieu qui me punit pour avoir... » (vous n'avez qu'à remplacer les points de suspension par toute la gamme de vos prétendus « péchés », qu'il s'agisse de l'avortement, d'une pratique sexuelle, ou d'un sentiment de culpabilité envers le mari ou les parents).

« Je suis stérile car je ne mérite pas d'être mère. »

« Si seulement j'avais essayé quand j'étais plus jeune. »

À partir des techniques de la restructuration cognitive remettez en question ces pensées et remplacez-les par d'autres, car chacun de ces constats négatifs nuit à votre

---

1. Radiographie de l'utérus et des trompes après injection d'un liquide opaque afin d'en visualiser la morphologie *(N.d.T.)*.

santé et votre équilibre (reportez-vous aux quatre questions qui révèlent un état d'esprit dépréciateur, au chapitre 5). Considérez ces articles de foi comme autant de virus à anéantir au moyen d'un « système immunitaire » mental imaginaire : les missiles de la restructuration cognitive détruisent les pensées délétères aussi efficacement que les globules blancs éliminent de l'organisme les microbes pathogènes.

Évidemment, il y a un brin de vérité dans une pensée du style : « Si seulement je m'y étais prise plus tôt. » Mais cela peut devenir une idée fixe, contraire au bon sens, qui déforme la vérité et entraîne à l'autofustigation. Les femmes qui se reprochent d'avoir attendu trop longtemps sont innocentes de tous les péchés dont elles s'accusent. Les circonstances de la vie — la disponibilité nécessaire au démarrage d'une carrière, le manque d'argent, la difficulté de trouver l'homme de sa vie — sont des raisons fréquentes de désirs de maternité tardifs, et il n'y a là rien qui justifie une quelconque auto-accusation.

La plupart de ces pensées punitives sont fausses. Les sentiments de culpabilité des femmes stériles n'ont aucun fondement rationnel. Laurie, trente-huit ans, s'accusait de sa stérilité, ancrée dans cette idée fixe : « je ne fais jamais rien de bien ». Elle se posa les « quatre questions » et prit conscience des faits suivants :

1) Cette pensée négative aggravait sa souffrance psychique.

2) Elle venait de sa mère, qui utilisait ces mots-là à son encontre quand elle n'était encore qu'une enfant dépendante et impressionnable.

3) L'affirmation n'avait rien de logique, puisqu'elle était une excellente assistante sociale, admirée de ses collègues, ayant par ailleurs fait un heureux mariage avec un homme qui l'admirait tout autant. Enfin,

4) le constat était faux, puisqu'il s'agissait de la généralisation abusive de son inaptitude à la maternité biologique. Certains facteurs indépendants de sa volonté étaient à l'origine de sa stérilité, et ce n'était donc pas sa faute. En fait, Laurie faisait tout ce qu'elle pouvait pour parvenir à une grossesse.

Une fois qu'elle eut pris conscience de tout cela, Laurie cessa de se faire du mal. Elle se choisit comme devise restructurante : « je ne peux pas être parfaite pour *tout* », et elle renonça à classer la stérilité dans la catégorie des « échecs de Laurie ».

Si vous croyez que la stérilité est une punition pour avoir pratiqué le contrôle des naissances, avoir eu recours à l'avortement ou vous être livrée à toute autre transgression religieuse ou morale, il est temps de remettre en question ces articles de foi. La fidélité à vos convictions spirituelles n'implique pas l'autoflagellation. En plus de la restructuration cognitive, confiez-vous à vos amis ou vos proches. Si votre sentiment de culpabilité prend racine dans votre éducation religieuse, consultez un thérapeute, un conseiller conjugal, ou un homme de religion en qui vous avez confiance. Il n'y a aucune raison de vouloir se punir pour des actes commis dans le passé, surtout quand les circonstances présentes sont suffisamment éprouvantes. Je recommande également chaudement de se joindre à un groupe de soutien composé d'autres femmes stériles.

L'antienne que j'entends le plus souvent, « je n'aurai jamais d'enfant », sembla d'une logique indiscutable aux femmes qui essaient en vain de procréer depuis trois, quatre, cinq ans ou plus. Je leur demande alors d'examiner de plus près leur pensée. Voici le type de dialogue que nous engageons :

> *Question : Cette pensée vous déprime-t-elle ?*
> Réponse : Certainement.
> *Q : D'où la sortez-vous ?*
> R : Je ne sais pas trop.
> *Q : Votre médecin vous a-t-il dit que vous ne pourrez pas concevoir d'enfant ?*
> R : Non, il ne m'a jamais dit cela. Il pense que je devrais pouvoir en avoir un.
> *Q : Croyez-vous qu'il s'agisse d'une pensée rationnelle ?*
> R : Sans doute pas. Autant que je sache, je suis biologiquement toujours apte à avoir un enfant.
> *Q : Cette pensée correspond-elle à la réalité ?*
> R : C'est difficile à trancher. Peut-être, peut-être pas. Personne ne peut prédire l'avenir.
> *Q : Pourquoi persévérez-vous dans les traitements médicaux de la stérilité ?*
> R : Dans l'espoir d'avoir un bébé !
> *Q : Ce qui veut dire qu'une partie de vous-même continue de*

croire que c'est possible, sinon pourquoi y consacrer tant de temps et d'énergie ?
R : C'est bien cela. Une partie de moi-même pense que c'est possible.

Vous constaterez que ce dialogue n'a rien à voir avec la méthode Coué. Il ne s'agit pas de remplacer le constat « je n'aurai jamais d'enfant » par « bien sûr que si, vous en aurez un ! » — qui pourrait s'en convaincre ! — mais par une assertion du style : « l'affirmation extrême *je n'aurai jamais d'enfant* est aussi irrationnelle que son contraire *bien sûr que vous en aurez un* ». Chez les femmes souffrant de stérilité qui ne présentent pas d'affection biologique rédhibitoire à la procréation, la vérité se situe quelque part entre les deux affirmations. La restructuration cognitive honnête consiste à dire : « Il n'est pas *impossible* que j'aie un enfant » ; cela suffit en général à redonner le moral aux femmes qui poursuivent des traitements médicaux et psychologiques contre la stérilité.

La rééducation émotionnelle

Ella et Jim, son mari, vivaient dans une maison de campagne dotée de l'une de ces belles vérandas meublées de chaises en bois et d'un fauteuil à bascule, ainsi que d'une balancelle aux coussins confortables suspendue par des chaînes. Ces dernières années, le couple avait passé son temps en consultations dans un cabinet médical, s'embourbant au fil des mois dans la vaine attente d'une grossesse. La profession d'Ella était très prenante et elle avait le sentiment de n'avoir jamais le temps de respirer ni de réfléchir. Fatiguée, à bouts de nerfs, il lui arrivait de jeter un bref regard à la balancelle en se disant qu'elle aurait bien aimer s'y étendre à rêvasser.

Ella rejoignit le groupe de soutien psychosomatique pour femmes stériles et prit conscience, au cours de la séance consacrée à l'automaternage, qu'elle ne s'occupait plus d'elle-même. La consigne de la semaine était de se consacrer à des activités exclusivement distrayantes ou relaxantes. Comme Ella me l'expliqua plus tard, au début elle ne sut quoi faire. Deux jours plus tard, elle remarqua la balancelle et se souvint du regard d'envie qu'elle lui glissait à l'occasion. Le reste de la semaine, elle fit donc ses devoirs : elle se prélassait sur la balancelle tous les jours en revenant du travail. Ce fut pour elle l'occasion de rassembler ses pensées, de renoncer à l'angoisse et à son agitation coutumière. Ella remarqua que la balancelle lui procurait un bien-être psychique quasi magique. Grâce à celle-ci, elle lâcha prise, se relaxa, en un mot se retrouva.

L'apprentissage de l'automaternage est cruciale pour les femmes souffrant de stérilité ou ayant subi de multiples fausses-couches. Ces femmes ont tendance à être anxieuses et dépressives parce qu'elles ont le sentiment de n'avoir pas droit aux plaisirs élémentaires de la vie. Le temps passe vite, la vie conjugale est contraignante, les traitements médicaux éprouvants et le désespoir pointe son nez dans les moindres instants de la vie quotidienne.

Si vous vous reconnaissez dans ce portrait, reportez-vous aux conseils du chapitre 6. Faites-vous masser régulièrement. Offrez-vous des fleurs. Choisissez les aliments que vous préférez. Sortez dîner en ville. Délectez-vous d'un roman de quatre sous. Prenez un bain chaud. Demandez-vous quel style de musique vous fait du bien et vous relaxe, en prenant le temps d'en écouter tous les jours. Plutôt que d'abuser de la télévision, préférez la réflexion au calme ou la lecture d'un bon roman. Vous ne perdrez pas de temps en vous livrant à de telles occupations. Gâcher son temps, c'est se faire du souci, se quereller, se surmener, trop manger ou se détendre de façon malsaine en restant rivée à la télévision.

L'expression des émotions joue également un rôle essentiel dans notre programme psychosomatique. Rares sont les femmes souffrant de stérilité que j'ai connues qui ne réagissent pas par le ressentiment et l'affliction. Mais la plupart n'ont pas conscience de ces sentiments sous-jacents. Pourquoi les femmes en butte à la stérilité refoulent-elles leurs émotions ? Parce que celles-ci sont douloureuses et parfois perturbantes, et qu'il reste un doute sur l'issue du combat pour la fécondité. Il y a toujours une part de raison qui dit : « Sois patiente. Tu finiras peut-être par tomber enceinte, et tu n'auras alors plus de quoi être triste et vindicative. » Mais si on peut mettre entre parenthèses la colère et le chagrin, on ne peut les rejeter totalement.

En réalité, les femmes éprouvent du soulagement et

fonctionnent mieux dès lors qu'elles prennent conscience de leurs émotions douloureuses et les expriment, malgré l'appréhension de l'avenir. Certes, le jour viendra peut-être où la venue d'un enfant biologique ou adopté balaiera les déconvenues les plus amères. Mais en attendant, bien des femmes souffrent de leur détresse cachée. C'est là le paradoxe : celles qui savent extérioriser leur colère et leur souffrance ont tendance à être plus optimistes et plus dynamiques. En sachant envisager les éventualités malheureuses, elles appréhendent moins la perspective de l'échec. L'expression de la colère et de la tristesse atténue les hauts et les bas, et rend les oscillations d'humeur moins traumatisantes. Les femmes qui apprennent à faire face à leurs sentiments sont plus réalistes et constructives.

Faith, la patiente qui grâce à la présence attentive recouvrait son équilibre quotidien, trouva aussi un moyen pour accepter sa tristesse latente. « Il ne sert à rien de refouler les bouffées de chagrin ou de désespoir qui affleurent de temps à temps, expliquait Faith. Ce qui ne veut pas dire que l'on fait une véritable dépression. De telles émotions sont tolérables quand on sait qu'elles ne sont pas éternelles. Et il suffit de se confier à une amie compréhensive pour se sentir aussitôt beaucoup mieux. »

Une fois les séances psychosomatiques terminées, Faith poursuivit ses traitements médicaux. L'entraînement à la maîtrise de soi et à l'expression émotionnelle lui permit d'affronter les avanies en tout genre, y compris l'épreuve de l'assistance chirurgicale à la procréation. Elle sut également merveilleusement réconforter ses compagnes et consacrer du temps aux nouvelles arrivées. Celles-ci bénéficièrent de sa sollicitude, de son expérience et de son discernement. Faith remontait le moral en aidant les autres. Aujourd'hui, deux ans et demi après, elle chérit une petite Marissa de six mois.

Les femmes souffrant de stérilité enragent souvent contre ce corps qui les a « trahies », ce mari « qui ne les comprend pas », ces médecins « qui leur en font voir de toutes les couleurs, et pour quel résultat ? », ou le personnel soignant, pas toujours compréhensif. Il est essentiel que ces femmes apprennent à exprimer leurs ressentiments de façon constructive.

Si la colère vous taraude, commencez à tenir un journal intime. Crachez-y votre venin contre les médecins, vos proches, votre mari, vos amies pourvues d'enfants, celles qui sont enceintes, votre corps, vous-même, et pas seulement une fois ! Pensez à ce qui vous a dernièrement le plus tourmentée au sujet de votre stérilité, et prenez plusieurs jours pour évacuer une à une les différentes couches de votre colère et de votre ressentiment. Commencez par vous défouler par écrit des vieux problèmes qui vous restent sur le cœur (l'une de mes patientes dérouilla ainsi sa plume sur un premier échec d'implantation in vitro deux ans auparavant). Continuez d'écrire sur les événements en cours, sur ces attentes et déceptions qui vous minent au fil des mois. Avec le temps, vous deviendrez plus forte et plus résistante, car vous aurez intégré votre vulnérabilité comme votre violence et votre combativité.

C'est en écrivant qu'une de mes patientes, Maryann, découvrit l'origine cachée de sa souffrance émotionnelle. Cela faisait trois ans qu'elle essayait d'être enceinte et suivait de multiples traitements médicaux aussi vains les uns que les autres. Quand nous la vîmes pour la première fois, elle était franchement dépressive, et ne supportait pas l'idée de ne pouvoir concevoir d'enfant et se refusait à envisager l'adoption.

Au cours de la séance où j'initiais le groupe à l'expression écrite des sentiments, Maryann connut une véritable catharsis. Elle aligna quelques lignes sur la stérilité et la cause de sa souffrance lui revint d'un seul jet. Elle avait eu une éducation religieuse, et s'était fait avorter à vingt ans. Elle en avait éprouvé un sentiment fulgurant de perte et de culpabilité, qui s'emparèrent de son subconscient pour une bonne décennie. Si son désir d'enfant avait les mêmes raisons que la plupart des gens, inconsciemment, elle voulait aussi surmonter la culpabilité et la souffrance que son avortement avait suscitées. Concevoir un enfant, c'était pour elle en finir avec cette vieille souffrance.

L'écriture permit à Maryann d'explorer ces émotions sans se dérober. Elle pleura l'enfant qui n'était pas né, et comprit combien son chagrin et son sentiment de culpabilité contribuaient à aggraver sa rancœur de femme stérile. En continuant d'écrire, elle se forgea un tout nouveau point de vue sur le combat à mener. Elle retrouva le moral en se rendant compte à quel point elle était jeune et vulnérable lors de son avortement. Elle ne chercha plus à refouler le vieux chagrin. Dès lors, Maryann et son mari ne tardèrent pas à prendre la décision d'adopter un enfant. Depuis, ils n'ont eu que des raisons de s'en réjouir.

Que votre cahier soit le dépositaire de votre anxiété, votre chagrin, votre lassitude, votre dégoût, votre désespoir, votre espérance et votre humour. Qu'il vous révèle à vous-même. Cette investigation vous aidera également à prendre des décisions judicieuses. La prise de décision est affaire de cœur et de choix raisonné. Tenez compte des deux dans votre quête de maternité et d'épanouissement personnel.

Comment soulager la tension au sein du couple

Pour être quasiment la règle, les effets de la stérilité sur le couple n'en sont pas moins impressionnants. Quand les femmes se retrouvent entre elles au sein de nos groupes thérapeutiques, elles sont souvent sidérées et soulagées d'entendre relater des difficultés conjugales similaires aux leurs.

L'homme a du mal à mesurer le chemin de croix de la femme en butte à la stérilité — les épreuves médicales qu'elle doit subir, les effets secondaires de l'administration massive d'hormones, son sentiment de honte et d'échec. De la même façon, la femme se rend difficilement compte de ce que ressent son compagnon — son désarroi devant la situation, son sentiment de culpabilité quand le problème biologique vient de lui, son impression d'impuissance à l'aider. Il leur est par ailleurs difficile de maîtriser les effets de la stérilité sur leurs rapports sexuels, leur vie sociale et leur aptitude à jouir ensemble de plaisirs simples.

Plus difficile encore de se confier l'un à l'autre quand hommes et femmes parlent des langages différents, comme Deborah Tannen l'a si bien souligné. L'issue, pour les couples stériles, n'est pas tant de vouloir à tout prix que l'autre s'exprime autrement que de traduire ce que dit le partenaire en un langage pleinement compréhensible (reportez-vous au chapitre 7 pour les conseils détaillés sur la communication au sein du couple).

Le piège, typiquement féminin, est d'attendre en silence

que votre cher et tendre aille au-devant de vos besoins et aspirations, vous offre son aide pratique, sa sollicitude et sa tendre compréhension. C'est une erreur de jugement de croire que chacun devrait lire dans l'esprit de l'autre. À vous de demander, pas de récriminer, et de vous exprimer quand il ne répond pas à votre attente.

Nous tenons à impliquer les maris dans notre programme de soutien, et les invitons à trois séances : la première, la septième et la neuvième, cette dernière se tenant tout un dimanche. Lors de la mise au point de cette thérapie de soutien, j'ai privilégié les problèmes des femmes et je tenais à ce qu'elles rencontrent d'autres femmes pour cicatriser ensemble les blessures psychiques dues à la stérilité et les aider à revivre normalement. Je n'ai pas conçu un soutien psychosomatique du couple, car les femmes souffrent en général plus que les hommes de la situation (ce qui ne veut pas dire que je sous-estime la souffrance masculine).

D'un autre côté, je savais que cela aurait été une erreur d'en exclure les partenaires masculins, étant donné le profond impact de la stérilité sur le couple. Les femmes ont beaucoup plus de mal à suivre mes conseils sur les changements à apporter à leur vie quotidienne quand leurs compagnons n'en sont pas informés et n'ont aucune notion de médecine psychosomatique. Le mari peut avoir le sentiment d'être tenu à l'écart quand sa femme s'isole vingt minutes pour se relaxer, voire s'affoler quand elle lui expose ses besoins tout en commençant à mieux s'occuper d'elle-même.

En le recevant dans l'un de nos groupes, nous lui exposons notre méthode et il entend directement ce qu'on en espère. Nous l'initions brièvement à la relaxation dont il vérifie les effets bénéfiques sur lui-même comme sur sa compagne. Il se rend compte que notre objectif n'est pas de créer un bureau des pleurs à vocation féministe. À l'inverse, il voit que sa partenaire cherche à se prendre en main et à renforcer leurs liens conjugaux. Quant tout ceci est bien clair, il arrive que le mari s'entraîne à la relaxation, à la mini-relaxation ou la restructuration cognitive avec son épouse. Plutôt que de s'exaspérer ensemble sur une énième tentative de grossesse, ils retrouvent, après des mois et des années de tension, le goût du jeu et de la détente, tous ces plaisirs à deux qu'ils avaient perdus dans leur combat contre la stérilité.

Au cours de la septième séance, les maris et compagnons ont une entrevue avec un psychologue masculin afin d'expliquer leurs sentiments à quelqu'un susceptible de mieux comprendre leur expérience de la stérilité. La séance d'une journée entière, un dimanche, est toujours très réussie. Nous commençons par une heure et demie d'exercices faciles de yoga et de détente. Puis nous regardons au magnétoscope une prestation hilarante de Lorretta Laroche sur la façon de traiter le stress quotidien avec humour. Ensuite, chaque couple est invité à se promener le long de la rivière qui longe l'hôpital, en se concentrant sur ce qu'ils voient. Les partenaires marchent côte à côte silencieusement et donnent à manger aux canards. En se livrant ensemble à une activité aussi élémentaire, en se concentrant ainsi sur l'instant présent, on réapprend l'ABC de la relation humaine.

Je fais pratiquer également l'exercice suivant, emprunté au Pr Steven Maurer : les différents couples s'installent dans une pièce où chacun des partenaires prend la parole pendant que l'autre écoute. Comme je l'ai déjà expliqué au chapitre 7, il s'agit d'aborder trois sujets.

« Sam, mon mari, est plutôt allergique à toute pratique de groupe, expliquait Gail, une nouvelle venue. Il est analyste programmeur et je suis assistante sociale. Moi, les expériences collectives, j'aime ça. J'y crois, et je fais confiance à la thérapie de groupe. Lui, il est plutôt du genre : *S'allonger par terre et faire du yoga, très peu pour moi. Et avec d'autres, encore moins !* Mais il est quand même venu, et le yoga, ça lui a plu. Il a même été enchanté de rencontrer d'autres types comme lui. Il a été dans le coup toute la journée, et au bout du compte ça a été une réussite pour tous les deux. »

Gail et Sam sont allés se promener et ont donné à manger aux canards au bord de la rivière sans se parler, mais avec une complicité qu'ils n'avaient pas connue depuis très longtemps. Quand, au cours de l'exercice de communication, l'un des deux parlait, l'autre se taisait. « Non seulement cela nous a permis de nous dire *je t'aime* mais aussi d'expliquer pourquoi nous nous estimions toujours mutuellement. Nous avions retrouvé une véritable intimité. »

Ce type d'exercices de communication incite à combler les failles qui se sont élargies au sein du couple au fil des années de stérilité. Si j'en crois mon expérience professionnelle, il est rare que l'homme et la femme aient exactement le même point de vue sur la conduite à tenir : l'un souhaite essayer des traitements toujours plus sophistiqués, l'autre préfère s'en tenir au traitement en cours, voire abandonner toute idée de maternité ou paternité biologique. L'un peut avoir envie d'adopter un enfant, l'autre pas. Seule la volonté mutuelle de se comprendre peut préserver la cohésion du couple.

Bien entendu, il n'est pas besoin de s'inscrire à nos séances de thérapie de groupe pour mettre en pratique ces exercices. Pour vous livrer à une promenade attentive à deux, il vous suffit de vos jambes et de votre compagnon. Pour exprimer votre affection mutuelle, il n'est besoin que de vous, de votre compagnon et de l'envie de s'ouvrir à lui. Il est certain que le contexte du soutien collectif facilite les choses. Mais vous pouvez vous créer le cadre adéquat.

Si votre vie conjugale est mise à rude épreuve par la stérilité, essayez de passer par les étapes suivantes :

Veillez à votre bien-être au moyen de la médecine psychosomatique, en particulier par les techniques de relaxation.

Essayez d'y associer votre partenaire, sans vous plaindre ni récriminer.

Encouragez votre compagnon à prendre également soin de lui-même (à pratiquer la relaxation, la restructuration cognitive, l'automaternage), à condition toutefois qu'il vous paraisse motivé.

Entraînez-vous à la communication positive, entre autres par les exercices cités plus haut, et valorisez les meilleurs côtés de votre relation de couple (cf. chapitre 7).

N'hésitez pas à solliciter le réconfort d'autres femmes souffrant de stérilité, ainsi que la compréhension des amies et des proches. Pensez à intégrer un groupe de soutien (du type de ceux parrainés par RESOLVE, aux États-Unis).

Si la stérilité entraîne chez vous de graves crises d'anxiété ou de dépression, n'hésitez pas à consulter un psychologue ou un psychiatre.

Si la stérilité vous cause de graves problèmes conjugaux ou relationnels, faites appel à des professionnels spécialisés dans le suivi des couples souffrant de stérilité.

Le recours au conseil conjugal est vraiment salutaire en cas de perte de la spontanéité sexuelle. Quelques suggestions de bon sens toutefois : ne tombez pas sous la tyrannie des dates, s'il vous faut vraiment en passer par là, réservez-vous quelques mois de bonheur amoureux non programmé. En effet, avant d'avoir recours aux traitements médicaux très sophistiqués, les couples peuvent choisir l'insémination intra-utérine non assistée qui ne nécessite pas de traitement hormonal mais où il suffit de vous introduire le sperme de votre mari au moment de l'ovulation, ce qui a l'avantage de ne pas vous contraindre aux rapports sexuels pendant toute la période entourant l'ovulation.

Le but, ici, est d'en revenir à des relations normales. La stérilité peut briser les rythmes et les comportements naturels du couple, ce que Faith résumait ainsi : « Nous nous aimions depuis six ans, puis ce fut l'enfer. Et pourtant, avant, nous prenions tellement de plaisir ensemble ! La stérilité nous est tombée dessus comme un sac de plomb. »

Le soutien psychosomatique permet de retrouver les goût du plaisir en faisant comprendre au couple ce qui le lui a fait perdre. Alors, comme diraient Faith et son mari, « si nous surmontons l'épreuve de la stérilité, nous saurons faire face à n'importe quoi ».

Le groupe de soutien : « J'y ai trouvé seize amies »

Comment mesurer le rôle des autres femmes du groupe de soutien ? Voilà ce que Rena en disait : « Je cherchais du réconfort. En vain. J'étais allée chez mes parents pour les vacances ; j'avais apporté des articles de journaux et de magazines sur la stérilité et j'espérais que quelqu'un y jetterait un coup d'œil et me poserait des questions. On ne m'a rien dit, rien demandé. Cela m'était très difficile d'en parler, et ils n'avaient aucune idée de ce que je pouvais éprouver.

« Je me sentais totalement isolée, jusqu'à ce que je rejoigne le groupe, ajouta Rena. Toutes ces femmes m'ont ouvert un nouvel univers, merveilleusement rassurant. Aujourd'hui, j'ai seize nouvelles amies, tout simplement. »

Car les femmes de ces groupes comprennent tout. Pas besoin de se poser la question. Leurs conversations avant les séances les aident à extérioriser leur sentiment d'isolement, de solitude et de frustration. L'expérience de Rena résume celle de la plupart des participantes.

Sans oublier l'humour, qui compte beaucoup dans les liens de solidarité. Au cours des premières séances, Rena passait des larmes au fou rire : « On se moquait des lubies qui passaient par la tête de certains couples stériles. Comme cette idée de faire le poirier après avoir fait l'amour, pour mieux faire descendre le sperme là où il faut ! On riait aussi des maris qui se mettaient à porter des caleçons ridicules parce qu'on leur avait dit que les slips trop serrés diminuaient la fertilité de leur sperme. Parfois, c'était les éclats de rire. D'autres fois des sourires, ou des rires intérieurs. »

La plupart des groupes continuent de se réunir après les dix semaines de rééducation. Les femmes décident de se voir toutes les quatre ou six semaines pour papoter, se mettre au courant des traitements, des adoptions et aider quiconque en a besoin.

Rena voit toujours ses compagnes, particulièrement fraternelles. Elle m'a raconté récemment que l'une d'elles, Jenna, avait fait un rêve qui exprimait tout a fait ce qu'elle-même pensait du groupe. En fait, Jenna s'était retrouvé enceinte quelques mois après la fin des séances. Mais la grossesse avait été difficile et elle eut très peur le soir où elle commença à perdre les eaux. Cette nuit-là, elle fit un rêve où chacune des femmes du groupe entrait dans la chambre pour former un cercle autour de son lit. Sa frayeur tomba subitement à l'idée que ces compagnes, qui la connaissaient si intimement, l'entouraient de leur tendresse et leur sollicitude. Elle se réveilla imprégnée de cette atmosphère, ce qui facilita grandement un accouchement laborieux deux jours plus tard.

Comme toujours, certains groupes fonctionnent mieux que d'autres. L'un d'eux, particulièrement soudé, continue de se réunir encore aujourd'hui, trois ans après les séances de thérapie. Les treize femmes de ce groupe, surnommé le « groupe CBS » (car elles s'étaient toutes inscrites après avoir vu une émission sur notre travail au journal du soir de la chaîne CBS, avec Dan Rather), avaient noué des liens exceptionnels. En termes de maternités, elles avaient également battu une sorte de record, en un très court laps de temps. Douze sur treize sont devenues mères : sept ont conçu leur enfant, cinq ont choisi l'adoption. Après plusieurs secondes naissances et adoptions, on compte désormais dix-sept enfants dans ce groupe de treize femmes !

Le soutien psychosomatique semble donc favoriser les naissances biologiques ou les adoptions, et les résultats sont parfois étonnants, comme pour ce groupe dont douze femmes sur quinze (80 %) ont conçu un enfant dans les deux ans. Le plus souvent, le ratio des naissances et des adoptions se partage assez également.

Est-il possible de trouver le soutien moral nécessaire sans s'intégrer à un tel groupe ? Oui, à condition d'établir soi-même un réseau de relations avec d'autres femmes qui luttent contre la stérilité, ou de trouver du réconfort auprès de vos amies et de votre famille si vous les mettez au courant de vos problèmes. Cependant, les groupes de soutien proprement dits offrent quelque chose d'irremplaçable. Aux États-Unis, les femmes peuvent localiser le groupe le plus proche de chez elles en s'adressant à l'association RESOLVE. L'intégration à un groupe de soutien associée à la méthode psychosomatique permet à chaque femme de cerner pleinement son problème de stérilité.

La médecine de pointe : acharnement et persévérance

À l'heure actuelle, le combat contre la stérilité présente bien des facettes, dont celle de la médecine de pointe et de ses épreuves spécifiques.

Ce livre n'étant pas un manuel médical sur la stérilité, je vous conseillerais de vous reporter à d'autres ouvrages[1] traitant des différentes techniques auxquelles il est possible d'avoir recours aujourd'hui.

Pour ma part, je sais que les différents traitements hormonaux, les inséminations intra-utérines avec ou sans administration d'hormones et les techniques d'assistance à la reproduction telles que la fécondation *in vitro*, l'implanta-

---

1. Dont deux bons livres américains : *How to Get Pregnant with the New Technology* (« Comment réussir une grossesse grâce à la médecine de pointe »), de S.J. Silber, Warner Books, 1991, et *Getting Pregnant When You Thought You Couldn't* (« Enceinte, malgré tout ! »), de H.S. Rosenberg et Y.M. Epstein, Warner Books, 1993.

tion intra-utérine ou dans les trompes de Fallope, sont devenus des traitements classiques de la stérilité, pratiqués dans les différents services spécialisés, cliniques ou hospitaliers, du pays. Ces techniques comprennent des injections d'hormones que vous pouvez faire vous-même (ou en ayant recours à votre partenaire), des interventions chirurgicales légères, des analyses de sang et des échographies répétées et supposent des consultations régulières à la clinique ou à l'hôpital.

Il n'y a pas de raison de s'en effrayer, car la plupart des femmes supportent parfaitement toutes ces procédures, et les meilleurs services hospitaliers en la matière sont conçus pour atténuer au maximum leur inconfort et le stress qui leur est associé. Si vous avez la chance de réussir une grossesse dans des délais raisonnables, l'expérience ne vous pèsera guère. Mais dès lors qu'il faut poursuivre le traitement sur plusieurs années de suite, les effets se cumulent et induisent une tension et une démoralisation chroniques.

La relaxation et la mini-relaxation améliorent considérablement les capacités de résistance psychique aux interventions et traitements médicaux. Pratiquez la relaxation tous les jours afin de diminuer les tensions qui s'accumulent. Retrouvez ainsi votre calme et votre équilibre. Ayez-y recours également dans les cas suivants :

> Dans la salle d'attente de votre médecin ou de la clinique.
> Avant et après toute intervention chirurgicale. Avant, cela calme l'angoisse ; après, cela permet de réduire les contractions musculaires et la douleur.
> Au cours des interventions telles que l'insémination intra-utérine ou l'hystérographie (examen où l'on injecte du liquide coloré dans les trompes de Fallope). Dans ce cas, passez en revue les différentes parties de votre corps, ou pratiquez toute autre technique relaxant les muscles pelviens ou abdominaux. L'intervention, l'examen seront moins éprouvants et moins anxiogènes.

Vous ne disposerez peut-être pas du quart d'heure nécessaire à une bonne relaxation au cours de ces petites interventions. Dans ce cas, pratiquez la mini-relaxation, à laquelle vous pouvez également avoir recours dans les cas suivants :

Avant et pendant les prises de sang.

Avant et pendant les injections (qu'elles soient faites par votre médecin, votre mari ou vous-même).

Avant et pendant l'échographie.

Avant et pendant l'intromission de l'aiguille de l'intraveineuse au moment d'une intervention chirurgicale.

Avant et pendant le prélèvement de l'ovule pour une fécondation in vitro.

Avant et pendant la phase de transfert de la fécondation in vitro.

Avant et après la cœlioscopie préalable à l'insémination intra-utérine ou dans les trompes.

Avant d'aller aux toilettes le vingt-huitième jour de votre cycle.

Quand vous attendez les résultats du test de grossesse.

La plupart de mes patientes considèrent les mini-relaxations comme des outils essentiels leur permettant d'affronter les traitements de pointe de la stérilité.

Si vous suivez un traitement hormonal, informez-vous de ses effets secondaires éventuels auprès de votre médecin. Il peut, entre autres, provoquer des sautes d'humeur. Si vous êtes constamment irritée, contre vous-même, votre compagnon ou vos collègues, pensez à l'effet possible des hormones. La connaissance de ces effets vous épargnera le sentiment de culpabilité, et vous incitera à demander à vos proches un peu plus de compréhension.

Si le stress et la dépression peuvent induire une stérilité, compromettent-ils aussi le succès d'une technique médicale de pointe comme la fécondation in vitro ? Deux études récentes l'affirment. Un groupe de chercheurs a suivi 330 patientes candidates à la fécondation in vitro, dont un tiers entamaient leur premier cycle de procréation assistée, et les deux autres tiers tentaient à nouveau leur chance. Les patientes dépressives avant le traitement médical obtenaient des scores de réussite inférieurs à ceux des autres. C'était encore plus flagrant chez les femmes qui en étaient à plusieurs tentatives de procréation : 13 % des patientes déprimées devenaient enceintes, contre 29 % chez les non déprimées, soit plus du double. Une étude canadienne sur 40 femmes essayant la fécondation *in vitro* fait apparaître que les 23 qui n'aboutirent pas à une grossesse présentaient des troubles psychologiques significatifs à différentes phases de la procédure. Elles étaient également biologiquement moins réactives au traitement hormonal, avec moins d'ovules, moins d'embryons.

Ses résultats amènent forcément la question suivante : la médecine psychosomatique élève-t-elle les scores de réussite des femmes qui se soumettent à la médecine de pointe comme la fécondation in vitro ? Des premiers résultats le laissent penser. Lors d'une étude expérimentale sur des patientes menée dans le cadre de notre programme de soutien psychosomatique à la stérilité, nous avons constaté que 37 % d'entre elles parvenaient à une grossesse au cours de leur première tentative de fécondation in vitro ou d'insémination intra-utérine, à la suite des séances psychosomatiques. La plupart avaient connu auparavant des échecs répétés. À titre de comparaison, le taux de réussite moyen des femmes essayant un cycle d'implantation in vitro ou de toute autre méthode d'assistance à la procréation est de 15 à 20 %. Nos études cliniques en cours nous donneront des réponses plus définitives.

Il reste que bien des femmes, ayant ou non suivi un programme de soutien psychosomatique, doivent passer par plusieurs cycles de procréation assistée sans succès. Ces femmes en sont réduites à devoir se poser toujours la même question. Quand dois-je arrêter ?

Si c'est votre cas, vous savez trop bien comment le cœur et la tête se renvoient constamment la balle. Arrête, dit la raison, continue dit votre instinct. Rien n'indique l'avis à suivre, sinon l'issue de la partie de ping-pong. Soyez simplement attentive aux premiers signes d'épuisement émotionnel et ne laissez pas votre cœur prendre le pas sur la raison jusqu'à l'effondrement, ni la raison brider l'élan du cœur pour regretter ensuite d'avoir agi trop tôt. Continuez de communiquer avec votre compagnon et votre médecin : ils vous aideront à prendre une décision judicieuse.

Pour beaucoup de femmes, l'adoption permet de garder espoir. Même s'il leur faut parcourir en vain plusieurs cycles de traitements de pointe, elles savent qu'elles auront toujours ce recours. Mais si elles renoncent aux traitements, il est bon qu'elles prennent conscience du chagrin provoqué par la perte de la maternité biologique — le travail de deuil étant un passage obligé vers l'étape suivante.

C'est alors que la perspective de l'adoption a des chances

de devenir un vrai bonheur. Il n'y a plus de regret résiduel qui empêche de reporter toute sa tendresse sur l'enfant adoptable.

L'histoire d'Hilary montre comment on peut être amenée à prendre une décision d'adoption. Elle avait quarante ans et était passée avec Max, son mari, par toutes les affres de la lutte contre la stérilité depuis quatre ans. Quand elle nous rejoignit, elle était taraudée par l'isolement, la honte et l'amertume. « Je n'avais vécu qu'au travers des cycles menstruels, disait-elle, et il me fallait retrouver une perspective. »

Le moral d'Hilary changea du tout au tout au contact des quatorze femmes du groupe, « car nous parlions le même langage ». La pratique systématique de la relaxation musculaire et du yoga lui fit également le plus grand bien. Elle eut plus de mal à explorer ses émotions, mais l'effort fut fructueux. « Je me sens parfois si vulnérable, disait-elle, comme si l'on avait mis mon âme à nu. »

L'environnement chaleureux du groupe l'encouragea à exprimer sans fard ses sentiments, ce qui lui donna force et assurance. Elle mit par écrit toutes ses rancœurs à l'encontre du corps médical qui, selon elle, n'avait pas été à la hauteur : « En ce qui nous concerne, ils n'ont pas choisi la bonne marche à suivre, disait-elle. On m'a fait subir dix inséminations intra-utérines, alors qu'à mon âge il aurait fallu dès le début un traitement plus agressif. J'étais furieuse. Mettre tout cela par écrit m'a permis de déverser ma bile. Mon ressentiment est derrière moi maintenant. C'est du passé. »

Avant de s'inscrire à nos séances de groupe, Hilary avait déjà commencé à perdre tout espoir d'arriver à concevoir un enfant. Max et elle avaient remisé la question de l'adoption dans un coin de leur tête. Hilary savait qu'elle ne pourrait s'y résoudre franchement qu'après avoir vraiment renoncé à la maternité biologique. Or ce travail de deuil se fit tout naturellement dans le cadre fraternel et chaleureux du groupe.

Les séances n'étaient pas loin de s'achever quand Hilary et son mari firent les démarches nécessaires en vue de l'adoption d'un enfant en Chine. Ils se préparèrent également à un cycle de fécondation *in vitro* le mois suivant. Un message téléphonique les attendait chez eux au retour de la première séance du traitement médical : on leur proposait un bébé chinois. Ils renoncèrent à la fécondation *in vitro* et se décidèrent pour l'adoption. Vu l'âge d'Hilary et tout ce qu'elle avait déjà subi, le cœur et la raison leur indiquaient que c'était la bonne décision à prendre, en temps voulu.

Depuis qu'ils sont allés en Chine adopter leur fille, Lola, le couple n'a plus jamais regardé en arrière. « Cela peut paraître bizarre, explique Hilary, mais je suis très contente de ne pas avoir conçu mon propre rejeton. Parce que j'ai l'enfant que je voulais. C'est Lola qu'il nous fallait à la maison. »

Un nombre non négligeable de patientes incapables de procréer ne choisissent pas l'adoption pour autant. Le plus souvent, il s'agit de femmes qui ont retrouvé l'estime d'elle-même et la faculté de vivre dans le présent. Le couple a alors envie de profiter de la vie avant de prendre la responsabilité d'un enfant et écarte la solution de l'adoption, provisoirement ou définitivement. D'autres n'ont plus la même perception de l'expérience parentale, ou ont des raisons diverses et variées de ne pas s'en remettre à l'adoption. Bien sûr, en la circonstance, chaque femme, chaque couple, fait un choix très personnel. Mais j'ai constaté que la décision de ne pas avoir d'enfant peut se faire consciemment, délibérément — sans qu'on la vive comme une carence ou un échec.

La lutte de Maggie contre la stérilité durait depuis six ans. Cela avait été très éprouvant. Le soutien psychosomatique entraîna la guérison de ses blessures affectives, ce qui la conduisit à renoncer à la maternité. Souffrant d'une obturation des trompes, elle s'était senti responsable de la stérilité du couple. Pourtant, l'opération chirurgicale avait réussi et les médecins ne savaient pas exactement pourquoi elle ne parvenait pas à avoir d'enfant. Le travail de groupe lui fit découvrir son sentiment de culpabilité tout en lui en montrant l'inanité.

« Je n'arrêtais pas de pleurer pendant les séances de yoga, se rappelait-elle. Je pleurais sur moi-même, pour en avoir vu de toutes les couleurs. Ensuite, je pleurais parce que toutes ces manipulations médicales m'avaient épuisée. »

L'attention à soi-même, l'automaternage, lui furent d'une grande utilité. Elle fit une cure de rire au cinéma en se délectant de « films comiques parfaitement idiots » ; elle s'autorisa des distractions et se protégea contre l'indifférence des autres, y compris celle de sa famille.

Lors d'une petite réception entre voisines, celles qui

étaient enceintes se mirent à commenter avec enthousiasme leur grossesse. Maggie se sentit mal à l'aise, mais elle se domina et limita les dégâts. « J'ai passé une sale journée, expliquait-elle, mais c'est déjà mieux que de passer une sale année. »

Une fois son sentiment de culpabilité disparu, Maggie laissa enfin libre cours à sa peine et fait son deuil de la maternité biologique. Si l'atmosphère chaleureuse du groupe l'y aida incontestablement, il lui fallut tout de même prendre son courage à deux mains pour assumer son chagrin et se pardonner à elle-même.

Elle décida de prendre « la vie comme elle venait, au jour le jour », et réapprit ainsi à en goûter les plaisirs. Maggie se fit petit à petit à l'idée qu'elle n'aurait sans doute jamais d'enfant biologique, mais son travail de deuil la libéra de cet objectif inaccessible. « La relaxation et le soutien du groupe m'aidèrent à traverser la mauvaise passe. Je me sentais mieux dans ma peau, quoi qu'il arrive. Je considérais alors cette épreuve comme un moyen d'accéder à la maturité spirituelle ». Maggie et son mari, Michael, avaient recours à la méditation et à la prière afin d'accéder à la spiritualité. Leurs efforts d'acceptation et de pardon mutuels les rapprochèrent énormément. Ils n'avaient pas connu une telle complicité depuis la découverte de leur stérilité.

Ils décidèrent, pour un temps, d'arrêter tous les traitements en cours et de renoncer à l'adoption. Ils se réservaient de changer d'avis dans l'avenir, en envisageant alors un transfert d'embryon à moins de se résoudre à adopter un enfant. Pour l'heure, la découverte de satisfactions spirituelles et leur nouvel élan amoureux les comblaient.

L'histoire de Molly : le monde en couleurs

Molly, une excellente cancérologue pour enfants, exerçait dans un hôpital réputé. Elle se décrivait elle-même comme quelqu'un de « foncièrement optimiste ». Mais à trente-sept ans, trois ans de lutte contre la stérilité avaient quelque peu assombri sa gaieté naturelle. Après cinq inséminations intra-utérines sous traitement hormonal, deux vaines tentatives de fécondation *in vitro* et une grossesse extra-utérine ayant failli mal tourner, Molly et Peter, son mari, semblaient toujours envisager l'avenir avec un parfait sang-froid. En s'inscrivant à notre programme de soutien, Molly n'avait pas encore vraiment pris la mesure de sa profonde détresse.

« Au bout de trois ans de cette affaire, j'ai pensé : *dis-donc, ma vieille, tu tiens bon, t'es vraiment quelqu'un !* En fait, j'avais déjà craqué, racontera-t-elle plus tard. Mes résultats aux tests d'évaluation de la dépression (ceux du Dr Domar) étaient plutôt catastrophiques. *Non, je ne suis pas dépressive, pas question*, me suis-je dit. Je ne me rendais pas compte que je tournais en rond, comme un zombie. Quand le Dr Domar a considéré qu'il était tout à fait normal que je sois déprimée, cela m'a grandement soulagée. Donc, ce n'était plus ma faute ! La révélation ! Si je me laissais aller, s'il y avait des moutons sous le lit, si je ne savais plus sourire, si je n'adressais plus la parole à mon mari... ce n'était plus ma faute ! »

Une fois que Molly eut pris conscience que son état de « zombie » était normal et qu'elle n'en était pas responsable, elle admit enfin son délabrement psychique. Le stress professionnel exacerbait les choses (ce que j'appelle « le facteur aggravant de la stérilité »). Il n'était pas facile de collaborer avec le patron de son service, un homme autoritaire et jaloux de ses prérogatives à qui Molly, médecin doué et forte personnalité du service, portait ombrage. Son supérieur hiérarchique cherchait à lui faire quitter l'hôpital, cela devint une évidence pour elle.

Cette tension professionnelle ajoutée à ses problèmes de fécondité lui était très pénible. À la première consultation, je lui avais posé des questions sur sa façon de s'alimenter, son sommeil et son activité physique. Elle mangeait trop de sucreries, ne se reposait pas assez et abusait de l'effort physique. Je lui signalai qu'il arrivait aux femmes sportives souffrant de stérilité de tomber enceintes quand elles arrêtaient l'entraînement. Elle mit immédiatement un terme à son exercice quotidien d'une heure sur escalier roulant avec sac à dos de 12 kg. Nous nous sommes entretenues de sa dépression et je lui ai conseillé de s'accorder un plaisir exceptionnel. Elle s'acheta un jeune chien, un basset.

Stimulée par le groupe, elle décida de se remettre à la méditation tibétaine qu'elle avait pratiquée autrefois, une discipline qui consiste à faire place nette dans le cerveau par des exercices de contemplation et de visualisation mentale. Quelques années auparavant, Molly avait participé à une expédition dans l'Himalaya au cours de laquelle elle avait rencontré des moines et s'était initiée au bouddhisme tibétain (c'est parce qu'elle savait que le Dr Benson avait participé à des travaux scientifiques aux côté du dalaï-lama qu'elle s'était inscrite à notre cours). Bien que sa pratique de la méditation fût beaucoup plus rigoureuse que la plupart des techniques que j'enseignais, elle faisait également appel à la relaxation.

« La méditation avait sur mon esprit le même effet que l'entraînement sportif sur mon corps » expliquait Molly en faisant allusion au bien-être qu'elle en retirait. Elle adorait également les promenades attentives dans la forêt avec son chien. Son humeur s'améliora de façon spectaculaire au contact de cette petite créature vivante : « Les chiots de dix semaines restent sur vos talons. On n'a pas à les surveiller. Et ils s'émerveillent de tout à chaque pas. »

Molly faisait ses propres découvertes. Quand j'ai demandé au groupe de mettre par écrit leurs impressions à propos de l'événement le plus traumatisant de leur stérilité, Molly choisit l'interminable intervention chirurgicale qu'elle avait dû subir suite à sa grossesse extra-utérine. Voici comment elle relata ensuite l'expérience :

« Ce n'est pas le courage qui me manque. Je suis alpiniste, et j'ai l'habitude de la souffrance physique. J'ai parcouru l'Himalaya par une température de − 50 °C. Mais quand j'ai fait ma grossesse extra-utérine et que je me suis retrouvée sur le chariot en route pour le bloc opératoire, j'ai eu la terreur de ma vie. Cette image de femme étendue sur un brancard, faisant un signe d'adieu à son mari en étant persuadée qu'elle allait mourir, concrétisait pour moi toute l'horreur de la stérilité. L'opération a duré longtemps, six heures. Je n'étais pas brillante au réveil. Depuis, j'en fais régulièrement des cauchemars et en garde un traumatisme au creux des entrailles.

Cette épreuve résumait pour moi à elle seule la dépression, la terreur, la colère et la tristesse. Pas étonnant que je me sois mise à pleurer en mettant tout cela par écrit. J'avais près de moi une autre femme qui écrivait sans doute une expérience analogue. Toujours est-il que, toutes les deux, nous sanglotions, écrivions, puis nous remettions à sangloter... J'ai alors pris conscience de l'importance de ce qui se passait. À la fin du cours, nous avions toutes l'air traumatisé, comme après un bombardement : pas moyen de nous décider à sortir de la salle. Certaines d'entre nous protestèrent auprès d'Ali [Domar] en prétendant que ce n'était pas encore l'heure. Elle-même avait l'air ému et nous conseilla de continuer à tout mettre ainsi par écrit le lendemain et le surlendemain. Il paraît qu'il faut écrire pendant trois jours pour exorciser tous ses sentiments.

C'est ce que je fis, et l'exorcisme eut lieu. L'intervention chirurgicale focalisait toutes mes rancœurs. Je décrivis mon dernier adieu à Peter au moment où l'on m'emmenait dans la salle d'opération. Cette vision déclencha chez moi comme un flux de lucidité, un phénomène digne d'un passage de James Joyce. Je mis toutes ces nouvelles impressions par écrit : la peur de la mort, la tristesse d'être stérile. Le nœud se défaisait... »

Grâce au groupe et à son atmosphère chaleureuse, Molly surmonta son abattement. Elle y trouvait également des conseils de bon sens. Un jour qu'elle arriva bouleversée après une scène avec son mari, elle expliqua : « Cela ne nous est arrivé que deux fois pendant toutes nos années de mariage. » Ce sur quoi ses compagnes lui demandèrent aussitôt : « Qu'est-ce que tu prends, comme hormones ? » Molly recevait des injections de pergonal en vue d'une nouvelle fécondation *in vitro*, et les effets secondaires des hormones sur son humeur étaient manifestement responsables du dernier éclat. C'était le moment de chercher une issue.

Ses relations conjugales, qui avaient toujours été « excellentes », commençaient à souffrir de l'épreuve. Mais, comme disait Molly, « on ne peut pas agir sur ses rapports de couple tant qu'on ne s'est pas prise en main soi-même. Une fois ce problème réglé, tous les changements positifs sont transférés sur la relation ».

Elle se prit donc en main, et cela eut des retombées positives autant sur sa vie de couple que sur ses rapports professionnels. Molly eut recours à la restructuration cognitive afin d'analyser sa relation conflictuelle avec son chef de service.

Elle se rendit compte que son sentiment d'impuissance face à l'autoritarisme de son patron lui portait tort. Sa pensée défaitiste était : « Je n'ai aucun pouvoir. » Afin de restructurer ce constat et le désarroi qu'il suscitait, elle se posa des questions précises : « Est-ce que j'avais *le sentiment* de n'avoir aucun pouvoir ? Oui. Étais-je *réellement* sans pouvoir ? Non. »

Molly comprit qu'elle n'arriverait pas à s'imposer dans la mesure où aucune communication n'était possible avec son supérieur. Affirmer ses compétences supposait qu'elle échappe à cet environnement professionnel hostile. Au cours du traitement de soutien psychosomatique, elle apprit qu'un poste de chef de service en cancérologie pédiatrique était vacant dans un autre hôpital. Elle se saisit de l'occasion et obtint le poste qui offrait prestige, bonne rémunération et véritable autonomie.

Ces événements eurent un effet heureux sur son moral : « Ce fut merveilleux. Un dimanche, au beau milieu d'une séance de thérapie, j'eus l'impression de m'éveiller et de voir un monde tout différent. Vous vous souvenez de la scène du *Magicien d'Oz*, quand Dorothy sort de la maison en noir et blanc et entre dans un monde en couleurs ? Eh bien ! c'était ce qui m'arrivait. J'ai ouvert les yeux, et ma dépression avait disparu. Boum ! Comme ça. De grise, ma vie a pris les couleurs du bonheur. »

Pour ajouter une couleur de plus, Molly vint à la dernière séance de soutien porteuse d'une bonne nouvelle : la dernière tentative de fécondation *in vitro* avait réussi. Elle était enceinte. En dépit d'un accouchement difficile, son fils, prénommé Greg, était en parfaite santé. Il a aujourd'hui deux ans, c'est un petit garçon gai et énergique, et le couple est aux anges.

Le traitement psychosomatique l'a-t-il aidée à concevoir un enfant ? En tant que médecin, Molly ne se prononce pas. Mais dans son for intérieur, elle sait que son organisme s'est transformé en même temps que son état émotionnel. Alors, est-ce grâce à la méditation ? Au petit chien ? À l'écriture ? Au nouveau poste ? Sans être certaine de rien, elle a l'impression que ces différents éléments se sont combinés pour soulager sa dépression. Elle est persuadée que l'amélioration de son état psychique a vraiment modifié les échanges chimiques au sein de son organisme.

12

Fausses-couches et grossesses difficiles : calmer le jeu

La femme dont la grossesse se déroule sans problème, qui navigue sur une mer d'huile, du symptôme initial au premier cri du nouveau-né, est une créature bénie des dieux. Un phénomène plutôt rare au demeurant. En fait, les mois de grossesse suscitent autant d'instants de bonheur que d'angoisse, des simples nausées ou fringales matinales à la crainte d'une fausse-couche ou d'un accouchement prématuré. Les femmes enceintes peuvent réduire leur anxiété et entretenir leur euphorie en se concentrant sur elles-mêmes et en gagnant de l'assurance par des méthodes comportementales qui leur apaisent l'âme autant que les entrailles.

Les fausses-couches répétitives sont fréquentes, et les femmes qui y sont sujettes connaissent les mêmes sentiments de perte et de frustration que celles qui souffrent de stérilité, tout en devant affronter un autre niveau de souffrances et d'appréhensions. Après trois fausses-couches, Leah était à bout de nerfs. Elle se butait : « Pas question d'en repasser par là. Je ne le supporterai pas. » Pourtant, elle souhaitait désespérément avoir un enfant. Il n'empêche. Elle avait la hantise de se retrouver enceinte.

Avec des patientes comme Leah, j'ai recours à la restructuration cognitive afin de leur faire débusquer les composantes irrationnelles de leurs obsessions en leur demandant par exemple : « Pensez-vous vraiment qu'une autre fausse-couche vous serait fatale ? » Il ne s'agit pas de minimiser leurs craintes, mais de leur faire mieux voir ce qu'elles recouvrent. Quand elles s'y essaient, elles s'aperçoivent qu'elles sont plus fortes qu'elles veulent bien l'admettre. Elles sont alors souvent prêtes à affronter l'éventualité d'une nouvelle fausse-couche, pour peu qu'elles acceptent leur chagrin, le repos et à condition de pouvoir bénéficier de l'affection et de l'aide de leurs proches. Certes, la résistance féminine a ses limites, et toute femme qui décide de renoncer, a droit à tout mon respect et mon soutien. J'encourage cependant mes patientes à ne prendre une telle décision qu'après mûre réflexion, pas sous le coup du découragement.

C'est ainsi que Leah en vint à tempérer son point de vue et à considérer qu'un nouvelle fausse-couche ne lui briserait pas le moral. Dès lors, je lui ai fait envisager trois possibilités : renoncer à la grossesse ; tenter une nouvelle grossesse immédiatement ; attendre six mois avant une nouvelle tentative. Leah s'en tint à ce dernier choix. Elle n'était pas prête à renoncer à la maternité biologique, ni à affronter trop tôt le risque d'une nouvelle fausse-couche. Je l'aurais encouragée pour toute autre décision, à condition que celle-ci fût vraiment motivée.

Cependant, Leah s'inquiétait toujours de savoir si elle aurait la force psychologique de tenter à nouveau l'aventure. Je lui décrivis la situation de la façon suivante : « Qu'est-ce qui vous sapera le plus le moral : de vous ronger les sangs, ou de prendre soin de vous-même pendant six mois ? » Leah comprit qu'elle pouvait se concentrer sur son propre bien-être pour les six mois à venir, sans qu'une nouvelle fausse-couche, si cela devait arriver par la suite, l'anéantisse pour autant. Ce serait douloureux, évidemment, mais elle était désormais convaincue qu'elle serait capable d'affronter l'épreuve.

En attendant, Leah devint plus forte. Six mois plus tard, elle était enceinte. Son appréhension réapparut mais elle s'entraîna plus que jamais à la décontraction musculaire et aux mini-relaxations. Elle eut recours à la restructuration cognitive pour se rappeler qu'elle était capable de faire face, quelle que soit l'issue de la grossesse. Elle vécut le premier trimestre au jour le jour, avec tout le calme et la sérénité dont elle était capable. Aujourd'hui, Leah a une petite Élisabeth de trois ans, pétillante de gaieté.

J'ai eu l'occasion de suivre beaucoup de patientes à grossesses difficiles ou victimes de fausses-couches à répétition. Si j'en crois mon expérience clinique, les femmes qui, comme Leah, bénéficient d'un soutien psychosomatique, risquent moins de faire une nouvelle fausse-couche. Et si elles sont sujettes aux grossesses difficiles, elles supportent beaucoup mieux leur état.

Que peut leur apporter la médecine psychosomatique ? Nous connaissons très bien les risques que font courir au développement du fœtus des substances comme la caféine, la drogue, le tabac, l'alcool et la vitamine A en surdose. Il est essentiel d'éliminer ces facteurs de risque pour mener à bien une grossesse. Mais la condition d'une grossesse sans problème, c'est aussi l'équilibre psychique. Différentes études sur l'homme et l'animal ont mis en évidence un lien entre *l'extrême* détresse psychique et émotionnelle et le risque de fausse-couche, pour les raisons physiologiques suivantes :

> Dans la mesure où les hormones du stress comme l'adrénaline et la noradrénaline peuvent abaisser le flux sanguin de l'utérus, le fœtus risque de ne pas être assez irrigué si la mère est trop stressée.
>
> Des études sur des animaux ont montré des chutes de la pression sanguine et du rythme cardiaque chez les fœtus de femelles en gestation exposées à des facteurs de stress expérimentaux, comme des bruits provoqués ou des intrusions intempestives dans les cages.
>
> Selon différentes études datant de la fin des années 1960 et 70, les femmes sujettes aux fausses-couches à répétition ont tendance à manifester les mêmes traits de personnalité et une grande fragilité psychologique.
>
> Dans une étude comparant 61 femmes victimes de fausses-couches répétées et 31 femmes d'un groupe témoin, les premières montraient des signes « d'agressivité refoulée » et de l'appréhension à l'idée « de l'extérioriser ». Elles étaient aussi enclines à la soumission, à la dépendance, avec des hantises d'abandon et de culpabilité.

Il importe de noter que les études sur les sujets humains n'apportent aucun résultat définitif, car on ne sait pas si les traits et états psychologiques identifiés sont la cause des fausses-couches multiples, ou les retombées du traumatisme à répétition qu'elles représentent.

Celles d'entre vous qui craignent de faire une fausse-couche ont donc tout intérêt à être moins stressées, sans se culpabiliser pour autant. Si les problèmes psychologiques ont leur part dans la survenue d'une fausse-couche, c'est toujours à votre corps défendant, en toute innocence. En somme, le stress peut intervenir comme un facteur parmi bien d'autres, comme le tabac ou l'alcool.

La grossesse est une bonne occasion, entre autres, d'apprendre à accroître sa résistance au stress. Il est normal d'éprouver par moments une certaine angoisse durant cette période, comme pendant les différentes phases de la croissance ultérieure du bébé. La colère, la mélancolie, l'euphorie, le plaisir et toute la gamme des émotions accompagnent le déroulement de toute maternité. Mais certaines femmes enceintes éprouvent une angoisse exagérée, incoercible, risquant de générer des troubles physiques et émotionnels. Alors, réfléchissez un peu : si vous vous rongez d'inquiétude pendant votre grossesse, qu'en sera-t-il quand il vous faudra vous soucier de la croissance et du développement de votre enfant, de sa naissance à son entrée à l'université ?

Voilà pourquoi, entre autres, la grossesse est l'occasion rêvée de combler votre aspiration physique et mentale à la sérénité, l'harmonie et l'équilibre ainsi que votre envie de vous faire plaisir. Il dépend de vous de préparer un environnement plein d'affection et de tendresse à votre futur enfant en commençant par prendre le plus grand soin de vous-même. Cela suppose que vous gériez votre stress de façon constructive — en prenant en compte vos appréhensions, en considérant avec sérénité vos bouleversements hormonaux et vos sautes d'humeur, en surmontant coups de cafard et sentiment de culpabilité. Le meilleur moyen de bien alimenter le petit être qui se développe en vous, est de vous alimenter vous-mêmes physiquement, psychologiquement et intellectuellement.

Je traiterai, dans ce chapitre, de la médecine psychosomatique adaptée aux femmes sujettes aux fausses-couches répétitives et aux grossesses à risques. Mais la méthode vaut également pour toute femme qui veut aborder les bouleversements biologiques et émotionnels de la grossesse dans les meilleures conditions physiques et mentales.

Fausses-couches : les voies du rétablissement

Les fausses-couches sont beaucoup plus fréquentes qu'on ne le pense. Selon une estimation, 23 % des grossesses constatées se terminent par un « avortement spontané », terme médical désignant la fausse-couche. La plupart surviennent au cours du premier trimestre, plus rarement après. Le problème de ces interruptions précoces est que le chagrin de la femme rencontre peu d'échos dans l'entourage. On minimise la portée de ce que l'on considère comme un simple contretemps (« ça arrive à tout le monde »). Et les femmes qui font des fausses-couches à répétition ne savent à qui se confier, car rares sont celles, dans leur entourage immédiat, qui ont vécu la même expérience.

Il y a en outre un problème de société. Notre culture et nos institutions, qui ont déjà tendance à abandonner à leur chagrin les personnes qui perdent un être cher, font preuve d'une totale indifférence à l'égard des femmes qui perdent leur enfant en cours de grossesse. Et pourtant, pour les futurs parents, la fausse-couche représente la perte de l'enfant attendu. L'incident ne se réduit pas à la perte d'un fœtus. C'est la mort d'un rêve, d'un bel espoir. Sans invoquer des arguments idéologiques sur l'importance des débuts de la vie humaine, il reste que toute femme victime d'une fausse-couche vient de perdre, à tout le moins, l'enfant qu'elle s'apprêtait à accueillir en ce monde. Le refus de prendre en considération cette souffrance, qu'il faille incriminer la culture, la famille, les amis ou la femme elle-même, lui confisque toute chance de surmonter l'épreuve et de recouvrer espoir et assurance.

J'insiste, une première fausse-couche, voire plusieurs, n'ont pas de quoi vous faire désespérer. *La plupart des femmes qui font une fausse-couche connaîtront des grossesses sans problème.* Mais vous gagnez en équilibre émotionnel quand vous acceptez la réalité de la douleur qui accompagne inévitablement tout accident de ce genre. Car la tristesse n'a rien à voir avec le désespoir chronique. La première est un sentiment sain et dynamique ; le second est un état figé et débilitant. Au début, vous connaîtrez un moment de prostration : c'est notre défense naturelle contre le malheur. Ensuite, vous prendrez conscience de votre chagrin plus lourd, bien sûr, si vous continuez à perdre les enfants que vous portez. Certes, les fausses-couches à répétition peuvent outrepasser vos forces, mais les techniques psychosomatiques sont là pour vous aider à découvrir en vous des forces latentes qui vous permettront d'affronter ces situations.

Les femmes victimes de fausses-couches répétées vivent dans l'appréhension et le découragement. S'entraîner sainement à surmonter sa peur et son chagrin contribue à un meilleur bien-être psychologique ; il est d'ailleurs possible que le risque de fausses-couches ultérieures s'en trouve réduit chez les femmes dépourvues d'affections biologiques rédhibitoires. Je n'ai jamais entrepris de recherches systématiques sur la question, mais la majorité de mes patientes concernées par ce problème a réussi à mener une grossesse à terme après un suivi psychosomatique, y compris celles qui avaient fait plus de quatre fausses-couches.

Si vous avez été victime d'une ou plusieurs fausses-couches, je vous conseille de suivre le programme psychosomatique adéquat que je vais rapidement vous décrire. Parallèlement, si vous n'en êtes pas à votre premier avortement spontané, vous devez absolument vous soumettre à un bilan médical complet et vous faire suivre par un gynécologue obstétricien spécialiste des grossesses difficiles. Différents problèmes biologiques — solubles, en général — interviennent dans les fausses-couches à répétition : déséquilibre hormonal, dérèglement du système immunitaire, malformation de l'utérus, fibrome ou endométrite (inflammation de la muqueuse utérine), autant de troubles qu'un traitement médical et/ou une intervention chirurgicale corrigent.

Le meilleur moyen d'affronter ces accidents de grossesse est de s'impliquer dans une approche psychosomatique adéquate, en insistant tout particulièrement sur la restructuration des sentiments de crainte et de culpabilité, sur le travail de deuil et la recherche d'un soutien de l'entourage, sur l'attention à soi-même et la relaxation. Comme vous allez le constater, l'approche diffère selon que avez connu une ou plusieurs fausses-couches, ou que vous avez du mal à être enceinte entre deux interruptions de grossesses.

Surmonter la peur et le sentiment de culpabilité

La peur est l'émotion courante de la vie quotidienne de la femme qui a subi plusieurs fausses-couches. Elle appréhende le moindre saignement, la moindre tache de sang. Même celle qui n'a connu qu'un seul avortement spontané ne se rend pas à la salle de bains sans un pincement au cœur. Sachez, cela vous rassurera, qu'il est fréquent de perdre un peu de sang au cours d'une grossesse : la plupart des femmes saignent un peu durant les premiers mois, et parfois jusqu'au terme. Mais on ne peut se contenter de dire aux femmes sujettes aux fausses-couches que les saignements sont le plus souvent bénins. Elles ont besoin d'une information plus complète, car elles doivent effectivement surveiller le moindre signe suspect. La question est la suivante : comment éviter la panique et garder son équilibre émotionnel ?

La pratique régulière de la relaxation pendant la grossesse est l'un des moyens de circonscrire l'appréhension. Il est également très utile de recourir aux mini-relaxations dès que l'on se retrouve confrontée à des situations anxiogènes. Par exemple, quand vous vous rendez à la salle de bains en redoutant une tache suspecte ; ou quand vous avez une tâche fatigante ou stressante à accomplir dans la journée ; ou dès qu'une bouffée d'inquiétude au sujet de votre grossesse s'empare de vous.

La restructuration cognitive est indispensable si l'on veut se libérer des sentiments récurrents de crainte et de culpabilité. Comme dans le cas de Leah, évoqué au début de ce chapitre, essayez de remplacer vos idées fixes par le souvenir d'épreuves passées que votre ressort et votre énergie vous ont permis de bien surmonter.

La plupart des femmes ayant vécu plusieurs fausses-couches ont un problème qui étonne toujours celles qui souffrent de stérilité : elles ont *peur* d'être enceintes. Certaines femmes connaissent les deux problèmes : à la suite de plusieurs fausses-couches, elles attendent désespérément une nouvelle grossesse. Ces patientes sont doublement touchées par le sort, ce que l'une d'elles, Suzanne, exprimait ainsi : « Au moment du test de grossesse, je redoutais autant être enceinte que ne pas l'être. » Le meilleur conseil que l'on puisse donner à ces femmes est d'apprendre à vivre dans le présent, en s'aidant de l'investigation cognitive et de l'attention sur l'instant.

Fausses-couches multiples avec ou sans stérilité consécutive, il est essentiel de mettre au jour toutes ses capacités de résistance pour affronter sainement la situation. L'un des moyens d'y parvenir consiste à rechercher ses points forts dans d'autres domaines de la vie. Voilà le style de remarques qu'il m'arrive de faire à mes patientes : « Souvenez-vous comment vous avez surmonté la mort de votre grand-mère »... « Vous vous êtes très bien débrouillée quand votre patron vous cherchait des histoires ? »... « Somme toute, à la réflexion, vous vous en êtes plutôt bien sortie après votre dernière fausse-couche ? ».

Découvrir ses forces cachées permet de mieux se maîtriser quand on a l'impression d'être trahie par son corps. Il est également essentiel de prendre le contre-pied de tout sentiment de culpabilité. Si votre médecin a identifié une cause physiologique à l'origine de vos fausses-couches, vous n'y êtes pour rien, qu'il s'agisse d'un problème anatomique, hormonal ou immunologique. En outre, vous avez le plus souvent une solution médicale. Et si votre médecin ne trouve pas la cause des fausses-couches, raison de plus pour ne pas vous en sentir responsable.

Eleanor avait fait plusieurs fausses-couches. Son médecin n'avait décelé aucune origine médicale. « J'ai forcément quelque chose qui ne va pas » se disait-elle. J'opposai les faits à sa conviction. Chez une femme en bonne santé, la cause vraisemblable de la fausse-couche est une anomalie chromosomique du fœtus. Autrement dit, Eleanor était parfaitement normale, mais pas son fœtus. Et je lui rappelai que l'avortement spontané n'était jamais que le moyen naturel courant d'interruption de grossesse quand le bébé conçu n'était pas viable.

Certaines femmes se reprochent leurs comportements : « Je n'aurais pas dû rester debout toute la journée », « je n'aurais pas dû me disputer avec ma belle-mère », « si seulement je n'avais pas bu ce verre de vin le 29e jour de mon cycle ! », quand elles ne se reprochent pas d'avoir eu des rapports sexuels tout en sachant qu'elles étaient enceintes ! Si, à la suite d'une fausse-couche, vous êtes hantée par de telles absurdités, vous avez deux façons de restructurer vos raisonnements : d'abord, rappelez-vous que les faits mis en cause provoquent rarement, voire jamais, d'avortement. Exceptionnellement, un très grand traumatisme physique ou psychique peut être un facteur d'avortement spontané, mais il n'est en général pas seul en cause. Les femmes obsédées par ce type d'idées sont celles qui ont l'habitude de passer en revue tous les écarts commis dans les heures ou les jours qui précèdent leur accident. C'est ainsi qu'une patiente en vint à se reprocher d'avoir grimpé les escaliers la veille de sa fausse-couche...

Bien que des facteurs de stress physiques, émotionnels ou chimiques très mineurs (comme un verre de vin) ne provoquent probablement pas une fausse-couche, il est impossible de prouver à de telles femmes que leurs faits et gestes sont totalement inoffensifs. Ce qui conduit à la deuxième phase de la restructuration : la prise de conscience qu'elles ont fait de leur mieux, compte tenu de l'information à laquelle elles avaient accès. J'ai connu peu de femmes enceintes qui persévéraient dans des comportements contre lesquels leur médecin les avaient mises en garde. Les femmes se reprochent la plupart du temps des activités et des comportements anodins.

Je tiens donc à les rassurer : leur conduite n'a sans doute rien à voir avec leur fausse-couche, et je les encourage à se prendre en main, sans se préoccuper de l'origine de l'interruption de grossesse. Elles ne manquent pas de se livrer à des déformations cognitives du type que le Dr David Burns caractérise de « raisonnement du tout ou rien » ou de « filtre mental ». Elles trouvent toujours un petit quelque chose à se reprocher pour s'accuser de la perte de leur bébé. À moins qu'elles ne s'emparent d'un minuscule détail pour s'en servir de marteau-pilon. Si vous avez cette fâcheuse tendance, identifiez-la et débarrassez-vous-en rapidement, car vous vous faites du mal pour rien.

Le travail de deuil

Après quatre fausses-couches, Suzanne était effondrée. Dépressive et anxieuse, elle ne savait plus si elle voulait renoncer ou tenter à nouveau une grossesse. Après avoir rejoint un des groupes de soutien psychosomatique, Suzanne se rendit compte qu'elle avait fait l'impasse sur le travail de deuil. « Je n'avais personne à qui confier mon chagrin, expliquait-elle. Ceux vers qui je me tournais après les premiers avortements me disaient *ne t'en fais pas, ce sera pour la prochaine fois.* Ma tante, par exemple, avait fait cinq fausses-couches et avait tout de même sept enfants. Je n'avais pas mis mes sœurs ni mon frère au courant. Quant à mes parents, ils ne savaient quoi dire. »

Rétrospectivement, Suzanne comprenait : « J'avais besoin de souffler. De pleurer, d'avoir mal. C'est ça, je voulais cuver ma peine, la sentir, pleinement. » Nous l'encourageâmes à pleurer l'enfant perdu. Elle se sentit moins seule avec sa douleur, car nous accordions toute leur valeur à ses sentiments.

Dès lors, le comportement de Suzanne changea du tout au tout. Elle fit une nouvelle fausse-couche à Thanksgiving, le jour de la fête nationale. L'avortement était très précoce et Suzanne ne se précipita pas à l'hôpital. Ses invités devaient arriver pour dîner, et Jack, son mari, voulait annuler la fête. « Non, lui ai-je répondu, se souvenait-elle. Ce sont nos amis intimes, et je veux partager ce qui nous arrive avec eux sans en faire un drame. Alors j'ai bu un peu de vin blanc, ce que le médecin m'avait conseillé de faire si ça se reproduisait. Je me suis détendue, nous avons pleuré tous les deux, nos amis sont arrivés, et nous avons porté un toast de deuil à la grossesse interrompue. »

Dès lors, Suzanne s'ouvrit plus facilement à son mari, sa famille et ses amis. Elle sortit de sa dépression et sa vie conjugale reprit un coup de jeune. Après de nouvelles fausses-couches, elle décida avec Jack de repousser la maternité à plus tard. Ils voulaient prendre le temps de récupérer, de se détendre et de s'aimer à nouveau tout leur saoul.

Il est arrivé à plusieurs de mes patientes d'écrire des lettres aux bébés qu'elles avaient perdu. Elles mettaient par écrit leurs espoirs, leurs rêves, et leur amertume d'avoir dû renoncer à cette maternité. Elles adressaient leurs lettres au nom qu'elles avaient choisi pour l'enfant, ce qui concrétisait et personnalisait leur deuil, tout en leur donnant l'impression de garder un lien avec l'être qui n'avait jamais vu le jour. Je ne conseillerai pas à tout le monde d'écrire de telles lettres, même si ces femmes-là y ont trouvé du réconfort. Si vous craignez que ce procédé n'aggrave la blessure, n'y pensez plus. Mais si vous avez l'impression que cela peut faciliter le travail de deuil, engagez-vous prudemment dans cette voie.

La hâte avec laquelle certains gynécologues ou obstétriciens conseillent à leurs patientes sortant d'une fausse-couche de tenter une nouvelle fécondation dès le retour de leurs règles m'inquiète toujours. J'ai vu beaucoup de patientes recommencer une grossesse dans les deux mois qui ont suivi leur deuxième ou troisième fausse-couche, sans avoir eu le temps de récupérer ni de surmonter leur chagrin. Or, en cas de nouvelle fausse-couche, la souffrance morale se surajoute à la précédente.

C'est pourquoi j'incite mes patientes à attendre plus longtemps. La plupart d'entre elles ont la trentaine et ne sont pas à quelques mois près. Phyllis, trente-six ans, avait subi quatre fausses-couches. « Je n'en peux plus, je ne le supporterai plus », disait-elle, tout en se sentant obligée de tenter à nouveau une grossesse tout de suite après. J'insistai sur le fait que c'était à *elle* de choisir, et qu'elle pouvait se précipiter mais aussi surseoir. C'était une artiste célèbre ayant déjà un enfant de huit ans d'un précédent mariage. L'idée de prendre le temps de se consacrer pleinement à son travail, son couple et son enfant — sans être obsédée par la grossesse et ses complications éventuelles — fut pour elle une révélation. Elle put ainsi se remettre des traumatismes successifs, et se replonger dans les joies et les enjeux de la vie quotidienne. Elle retrouva son énergie et son optimisme naturels. Un an après, elle était enceinte, et cette fois-ci elle alla jusqu'au terme.

Rares sont celles d'entre nous capables de souffrir en silence. Nous avons besoin de nous confier à nos amis et nos proches, car l'isolement rend le chagrin beaucoup plus difficile à supporter. Non que les femmes ayant fait une fausse-couche ne doivent jamais s'isoler, mais le travail de deuil consécutif à une fausse-couche est semblable à celui qui suit la perte de tout être cher. Il a son rythme propre, qui le fait osciller entre la recherche de l'isolement et du réconfort.

La plupart des femmes vont mieux dès qu'elles parlent de leur chagrin, ne serait-ce que de temps en temps, à des amis ou des membres de la famille bien choisis. Le plus souvent, elles partagent leur peine avec leur mari, faute de quoi la qualité de leurs rapports conjugaux risque de se dégrader. Le couple n'est malheureusement pas toujours à même d'assumer ce fardeau à lui seul. La tâche est parfois lourde, et il n'est jamais très bon de se replier sur la souffrance mutuelle. C'est pourquoi j'encourage les deux partenaires à trouver un équilibre entre le soutien réciproque et la recherche de compréhension auprès des amis et de la famille, de ceux qui sont disponibles et prêts à les aider.

C'est ainsi que Suzanne trouva le réconfort nécessaire. Au début, il lui fallut déjà resserrer ses liens avec Jack. Elle suivait nos séances de soutien à la stérilité (car entre deux fausses-couches, elle avait du mal à se retrouver enceinte). Le dimanche où les maris sont invités, tous deux participèrent aux activités de couples : « Tout cela a finalement permis à Jack de partager ses sentiments avec moi, expliquait-elle. Et je me suis rendu compte que toute l'affaire l'affectait autant que moi. Ce qui par ailleurs m'a fait comprendre ce que moi-même j'aurais ressenti si c'était *lui* qui en était passé par là. »

Cette journée permit à Suzanne de redécouvrir « à quel point Jack était un homme attentionné. Il voulait vraiment que j'arrête les injections d'hormones, car il ne supportait plus que j'en voie de toutes les couleurs. Et pour la première fois, je ne me contentais pas *d'entendre* ce qu'il disait. Je l'écoutais ».

Suzanne savait que l'épreuve de la stérilité et des fausses-couches pouvait tout aussi bien souder le couple que creuser un fossé. « Je voyais qu'il était facile de faire déraper le mariage », disait-elle. Mais la journée qu'ils passèrent ensemble marqua pour eux un nouveau point de départ. La cicatrisation de leurs petits différends leur permit également de se faire à l'idée de ne plus être en mesure de procréer : mais ils savaient, mieux qu'auparavant, plus profondément, qu'ils pouvaient compter l'un sur l'autre.

Suzanne surmonta aussi les légères rancœurs qui étaient apparues entre elle et sa famille à la suite de ses difficultés de procréation. Ses sœurs qui « enfantaient comme des lapines » la plaignaient. Quant à Suzanne, elle n'osait pas se confier à sa mère qu'elle croyait avoir profondément déçue. Elle enviait « la relation privilégiée » de ses sœurs avec sa mère. « Je voyais bien que ma mère considérait mes sœurs différemment, parce qu'elles avaient des enfants, disait-elle. Quand elles ont eu leurs bébés, ma mère s'est installée chez elles une quinzaine de jours pour les aider. Il y avait une intimité incroyable entre ma mère et elles. J'étais désespérément jalouse. »

Quand Suzanne, finalement, aborda le sujet avec sa mère, celle-ci la rassura pleinement : « Mais non, penses-tu, je ne t'en ai jamais voulu, m'a-t-elle dit. Nous avons toutes deux tellement d'autres points commun. » Quant à ses sœurs, elles lui décrivirent la situation tout autrement que Suzanne se l'était imaginée. Oui, bien sûr, ça avait été formidable. « Mais mes deux sœurs m'ont dit que maman les bassinait trop sur la façon dont il fallait élever les gosses. » Suzanne se sentait désormais à l'aise avec sa famille. « Mes parents comme mes sœurs et mon frère me protègent beaucoup », expliquait-elle. Dans la mesure où elle s'était mise à exprimer clairement ses besoins, les sources potentielles de discorde n'étaient plus qu'occasions de retrouvailles.

Votre mari, les membres de votre famille ou vos amis ne savent peut-être pas comment répondre à votre détresse. Et comment voulez-vous qu'ils devinent ce que vous voulez ? Comment être sûr que vous souhaitez parler du bébé que vous venez de perdre ? Que vous ne préférez pas éviter le sujet sensible avec certaines personnes ? Que vous ne trouverez pas les questions indiscrètes, malvenues ? Et si on s'abstient de tout commentaire, comment devinez que vous l'interprétez comme de l'indifférence ? C'est donc à vous de faire savoir à ceux que vous aimez ce que vous souhaitez, et au moment voulu.

Comme pour la stérilité, vient un moment où le couple confronté aux fausses-couches multiples décide que cela suffit. Il y a une limite à ce que chaque femme, chaque couple peut endurer. Cela aide beaucoup de garder dans un coin de sa tête qu'on peut toujours recourir à l'adoption. Cela permet de conserver l'espoir et de transférer l'amour destiné à l'enfant tant désiré vers l'enfant adopté.

D'autres couples décident d'arrêter sans pour autant choisir l'adoption. Après sept fausses-couches et la résolution sereine de ne pas persévérer plus loin, Suzanne et Jack se sont fait à l'idée de vivre sans enfant. Jusqu'à présent, Suzanne a choisi de privilégier sa santé et son bien-être, ainsi que ses relations avec Jack et ses proches. Elle « a fait le tour de ce que signifie la vie sans enfant », dit-elle, et pour l'heure reste très satisfaite de sa décision. Elle adore les enfants, comme Jack, et tous deux ont l'art de s'y prendre avec eux. Les nièces et les neveux ont souvent eu l'occasion d'en profiter. « Il y a mille et une façons de s'occuper des enfants quand vous n'en avez pas vous-mêmes, explique-t-elle. Sans compter que vous n'êtes pas obligée de vous lever toutes les nuits à trois heures. »

Le travail de deuil est bien sûr plus facile pour les patientes qui envisagent de concevoir un autre enfant. Dans le cas contraire, la blessure se referme plus lentement, mais finit toujours par se cicatriser. Comme l'explique Suzanne : « J'ai eu du chagrin pendant longtemps. Mais je crois en une vie après la mort. Les fausses-couches, c'est du passé. Je n'ai pas besoin d'enterrer une partie de ma vie, car la vie continue, et je compte bien en profiter. En somme, c'est comme les leçons de piano. Je me souviens seulement de tout ce que j'ai appris. »

Retrouver sa sérénité

Les femmes sujettes aux fausses-couches multiples vivent dans un état de crainte et d'appréhension très particulier. La plupart sont à l'affût de leurs symptômes de femmes enceintes. Que l'une d'elles ne ressente plus de nausées, elle se demande si tout ne va pas s'arrêter. Voilà comment ces femmes sont frustrées des joies de la grossesse : l'angoisse permanente leur gâche le plaisir.

Celles de mes patientes qui ont souffert de fausses-couches multiples s'en remettent à la pratique régulière de la relaxation comme aux mini-relaxations. En cas de fausse-couche, unique ou multiple, je recommande de pratiquer les mini-relaxations dès que la peur ou l'angoisse vous prend : au moment d'aller dans la salle de bains, de se rendre chez l'obstétricien pour une consultation ou des examens, ou dès que vous ressentez quelque chose qui vous fait craindre la perte du bébé. Je recommande aussi vigoureusement la pratique régulière de la relaxation. Vous aurez peut-être envie d'essayer la méditation ou la respiration contrôlée pour vous calmer. Dans ce cas, ce ne sont pas les phrases de support qui manquent. Iris avait subi cinq fausses-couches et se retrouvait de nouveau enceinte. Très nerveuse, elle se livrait à la méditation en compagnie de son mari, et tous deux respiraient profondément, en répétant la formule « continuons... » (inspiration), « ... nous vaincrons ! » (expiration). Iris associait une image très convaincante à la phrase fétiche : celle de l'enfant dans son berceau, dans la chambre qu'ils avaient préparée pour son arrivée.

C'est un type de formules possibles à utiliser en dehors de la pratique de la méditation. Si vous vous les répétez mentalement au cours de la journée, elles vous calmeront et vous rassureront, car elles auront valeur d'affirmation, presque de certitude. Mes patientes psalmodient, entre autres : « Je tiendrai le coup », « je vais bien réagir », « je ferai de mon mieux » ou « je ferai tout ce que je peux pour mon bébé ».

Au cas où l'angoisse vous empêche de vous livrer à la méditation, allez faire une petite promenade attentive, si votre médecin vous autorise de sortir. La marche concentrée est l'un des meilleurs remèdes à la peur et à la panique, car vous prenez conscience des sensations élémentaires de l'instant présent — le sol sous vos pieds, la fraîcheur de l'air dans les narines, vos membres qui bougent, le spectacle de la nature... la rue, les gens.

Kelly, quant à elle, avait choisi une toute autre démarche. Elle s'était acheté une petite piscine en forme de poisson, semblable à celle de son enfance, qu'elle avait installée dans son jardin. Elle la remplit d'eau et s'y étendit tout un après-midi à observer les oiseaux et le jeu du vent dans les arbres. À l'entendre, ce fut l'une des plus merveilleuses journées de sa vie et elle en prit l'habitude.

La relaxation musculaire ou l'autorelaxation risque d'élever le niveau d'anxiété quand la femme qui appréhende une fausse-couche est déjà trop centrée sur son propre corps. En revanche, l'exploration corporelle (revue mentale des différentes parties du corps) est moins contraignante et moins physique ; essayez-la si votre objectif est de réduire la tension physique et psychique. Le yoga est excellent pour certaines femmes enceintes, mais je ne le recommanderai pas à celles qui ont déjà fait plusieurs fausses-couches et débutent une nouvelle grossesse. En revanche, c'est une excellente forme de relaxation et de gymnastique douce que les femmes sujettes aux fausses-couches peuvent pratiquer *entre* leurs grossesses.

L'imagerie mentale dirigée est tout indiquée à celles qui ont besoin de s'évader intérieurement de leurs préoccupations. Servez-vous des cassettes de l'institut psychosomatique pour guider votre promenade mentale dans la nature.

Vous pouvez également visualiser votre bébé en train de prospérer dans vos entrailles. L'effet en est très rassurant.

En cas de crampes et contractures et autres soupçons de fausse-couche, faites l'exercice de « l'oie-dans-la-bouteille » (chapitre 5) à seule fin de vous souvenir que vous avez la fâcheuse habitude de construire des scénarios catastrophes à partir de sensations parfaitement normales. Il ne s'agit pas de négliger des symptômes réellement alarmants, comme les saignements, mais plutôt de remettre en cause les fondements irrationnels de vos angoisses récurrentes.

L'humour n'est jamais superflu. À la suite d'années de traitements contre la stérilité, Tina avait fait quatre fausses-couches. Elle se retrouva enceinte au début du suivi psycho-somatique. Le premier trimestre de grossesse fut affreux, avec crampes abdominales et saignements. Mais elle surmonta ses angoisses et sa fatigue en ayant recours à la relaxation et aux mini-relaxations. Son humour put se déployer à loisir dans l'ambiance décontractée des séances de groupe. La vivacité et l'extravagance de ses sketches et plaisanteries n'avaient rien à envier à celles d'un comique professionnel.

Elle nous raconta une foule d'anecdotes, entre autres la stratégie qu'elle déploya pour faire céder l'indifférence de Harry, son mari. Elle le fit passer par des cycles fictifs de fécondation *in vitro* en lui faisant des piqûres d'eau distillée dans les fesses, comme s'il s'agissait de ses propres injections d'hormones. Un jour qu'ils étaient à la pizzeria du coin avec les copains d'Harry, elle l'obligea à le suivre aux toilettes, car c'était l'heure de la piqûre. Il rechigna mais obtempéra. Les histoires de Tina nous mettaient en joie. Elle poursuivit sa grossesse sans incident. Six mois après la fin des séances, elle donna le jour à un beau petit garçon très vigoureux.

La grossesse à risques

En général, on ne parle pas de grossesse à risques en cas de fausses-couches durant le premier trimestre de la gestation. Ce qui peut prêter à confusion, dans la mesure où ces patientes risquent tout de même de perdre l'enfant durant les premiers mois de leurs grossesses ultérieures. Toujours est-il que le terme « à risques » est le plus souvent (pas toujours) réservé aux grossesses présentant des difficultés au-delà du premier trimestre.

Les contextes médicaux des grossesses à risques sont multiples et variés. Les femmes ayant fait une première fausse-couche au deuxième ou troisième trimestre connaissent ultérieurement des grossesses à risques. Également les femmes de quarante ans et plus, les diabétiques, celles dont l'utérus est trop petit ou malformé. La plupart du temps, un traitement et un suivi médical suffisent à tempérer les facteurs de risque (à prévenir, par exemple, l'accouchement trop précoce). Selon les problèmes en cause, l'obstétricien ou le gynécologue prescrira une réduction de l'activité, qu'il s'agisse d'un simple changement de rythme ou du repos total au lit pendant des mois.

Ces femmes vivent dans l'angoisse permanente tout au long de leur grossesse. Elles appréhendent non seulement les saignements, mais les crampes et toute sensation évoquant les contractions d'une délivrance avant terme. Les médecins et le personnel soignant entretiennent involontairement leur anxiété en leur demandant de veiller au moindre signe suspect. L'autosurveillance, nécessaire, bien sûr, peut malheureusement tourner à l'obsession. Comme ces femmes doivent rester sur le qui-vive, je leur conseille de recourir aux mini-relaxations tout au long de leur grossesse, et de ne pas se laisser submerger par la hantise de leur corps et la crainte de perdre le bébé.

Plusieurs de mes patientes ont grandement bénéficié de la pratique de l'imagerie mentale. Il est possible d'y recourir pendant les mini-relaxations, la respiration consciente et la méditation ou à n'importe quel moment de la journée en respirant profondément. À l'inspiration, sentez l'air passer par le nez pour pénétrer dans vos poumons. Puis écoutez les battements de votre cœur en train de pomper le sang gorgé d'oxygène qui ira irriguer votre bébé. À chaque inhalation, vous respirez l'oxygène qui maintient votre enfant en vie. Visualisez votre progéniture en train de profiter de ce processus vital. Au moment de l'expiration, imaginez le gaz carbonique et les autres toxines évacuant votre organisme et celui de votre bébé. Maintenez l'image à chaque inspiration et expiration aussi longtemps qu'il vous plaira. Cet exercice renforcera votre maîtrise de vous-même, votre intimité avec l'enfant et vos aptitudes maternelles.

Si vous devez rester alitée, ayez recours à la méditation silencieuse, à la respiration délibérée, à l'effort d'attention sur ce qui vous entoure, à la prise de conscience des différentes parties de votre corps. En la circonstance, les cassettes enregistrées sont très utiles. Et le soutien de groupe, comment le solliciter quand on est clouée au lit ? Demandez à votre gynécologue s'il n'a pas des patientes dans le même cas que vous avec qui vous pourriez converser par téléphone. Bien sûr, vous pouvez essayer de solliciter votre mari et vos proches. Dans le meilleur des cas, les uns ou les autres seront ravis de vous apporter présence physique et réconfort moral.

Surtout, repoussez tout sentiment de culpabilité. Les grossesses à risques sont difficile à vivre, et il est impossible de ne jamais commettre d'écart. Emma, à qui l'on avait prescrit le repos allongé, avait monté les escaliers avec un nouveau-né dans les bras, son neveu, pour le changer. Quelques instants plus tard elle commençait à avoir des contractions. Elle dut se précipiter à l'hôpital où on lui administra les médicaments qui préviennent un travail trop précoce. Elle avait suivi nos cours et savait donc remettre en cause les idées culpabilisantes, ce qui l'empêcha de se laisser aller à la déprime à la suite de l'incident. Emma savait qu'on est toujours à la merci d'une erreur et que si sa petite défaillance lui avait compliqué la vie, elle n'avait pas provoqué la perte du bébé.

Vous n'êtes pas responsable du problème médical à l'origine de votre grossesse à risques. Il arrive que le vocabulaire médical contribue au sentiment de culpabilité. C'est ainsi, par exemple, que certaines femmes ont un col de l'utérus qui se dilate trop rapidement, de sorte que l'utérus a du mal à garder le fœtus. Dans ce cas, les médecins parlent « d'incompétence du col », le type même de terminologie incitant les femmes à se reprocher leurs souffrances. Si l'on a fait chez vous ce diagnostic, changez de terme. Appliquez-vous un diagnostic tout aussi exact, mais dégagé de sa connotation péjorative, par exemple : « J'ai le col trop empressé. » Qui peut se sentir coupable d'avoir un col de l'utérus trop pressé de livrer le bébé tant attendu ?

La médecine psychosomatique vous permettra de mieux faire face à la grossesse à risques. Si j'en crois mon expérience professionnelle, la sérénité mentale contribue à calmer le jeu physiologique, ce qui vous permet malgré tout d'envisager une grossesse heureuse. Toutefois, les facteurs de risques d'une grossesse sont nombreux, et vous ne pouvez pas tous les maîtrisez mentalement. Aussi, quelle que soit l'issue de votre grossesse, il n'y a aucune raison de vous sentir coupable, et adoptez cette devise : « Je fais de mon mieux, pour moi comme pour mon bébé. »

13

La ménopause : apprivoiser la transition

La femme ne vit plus la ménopause comme jadis. Les mentalités ont lentement évolué. Il n'y a plus de tabou sur cette phase de transition. On en parle ouvertement, on l'analyse et on la redoute autant qu'on s'y prépare. Cette révolution culturelle ne nous a pas encore franchement débarrassées des vieux préjugés dévastateurs. Même si la société fait preuve d'une plus grande ouverture d'esprit.

En quoi une approche plus rationnelle de la ménopause peut-elle en améliorer les manifestations physiologiques ? Parce que l'émotion et l'affectivité perturbent les échanges délicats entre hormones et médiateurs cérébraux, ce qui risque d'entraîner des troubles très gênants. Une approche plus saine de ce tournant de la vie permet aux femmes de prendre conscience de toutes les potentialités qui s'offrent à elles au moment de la ménopause et après.

On a beaucoup écrit sur ce cap de la vie féminine. Le nouveau ton positif des médias encourage les femmes à accepter la ménopause comme un processus naturel plutôt que comme une pathologie. Mais pour celles qui vivent leur ménopause dans l'angoisse et la dépression, ou dont les symptômes physiques empoisonnent la vie quotidienne, la lecture de livres et d'articles consacrés à la question n'est qu'un premier pas. Pour que les bienfaits physiques d'une meilleure compréhension du phénomène soient tangibles, il est probable qu'un suivi plus systématique soit nécessaire. C'est là où la médecine psychosomatique intervient.

Des méthodes de relaxation bien ciblées, un recadrage cognitif et l'expression des émotions ont un effet souvent spectaculaire en faisant percevoir la ménopause non comme le début du déclin, mais comme une porte ouverte sur une plus grande liberté associée au plaisir et à la créativité. C'est la démarche que je propose à mes patientes et que je vais vous exposer dans ce chapitre.

Les recherches que mes collègues et moi-même avons entreprises au département de médecine comportementale de l'école de médecine de Harvard ont démontré combien la pratique de la relaxation pouvait réduire l'anxiété et les états dépressifs des femmes abordant la ménopause. Nous avons également apporté la preuve que la relaxation atténuait sensiblement les bouffées de chaleur, le symptôme physique le plus perturbant et le plus fréquent puisqu'il touche au moins les trois quarts des femmes ménopausées. Or ces bouffées de chaleur n'ont rien d'anodin, et compromettent vraiment la qualité de vie de la femme qui en souffre. La disparition des symptômes a généralement des retombées positives sur tous les aspects de l'existence.

Prenez le cas de Jessica, une enseignante qui souffrait de bouffées de chaleur à n'importe quelle heure du jour ou de la nuit. Les pires accès survenaient en classe, au moment où ses élèves de onze-douze ans se dissipaient. Bien entendu, ils se déchaînaient dès qu'ils la voyaient faiblir, ce qui aggravait la bouffée de chaleur et lui faisait perdre toute son assurance comme ses facultés de concentration. À l'issue de telles journées — qui commençaient à se multiplier — Jessica vacillait de fatigue et d'exaspération. Elle s'initia à la pratique régulière de la relaxation dans l'un de nos groupes de suivi de la ménopause. La fréquence et l'intensité de ses bouffées de chaleur diminuèrent en quelques semaines.

Je lui avais également expliqué comment déceler les « facteurs déclenchants », comme l'agitation des élèves par exemple. Du coup, elle se livrait à des mini-relaxations dès que les enfants commençaient à être turbulents, sans qu'ils se doutent de quoi que ce soit. Elle découvrit que cette pratique raccourcissait et parfois prévenait totalement les bouffées dont l'intensité et la fréquence diminuèrent d'environ 70 %. En quelques mois, sa relation avec les élèves comme l'image qu'elle avait d'elle-même en tant que femme et enseignante s'étaient nettement améliorées.

Nous avons apporté la preuve scientifique de l'efficacité de la relaxation sur les bouffées de chaleur et les symptômes psychologiques accompagnant la ménopause. Cela dit, ma pratique clinique m'incite à penser que la combinaison de la relaxation aux autres techniques psychosomatiques est encore plus salutaire. La restructuration cognitive permet de libérer les femmes des préjugés culturels associés à la ménopause, et de leur faire adopter un point de vue plus rationnel. Elles se forgent également de nouveaux moyens d'expression émotionnelle et artistique. Le suivi psychosomatique provoque une véritable révélation : les femmes s'aperçoivent qu'elles pourraient bien vivre leurs plus belles années après la ménopause.

Elles découvrent d'abord ce que Margaret Mead avait appelé « l'élan de la post-ménopause », une période propice aux accès de vitalité et d'enthousiasme. C'est une chose de lire un article de magazine sur ce regain de jeunesse, une autre de l'expérimenter soi-même. La conquête de ce dynamisme exige de la plupart des femmes qu'elles développent leur faculté d'adaptation et apprennent à surmonter tout ce qui porte atteinte à l'estime d'elles-mêmes, à leur créativité et leur sérénité, que l'obstacle soit intérieur ou extérieur. Ce changement d'optique, en plus d'un suivi psychosomatique, d'un régime alimentaire équilibré et de l'exercice physique, les préparera au nouveau départ de la post-ménopause.

La médecine courante contribue à ce nouvel épanouissement tout en améliorant la condition physique de la femme ménopausée. Les symptômes comme les bouffées de chaleur et la sécheresse vaginale sont dus à la chute inévitable des taux d'œstrogènes au moment de la ménopause. Il est possible que ce tarissement hormonal joue un petit rôle dans des symptômes psychologiques comme la dépression. C'est pourquoi le traitement hormonal substitutif (le THS), avec apport supplémentaire d'œstrogènes et de progestérone, peut soulager considérablement les symptômes physiques, voire certains troubles psychologiques. Nous savons également que la diminution des œstrogènes à cette période de la vie accroît le risque cardiaque et celui d'ostéoporose, ce à quoi remédie parfaitement l'hormonothérapie.

Mais l'apport d'hormones n'est pas la panacée, et recèle des inconvénients spécifiques. On a constaté que les traitements anciens (apport exclusif d'œstrogènes) accroissaient le risque de cancer de l'utérus, voire de cancer du sein. En revanche, les œstrogènes associés à la progestérone n'aggravent pas le risque de cancer de l'endomètre et du col, qu'ils auraient plutôt tendance à réduire. Pour le cancer du sein, on n'est toujours pas en mesure de se prononcer. Chacun des protocoles de recherche innocentant l'hormonothérapie de la ménopause se voit opposer un autre protocole qui met en évidence une légère augmentation de risque de cancer du sein chez les femmes traitées de longue date. Les résultats d'une étude à grande échelle sur l'innocuité de l'hormonothérapie de la ménopause ont été publiés récemment dans le *New England Journal of Medicine*. Il apparaît un risque de cancer du sein accru de 30 à 40 % chez les femmes ayant recours aux hormones de substitution depuis cinq ans et plus après la ménopause.

Que faut-il en conclure ? Le corps médical a abouti à un certain consensus en la matière : si vous avez quelque raison d'avoir une prédisposition au cancer du sein — en particulier s'il y a eu des cas dans votre famille — il vaut mieux envisager l'hormonothérapie avec une certaine prudence, en pesant le risque par rapport aux bienfaits potentiels : soulagement de vos symptômes et moindre risque de maladie cardiaque et d'ostéoporose. Toute femme abordant la ménopause devrait discuter des avantages et des inconvénients du traitement avec son médecin. Mais en attendant des conclusions définitives, vous hésiterez peut-être à opter pour un tel traitement, surtout si vous avez une certaine prédisposition au cancer du sein.

Que faire, si vous souffrez des symptômes de la ménopause et si les effets secondaires éventuels de l'hormonothérapie vous inquiètent ? Les résultats de nos recherches comme ceux d'autres études montrent sans contestation possible qu'il existe un moyen de *réduire les bouffées de chaleur et les problèmes psychiques sans recourir à l'hormonothérapie*. En tout cas, vous pouvez toujours pratiquer la relaxation et les autres techniques psychosomatiques *avant* de décider de recourir aux hormones de substitution. Vous avez toutes les chances de voir votre état s'améliorer, et si cela ne vous paraît pas suffisant, il sera toujours temps d'avoir recours au traitement hormonal.

Les techniques psychosomatiques ont fait leurs preuves en tant qu'accompagnement des traitements médicaux comme l'hormonothérapie. Certaines de mes patientes prennent des hormones qui ne les soulagent pas assez. Elles continuent toutefois soit parce qu'elles se sentent tout de même mieux, soit pour prévenir les risques de maladies cardiaques ou d'ostéoporose. C'est pourquoi elles combinent la prise d'hormones aux méthodes psychosomatiques qui atténuent notablement leurs bouffées de chaleur et améliorent leur état psychique. Nous sommes à l'aube d'une nouvelle ère où l'on aura recours à la médecine psychosomatique parallèlement à la médecine conventionnelle afin que les femmes obtiennent les meilleurs résultats possibles.

Loin de moi de vouloir mettre en garde contre le traitement hormonal dont les bienfaits sont indiscutables chez de nombreuses femmes, pendant et après la ménopause. J'ai moi-même souvent encouragé mes patientes dans cette voie et leur rappelle qu'il y a plus de risque de mourir de maladies cardiaques que d'un cancer du sein. Mais il reste celles, tout aussi nombreuses, pour lesquelles le traitement hormonal n'est pas indiqué. Dans ce cas, je leur propose comme solution de rechange la médecine psychosomatique qui a fait ses preuves.

Entre autres légendes, on prétend souvent que les troubles émotionnels féminins au moment de la ménopause tiendraient exclusivement à la perte de la fonction ovarienne et à la chute des taux d'œstrogènes. Aucune étude, à ce jour, n'a clairement établi cette relation. La plupart des bouleversements émotionnels attribués au tarissement hormonal sont liés à des changements dans la vie des femmes au alentours de la quarantaine et de la cinquantaine : elles ou leurs maris changent de métier, les enfants quittent le domicile familial, elles doivent prendre en charge leurs propres parents. Des symptômes physiologiques comme les bouffées de chaleur peuvent provoquer des insomnies, lesquelles déclenchent une instabilité de l'humeur. Il importe de déceler ce type de problèmes avant d'incriminer la baisse des taux d'œstrogènes et de recourir systématiquement au traitement hormonal de substitution.

Comme l'écrit le Dr Sadja Grennwood, « Au cours de la ménopause, l'organisme est soumis à de profonds bouleversements que la femme surmonte plus ou moins bien selon son état de santé, la prise de conscience de son corps et la rapidité de la baisse hormonale. Les réactions psychologiques à cette phase transitoire dépendront autant de son propre métabolisme biochimique que des circonstances extérieures. Il y a conditionnement réciproque, interaction constante entre le monde intérieur et extérieur. »

Dans son beau livre *Menopause Naturally* (« Vivre sa ménopause sans y penser »), le Dr Greenwood remet en cause le vieil axiome prétendument scientifique de « la fatalité biologique ». La sagesse traditionnelle voudrait qu'on soit sans défense au moment des transitions physiologiques. « On peut nuancer son point de vue en considérant que le déterminisme biologique doit faire bonne place à l'influence de l'environnement social et culturel. Cette double problématique crée la liberté de chacun en permettant d'influer au moins partiellement sur sa propre destinée. Ainsi n'est-il pas interdit de veiller à sa santé et à son épanouissement personnel. »

Les méthodes psychosomatiques que j'enseigne aux femmes abordant la ménopause visent précisément cet objectif : être à même de décider de son avenir grâce à la prévention, l'estime de soi et la recherche de la dignité. Souvenez-vous : la perte de contrôle provoque sans qu'on s'en doute bien des symptômes. La reconquête de la maîtrise de soi peut constituer un formidable remède pour les femmes abordant ce seuil critique et parfois tumultueux de leur vie.

La ménopause :
les faits, le mythe et les bons choix

Littéralement, la ménopause désigne la fin des règles. En fait, le terme s'applique à toute la phase qui accompagne, chez la femme, le déclin de la fonction ovarienne. La plupart des femmes vivent cette transition entre quarante-cinq et cinquante-cinq ans, sur une période qui débute quelques années avant la fin de leurs règles et se termine un an ou deux après. Cette phase voit les niveaux d'œstrogènes décliner et les règles devenir irrégulières jusqu'à cesser. 80 % des femmes environ éprouvent des symptômes physiques tels que les bouffées de chaleur, les sueurs nocturnes et la sécheresse vaginale. Un nombre non négligeable de femmes souffrent également de maux de tête, prennent du poids, ont des vertiges et des difficultés d'idéation — perte intermittente de l'acuité mentale.

Certaines femmes connaissent des états anxieux et dépressifs à cette période de leur vie. Encore une fois, le lien entre ces états psychiques et les manifestations physiologiques de la ménopause — la diminution de production d'œstrogènes — est très ténu. Les enquêtes statistiques ne montrent pas au sein de la population féminine de pics de troubles psychologiques au moment de la ménopause. S'il y avait un lien de cause à effet entre la chute des taux d'œstrogènes et les troubles de l'humeur, on verrait les cabinets de psychiatres assiégés par les femmes de quarante ou cinquante ans. Or il n'en est rien, tout simplement. Les femmes qui ont des tendances dépressives (c'est-à-dire qui ont *déjà* été dépressives) sont plus vulnérables en cette période de fluctuations hormonales. Mais les événements et difficultés de leur existence demeurent les causes essentielles de leur détresse psychique.

Il faut toutefois garder en tête, c'est essentiel, que la plupart des femmes ne *souffrent pas* de la ménopause. Le regard suranné et lugubre que l'on porte sur la ménopause tient entre autres à ce que les médecins et chercheurs ont affaire aux femmes qui, par définition, se plaignent de leurs symptômes, donc à un échantillon de population féminine très sélectionné. La grande majorité pour qui tout va bien ne vient pas consulter ! Notre société, obsédée par le culte de la jeunesse, a recyclé les vieux mythes pour faire de la ménopause une période de désespérance. C'est ainsi que les femmes s'attendent à ce que ces années critiques les plongent dans la mélancolie. Comme le Dr Christiane Northrup, spécialiste de la santé féminine, l'a judicieusement souligné : « À force de s'attendre à des problèmes au moment de la ménopause, on *crée* les problèmes. » Bien qu'on assiste aujourd'hui à une évolution des mentalités, il faut encore et toujours dédramatiser la question, car cela fait des décennies que les femmes se sont empoisonné l'existence avec ce type de préjugés.

Même si c'est avant tout la perception négative de la ménopause qui pose problème, les symptômes physiologiques n'en existent pas moins, et il ne s'agit pas de les laisser s'aggraver. Même chose pour les manifestations psychologiques, quand bien même la chute des taux d'œstrogènes n'y serait pour rien. Il faut identifier et ne pas sous-estimer la souffrance des femmes au moment de la ménopause, sans pour autant accréditer les absurdités sur la beauté en péril et la fatalité biologique. Les hormones *affectent* l'état de la femme, mais la femme n'est pas *à la merci* de ses hormones.

Quarante millions de femmes américaines ont aujourd'hui l'âge de la ménopause ou de la préménopause. Elles seront près de cinquante millions en l'an 2000. Disons que trente-cinq millions d'entre elles souffriront de bouffées de chaleur contre lesquelles il faudra sans doute mettre au point des traitements efficaces.

La sécheresse, l'irritation ou l'étroitesse vaginales peuvent entraver la vie sexuelle et provoquer un état dépressif. En dépit du terme médical consacré d'*atrophie vaginale*, le phénomène ne doit pas vous effrayer car il n'a rien d'irréversible. Toute une série de traitements (dont la prescription d'hormones) le font en général disparaître en permettant à la femme de retrouver sa vitalité sexuelle, un point sur lequel je reviendrai. Si certaines femmes constatent une baisse de la libido sans rapport avec l'atrophie vaginale, d'autres en revanche voient leur activité et désir sexuels augmenter. Chacune réagit différemment, mais la perte du désir, chez certaines patientes, dépend plus de la tension psychologique et de difficultés relationnelles que de la chute des taux d'œstrogènes ou des modifications vaginales.

Le choix du traitement hormonal

La plupart des femmes viennent à ma consultation au moment de la ménopause parce qu'elles sont gênées par des symptômes physiques tout en hésitant à recourir aux hormones de substitution. Mais au cours de l'entretien il devient évident que les raisons de leur présence sont bien plus profondes : la peur de vieillir, la peur que les enfants, les amis... n'aient plus besoin d'elles, l'impression d'avoir grossi, perdu leur séduction. Certaines regrettent d'avoir renoncé à leur carrière professionnelle, ou de ne pas avoir fondé de famille. D'autres restent sous le choc du départ des enfants. Autour de la cinquantaine, les épreuves s'accumulent, et c'est avant tout leur désarroi qui transparaît à la première consultation.

Si les techniques psychosomatiques que je leur propose en thérapie de groupe ou individuelle les aident à se prendre en mains, cela ne suffit pas. Qu'elles suivent ou non un traitement hormonal, les femmes de cet âge courent certains risques de santé. Je crois qu'il importe de combiner la médecine conventionnelle, le suivi psychosomatique, une alimentation saine et l'exercice, si l'on veut les circonscrire.

Une bonne information est essentielle à cette « approche globale », car la seule façon de se plier à certains changements comportementaux (pratique de la relaxation, régime alimentaire équilibré et exercice) est d'en comprendre la nécessité. Il importe de savoir, par exemple, que l'administration d'œstrogènes prévient le risque cardiaque. La chute des taux d'œstrogènes provoque l'augmentation du taux de cholestérol — en particulier du LDL, le « mauvais » cholestérol —, ce qui augmente le risque de formation de plaques d'athérome dans les artères (lesquelles sont à l'origine de l'athérosclérose, la sclérose des artères causant la plupart des attaques cardiaques). Voilà pourquoi, entre autres, le risque cardiaque augmente pendant et après la ménopause. Différentes études ont montré que les femmes ménopausées prenant des œstrogènes ont 40 à 50 % moins de risque de mortalité cardiaque que celles qui s'en abstiennent. Quand on associe la progestérone aux œstrogènes, pour se conformer aux impératifs de l'hormonothérapie actuelle, le risque cardiaque baisse un peu moins. Mais la plupart des femmes, sur conseil de leur médecin, évitent de prendre exclusivement des œstrogènes car l'absence de progestérone peut accroître le risque de cancer utérin.

L'hormonothérapie vous sera donc toute indiquée si votre hérédité ou d'autres facteurs laissent penser que vous êtes particulièrement prédisposée aux maladies cardiaques mais peu concernée par le cancer du sein. Dans le cas contraire, il vaudra peut-être mieux renoncer. En tout état de cause, il est essentiel de suivre un régime pauvre en matières grasses et de faire de l'exercice, car c'est le meilleur moyen de prévenir le risque cardiaque et peut-être le cancer du sein d'autant plus que le traitement hormonal mixte n'est pas forcément à toute épreuve contre ce premier danger.

N'oublions pas que la tension psychique, l'anxiété chronique et la dépression sont susceptibles d'accroître les maladies cardiaques, les désordres immunitaires et, selon certaines études, le risque de cancer. En vous aidant à gérer ces facteurs psychologiques, la médecine psychosomatique offre sa contribution vitale à la prévention de ces terribles maladies.

Un autre sujet d'inquiétude féminine est l'ostéoporose, c'est-à-dire la perte progressive de la densité et la solidité des os survenant dès le début de la ménopause, lorsque vos règles deviennent irrégulières et finissent par s'arrêter. La carence en œstrogènes est un facteur d'ostéoporose et les hormones de substitution au cours de cette période peuvent l'enrayer. Mais là encore, le manque d'œstrogènes n'est pas, et de loin, le seul facteur déclenchant, et les œstrogènes de substitution ne sont en aucune façon un remède absolu. La sédentarité, une consommation excessive de matières grasses, une carence en calcium et magnésium, le tabagisme, trop d'alcool et trop de caféine contribuent aussi à la diminution de la masse osseuse, de sa solidité et de sa qualité. Que vous suiviez ou non un traitement d'hormones de substitution, si vous êtes sujette à l'ostéoporose, référez-vous aux conseils de la fin de ce chapitre.

Les femmes ménopausées ne prennent pas toutes des pilules ou des patchs d'œstrogènes. Et même si elles le font, cela ne suffit pas. S'en remettre aux seuls traitements hormonaux, quelle que soit leur efficacité, ce serait ignorer d'autres besoins essentiels d'ordre physique et spirituel.

La médecine psychosomatique et les bouffées de chaleur

Edith, l'une de mes premières patientes souffrant des affres de la ménopause, était entrée languissamment dans mon cabinet et s'était assise en face de moi d'un air épuisé. J'avais remarqué qu'elle portait un immense sac à main et n'avais pu m'empêcher de m'exclamer, sans intention particulière : « Vous en avez, un grand sac ! — C'est exprès, avait-elle rétorqué aussitôt en sortant un rouleau de papier essuie-tout. J'ai constamment besoin de ça. » Les bouffées de chaleur d'Edith étaient si intenses que les mouchoirs en papier ne suffisaient pas à étancher la sueur. Elle en aurait rempli des seaux, disait-elle.

La gêne et la confusion associées aux bouffées de chaleur vous handicapent, comme on le voit avec Edith, qui redoutait l'humiliation d'une suée en public, surtout dans des pièces trop chauffées et se sentait prise au piège si elle ne trouvait pas une salle de bains où sortir ses rouleaux d'essuie-tout.

Les bouffées de chaleur suscitent bien d'autres problèmes. Quand elles se prolongent, elles désarçonnent et font perdre pied au travail ou en société. Cause majeure d'insomnie, en outre, elles réveillent les femmes en pleine nuit. En questionnant minutieusement des patientes ménopausées sujettes à la dépression, je découvre souvent qu'elles souffrent avant tout de manque de sommeil. L'épuisement finit par les submerger. Comme un château de cartes qui s'effondre, les bouffées de chaleur entraînent la fatigue, le sentiment d'impuissance et au bout du compte la dépression.

Je l'ai déjà mentionné, la relaxation et autres techniques psychosomatiques peuvent briser le cercle vicieux. En quoi et comment la relaxation a-t-elle un effet sur les bouffées de chaleur, demanderez-vous ? Simplement parce que si le stress n'est pas lui-même à l'origine des bouffées de chaleur, il peut en aggraver l'intensité. En vérité, il semble que la bouffée de chaleur soit une réaction neurovégétative apparentée au phénomène physiologique qui déclenche le réflexe de fuite ou d'attaque, avec sécrétion d'hormones du stress. Ajoutez la tension psychique au mécanisme, et la sudation va s'amplifier car le système nerveux sympathique est suractivé. Dès lors, il semble assez logique que la relaxation, qui contribue à apaiser le réflexe de fuite ou d'attaque, ait les mêmes répercussions sur les bouffées de chaleur.

L'une de mes étudiantes, diplômée du département de médecine comportementale de l'école de médecine de Harvard, Judy Irvin, avait pour projet de thèse une étude sur les effets de la relaxation sur les bouffées de chaleur chez les femmes ménopausées. Nous avons recruté trente-trois femmes de quarante-quatre à soixante-six ans, toutes en bonne santé, dont les règles avaient cessé depuis au moins six mois. Toutes avaient au moins cinq bouffées de chaleur par jour. Chacune d'elles devait noter soigneusement la fréquence et l'intensité des accès, et nous leur avons fait passer plusieurs tests psychologiques au début et à la fin de l'enquête.

Le Dr Irvin avait réparti aux hasard les trente-trois femmes dans trois groupes. Nous avons enseigné au premier groupe la pratique de la relaxation avec une cassette de vingt minutes à écouter chez soi, en leur demandant de s'y entraîner quotidiennement pendant sept semaines et de consigner par écrit ce qu'elles avaient fait dans la journée. Nous avons demandé au deuxième groupe de se livrer à des lectures distrayantes tous les jours pendant sept semaines et de noter aussi leur emploi du temps. Le troisième groupe n'a reçu aucune autre consigne que de noter le nombre et l'intensité des bouffées de chaleur.

Voici les résultats obtenus :

> Les femmes qui ont pratiqué la relaxation ont vu une diminution significative de l'intensité de leurs bouffées de chaleur (de 28 %). Rien de tel chez les femmes qui devaient uniquement lire pendant vingt minutes tous les jours, ou celles du groupe témoin.
> Les femmes du groupe de relaxation ont vu décroître leur tension et leur anxiété. Pas celles des deux autres groupes.
> Les symptômes de dépression et d'abattement des femmes du groupe de relaxation ont diminué de façon significative. Pas dans les deux autres groupes. En fait, on a constaté une légère augmentation des symptômes dépressifs chez les femmes du groupe de lecture.

Ces résultats montrent que *la pratique quotidienne de la relaxation réduit notablement l'intensité des bouffées de chaleur et soulage les sentiments d'angoisse et d'abattement chez les femmes ménopausées.*

À mon avis c'est la combinaison de l'émulation collective (ou du suivi individuel), des relevés réguliers des symptômes, de toutes les autres méthodes psychosomatiques (mini-relaxations, restructuration cognitive et expression émotionnelle) et de la pratique régulière de la relaxation qui a abouti à un puissant traitement psychosomatique des bouffées de chaleur, de l'angoisse et de la dépression.

Trois autres études, au moins, menées par d'autres chercheurs, ont confirmé notre conclusion :

> Les chercheurs de l'université de Wayne ont réparti quatorze femmes ménopausées souffrant de bouffées de chaleur en deux groupes. On a enseigné à celles du premier groupe la relaxation musculaire progressive, pas à celles du second. Au

bout de six mois, celles qui avaient régulièrement pratiqué la relaxation constataient une diminution significative de la fréquence de leurs bouffées de chaleur, alors que ce n'était pas le cas pour le groupe de contrôle. La fréquence des bouffées de chaleur du groupe de relaxation avait en moyenne diminué de 60 %.

Des psychologues de l'université d'État de l'est du Michigan ont suivi quatre femmes souffrant régulièrement de bouffées de chaleur. Ils leur ont fait suivre dix séances d'entraînement de soutien psychosomatique (sur dix semaines) avec relaxation, autosuggestion par images et pensées apaisantes, méthodes de gestion des tensions conjugales et relevés de symptômes à effet rétroactif. Au bout de six mois de pratique, les quatre patientes ont vu la fréquence moyenne de leurs bouffées de chaleur diminuer de 70 %.

Robert R. Freedman et Suzanne Woodward de la clinique Lafayette à Detroit ont réparti trente-trois femmes souffrant de bouffées de chaleur en trois groupes. Le premier groupe pratiquait la respiration consciente décomposée (une forme de relaxation centrée sur la respiration) ; le deuxième la relaxation musculaire ; et le groupe de contrôle le simple relevé des symptômes dont on n'attendait aucun effet sur les bouffées de chaleur. Les femmes pratiquant la respiration volontaire virent leurs bouffées diminuer de 40 %, un résultat statistiquement significatif.

Mes patientes ne montrent aucun scepticisme quant aux effets de la relaxation sur leurs bouffées de chaleur, sachant parfaitement à quel point le stress les aggrave. Ursula, soixante ans, souffrait de ce qu'elle appelait des « vagues de chaleur ». Sa vie avait été éprouvante : ayant perdu son mari jeune, elle avait dû élever seule ses quatre enfants. Ursula venait de se remarier quand je la vis pour la première fois. Voilà comment elle me décrivit les bouleversements de sa vie : « Cela n'a pas été facile de vivre seule pendant si longtemps. Mais ça a été encore plus difficile de me remarier, car le changement était énorme. Il m'a fallu passer de la solitude à la vie à deux, de la vie active à l'état de femme au foyer. Mes enfants ont grandi, ils ont quitté la maison, et de mère je suis devenue grand-mère. Et de plus j'ai dû quitter le Missouri pour venir à Boston. Tous ces bouleversements débouchèrent sur un surcroît de stress et à me trouver un équilibre. »

Ursula avait remarqué que ses bouffées de chaleur s'aggravaient avec ses soucis, au point qu'elle décida de suivre un traitement hormonal, insuffisant comme cela arrive parfois. Elle rejoignit alors notre groupe de soutien psychosomatique pour femmes ménopausées, et se mit à la pratique régulière de la méditation, de la prière et de la promenade attentive. Elle apprit également à identifier ce qui déclenchait ses « vagues de chaleur » et à reconnaître les contractions physiques annonciatrices. « On aurait dit que je ressentais les flux d'adrénaline » expliquait-elle. Aux premiers signes avant-coureurs, elle avait immédiatement recours à la mini-relaxation. « J'ai appris ainsi à m'en protéger très rapidement », disait-elle.

Pour Ursula, la maîtrise de ses accès fut appréciable. Elle avait déjà assez de mal à s'adapter à sa nouvelle vie conjugale, sa nouvelle maison, et son nouveau rôle dans la famille. Ce succès lui facilita ces différentes transitions et lui rappela qu'elle était bien plus maîtresse d'elle-même et de sa vie qu'elle ne s'en était cru capable jusque-là.

Je recommande d'essayer plusieurs méthodes de relaxation afin de choisir celle qui vous convient le mieux. Toutefois, si vous choisissez le « training autogène », évitez certaines autosuggestions telles que « j'ai une sensation de chaleur dans le bras », susceptible de vous déclencher une bouffée de chaleur (même chose avec la suggestion par l'image, évitez le fantasme du bain chaud). En revanche, les suggestions et fantasmes de fraîcheur peuvent être utiles, comme l'a montré une étude de l'université de l'est du Michigan. Dans la pratique de la relaxation, privilégiez les images de ruisseaux de montagne ou toute autre évocation d'eau fraîche (bains froids et douches glacées, baignades dans des lacs d'eau cristalline...). L'exercice physique étant tout indiqué aux femmes ménopausées, je conseille vivement le yoga, une forme de relaxation active qui contribue à entretenir sa souplesse. Dans son livre *The Menopause Self-Help Book* (« Votre guide personnel de la ménopause »), le Dr Susan M. Lark suggère que le yoga atténue aussi bien les bouffées de chaleur que la sécheresse vaginale.

Les mini-relaxations sont en mesure de dissiper les bouffées de chaleur, voire de les prévenir. Dès que vous ressentez un signe avant-coureur, faites-en immédiatement une, où que vous soyez.

Rhonda, l'une de mes patientes en période de post-ménopause, me disait : « Vous savez, je suis trop vieille pour me mettre à ces techniques de relaxation. Je n'arrive pas à me concentrer comme avant. » J'ai expliqué gentiment à Rhonda qu'à mon avis on n'était jamais trop âgé pour apprendre quelque chose de nouveau, mais qu'il fallait seulement trouver sa propre méthode d'apprentissage. Pour la stimuler, je lui ai demandé : « Qu'est-ce qui vous fait le plus plaisir ? » Rhonda répondit immédiatement : « Être avec ma petite-fille Katya. » Son visage s'est illuminé quand elle m'a raconté sa dernière promenade au parc avec l'enfant. « Et vous savez, quand Katya vient spontanément vers moi pour m'embrasser, alors là, je suis aux anges ! » ajouta-t-elle.

Je priai Rhonda de bien se caler sur sa chaise, de fermer les yeux et d'imaginer la scène avec Katya. « Comment vous sentez-vous », lui ai-je demandé quelques instants plus tard. « C'est merveilleux, si apaisant » répondit-elle. « Et si vous faisiez dix minutes de relaxation par jour en pensant à Katya qui vient vous embrasser ? » Rhonda en fit un rituel quotidien qui apaisait toutes ses tensions et lui procurait un intense bien-être.

Si la pratique de la relaxation soulage bien d'autres symptômes de la ménopause : maux de tête, palpitations, pertes de mémoire, difficultés d'idéation, fatigue, insomnie, prise de poids, il ne semble pas qu'elle supprime la sécheresse vaginale. Il existe heureusement d'autres façons de la traiter dont le recours aux lubrifiants, comme la vaseline, les pommades à la vitamine E, l'huile de ricin de première pression à froid. Le traitement hormonal est efficace, en général, car il rétablit l'irrigation en œstrogènes qui empêchent naturellement la muqueuse vaginale de s'atrophier. Les femmes, qui ne veulent pas prendre des hormones par voie orale de crainte d'effets systémiques, peuvent utiliser localement des crèmes œstrogéniques généralement assez efficaces. Sans oublier, en cas de prédisposition à certaines maladies comme le cancer du sein, de demander l'avis de votre médecin car il arrive que les œstrogènes traversent la paroi vaginale.

Certaines femmes sujettes à la sécheresse vaginale ont des rapports sexuels si douloureux qu'elles les appréhendent, ce qui est générateur d'angoisse. Elles finissent parfois par souffrir de vaginisme — c'est-à-dire de spasmes vaginaux douloureux qui empêchent tout rapport. Pour ces femmes, la concentration sur les différentes parties de son corps et l'imagerie guidée centrée sur la relaxation de toute la région pelvienne est tout indiquée. Certaines de mes patientes ont surmonté leur vaginisme grâce à la relaxation ciblée.

En fait, le meilleur traitement contre la sécheresse vaginale est aussi le plus agréable : faire l'amour. Si vous avez une vie sexuelle active avec votre époux ou votre partenaire, cela suffira à ralentir ou prévenir l'atrophie vaginale. Au début, servez-vous de crèmes œstrogéniques ou de lubrifiants ; avec le temps, ce sera superflu.

Considérez d'un œil neuf cette transition

La ménopause a finalement quitté les coulisses de la conscience collective pour se présenter à visage découvert. Mais il y a encore du chemin à faire pour que l'immense majorité des femmes accepte la ménopause pour ce qu'elle est : une transition naturelle de la vie avec ses inconvénients et ses avantages, ses peines et ses joies, ses limites et ses nouvelles libertés.

En Amérique, où la jeunesse et la beauté sont tellement valorisées, la ménopause occasionne chez la femme de nombreux symptômes physiques et psychologiques. Au Japon, où le vieillissement et les personnes âgées sont objets de respect, ces symptômes sont beaucoup plus rares. Comme quoi la perception que l'on a de la ménopause influe grandement la façon dont on la vit.

Je suis persuadée que les termes péjoratifs, ainsi que les idées et images dévalorisants nuisent autant à la santé de la femme ménopausée que le risque génétique et les fluctuations hormonales. Un contexte culturel où l'on considère que la séduction et le rôle social et familial de la femme disparaissent avec l'âge ne peut que contribuer aux souffrances physiques et psychiques de la femme. Ces préjugés vont à l'encontre de l'estime de soi et contribuent aux tensions psychologiques quotidiennes. La restructuration cognitive, qui remet en cause ces funestes idées, est en la circonstance un véritable outil de libération personnelle ainsi qu'un gage de bonne santé.

Encore une fois, il n'est pas question de recourir à la restructuration cognitive pour se forger un univers factice où le vieillissement n'apporterait que félicité. Dans certains cas, la ménopause est une transition tumultueuse, même *en l'absence* d'idées dévalorisantes et de symptômes persistants. Nous devons toutes en passer par ce que l'écrivain Judith Viorst appelait « les renoncements nécessaires [1] », qui surviennent le plus souvent autour de la quarantaine et de la cinquantaine, comme la mort des parents, l'indépendance des enfants, le renoncement aux rêves irréalisables. Notre corps accuse l'âge, incontestablement, ce qui ne saurait être agréable, même si nous refusons le culte absurde de la beauté physique véhiculé par les médias. Mais il n'est pas besoin pour autant de voir les moindres aléas de la maturité avec des lunettes noires.

J'incite mes patientes à réajuster leur point de vue de façon plus objective, en acceptant le passif pour mieux découvrir leurs nouvelles possibilités. La restructuration cognitive permet de combattre les préjugés sociaux et personnels et de résister aux tentations masochistes de l'autodénigrement et de la démoralisation, en commençant par s'accepter soi-même.

Voici quelques-uns des thèmes dépréciateurs formulés par les patientes à l'âge de la ménopause :

La séduction, pour moi, c'est fini.
Je ne plais plus à mon mari.
Ma carrière professionnelle est derrière moi.
Je suis trop vieille pour évoluer, être capable de créativité.
Je n'ai plus envie de faire l'amour, je deviens frigide, et cela ne risque pas de s'arranger.
Les enfants n'ont plus besoin de moi.
J'ai grossi, et n'arrive plus à perdre mes kilos.
Je ne sers plus à rien, ni à ma famille, ni à la société.

Qui ne deviendrait dépressif en ruminant de telles idées ? Chacune provient de notre hantise culturelle de l'âge, où le vieillissement fait figure de déclin inexorable vers l'impuissance, la fatigue et le découragement. Certes, on assiste à des modifications spécifiques à la mi-temps de la vie : on a plus de mal à garder la ligne, la libido est plus capricieuse, la place dans la famille et la société se modifie. Mais cela ne signifie nullement que tout s'arrête.

---

1. *Les Renoncements nécessaires*, Judith Viorst, Laffont, 1988.

Je vous conseille de mettre vos différentes obsessions relatives à l'âge et à la ménopause à l'épreuve des quatre questions de la restructuration cognitive. Soyez systématique et rigoureuse, sans vous laisser impressionner par les préjugés culturels et sociaux ni par la tentation du renoncement et de l'autodépréciation. Trouvez-vous des modèles parmi les femmes qui vivent avec enthousiasme, séduction, créativité, cran et intelligence leurs quarante, cinquante, soixante, soixante-dix, quatre-vingts et quatre-vingt-dix ans. Vous avez le choix : Élisabeth Kübler-Ross, Betty Friedan, Julie Andrews, Nancy Kassebaum, Gloria Steinem, Vanessa Redgrave, Margaret Thatcher, Coretta Scott King, Elizabeth Taylor, Jessica Lange ou Candice Bergen, pour ne citer que les prototypes féminins les plus connus des femmes américaines. Mais peut-être votre mère, votre tante, votre grand-mère ont-elles eu des vies aussi enviables. Il n'est pas difficile de trouver des femmes apportant un magnifique démenti au mythe absurde du déclin de la post-ménopause.

Rose avait vécu avec son mari pendant trente-deux ans et avait deux fils et une fille. Elle avait consacré son temps et son énergie à élever ses enfants pendant que William, son mari, mettait sur pied une entreprise de vente par correspondance. Les enfants ayant grandi, elle se mit à travailler avec William, en attendant que les deux fils aident leur père. « Mon mari a très bien réussi, expliquait-elle, mais toute la vie de la famille tourne autour de l'affaire. »

À cinquante-deux ans, Rose se mit à souffrir de bouffées de chaleur ainsi que d'une irritation et d'un rétrécissement du vagin qui la rendaient rétive aux rapports sexuels. En outre, elle prit une dizaine de kilos et se trouvait laide, disgracieuse et moins féminine. Tant et si bien qu'elle craignait constamment que l'homme de sa vie aille aimer ailleurs. Souhaitant cesser de travailler dans l'entreprise de son mari, elle n'osait le faire de peur là encore qu'il ne se fixe sur quelqu'un d'autre.

L'impression d'être prisonnière de William et de son affaire la déprimait. Ses aspirations à la création lui échappaient, comme ses enfants. Elle avait le sentiment d'avoir consacré trente ans de sa vie à son foyer. Qu'en restait-il ?

Nous engageâmes toutes deux un travail cognitif où je lui fis remettre en cause ses obsessions. Avait-elle vraiment perdu tout son charme ? N'y avait-il pas moyen de maîtriser ses bouffées de chaleur et traiter sa sécheresse vaginale ? Son mari comme ses enfants n'avaient-ils vraiment plus besoin d'elle ? Ne pouvait-elle pas quitter l'entreprise, ou du moins trouver une nouvelle façon de collaborer avec son mari ?

Grâce à cette méthode elle découvrit des solutions auxquelles elle n'avait jamais songé. Oui, elle était capable de perdre du poids en suivant un régime diététique et de soigner son problème vaginal. Oui, son rôle dans l'entreprise de son mari était inestimable. Oui, ses trois enfants avaient toujours besoin de son affection et de sa tendresse. Elle les avait même aidés tous trois récemment dans leurs démêlés amoureux. Oui, elle pouvait se trouver du temps pour se consacrer à une activité artistique comme la peinture. Au bout du compte, il lui suffisait de discuter avec son mari de l'éventualité de son départ de la société pour envisager ensemble une solution de rechange.

Dès lors, Rose se fixa de nouvelles règles de vie. Elle réussit à maigrir ; sa vie sexuelle s'améliora ; elle prit de l'assurance au sein de sa famille ; elle se ménagea du temps et de l'espace pour la peinture ; et, pour finir, elle fonda une nouvelle affaire avec son mari, ce qui les rapprocha. Mais c'est par une révolution mentale, rien de moins, qu'elle avait accompli toutes ces métamorphoses.

Il est impossible d'en arriver, comme Rose, à cette seconde jeunesse de la post-ménopause sans débusquer et passer au crible toutes les pensées dévalorisantes qui empoisonnent le moral. C'est le seul moyen de s'en débarrasser. Une fois la tâche accomplie, la voie est libre. C'est alors un problème de choix, pas de motivation, qu'il s'agisse de travailler, d'aimer ou de se distraire.

Vous *pouvez* envisager autrement « la transition ». Certes, la ménopause est une mutation psychique et physique que vous avez à vivre. Mais le choix de votre façon de réagir vous appartient. Vous pouvez vous dire : « Tout va mal, physiquement et mentalement. Je n'en peux plus » ou « J'ai une mauvaise passe. Qu'est-ce qui pourrait m'aider à passer ce cap ? Par quels moyens pourrais-je améliorer ma forme physique ? Qu'est-ce que je peux faire, aujourd'hui, demain, pour conjurer ma détresse, améliorer mon état de santé ? Comment puis-je sortir de l'épreuve renforcée, avec plus d'énergie, d'espoir, de bon sens et de créativité ? »

Appétit de vivre et créativité après la ménopause

Bien des femmes comparent la ménopause à l'adolescence. Les deux phases, parfois orageuses, sont une période de fluctuations hormonales intempestives provoquant des perturbations affectives, physiques et sexuelles. Nous ne sommes pas forcément préparées à ces bouleversements. Mais comme l'adolescence, la ménopause peut être l'occasion de se forger une nouvelle personnalité indépendante (à l'adolescence on quitte ses parents, à la ménopause, ce sont les enfants qui nous quittent). L'épreuve de la séparation, si on la surmonte, permet d'acquérir plus de maturité dans ses rapports avec les autres tout en gagnant de l'assurance et de l'autonomie. On prend plus de recul par rapport à ceux qu'on aime. C'est l'occasion de partir à la découverte de soi-même et d'affirmer sa personnalité dans la vie professionnelle comme dans le choix de ses loisirs.

Vue sous cet angle, la ménopause, en dépit de ses inconvénients, présente des avantages inespérés. Certes, nous aurons de la peine à voir les enfants partir, souffrirons si nos parents tombent malades ou disparaissent, regretterons que nos compagnons ne répondent pas à toutes nos aspirations ou de n'avoir jamais réalisé certains de nos rêves. Celles qui atteignent la ménopause sans avoir fondé de famille en éprouveront peut-être de l'amertume. C'est un tournant de la vie où il arrive qu'on fasse son deuil de tout ce qu'on n'a pas réussi à mener à bien. Mais les regrets et la nostalgie passés, il sera plus facile de mesurer vraiment les formidables potentialités de cette période de la maturité, surtout quand on bénéficie de l'appui de ceux qu'on aime.

Comme au moment de l'adolescence, les accès de tristesse comme le besoin de se dépasser fraient la voie à des libertés insoupçonnées. Les enfants sont grands et il est plus facile de se consacrer à des tâches créatives. Avec la disparition des règles, la suppression des contraceptifs, l'insouciance dans les rapports amoureux s'instaure. On a parfois plus le temps de voyager et de se distraire, seule ou en compagnie de son mari ou de son amant. On prend le temps de se fixer de nouvelles priorités et de rechercher des satisfactions spirituelles auxquelles on n'avait jamais eu le loisir de songer.

Lotte, cinquante-huit ans, exerçait le métier d'agent immobilier depuis que ses enfants étaient entrés au lycée. Sa fille et son fils s'étaient installés dans d'autres villes, et quand sa belle-fille donna naissance à son premier petit-fils, Lotte eut envie de les rejoindre. Elle laissa tomber son emploi et partit pour Boston, à 1 500 km de là, avec Carl, son mari, qui venait juste de prendre sa retraite. La transition fut tumultueuse. Elle était ravie d'être auprès de son fils, sa belle-fille et son petit-fils, mais son travail lui manquait.

« Tout avait bien marché jusque-là, et voilà qu'après avoir quitté maison et travail, je perdis pied, racontait-elle. Je me demandais si j'avais encore une utilité quelconque. » Son désarroi tournait à la dépression sévère, associée à des symptômes physiques fréquents de la post-ménopause : maux de tête et étourdissements.

Je voyais Lotte en consultation individuelle. Je lui conseillai certaines techniques de relaxation dont l'exploration corporelle qui accroît l'aptitude à s'observer soi-même. Elle se rendit vite compte que ce n'était pas seulement le travail qui lui manquait, mais son rôle de boute-en-train auprès des amis et des collègues. Son besoin de faire rire, sa dépendance des réactions d'autrui en fait nuisait à son amour-propre. Lotte se saisit de cette période transitoire pour prendre de l'assurance en puisant à l'intérieur d'elle-même plutôt qu'à l'extérieur.

« J'ai toujours eu tendance à ne pas prêter attention à mon corps, parce que je n'avais jamais le temps. Je suis aussi quelqu'un de trop gentil, trop complaisant, qui veut toujours bien faire. Je ne sais pas dire non. Je vois bien que les femmes de mon âge et de ma génération ont beaucoup donné aux autres sans jamais penser à elles. »

Le sentiment de vacuité de Lotte tenait pour beaucoup à l'absence soudaine des retours positifs qu'elle obtenait de la vente des maisons ou en amusant les amis. Elle apprit à combler ce vide en mettant plus d'énergie à s'occuper d'elle-même que des autres. « J'ai toujours adoré lire, expliquait-elle. Quand les enfants étaient petits, la lecture, c'était la carotte pour l'âne. Je ne pensais qu'à cela : quand aurais-je le temps de m'asseoir dans un coin avec un livre ? Aujourd'hui, je me donne tout le temps dont j'ai besoin pour lire, bricoler ou faire des sottises. J'apprends à me dorloter et c'est merveilleux. »

L'installation à Boston symbolisa la transition : Lotte laissa derrière elle les vieux comportements et adopta un nouveau profil, y compris dans sa vie conjugale. L'entourage de Lotte ne tarissait pas d'éloges sur son magnifique dévouement. Sauf Carl qui n'était guère démonstratif et dont elle attendait toujours en silence des marques d'affection. Au cours de sa rééducation cognitive et émotionnelle, Lotte renonça progressivement à sa quête désespérée de preuves d'amour. C'était quasi héroïque de sa part dans la mesure, disait-elle « où j'étais prise de panique à l'idée qu'il puisse me plaquer ». Elle n'essaya pas de se rassurer en se racontant qu'il ne la quitterait jamais. Elle fit preuve de plus d'audace : « Je me fis à l'idée que si Carl me quittait, je ne m'en porterais pas plus mal. Je me passerais de lui. »

Paradoxalement, Lotte et Carl devinrent plus proches à partir du moment où elle se découvrit capable de vivre sans lui. En abandonnant son rôle convenu de femme généreuse et dévouée — rôle censé préserver l'amour de son mari —, Lotte affirma sa personnalité. Maintenant qu'elle ne se sacrifiait plus pour lui plaire, leur amour s'épanouit sur la base de sa valeur et non de son dévouement. Elle eut aussi la bonne idée d'expliquer à Carl ce dont elle avait besoin, afin qu'il cesse « d'avoir le beau rôle ». Elle lui exprima son désir de rapports plus égalitaires, plus coopératifs. Carl réagit avec une ouverture d'esprit et une compréhension étonnantes.

« Cela faisait trente-deux ans que nous étions mariés, et nous nous aimions toujours autant, racontait Lotte. Mais maintenant, notre amour prend une autre dimension. Je connais d'autres couples qui n'ont pas l'air d'avoir encore trouvé leurs marques. Dieu merci, je crois que nous avons trouvé les nôtres. »

En deux ans la vie de Lotte changea du tout au tout. Après le retour au calme, Lotte voulut reprendre son travail, non plus pour combler un vide, car elle savait désormais s'occuper d'elle-même, mais pour se faire plaisir et exercer ses talents d'agent immobilier. Elle a trouvé un poste à mi-temps dans une compagnie immobilière de la région de Boston, dont elle tire beaucoup de fierté et de satisfaction, tout en profitant de la présence de son petit-fils qu'elle peut voir tous les jours. Lotte est rayonnante.

Son histoire illustre bien la façon dont, grâce aux différentes approches psychosomatiques, les femmes surmontent les manifestations stressantes de la ménopause.

La colère peut être une émotion très libératrice pour les femmes qui ont passé l'essentiel de leur vie à faire plaisir aux autres. Donna, une patiente de soixante ans, parle avec force détails de sa tendance au refoulement. « Je ne montre jamais ma colère. Je garde tout pour moi. Je ne laisse rien sortir. Avec mon mari nous ne nous faisons pas de scènes. Quand ça va mal, on ne se parle pas. Mais ça commence à changer. Maintenant, quand il me met en colère, il le sait. Je dis tout ce que j'ai sur le cœur, et la vie continue. Terminé ! »

Donna pratiqua la visualisation de la colère telle que je l'enseigne (voir au chapitre 8) : il faut imaginer un dialogue avec un animal qui figure cette émotion. C'est ainsi qu'elle apprivoisa l'agressivité. « Ce qui m'a le plus étonnée, c'est de trouver une alliée dans la colère », expliquait-elle. L'exercice a brisé le tabou et permis à Donna de faire exploser ses saines fureurs dans sa vie privée.

Sa métamorphose prit toute la famille par surprise, mais sans que personne ne s'en plaigne. Un jour de fête des mères, Donna parlait au téléphone avec sa fille aînée, Kathy. Elle avait risqué une plaisanterie sur sa façon d'élever son jeune fils. Kathy explosa et monta sur ses grands chevaux. Consciente d'avoir commis une maladresse, Donna n'en était pas moins ulcérée par la fureur disproportionnée de sa fille. Elle fondit en larmes et lui enjoignit sur-le-champ de ne plus lui parler sur ce ton. La conversation prit aussitôt un tout autre cours.

« Ma fille était ravie de me voir faire preuve d'autorité, se souvenait Donna. Nous nous sommes dit à quel point nous nous aimions toutes les deux. Quand j'ai raccroché, j'avais les larmes qui me coulaient sur le visage. Puis je me suis mise à rire. J'étais en train de penser que si on me demandait comment s'était passée la fête des mères, j'aurais répondu que j'avais eu ma première grosse dispute avec ma fille aînée et que je l'avais ressentie comme une véritable libération. Je pouvais parler de ce genre de choses tout en me sentant aimée, en étant sûre qu'elle serait toujours là. »

L'euphorie de la post-ménopause annonce souvent une explosion d'émotions et de créativité. La cinquantaine et les années qui suivent offrent des perspectives de liberté auxquelles n'ont jamais goûté les femmes qui ont passé des décennies à se sacrifier à leur carrière ou leur famille, voire les deux à la fois. Encore faut-il savoir saisir sa chance. Ce fut le cas de Sybil qui sut profiter des possibilités qui se présentèrent au début de la soixantaine. Ses deux filles étaient mariées et Sybil avait le temps de se livrer à la passion de ses vingt ans : la sculpture. Elle installa un atelier, avec outils et matériaux, dans l'une des anciennes chambres de ses filles. Cela devint son refuge artistique, un endroit où elle laissait libre cours à sa créativité une heure par jour, totalement concentrée sur son travail de sculpteur.

Pendant la ménopause et après, réservez-vous une pièce, même à titre symbolique, où exprimer votre créativité. À ce stade, peu importe le moyen d'expression, c'est à votre tour de vous épanouir. Que vous fassiez de la musique, de la peinture, de la sculpture, du cinéma, des vidéos, de la poterie, de la vannerie, jouiez la comédie, écriviez, dansiez... L'essentiel est de vous y consacrer pleinement. Cela vous procurera les plus hautes satisfactions, car l'expression artistique est à l'évidence une véritable bénédiction pour la santé physique et psychique de la femme.

Changement de style de vie : régime diététique et exercice physique

Il y a quatre bonnes raisons d'adopter un régime alimentaire raisonnablement pauvre en matières grasses et de se livrer à la pratique régulière de l'exercice physique pendant la ménopause et après : la prévention des maladies cardiaques, de l'ostéoporose, la réduction de risque de cancer du sein et du côlon, et une amélioration de la forme physique et psychologique permettant de mobiliser son énergie pendant cette période de fluctuations psychiques et biologiques.

Les maladies cardiaques

Vous serez peut-être étonnée d'apprendre que les maladies de cœur sont la première cause de mortalité chez les femmes de plus de cinquante ans, qui ont dix fois plus de risques de mourir d'une attaque cardiaque que d'un cancer du sein. On en connaît bien l'une des raisons : ce sont les œstrogènes qui protègent des maladies cardiaques, et la diminution de leur taux à la ménopause accroît le risque. Plus précisément, les œstrogènes diminuent le taux global de cholestérol tout en augmentant les niveau de HDL dans le sang, c'est-à-dire « le bon cholestérol » qui semble protéger les vaisseaux.

Si vous suivez un traitement hormonal, vous diminuerez votre risque cardiaque, ne croyez pas pour autant que votre dose quotidienne d'hormones suffira à vous donner un billet de santé cardio-vasculaire. Les maladies cardiaques sont « multifactorielles ».

Si, sur les conseils de votre médecin, vous décidez de ne *pas* suivre de traitement hormonal, vous devez absolument suivre un régime pauvre en matières grasses et riche en hydrates de carbone complexes. Une alimentation comprenant un faible pourcentage de lipides (surtout de graisses saturées) et beaucoup d'hydrates de carbone complexes — céréales, fruits et légumes — est un moyen simple et inoffensif d'abaisser votre cholestérol et votre risque de maladie cardiaque.

Que vous preniez ou non des hormones de substitution, réduisez le risque de maladie cardiaque en suivant ces instructions :

> Adoptez une alimentation pauvre en matières grasses et riche en hydrates de carbone complexes, décrite au chapitre 9.
>
> Mangez modérément et de façon équilibrée afin de ne pas grossir, sans pour autant céder à l'obsession des régimes et vous affoler pour quelques kilos. L'obésité favorise de nombreuses maladies, dont les maladies cardiaques.
>
> Modérez votre consommation d'alcool. Bien que quelques études montrent qu'une consommation modeste d'alcool — disons un ou deux verres de vin par jour — peut réduire le risque cardiaque en élevant le taux de HDL, d'autres études prouvent que l'alcool en excès risque d'élever la pression sanguine (et contribuer au cancer du sein et à l'ostéoporose). Ma devise, comme pour tout autre problème de changement de comportement, est : suivez ce que vous dicte votre bon sens. Un verre de temps en temps, voire un verre de vin, de bière ou de toute autre boisson alcoolisée par jour, ne pose pas de problème. Au-delà de deux verres par

jour, vous augmentez le risque de maladie cardiaque, de cancer et de dépendance.

Renoncez au tabac. Le tabagisme contribue à augmenter la tension et accroît indiscutablement le risque cardiaque. Ayez recours à la relaxation, à la thérapie comportementale ou à toute autre technique pour surmonter les symptômes de sevrage, sans oublier l'hypnose et la thérapie de groupe.

N'abusez pas du sel. Une trop forte consommation augmente la tension chez certaines personne, facteur majeur de troubles cardiaques.

Pratiquez une activité physique régulière. Les effets protecteurs de l'exercice physique contre l'athérosclérose et les maladies cardiaques sont incontestables. Une promenade quotidienne suffit à faire baisser les niveaux de cholestérol et le risque de maladie cardiaque.

Toutes les femmes devraient vérifier régulièrement leur « profil lipidique », c'est-à-dire leur niveau de cholestérol et sa composition en HDL, LDL et triglycérides. L'idéal serait d'avoir un taux global de cholestérol inférieur à 200 mg par litre, dont plus de 35 mg de HDL et moins de 130 mg de LDL, ainsi qu'un taux de triglycérides inférieur à 250. Mais ne vous fiez pas uniquement à ces proportions. Prenez en compte les autres facteurs de risque, dont les prédispositions familiales aux maladies de cœur, le tabagisme passé et présent, une tension trop élevée, l'obésité et un tempérament agressif et vindicatif. Vous contribuerez à votre santé cardiaque en changeant de style de vie, à condition de persévérer dans la prévention et de demander l'avis de votre médecin sur les choix à faire.

Dans une étude célèbre, le Pr Dean Ornish, cardiologue réputé, a montré qu'un régime végétarien très pauvre en matières grasses associé à une activité physique régulière, à la gestion du stress et à la participation à un groupe de soutien, pouvait faire *régresser* les maladies cardiaques. Si vous êtes malade du cœur, vous aurez peut-être envie de suivre le programme du Pr Ornish [1], qui a récemment reçu l'aval d'une grande compagnie d'assurances.

---

1. Cf. son livre : *Dr Dean Ornish's program for Reversing Heart Disease*, « Le retour à la santé cardiaque par la méthode du professeur Dean Ornish ».

L'ostéoporose

L'ostéoporose, qui se manifeste par une diminution progressive de la densité et de la solidité des os, touche environ la moitié des femmes après la ménopause. Elle provoque des douleurs dans le bas du dos, l'affaissement et la voussure de la colonne vertébrale, une diminution de la taille et une prédisposition fâcheuse aux fractures de la hanche, des vertèbres et du poignet. Les œstrogènes ont un effet protecteur sur les os comme sur l'état cardio-vasculaire, car ils évitent un trop grand déficit en calcium, stimulent la calcification osseuse, et facilitent l'absorption du calcium. La diminution des œstrogènes à la ménopause associée aux autres facteurs de vieillissement contribue à perturber l'assimilation du calcium. Or le calcium est une substance minérale indispensable à la solidité et à la capacité de régénération osseuses.

Il ne tient qu'à nous d'améliorer la teneur en calcium de notre organisme et de faciliter son absorption en sachant que les hormones de substitution ne sont pas la seule solution. Les recommandations officielles indiquent une dose quotidienne de 800 mg de calcium par jour, mais la plupart des médecins nutritionnistes conseillent 1 000 à 1 500 mg pour prévenir toute perte de densité osseuse. Pour parvenir à cet objectif, vous aurez intérêt à associer une alimentation naturelle riche en calcium aux prises supplémentaires.

Contrairement à un vieux préjugé, les laitages ne sont pas la seule source naturelle de calcium qui se trouve aussi dans la plupart des légumes verts. Veillez à intégrer régulièrement ou à tour de rôle ces différentes sources de calcium à votre alimentation :

> Laitages écrémés : les laitages sont d'excellentes sources de calcium, en évitant ceux qui sont trop riches en graisses. Prenez l'habitude du lait, des yaourts, fromages et autres produits laitiers partiellement ou totalement écrémés.
> Poisson : le saumon (le saumon entier en boîte est encore plus riche en calcium que le saumon frais), les crevettes, les sardines en boîte.
> Fruits : les figues, la rhubarbe.
> Légumes, pois et céréales : les légumes à feuilles vertes, les brocolis, le chou frisé, les germes de soja, les graines de moutarde, les navets nouveaux, la pâte de sésame (le tahini).

Il semble que le calcium des aliments soit mieux absorbé que les comprimés, bien que ces derniers permettent d'en élever la proportion globale dans l'organisme. La plupart des femmes ont en effet du mal à se procurer la liste des différents aliments ci-dessus et ont besoin de suppléments. Le calcium est souvent conditionné en comprimés de 500 mg, et deux comprimés par jour suffisent aux besoins. Toutes les formes de calcium médicamenteuses ne se valent pas : certaines sont plus rapidement assimilées que d'autres. La plupart des diététiciens conseillent le carbonate ou le citrate de calcium, à ingérer pendant les repas pour une meilleure absorption. Les antiacides sont également de bonnes sources de calcium. Évitez toutefois les antiacides contenant de l'alumine : leur calcium est moins bien absorbé.

L'organisme a besoin de vitamine D pour absorber le calcium présent dans l'intestin. La vitamine D se synthétise lors des expositions au soleil. Mais nous n'avons pas toujours la possibilité de prendre des bains de soleil, sans compter que cela accélère les cancers et le vieillissement cutanés. La consommation de produits laitiers enrichis en vitamines et de comprimés multivitaminiques (avec vitamine D) suffit largement aux besoins. D'ailleurs, on doit se garder de prendre des doses de vitamine D supérieures à 400 UI (unités internationales) à cause de leurs effets secondaires potentiels.

Le magnésium, un des composants essentiels du tissu osseux, contribue également à la prévention de l'ostéoporose (et certaines études soulignent son rôle dans la prévention cardiaque). Il permet également de réguler l'absorption du calcium, au point que la majorité des nutritionnistes recommandent d'en prendre en association avec le calcium, dans une proportion de un à deux. Autrement dit, vous prendrez 400 à 500 mg de magnésium pour 1 000 mg de calcium. De nombreux aliments sont riches en magnésium, en particulier toutes les céréales et les légumes verts qui comprennent également d'autres oligo-éléments essentiels.

L'exercice physique est essentiel à tout effort de prévention de l'ostéoporose. La clef de l'efficacité, en la matière, est qu'un certain poids s'exerce sur vos os. Sont donc indiqués les exercices qui vous font porter votre propre poids, comme la marche, le jogging et le ski de fond. L'effort physique ciblant les membres inférieurs comme la marche sportive ou la danse sont excellents. La pratique du vélo est toujours bénéfique sans toutefois permettre à la pesanteur de s'exercer aussi efficacement. La natation n'est pas l'activité appropriée pour cet objectif. En revanche la gymnastique avec haltères est tout indiquée. Mais n'en faites surtout pas une obsession. Si vous n'avez pas envie d'adhérer à un club doté d'équipements sophistiqués ou n'aimez pas porter de poids, sachez que la marche à pied ou la pratique modérée du jogging répondent parfaitement aux besoins de vos membres inférieurs. Pour renforcer la partie supérieure du corps — coudes, épaules et poignets —, utilisez des poids légers ou serrez des balles dans vos mains pendant que vous marchez.

Les effets d'une alimentation équilibrée et de l'exercice physique sur les symptômes de la ménopause

Une saine alimentation et l'exercice physique permettent de bien contrôler et de prévenir les symptômes de la ménopause comme les bouffées de chaleur, l'insomnie, les sautes d'humeur et la dépression.

Les repas trop copieux, la consommation d'épices, de caféine, d'alcool peuvent déclencher ou aggraver les bouffées de chaleur et les suées nocturnes. Évitez tout abus de ce style, alimentez-vous néanmoins suffisamment et ne cherchez pas à être trop mince. L'organisme féminin exige une répartition normale des graisses où sont stockés les œstrogènes.

Certains aliments ont une activité œstrogénique qui atténuent les symptômes de la ménopause. C'est le cas des germes de soja et de tous les produits à base de soja comme le tofu et le miso qui contiennent des phyto-œstrogènes, substances légèrement apparentées aux œstrogènes. Une étude publiée par la revue médicale britannique *The Lancet* a montré que les femmes japonaises qui consomment beaucoup de produits à base de soja sont peu touchées par les bouffées de chaleur et autres symptômes de la ménopause. Parmi les aliments comprenant des phyto-œstrogènes : les cacahuètes, les noix de cajou, les pommes, les amandes, l'orge, le maïs et le blé. Qu'ils atténuent ou non vos bouffées de chaleurs, autant d'aliments recommandés, en sachant toutefois que les noix et amandes riches en graisses sont à consommer avec modération. Les produits à base de soja sont aussi d'excellentes sources de protéines et de nutriments essentiels.

Un assez grand nombre de femmes constatent que la vitamine E soulagent leurs bouffées de chaleur. Nous n'en avons guère de preuve scientifique, ce qui m'interdit de vous donner un avis tranché sur la question. Il reste que la vitamine E, puissant antioxydant, a montré son efficacité sur la santé cardiaque et le système immunitaire. On considère qu'une dose de 400 UI de vitamine E par jour est parfaitement inoffensive et vous pouvez toujours l'essayez en cas de bouffées de chaleur. Évitez toutefois de dépasser la dose de 1 000 UI par jour.

Enfin, l'exercice physique semble apaiser les femmes souffrant de bouffées de chaleur sans qu'on sache précisément quel type de sport serait le plus indiqué.

De même, comme on l'a vu au chapitre 9, l'exercice physique est bénéfique aux femmes souffrant d'angoisse et de dépression. Si vous êtes sujette aux fluctuations d'humeur pendant la ménopause, raison de plus pour vous livrer à une activité physique agréable et pas trop contraignante comme la marche.

Quelques conseils de bon sens en cas de bouffées de chaleur, de sueurs nocturnes et insomnie consécutive : utilisez des draps de coton et une literie « qui respire ». Veillez à ce que votre chambre reste fraîche et aérée, en ouvrant la fenêtre ou en réglant le chauffage ou l'air conditionné. Enfin, qu'il fasse chaud ou froid, habillez-vous en superposant des vêtements que vous pouvez ôter facilement.

L'approche psychosomatique : une démarche globale

Vous pouvez vous épanouir pendant et après la ménopause et connaître un regain de jeunesse en dépit des difficultés rencontrées. Cela dit, la transition risque d'être très éprouvante selon les circonstances. Si vous êtes en butte à des difficultés familiales ou financières, ou devez prendre en charge vos vieux parents malades, vous aurez du mal à considérer cette étape de la maturité comme propice à toute forme de libération. Raison de plus pour avoir recours aux techniques psychosomatiques et aux thérapies comporte-mentales. En dépit des aléas de la vie, vous pourrez toujours vous tourner vers la « caisse à outils » de la médecine psychosomatique. D'ailleurs, on trouve des solutions plus réalistes aux problèmes en faisant preuve de calme et de confiance en soi plutôt qu'en se laissant aller à la déprime ou à l'anxiété.

Carrie avait subi une hystérectomie totale à la fin de la trentaine, ce qui avait provoqué une ménopause chirurgicale précoce. Elle mit des années à se remettre des répercussions physiques et psychologiques de l'opération. À tort ou à raison, on lui avait prescrit cette intervention radicale pour soulager des douleurs de l'endomètre. Mais le chirurgien qui avait réalisé l'opération avait dissuadé Carry de suivre un traitement hormonal substitutif sous prétexte de risque de cancer (elle n'avait pas d'antécédent familial de cancer du sein et ces mises en garde excessives trahissaient surtout l'ignorance). Ainsi fut-elle privée des bienfaits d'une hormonothérapie tout à fait indiquée au vu de ses symptômes (dont, parmi les plus éprouvants, la dépression, l'insomnie et l'atrophie vaginale). Carrie pensait également que sa souffrance psychique avait empiré à force de refouler pendant des années toutes les émotions que lui avait inspirées cette hystérectomie précoce : colère à l'encontre du chirurgien, douleur d'être privée de ses capacités reproductrices, crainte d'avoir définitivement perdu sa féminité.

Elle se rendait compte, désormais, que ce refoulement avait suscité de nouveaux symptômes en tout genre comme des allergies alimentaires, des crises de panique, la phobie des hormones et de la plupart des médicaments, des grippes à répétition et des douleurs dorsales. Elle vint me voir à la fin de la cinquantaine. Je l'ai alors initiée à la relaxation et à la restructuration cognitive et encouragée à exprimer les sentiments et émotions relatives à l'hystérectomie et la ménopause précoce.

Carrie fit preuve de courage et de constance. Voici la liste de ce qu'elle entreprit :

> Promenades attentives au bord de la mer
> Méditation centrée sur la respiration
> Écoute de l'enregistrement de suggestion par images mentales évoquant un ruisseau de montagne

Pratique de l'imagerie guidée et du rappel des souvenirs agréables en famille

« Aménagement d'un "endroit privé" où je peux me réfugier en cas de problème »

Identification des déformations cognitives associées à ses craintes et ses phobies

Remise en cause de toutes les pensées culpabilisantes suggérant qu'elle délaisse mari et enfants

Prières méditatives et lecture de la Bible

Identification et expression de sa colère passée (au sujet de l'hystérectomie) et présente (à l'encontre de son mari)

Rétablissement de la communication avec son mari et ses enfants lors de consultations familiales à mon cabinet

Recours au soutien des amis et de la famille malgré sa répugnance à demander de l'aide.

Tous ces efforts parallèles ont rapidement amélioré son humeur. Elle a surmonté suffisamment sa phobie des médicaments pour entreprendre un traitement hormonal substitutif à l'aide d'un patch. Les œstrogènes ont soulagé certains symptômes, avec en particulier la diminution de la sécheresse vaginale. Au bout de quelques mois, elle ne souffrait plus d'insomnies et ses douleurs se sont atténuées. Elle a encore des crises de panique, mais beaucoup moins invalidantes qu'auparavant.

Si j'en crois mon expérience clinique, l'association des différentes méthodes psychosomatiques est particulièrement efficace au moment de la ménopause. Pour finir, voici quelques recommandations générales :

1. *Relaxation* : pratiquez les différentes techniques indiquées au chapitre 3, en vous abstenant éventuellement du training autogène et des fantasmes de bains chauds. Cela atténuera la tension psychique, favorisera la maîtrise de soi, soulagera l'insomnie, l'anxiété et la dépression légère. Il y a de fortes chances pour que vos bouffées de chaleur deviennent nettement moins fréquentes et moins intenses. Pratiquez la mini-relaxation quand vous sentez les premiers signes d'une bouffée de chaleur.

2. *Restructuration cognitive* : ayez recours à la méthode des quatre questions pour identifier et rectifier vos pensées dépréciatives sur la ménopause, le vieillissement et sur vous-

même. Vous y substituerez un nouvel appétit pour les plaisirs de la vie, de l'enthousiasme et de l'énergie.

3. *L'automaternage* : ménagez-vous du temps et des libertés et profitez-en pour vous livrer à des activités distrayantes et créatives.

4. *L'entourage* : on a pu vérifier qu'un milieu suffisamment protecteur favorise la santé et la longévité. Établissez ou rétablissez le dialogue avec votre époux ou votre compagnon, les enfants, les parents et les amis. Pour améliorer vos capacités de communication et votre confiance en vous, suivez les conseils des chapitres 7 et 8.

5. *Expression des émotions* : mettez à jour les sujets que vous avez tendance à refouler à cause de votre éducation, des pressions familiales et des tensions conjugales ou simplement par la force de l'habitude. Faites-les remonter à la conscience de façon constructive par la visualisation, la tenue d'un journal ou, si besoin est, par la psychothérapie de groupe ou individuelle.

6. *Alimentation pauvre en matières grasses et activité physique régulière* : contre l'ostéoporose prenez des suppléments de calcium et autres oligo-éléments, dont du magnésium et de la vitamine D. L'effort physique consistant à porter un certain poids (ne serait-ce que le vôtre) est essentiel, comme la marche, le jogging et, si possible, la gymnastique avec des petites haltères.

Au moment d'adopter l'approche psychosomatique de la ménopause, identifiez les causes réelles de vos symptômes.

Plus que tout, ne considérez plus la ménopause comme une phase de déclin, mais au contraire comme le point de départ vers la conquête de nouvelles libertés. La maturité aide à approfondir les relations et à accroître les facultés créatrices. Les techniques psychosomatiques permettent de jouir de toutes ses potentialités. Veillez à votre bien-être, et vous vivrez réellement l'élan vital de la post-ménopause.

14

L'obésité et les troubles du comportement alimentaire : un problème psychosomatique

La tyrannie de la minceur sévit partout : dans les magazines où les top models arborent joues creuses, ventre plat et jambes filiformes ; au cinéma et à la télévision où les stars ont une silhouette impeccable (traduisez : ultra-mince) ; dans les livres et articles de beauté où l'on vous promet toujours une nouvelle recette minceur. Tous les mois on a droit au dernier remède miracle qui diminue l'appétit, dope le métabolisme paresseux et fait fondre les kilos en trop. Le conditionnement culturel est tel qu'on voit des femmes s'épuiser dans leur club de remise en forme et se droguer à l'exercice physique intensif.

La dictature de la minceur fait surtout des ravages chez les jeunes femmes qui intériorisent ce stéréotype esthétique jusqu'à l'âge mûr sans jamais le remettre en question. L'obsession peut même toucher les enfants. À chaque phase de la vie nous nous référons généralement à un idéal impossible à attendre. À l'adolescence ou à vingt ans, on se trouve toujours trop maigre ou trop grosse, avec des seins trop petits ou trop volumineux. À la fin de la trentaine et au-delà, l'insatisfaction s'incruste car on a dépassé l'âge où il était concevable sinon possible d'atteindre l'idéal de la beauté juvénile.

L'image de beauté que nous renvoie notre culture est si frustrante qu'il est difficile de garder son bon sens et un œil objectif sur soi-même. Il est encore incroyable que nous ne soyons pas toutes atteintes de troubles du comportement alimentaire. En fait, les femmes équilibrées, bien entourées, sont moins perméables à cette intoxication culturelle. Mais ce n'est pas le cas de tout le monde. Beaucoup d'entre nous ont un environnement instable et une vulnérabilité susceptibles de dérégler notre comportement alimentaire en nous donnant des fringales compulsives ou en nous rendant boulimiques ou l'anorexiques.

Il s'agit là des aboutissements extrêmes d'un long continuum d'altérations comportementales face à la corpulence et à la nourriture. La plupart des femmes ont des problèmes d'image corporelle et d'alimentation qu'elles gèrent tant bien que mal au jour le jour. Une minorité d'entre elles manifestent de sérieux troubles du comportement alimentaire, et il faut alors recourir à des traitements psychologiques et médicaux pour en venir à bout. J'aborderai dans ce chapitre les différents traitements psychosomatiques adaptés aux déviances flagrantes du comportement alimentaire, en spécifiant qu'ils conviennent aussi parfaitement à toutes les femmes qui connaissent des problèmes de poids et d'alimentation plus bénins.

Sachez que ce type de traitements — la thérapie cognitive en particulier — constitue la première ligne de front très efficace contre les erreurs alimentaires. En outre, j'ai pu constater au cours de ma pratique clinique que la combinaison des différentes techniques psychosomatiques accroît très sensiblement les chances de succès des traitements médicaux proprement dits, quand ils s'imposent.

90 % des troubles caractérisés du comportement alimentaire concernent les femmes. C'est énorme. En fait, ce chiffre n'a rien de surprenant dans la mesure où les femmes sont la cible privilégiée de la tyrannie de la minceur et de la beauté. Les perturbations du rapport à la nourriture ne relèvent pas uniquement de la biologie et de la médecine, mais également du contexte psychologique, social et culturel.

Comme s'il fallait souligner les effets pervers des problèmes familiaux et des préjugés culturels sur le comportement alimentaire, on constate que celui-ci est bien plus fréquemment perturbé qu'on ne le pensait. Le Pr Daniel Coleman, journaliste scientifique au *New York Times*, a attiré l'attention sur des études récentes montrant que la fréquence de l'anorexie et la boulimie était aujourd'hui deux fois plus importante que ce qu'on estimait auparavant, et qu'elle

« augmentait régulièrement ». Le principal responsable ? La mode des régimes ! Chez les anorexiques, le régime est la première incursion dans la négation radicale de soi-même. Chez celles qui au contraire mangent de façon compulsive, un régime trop strict engendre des frustrations qui conduisent à tous les excès et incitent les boulimiques à régurgiter ce qu'elles viennent d'avaler de peur de grossir.

Les femmes qui se font piéger par l'obsession du régime ont constamment honte d'elles-mêmes. Elles raisonnent en termes de bien et de mal, selon qu'elles mangent ceci ou cela. Ce manichéisme est distillé par l'environnement culturel et véhiculé par les familles à problèmes où l'on a vite fait de critiquer chaque trait physique ou comportemental.

Il importe de comprendre l'origine des troubles du comportement alimentaire, car la santé de la femme est en jeu. Les anorexiques sont celles qui courent le plus grand risque : l'amaigrissement extrême compromet toutes les fonctions de l'organisme (la plupart des gens ont compris l'anorexie à l'annonce de la mort de la chanteuse Karen Carpenter, suite à des complications dues à un régime amaigrissant). Le taux de mortalité est très élevé : 5 à 8 % des femmes souffrant d'anorexie depuis plus de dix ans meurent des suites de leur amaigrissement ou d'une tentative de suicide. Les vomissements provoqués des femmes boulimiques provoquent des déséquilibres électrolytiques, une déshydratation, des arythmies cardiaques et des troubles de l'œsophage et de la gorge causés par les acides de l'estomac. Quant à la simple obésité, c'est un facteur de risque pour le diabète, l'hypertension, les maladies cardiaques et certains cancers.

Mais les troubles du comportement alimentaire affectent aussi la santé de manière plus insidieuse. Le stress et le dégoût de soi-même agissent sur l'équilibre mental, ce qui, par contrecoup, a des conséquences physiques : perte d'énergie, moindre résistance à la maladie.

En d'autres termes, l'obésité est un problème psychosomatique. L'estime de soi — qui contribue pour beaucoup à la santé physique, nous l'avons vu — dépend intimement des images corporelles véhiculées par la famille et la culture. Les femmes qui se sentent constamment coupables d'être trop grosses ont tendance à être désemparées, irritables, sans ressort, ce qui contribue à affaiblir leurs systèmes immunitaire et cardio-vasculaire.

La dépression, l'anxiété ou toute autre forme d'affection psychiatrique prolifèrent chez les femmes sujettes aux troubles du comportement alimentaire. Le dérèglement psychologique est-il à l'origine de la déviation comportementale, ou l'inverse ? La discussion reste ouverte. La plupart des experts estiment que la dépression est sans doute *à la fois* la cause et l'effet des désordres alimentaires. Les femmes qui ont un complexe d'infériorité et n'arrivent pas à surmonter leur souffrance, leur rancœur ou leur tristesse — autant de facteurs aggravants de la dépression —, sont les plus sujettes aux déviations du comportement alimentaire. Une fois l'habitude prise, la femme se débat au sein du douloureux cercle vicieux de la dépendance, de la honte et du secret, sans parler des conséquences physiques pathologiques. Elle risque alors de basculer dans une profonde dépression.

Il en résulte de toute façon une grande souffrance psychique et un épuisement physique. L'obésité est un problème psychosomatique et la nourriture conditionne la santé. Les répercussions de ces troubles peuvent être gravissimes. Une approche unidimensionnelle ne résoud pas les déviances alimentaires dont l'origine est toujours complexe. Les anxiolytiques et les antidépresseurs ont une certaine efficacité, à condition, le plus souvent, qu'ils soient associés à d'autres démarches thérapeutiques. Si la médecine psychosomatique offre de bons traitements d'accompagnement, c'est qu'elle cible les causes profondes : l'anxiété, le sentiment de ne plus rien maîtriser, l'intériorisation du culte de la beauté, le vide affectif et la perte de l'estime de soi.

Les méthodes psychosomatiques adaptées aux troubles du comportement alimentaire

Le ménage de Sandra allait mal. Gerald, son mari, travaillant tard, elle passait seule la plupart de ses soirées. Le week-end, Gerald apportait du travail à la maison, et elle restait le plus souvent livrée à elle-même. Jusque-là, elle s'était alimentée plutôt sainement : elle ne mangeait pas trop gras et privilégiait les repas riches en hydrates de carbone complexes. Mais elle supportait mal les longues absences de Gerald. Elle s'ennuyait. C'est ainsi qu'elle renoua avec la vieille habitude du grignotage devant la télévision. Elle pouvait engloutir un paquet de chips ou un énorme moka à elle toute seule en une soirée. Comme son mari aimait prendre un en-cas en rentrant, il y avait toujours des réserves de biscuits et d'amuse-gueule dans les placards. Sandra se mit à manger n'importe comment, jusqu'à ce qu'elle ait dépassé de trente-cinq kilos ce qu'elle considérait être le poids idéal.

Le moral de Sandra dégringolait au fur et à mesure qu'elle grossissait et elle s'isola de plus en plus. Le couple n'avait pas d'enfant et ses amies étaient trop occupées avec leurs bébés. Elle vint me voir, au comble du désarroi, ne sachant comment maigrir ni se reprendre.

Chez Sandra, la honte avec fixation sur son poids était au cœur du problème. Sans compter l'intense sentiment de culpabilité éprouvé à chaque fois qu'elle se goinfrait. Elle s'en méprisait d'autant plus. Je l'initiai à la relaxation, ce qui soulagea son anxiété, et l'incitai à remettre en cause sa distorsion cognitive plutôt que de penser sans cesse à son poids : était-il raisonnable de sa part de ne mesurer sa valeur d'être humain qu'à l'aune de ses kilos et de sa silhouette ?

Par la restructuration cognitive elle s'intéressa à autre chose qu'à sa corpulence. Dans quelles situations éprouvait-elle de l'estime pour elle-même ? Qu'est-ce qui la concernait dans la vie ? Cela ne comptait-il pas plus que son image corporelle ? Sandra se rendit compte que l'ennui, la solitude et son insatisfaction conjugale étaient à la source de ses écarts alimentaires, et elle résolut de sortir du cercle vicieux et de sa dépendance.

Elle décida de passer à l'acte et de se consacrer à une activité qui lui redonnerait de l'assurance à un autre niveau. Elle rejoignit l'association locale d'aide à l'enfance, les *Big Sisters* (« les Grandes Sœurs »), où elle devint la marraine de Felice, une adolescente de douze ans. Elles s'entendirent à merveille. La fillette respectait Sandra, laquelle se sentit moins seule. C'était une relation où elle faisait preuve de générosité, de bon sens et d'humour, autant de qualités dont elle se croyait dépourvue pendant les mois précédents, envahis par l'ennui et l'obsession de la nourriture. Elle retrouva le respect d'elle-même et ses rapports avec Gerald s'améliorèrent. Il était toujours trop longtemps absent, mais elle ne passait plus ses soirées et ses week-ends à se morfondre et à grignoter.

Le moral revenu, elle reprit le contrôle de son comportement alimentaire. Et, avec le recours aux « transitions » décrites au chapitre 9, elle commença à maigrir (il lui arrivait encore de se laisser aller de temps en temps, mais les accès de boulimie s'espaçaient de plus en plus). À la fin de la thérapie Sandra avait perdu la moitié des kilos qu'elle considérait en trop, et elle persévérait.

Le cas de Sandra illustre bien l'approche psychosomatique d'un trouble du comportement alimentaire, en l'occurrence l'alimentation excessive. Grâce à la relaxation et les techniques cognitives, elle prit conscience des causes de son comportement et s'employa à y remédier. Des antidépresseurs l'auraient peut-être soulagée, mais sans accompagnement psychosomatique, aurait-elle repris confiance en elle ? Exhumé les raisons de son alimentation compulsive ? Rejoint l'association des *Big Sisters*, noué une amitié avec une adolescente qui avait besoin de son aide ?

La TRE et les autres psychothérapies

La thérapie rationnelle-émotive ou TRE, autrement dit la thérapie comportementale reposant sur les procédés cognitifs, est aujourd'hui considérée comme le traitement d'attaque le plus efficace des troubles du comportement alimentaire, en particulier de la boulimie. Les thérapeutes qui y ont recours initient leurs patientes à la restructuration cognitive, leur font prendre conscience des déclics de l'envie de manger, et leur apprennent à surmonter leur stress de façon plus adaptée. Le Dr Stewart Agras, qui dirige le centre thérapeutique des troubles du comportement alimentaire à l'école de médecine de l'université de Stanford, a constaté que la TRE, plus efficace que les antidépresseurs, permet à 65 % des patientes de se libérer de leur boulimie (cette statistique étant confirmée par des études ultérieures).

Selon certaines recherches, d'autres traitements psychologiques réussissent aussi bien que la TRE dans le traitement de la boulimie. Ce qu'on appelle la « thérapie relationnelle » consiste à faire prendre conscience à la patiente des problèmes relationnels — crainte du rejet, isolement, rapports conflictuels avec autrui — qui sous-tendent son trouble du comportement alimentaire. Contrairement à la TRE, cette dernière ne vise pas directement le problème alimentaire et l'image corporelle, mais incite la femme à explorer les sentiments à la source de ses dérèglements en lui permettant d'adopter des stratégies susceptibles d'améliorer sa relation aux autres.

La thérapie rationnelle-émotive adaptée aux troubles du comportement alimentaire se fonde sur les principes suivants :

> Auto-observation permettant aux patientes d'identifier les déclencheurs physiques et émotionnels de l'alimentation compulsive ou du refus de manger. Pour bien les cerner, elles doivent raconter par écrit le déroulement des crises.
>
> Entraînement à des stratégies adaptées, permettant aux patientes de mieux surmonter les frustrations, la colère et le sentiment d'impuissance.
>
> Acquisition d'une meilleure confiance en soi afin de nouer des relations plus satisfaisantes avec autrui.
>
> Restructuration cognitive libérant les patientes de leurs idées culpabilisantes au sujet de la nourriture, de leur façon de s'alimenter, leur poids, leur image corporelle et toutes les obsessions qui empoisonnent la vie quotidienne.

En principe, la thérapie rationnelle-émotive se déroule sur vingt séances. Mais les patientes qui souffrent de graves problèmes affectifs, d'une dépression clinique avérée, de difficultés familiales sérieuses ou de détresse relationnelle, relèvent de traitements plus longs à suivre parallèlement à la TRE.

L'approche psychosomatique intégrée des troubles du comportement alimentaire

Dans mon travail clinique avec les femmes souffrant de troubles du comportement alimentaire, j'applique aussi bien les principes de la TRE que ceux de la thérapie relationnelle, en association avec d'autres techniques psychosomatiques. J'ai adopté cette approche pour la première fois lors de mon affectation à l'hôpital pour enfants de Boston, après ma thèse de doctorat, où j'avais affaire à de jeunes femmes hospitalisées pour anorexie. Pour toute une série de raisons psychologiques, elles éprouvaient une intense répulsion à la vue de la nourriture. Le plus souvent, la seule façon de maîtriser leur dégoût — même si cela mettait leur santé en danger — était de manger très peu, voire pas du tout. À l'hôpital, elles devaient prendre des repas à heures fixes. Pour conjurer leurs bouffées d'angoisse, je leur montrais comment se relaxer une vingtaine de minutes avant chaque repas. En général cela les calmait suffisamment pour rendre l'épreuve du repas un peu moins intolérable. En la circonstance, la relaxation programmée est une composante très efficace de la thérapie.

L'approche psychosomatique intégrée n'a pas été testée systématiquement dans le cas du trouble du comportement alimentaire, mais le bon sens milite pour elle dans la mesure où il s'agit de combiner deux méthodes dont on *a prouvé* l'efficacité — la TRE et la thérapie relationnelle. En outre, j'ai recours à des techniques de relaxation visant la maîtrise de soi, la perte de cette dernière étant la principale caractéristique des troubles du comportement alimentaire.

Pour celles d'entre vous qui souffrent de désordres alimentaires, la plupart des techniques de relaxation sont valables, bien que vous puissiez préférer éviter celles qui utilisent la concentration corporelle comme la relaxation musculaire progressive, le training autogène ou l'exploration corporelle. Le fait de prêter une trop grande attention aux différentes parties de son corps peut aggraver la tendance à se juger physiquement. Si c'est le cas, contentez-vous de la méditation, l'attention sur ce qui vous entoure, ou la suggestion par l'image. En vous fixant à votre intuition. Cela dit, certaines femmes préféreront justement se réconcilier avec leur corps par la prise de conscience systématique de ses différentes parties.

Les troubles du comportement alimentaire sont souvent associés à une respiration trop superficielle. La hantise culturelle des rondeurs peut vous inciter à contracter régulièrement vos muscles abdominaux, ce qui empêche de respirer correctement ! Et si vous respirez mal, vous êtes incapable de vous relaxer — votre cerveau reçoit le message d'une carence en oxygène, et les niveaux d'angoisse augmentent automatiquement sans que vous vous en doutiez. *La solution consiste à renoncer à la respiration superficielle en faveur de la respiration abdominale profonde, chaque fois que vous exercez la relaxation.* Pratiquez régulièrement la respiration consciente (chapitre 3) et les mini-relaxations (chapitre 4). Dans l'intimité de votre chambre, permettez à votre ventre de monter et descendre, avec l'idée que l'oxygène apporte la vie au plus profond de vos poumons.

Je pars d'un principe simple : les troubles du comportement alimentaire sont complexes et exigent des solutions polyvalentes. Chacune des méthodes auxquelles j'ai recours vise à sa façon les facteurs déclenchants les plus courants : la solitude, le manque affectif ou toute forme de souffrance psychique que les patientes tentent désespérément de compenser en ingurgitant d'énormes quantités de nourriture ou en faisant la grève de la faim.

L'identification des causes émotionnelles de la boulimie ou de l'anorexie constitue le pivot de la thérapie que j'engage avec ces femmes. Il m'arrive parfois de déceler la raison évidente du comportement alimentaire et de faire en sorte que la patiente en prenne conscience. Choisissez, par exemple, la femme qui se venge sur la nourriture chaque fois que sa mère l'appelle. Ou celle qui a une fringale après une scène de ménage. Ou celle qui ne mange plus dès que son amant la délaisse ou la brutalise. L'identification de ces facteurs déclenchants est souvent la première étape vers la guérison.

La suivante, la phase active, consiste à modifier le contexte relationnel, tout en changeant son comportement. Il s'agit d'acquérir une bonne maîtrise de soi, de s'accepter et de retrouver son équilibre mental. La femme qui se rend compte qu'elle mange de façon compulsive dès que sa mère l'appelle peut prendre une pause, respirer profondément et prendre conscience de ce qui lui arrive. Le besoin d'aller regarder dans le réfrigérateur se dissipe avec l'effort de réflexion. Au moyen d'une mini-relaxation elle retrouve calme et maîtrise intérieure. Ensuite, pourquoi ne pas confier l'incident avec la mère au mari ou à une amie ? Enfin, après introspection ou l'aide d'un thérapeute, reste à adopter une autre attitude pour calmer le jeu. Est-ce que je dois être plus cassante avec ma mère ? Faire preuve de plus d'assurance ? Être moins sensible, moins irritable ? Plus gentille ? La transformation de la relation mère-fille — qui pose souvent problème chez les femmes souffrant de troubles du comportement alimentaire — peut supprimer certaines des causes déclenchantes.

Il est également essentiel d'exprimer ses émotions positives ou négatives — ne serait-ce que dans un journal intime, dans le cabinet du thérapeute, ou les deux. On se venge moins sur la nourriture quand on trouve d'autres exutoires.

Il est alors possible de manger *avec plaisir* sans pour autant se goinfrer.

Dans les paragraphes qui suivent, j'indique les différentes méthodes psychosomatiques adaptées aux trois grands troubles du comportement alimentaire : la gloutonnerie compulsive, la boulimie caractérisée (avec vomissements provoqués) et l'anorexie. Vous n'êtes pas sûre d'avoir un véritable trouble du comportement alimentaire, mais vous pensez être un peu trop portée sur la nourriture sans que les conséquences en soient dramatiques ? C'est possible. Dans l'analyse de chaque trouble j'indiquerai à chaque fois dans quel cas vous avez intérêt à consulter un spécialiste. Et si vous avez le moindre doute, n'hésitez pas à pécher par excès de prudence : consultez votre médecin qui vous aiguillera si nécessaire vers un psychologue ou un psychiatre. Car le propre d'un trouble du comportement, c'est que nous en sommes rarement conscientes !

La suralimentation et les excès chroniques

Beaucoup de femmes mangent trop, avec l'excès de poids qui s'ensuit. Mais celles qui engloutissent régulièrement d'énormes quantités de nourriture en de courts laps de temps (un heure ou deux) et qui ont le sentiment d'être incapables de se contrôler pendant ces accès, sont sujettes au pantagruélisme chronique, ou si l'on veut à la boulimie (à distinguer de la boulimie névrotique avec vomissements provoqués). La frontière entre la simple suralimentation et les excès chroniques est assez floue, vérifiez si vous ne cumulez pas les signes suivants :

> Vous mangez trop vite
> Vous mangez beaucoup d'un seul coup sans avoir faim
> Vous mangez jusqu'à l'écœurement
> Vous mangez seule à l'abri des regards
> Vous vous en voulez de trop manger, éprouvez du dégoût envers vous-même et cela vous rend dépressive
> Vous vous livrez à des écarts pantagruéliques environ deux fois par semaines depuis au moins six mois.

Ces différents critères vous donnent la mesure de la gravité de vos écarts alimentaires. Il n'est pas besoin de les remplir tous pour avoir un véritable problème de comportement alimentaire. En outre, même sans y répondre, il est possible que vous ayez de mauvaises habitudes dont il faut vous débarrasser avant qu'elles ne deviennent un trouble caractérisé.

Voici, sur la base de mon expérience clinique, un résumé en sept points du programme psychosomatique adapté aux femmes sujettes à la suralimentation et au pantagruélisme :

1. Identifiez les facteurs déclenchant vos excès alimentaires comme l'ennui, l'anxiété et toute autre réaction émotionnelle au stress, à la douleur ou aux difficultés relationnelles.

2. Identifiez les déformations cognitives — les obsessions qui vous angoissent, vous dépriment ou vous démoralisent. Il peut s'agir de votre façon de manger, de votre corpulence ou de tout autre problème de la vie quotidienne, comme des difficultés relationnelles, professionnelles, voire de pannes de création.

3. Envisagez les mesures radicales susceptibles de modifier le contexte qui suscite vos pulsions alimentaires. Examinez sérieusement vos rapports avec votre entourage, et, s'il le faut, exprimez plus clairement et fermement vos besoins et affirmez vos droits.

4. Pratiquez la relaxation et les mini-relaxations pour conjurer les bouffées d'angoisse, d'impuissance ou d'agressivité qui provoquent vos envies de manger.

5. Si la douleur psychique, la crainte ou la colère sont à l'origine de vos excès alimentaires, tenez un journal intime pour y exprimer et explorer vos sentiments.

6. Substituez des activités agréables et gratifiantes à vos excès alimentaires

7. Ayez recours aux « transitions alimentaires » (chapitre 9) pour adopter progressivement un régime plus sain et équilibré. Ne vous reprochez pas le moindre écart, car le sentiment de culpabilité vous conduira à baisser les bras. Il ne s'agit pas de faire la grève de la faim ni de s'enfermer dans une prison alimentaire ! L'objectif ne doit pas être la minceur, mais de se nourrir de façon plus saine. Si vous abordez votre problème de suralimentation de cette façon, vous changerez de comportement par amour-propre et non par dégoût de

vous-même. Sans compter que la plupart des femmes qui s'en tiennent à ce point de vue bénéficient de retombées aussi heureuses qu'imprévues : une perte de poids qui finit par se stabiliser.

Paula, l'une de mes patientes, souffrait beaucoup de son fibrome. Elle avait toujours eu un problème de suralimentation, mais les choses s'étaient aggravées avec les douleurs chroniques, ce qui accroissait d'autant son désarroi et son sentiment d'impuissance. La thérapie cognitive lui fit comprendre à quel point les excès alimentaires aggravaient son état de santé. « Je me rendis compte que je me faisais du mal en mangeant, disait-elle. Les douleurs chroniques étaient déjà difficiles à supporter. En mangeant trop, sans compter les kilos, je souffrais doublement. »

La suralimentation ne fait qu'exacerber le désarroi des femmes en situation difficile. Paula tourna la page quand elle décida de changer son comportement alimentaire. « Les douleurs causées par le fibrome, je n'y pouvais pas grand-chose, expliquait-elle. Mais il ne tenait qu'à moi de manger différemment. Là, je pouvais beaucoup. »

Elle eut recours à la relaxation dès que la douleur ou d'autres facteurs de stress s'emparaient d'elle. Le plus utile fut peut-être de lui conseiller des comportements d'automaternage à la place des compensations alimentaires lors de ses accès d'anxiété. « J'ai mis par écrit une liste de tout ce qui me fait plaisir et je l'ai accrochée sur la porte du réfrigérateur. J'ai décidé de m'offrir un de ces plaisirs tous les jours ». Un an après, la liste de Paula était toujours à sa place, et elle réussissait à réprimer ses pulsions alimentaires en pensant à l'un des plaisirs de la liste, dont voici quelques exemples :

> Préparer un bon repas équilibré à la maison, plutôt que d'aller à la pizzeria d'à côté
> M'acheter des fleurs
> Sortir pour déjeuner avec une copine
> M'arrêter à une boutique de diététique pour faire provision de bons produits
> Aller à l'institut de beauté ou chez la manucure
> Aller au club de mise en forme
> Prendre un bon bain
> Me passer les cassettes de suggestions relaxantes.

Paula m'a annoncé récemment qu'elle s'était offert avec son mari des vacances outre-mer pour leur anniversaire de mariage. Cela faisait plusieurs années qu'elle souffrait de son fibrome et elle trouvait qu'elle avait bien mérité cette pause, même si cela devait coûter assez cher. Les vacances faisaient partie de sa stratégie d'automaternage : cela avait l'avantage de lui remonter le moral tout en l'empêchant de sombrer dans les excès alimentaires.

Paula perdit sept kilos en quelques mois, et elle continue de maigrir très progressivement. Elle se sent plus légère, plus dynamique et mieux dans sa peau. Elle supporte également mieux ses douleurs utérines.

Différentes études ont montré que les femmes souffrant de troubles du comportement alimentaire ont souvent été maltraitées effectivement, physiquement ou sexuellement dans leur enfance ou leur jeunesse. En cas de viol, les femmes se mettent à manger de façon excessive pour, inconsciemment, se rendre aussi peu désirables que possible. Leur répugnance sexuelle se comprend aisément dès qu'on a pris connaissance de leur histoire réelle. Dans ce cas, elles ne pourront changer de comportement sans avoir suivi une thérapie adaptée. Si vous pensez qu'un viol précoce ou récent est à l'origine de vos excès alimentaires et de votre obésité, consultez un psychothérapeute spécialisé dans le traitement des troubles du comportement alimentaire.

La boulimie névrotique

La boulimie névrotique, pour s'en tenir au terme médical, consiste à ingérer d'énormes quantités de nourriture en se faisant vomir aussitôt après. Comme chez les femmes qui mangent de façon compulsive, les boulimiques ont des accès fréquents (toutes les heures ou deux heures) qu'elles sont impuissantes à maîtriser. Elles se font vomir régulièrement — au moins deux fois par semaine pendant au moins trois mois. Ces femmes qui cherchent désespérément à ne pas grossir et abusent aussi des laxatifs, diurétiques, jeûnent ou encore s'adonnent à un exercice physique excessif.

La boulimie a connu la faveur des médias depuis le début des années 1980 : les aveux de femmes célèbres

— dont ceux de la princesse Diana — ont porté ce trouble du comportement alimentaire à la connaissance du grand public. Dans le cas de Diana, l'origine de la boulimie était très claire : elle a reconnu elle-même que son trouble tenait à un profond désespoir affectif, avec sentiment de trahison et d'impuissance. Sa conduite autodestructive, voilée de honte et secrète, ne l'incitait certes pas à appeler à l'aide. C'est là le comportement boulimique typique, qui reste invisible de l'extérieur, jusqu'à ce que le secret soit éventé. Les aveux de la princesse Diana ont peut-être choqué certaines personnes, mais elle a rendu un grand service en expliquant comment et pourquoi les femmes deviennent boulimiques. On fera peut-être preuve désormais de plus de compréhension à l'égard des femmes qui souffrent de désordres alimentaires, ce qui facilitera les traitements.

Je le répète, les thérapies rationnelles-émotives et relationnelles ont prouvé leur efficacité dans le traitement de la boulimie. Je traite les patientes boulimiques comme celles qui sont sujettes aux excès alimentaires, en combinant des éléments de TRE et de thérapie relationnelle associés aux méthodes psychosomatiques, surtout la relaxation. En général, une fois qu'elles arrêtent de manger compulsivement, les patientes n'ont plus besoin de se faire vomir et leur trouble s'atténue. Donc, si vous souffrez de boulimie, je vous recommande fermement d'en passer par les sept étapes décrites au début de ce chapitre.

Les femmes boulimiques sont hantées par leur image corporelle. L'obsession alimentaire pour combler le vide affectif se double de l'obsession de la minceur, comme si tout kilo en trop leur enlevait toute valeur. La distorsion cognitive typique de la femme boulimique consiste à se répéter constamment « je suis trop grosse ». Si c'est votre cas, on peut vous aider à reconnaître que vous avez un poids normal, en tout cas pas aussi excessif que vous l'imaginez. Derrière le constat « je suis trop grosse », il y a « je suis repoussante » ou « je suis nulle ». Une fois que vous avez accepté l'idée que votre silhouette n'est pas et ne doit pas être au centre de l'image que vous avez de vous-même, vous pouvez restructurer vos pensées obsessionnelles.

S'il fallait s'en tenir aux critères culturels actuels et à la dictature de la silhouette, 95 % de la population renonceraient à l'estime de soi. D'un point de vue cognitif, la solution consiste à s'interroger sur ce que nous valons en tant que femmes. Nous pouvons nous demander : qu'est-ce que je vaux comme amante, épouse, mère, amie, dans mon métier, mon travail, en tant qu'artiste ? Suis-je avisée ? Généreuse ? Créative ? Dévouée ? Energique ? Courageuse ? Il nous faut trouver les domaines dans lesquels nous excellons ou du moins sommes capables d'exceller. Dès lors, la question de la corpulence revient à sa juste place. Certes, notre silhouette compte pour nous, elle ne constitue néanmoins qu'une des facettes de notre personnalité. Nous oublions souvent que notre valeur tient davantage à ce que nous sommes qu'à notre tour de taille.

Bien souvent, la voix intérieure de la femme boulimique — cette voix qui l'injurie parce qu'elle mange trop et va accumuler ces satanés kilos — appartient à quelqu'un de son entourage passé ou présent, le plus souvent son compagnon ou sa mère.

Cynthia, jolie femme de trente-trois ans très courtisée, était une avocate réputée. Elle avait des accès de boulimie (avec vomissements provoqués) depuis son adolescence, avec des hauts et des bas. Le trouble s'était aggravé et son œsophage commençait à souffrir des vomissements. Sa détresse était grande quand elle vint me voir. Mais elle était dotée d'une personnalité franche, consciencieuse et scrupuleuse, ce qui était de bon augure.

Je lui enseignai une série de techniques de relaxation pour calmer son anxiété, puis nous avons passé un contrat : elle devrait faire vingt minutes de relaxation à chaque fois qu'elle serait prise d'une fringale. Ensuite, après la relaxation, à elle de décider si elle cédait ou non à sa pulsion alimentaire. Pour sceller notre marché, nous devions toutes deux signer un véritable engagement écrit. Cynthia accepta. Je rangeai l'original, elle emporta la copie.

Le contrat fit son effet. La plupart du temps, la pratique de la relaxation soulageait suffisamment sa tension pour qu'elle résiste à la boulimie. Le fait que le contrat n'ait pas stipulé un engagement trop strict — la relaxation accomplie, elle avait le choix de ses actes — élimina tout facteur de honte et de culpabilité susceptible de renforcer son comportement compulsif. En fait, il lui arrivait encore de temps en temps de céder à sa pulsion boulimique. Mais la pratique de la relaxation lui permit de s'en abstenir beaucoup plus facilement. Avec le temps, elle réussit à se forger une véritable maîtrise de son comportement alimentaire. Quand les accès de goinfrerie cessèrent, elle n'eut plus de raison de se faire vomir. Elle avait vaincu sa boulimie.

En réalité, le contrat n'était qu'une étape du traitement. Pour consolider la victoire, Cynthia devait encore découvrir les raisons de sa boulimie persistante. Au cours du travail cognitif il devint manifeste que les accès de boulimie étaient déclenchés par les conflits avec sa fillette de cinq ans. À chaque fois que la fillette désobéissait et piquait une colère, Cynthia se reprochait de ne pas être une mère à la hauteur. Je lui fis prendre conscience que les enfants qui ne désobéissent *jamais* n'accèdent pas à l'autonomie. Les colères et la désobéissance font partie du processus normal du développement de l'enfant.

En poursuivant l'investigation, je constatai que Cynthia avait toujours eu une relation excessivement tendue avec sa mère, et que cela continuait. Sa tendance à penser qu'elle était une mauvaise mère n'était jamais qu'une transposition de son énorme rancœur à l'encontre de sa propre mère. Et elle partait du principe qu'elle-même devait être détestée par sa fille. Dès lors Cynthia tint un journal intime où elle analysait ses difficultés relationnelles familiales. Son cahier devint le réceptacle de toute sa rage. Elle se souvint des remarques maternelles sur ses « bonnes grosses joues » quand elle était enfant et préadolescente et à quel point elle en avait souffert. Sa boulimie datait de ces blessures précoces. Le cas de Cynthia montre l'efficacité du traitement psychosomatique intégré pour les femmes boulimiques. La relaxation cible les bouffées d'angoisse et la restructuration cognitive permet une introspection plus approfondie. Il est indispensable d'avoir recours à la psychothérapie si l'on veut déceler les causes familiales passées ou présentes de la boulimie. Mais vous pouvez déjà vous prendre en main et faire les premiers pas vers la guérison.

L'anorexie mentale

Les femmes anorexiques — surtout les adolescentes et les jeunes femmes — présentent des symptômes caractéristiques.

Refus de se contenter d'un poids égal voire inférieur au minimum normal en fonction de l'âge et la taille.

Amaigrissement délibéré jusqu'à ce que la patiente atteigne 85 % du poids normal, voire moins.

Pas de gain de poids normal pendant la période de croissance, là aussi pour obtenir une corpulence égale à 85 % de la normale voire moins.

Même en cas de maigreur manifeste, hantise de grossir.

Déformation de la perception de sa propre corpulence (vous croyez être trop grosse quand vous êtes en fait trop maigre).

Obsession du poids et de la silhouette dans l'appréciation de soi-même.

Certains facteurs physiques et psychologiques sont manifestes chez les femmes qui souffrent d'anorexie : absence de règles pendant au moins trois cycles consécutifs pour les femmes pubères, frilosité, plaintes d'être ballonnées après des repas normaux, irritabilité ou dépression déclarée, fatigue, ecchymoses. Évidemment, le symptôme physique le plus spectaculaire est la maigreur extrême bien que certaines femmes masquent leur silhouette squelettique sous des vêtements amples.

Comme on l'a vu, l'anorexie mentale risque d'avoir des conséquences médicales graves et des répercussions cardiaques et l'on peut être amené à hospitaliser les femmes qui n'ont pas été traitées assez tôt. Il est parfois nécessaire de combiner le traitement hospitalier au traitement de ville. À l'hôpital, les médecins maîtrisent l'environnement et apportent alimentation, calories et suivi psychologique permettant de faire reprendre du poids à la patiente. Les antidépresseurs peuvent être d'un grand secours, car la plupart des anorexiques souffrent de dépressions sévères. La dépression est-elle la cause de l'anorexie ou l'inverse ? Question oiseuse. Quand une patiente en détresse refuse de se nourrir, il faut entamer conjointement une psychothérapie, un traitement médical et un suivi de soutien.

À l'hôpital des Enfants-Malades où je suivais de jeunes patientes anorexiques, j'avais eu affaire à une jeune fille de dix-sept ans, Helene, qui présentait les comportements typiques de cette pathologie. C'était une élève brillante qui rédigeait le journal de l'école et participait à toute sorte de manifestations extrascolaires. Un ou deux ans auparavant, elle avait décidé qu'elle était trop grosse et s'était mise définitivement à la diète. Elle finit par peser 36 kilos, ce dont elle était très fière. On avait dû l'hospitaliser car elle refusait d'admettre que sa santé était en jeu.

Au cours de mon premier entretien avec elle je me rendis compte qu'elle ne tenait pas plus que cela à aller mieux. Elle s'accrochait au désir de rester ultra-mince et à son image corporelle absurde. Comme pour la plupart des anorexiques, le refus de manger reflète une forme d'obsession de la maîtrise de soi. Helene n'aimait pas avoir l'impression de perdre le contrôle d'elle-même. Elle dut toutefois reconnaître qu'elle ne contrôlait pas l'angoisse intense qui l'envahissait avant chaque repas, ce qui me parut bon signe. Je lui donnai plusieurs cassettes de relaxation, en lui précisant qu'elle réduirait son angoisse en pratiquant la relaxation pendant vingt minutes avant chaque repas.

La guérison ne fut pas immédiate, mais Helene réussit progressivement à manger sans éprouver autant d'angoisse. Elle resta hospitalisée un mois, puis rentra chez elle le week-end avant de se reprendre complètement en charge. Elle emmenait les cassettes à la maison et les écoutait régulièrement. L'année suivante, Helene avait regagné suffisamment de poids pour être hors de danger. Elle stabilisa ses habitudes alimentaires à un niveau raisonnable, tout en continuant un suivi thérapeutique en hôpital de jour.

Avec les patientes comme Helene, j'ai également recours à la thérapie cognitive afin de cerner les pensées et les émotions à l'origine de leur conduite. Parmi les obsessions typiques des anorexiques : « Si je grossis je vais m'enlaidir » ; « en restant mince, je me maîtrise et je fais preuve de volonté »... « je ne plairai aux garçons qu'à condition de rester mince ». Il s'agit de trouver ensemble d'où viennent de telles idées. En général, la famille, les camarades et le contexte culturel véhiculent le même message et inoculent la hantise du poids. Il faut alors discuter de ce qui est « normal » et « bon pour la santé », des raisons pour lesquelles l'organisme a besoin d'une certaine proportion de graisses pour survivre et fonctionner correctement.

Cette fois encore, l'exploration cognitive peut être plus poussée, car souvent les problèmes familiaux sous-tendent l'anorexie. Les parents de certaines jeunes filles sont perfectionnistes et elles en concluent qu'elles doivent exceller dans tous les domaines, y compris dans leur apparence, autrement dit ressembler à des gravures de mode. On comprend, dans ces conditions, qu'elles aient la hantise de grossir.

Nombre d'entre elles veulent garder leur corps de « petite fille ». Elles redoutent le développement des seins, les premières rondeurs et la venue des règles, tout ce qui représente la maturation sexuelle et la condition féminine. Les causes de ces phobies sont différentes selon les personnes, mais un nombre non négligeable d'anorexiques ont été victimes d'abus sexuels. Il arrive à ces patientes d'assimiler la souffrance et la douleur à la sexualité et celles-ci s'efforcent inconsciemment de stopper leur développement sexuel. D'autres jeunes filles ont peur de grandir et de prendre des responsabilités, ou de ressembler à leur mère envers qui elles ont des sentiments ambivalents voire hostiles, sans parler de celles qui veulent se hisser aux normes inaccessibles de perfection véhiculées par la famille ou l'environnement scolaire.

L'origine des troubles est complexe, et les patientes anorexiques ont besoin de suivre une psychothérapie parallèlement à la rééducation psychosomatique et au traitement médical. La thérapie familiale est aussi très utile. La famille dans son ensemble peut souffrir du comportement pathologique d'un de ses membres, et le traitement familial est susceptible d'engendrer une prise de conscience positive chez la patiente, ses parents ainsi que ses frères et sœurs. C'est aussi l'occasion d'explorer les émotions et les conflits secrets. En fait, il est fréquent que l'anorexie, comme les autres troubles du comportement alimentaire, serve de catalyseur dans certaines familles et remette en cause certains comportements, en rétablissant la communication et en cicatrisant des blessures ouvertes depuis des années, voire des décennies.

15

Les cancers du sein et de l'appareil génital : du traumatisme à la métamorphose

Michael Lerner, qui dirige l'antenne publique de lutte contre le cancer de Californie du Nord, compare le choc éprouvé lors du dépistage d'un cancer à la situation de quelqu'un qu'on largue par hélicoptère sur une contrée ravagée par la guerre civile et la guérilla, avec un parachute, certes, mais sans compas, sans armes, sans carte et sans avoir été entraîné aux techniques de survie. La femme chez qui on a diagnostiqué un cancer du sein ou de l'appareil génital a rarement été préparée à une telle odyssée. Avant d'avoir mesuré la portée de la nouvelle, elle est précipitée dans l'engrenage de l'intervention chirurgicale, de la chimiothérapie, des rayons ou du traitement hormonal. En général, le sort s'abat sur une personne active et en bonne santé qui se voit soudain confrontée à un ensemble impressionnant d'effets secondaires. L'aventure est très éprouvante si l'on ne s'y prépare pas aussitôt : une bonne information, un suivi thérapeutique et l'entraînement à la maîtrise des situations sont indispensables.

L'annonce du diagnostic a pour contrecoup un véritable raz-de-marée émotionnel, pour employer les termes d'une patiente atteinte d'un cancer du sein. La plupart des femmes dans le même cas pourraient reprendre l'image à leur compte. Vient ensuite l'état de choc, suivi d'une vague de terreur et d'abattement. En dépit de la tempête, la femme doit garder la tête hors de l'eau pour prendre les décisions adéquates. Il lui faut s'informer auprès du corps médical, déchiffrer des notions techniques complexes et consulter l'avis d'autres spécialistes. Elle doit parfois choisir entre différentes solutions thérapeutiques en mesurant les conséquences à long terme. Le mari ou le compagnon, les enfants, les parents sont eux aussi pris de panique, et elle doit en tenir compte, faire la part entre ses besoins et les leurs. Le monde médical facilite rarement cette traversée mouvementée et les femmes doivent se battre pour obtenir les informations et l'aide indispensables.

Comment, dans ces conditions, surmonter l'épreuve ? Participer à sa propre guérison ? Et cette participation a-t-elle une quelconque efficacité ?

Les recherches de la dernière décennie nous ont appris que les femmes souffrant d'un cancer sont en mesure de contribuer à leur guérison. En ces circonstances pénibles à l'extrême, le combat qu'elles livrent joue un rôle incontestable dans l'issue des traitements. Celui-ci les aide non seulement à mieux supporter le protocole thérapeutique, mais à renforcer leurs défenses biologiques contre le cancer.

La médecine psychosomatique du cancer n'est pas un traitement, mais une approche qui facilite la guérison tant physique, émotionnelle que spirituelle. Elle fournit un outillage psychique et un savoir-faire permettant aux femmes de se diriger adroitement et sûrement sur un terrain périlleux comme le cancer.

À l'hôpital des Diaconesses, j'ai affaire à des femmes qui ont un cancer du sein ou de l'appareil génital. Dans ce dernier cas il s'agit d'un cancer des ovaires, de l'utérus, du vagin ou du col de l'utérus. Je les vois généralement en consultation individuelle bien que certaines patientes aient participé à des thérapies de groupe (ma collègue, le Pr Ann Webster, a mis sur pied des groupes destinés aux cancéreux ou aux malades du sida). J'enseigne à ces patientes les différentes méthodes psychosomatiques qui font l'objet de ce livre, tout en leur communiquant les informations actuellement disponibles sur le cancer et les traitements en cours.

Joyce venait de divorcer quand son médecin lui apprit la nouvelle : « Vous avez un cancer du sein avec des métastases dans les ganglions lymphatiques. » Joyce, qui n'allait déjà pas fort avant le diagnostic, fut anéantie. Persuadée qu'elle allait mourir, elle vint me voir en consultation individuelle. Au début, je lui montrai les techniques de relaxation et de mini-relaxation afin de mieux gérer l'angoisse et les effets secondaires consécutifs à l'opération et la chimiothérapie. Puis j'entrepris de répondre à son désir de changer de mode de vie. Elle voulait se dégager des relations qui lui pesaient et être moins sédentaire. Au-delà de son désespoir, j'avais perçu une aspiration ardente à la vie. Je l'encourageai à canaliser son énergie et sa farouche détermination vers des objectifs réalisables.

En premier lieu, elle voulait arrêter de fumer. C'était chez elle une vieille habitude qui ne pouvait que compromettre tous ses efforts de rétablissement, ce dont elle était parfaitement consciente. Cela demandait un gros effort, et elle ne pouvait se permettre d'échouer au risque d'accroître son sentiment d'impuissance. C'est pourquoi je lui conseillai, pour commencer, de se soumettre à une discipline de vie plus accessible, comme de faire une promenade attentive tous les jours. Elle passa ensuite à l'étape comportementale et émotionnelle suivante. À chaque nouveau changement, sa confiance en soi grandissait, jusqu'à ce qu'elle fut convaincue de pouvoir influer sur sa propre guérison. Elle n'hésita plus à rechercher de l'aide auprès de ses amies et de sa famille, ce à quoi elle répugnait auparavant et apprit à apprécier les instants de bonheur fugitifs entre amis, au travail, dans la nature.

Si elle avait voulu commencer par arrêter de fumer, Joyce n'y aurait peut-être pas réussi et aurait sans doute renoncé au reste. Mais ses premières victoires raffermirent sa confiance en elle jusqu'à ce qu'elle se décide à s'attaquer au tabagisme (il est impossible de se débarrasser durablement d'un comportement de dépendance tant qu'on n'a pas trouvé un meilleur moyen de gérer son stress). Elle finit par arrêter de fumer. Si sa victoire sur le tabac était à marquer d'une pierre blanche, Joyce en vint à considérer que sa nouvelle aptitude à goûter les plaisirs de la vie était d'une toute autre portée, ce qui l'aida à supporter le traumatisme du cancer et l'angoisse de l'incertitude de l'avenir. Cela fait aujourd'hui cinq ans qu'elle survit au terrible diagnostic du médecin.

La médecine psychosomatique peut accompagner les femmes à tous les stades de la maladie et de son traitement : au moment de l'état de choc qui suit l'annonce du diagnostic et du choix thérapeutique ; lors des interventions chirurgicales et traitements associés comme la chimiothérapie ou la radiothérapie ; pendant les périodes où les effets secondaires se font ressentir ; enfin, après la guérison, pour mener pleinement sa vie. On a beaucoup polémiqué pour savoir si la thérapie psychosomatique rendait les traitements plus efficaces ou augmentait l'espérance de vie des patientes. J'y reviendrai brièvement. Mais le corps médical comme le grand public n'ont pas encore réellement pris conscience des effets bénéfiques, scientifiquement prouvés, de la médecine psychosomatique sur la qualité de vie des cancéreux, surtout en cours de traitement.

Les résultats les plus impressionnants portent sur l'atténuation de la douleur et des effets secondaires consécutifs aux traitements. Le Dr William Redd, du Centre de cancérologie de Sloan-Kettering à New York, spécialiste très réputé, a constaté que 25 à 65 % des patientes souffraient de nausées à la seule pensée de la chimiothérapie. La relaxation progressive, la suggestion par images mentales, l'hypnose et les approches cognitives contribuent à soulager les nausées et vomissements anticipateurs. Dans un bilan sur ses recherches récentes, le Dr Redd écrivait : « La constance des résultats de nos dernières études est remarquable : on a constaté une diminution significative des nausées et des vomissements par anticipation quels que soient les types de cancer en cause, le stade de la maladie et le protocole de chimiothérapie. » Ma collègue Ann Webster a également montré l'action bénéfique de la relaxation et les autres techniques psychosomatiques.

Bien qu'il y ait moins d'études sur l'utilisation des techniques psychosomatiques en cas de nausées et de vomissements consécutifs au traitement, une équipe de chercheurs a rapporté là aussi des résultats positifs. T. G. Burnish et ses collaborateurs ont constaté que les patientes y ayant recours avaient moins de nausées. D'autres travaux prouvent également que les techniques psychosomatiques sont en mesure de :

> Soulager les douleurs associées au cancer et à ses traitements
>
> Améliorer l'appétit et favoriser la prise de poids des cancéreux

Atténuer l'insomnie

Soulager l'anxiété des enfants sous traitement

Diminuer la crainte et l'appréhension chez les patients devant subir des procédures de diagnostic et des traitements traumatisants.

Les répercussions du traitement sont souvent très éprouvantes pour la femme. Il arrive que le cancer du sein conduise à l'ablation de la glande mammaire, celui des organes génitaux à la perte des ovaires, de l'utérus ou des deux. La mastectomie et l'hystérectomie mettent en jeu la féminité, la libido et l'image qu'on a de soi-même. Chez les femmes qui n'ont pas atteint l'âge de la ménopause, l'ablation chirurgicale des ovaires, ou la perte de la fonction ovarienne après chimiothérapie, engendre une ménopause artificielle immédiate. Ces femmes sont soudain sujettes aux bouffées de chaleur, aux sueurs nocturnes, à la sécheresse vaginale et à bien d'autres symptômes exaspérants. La plupart ne peuvent avoir recours à un traitement hormonal substitutif quand il y a risque de cancer récurrent. Qu'est-ce qu'il leur reste à faire ? La médecine psychosomatique leur offre une multitude d'options.

Prenez le cas du tamoxifen, le traitement hormonal du cancer du sein. Cet anti-œstrogènes, efficace dans le traitement des femmes ménopausées, est testé aujourd'hui sur les femmes encore fécondes. Environ la moitié des femmes sous tamoxifen souffrent de bouffées de chaleur. Mes collègues et moi avons voulu, il n'y a pas longtemps, vérifier si le traitement psychosomatique agissait sur ces femmes.

Nous avons constitué un groupe de patientes atteintes de cancer du sein, toutes traitées au tamoxifen avec bouffées de chaleur. On enseignait à la moitié d'entre elles les techniques de relaxation, et l'on se contentait de demander à l'autre moitié de relever la fréquence et l'intensité de leurs accès. Au bout d'un mois, le groupe pratiquant la relaxation constatait une réduction de 42 % de la fréquence des bouffées de chaleur sous tamoxifen, le groupe de contrôle n'observant aucune amélioration significative.

Nous constatons que la médecine psychosomatique offre un puissant arsenal de méthodes susceptibles de soulager la souffrance physique et morale des cancéreuses : douleurs, effets secondaires des traitements, angoisse permanente, dépression et résignation impuissante devant la maladie.

Dans ses groupes de soutien de l'hôpital des Diaconesses, Ann Webster a entraîné ses patients, hommes et femmes, à s'impliquer activement dans chacune des phases du processus de guérison. Les techniques psychosomatiques sont au cœur de sa démarche. En général, on dirige vers moi les patientes atteintes d'un cancer du sein ou de l'appareil génital peu après le diagnostic : je les aide à surmonter le choc initial et à se préparer au traitement dans les meilleures conditions. Nombre d'entre elles rejoignent ensuite le groupe du Dr Webster où elles s'essaieront à transformer le cauchemar en une épreuve de vérité destinée à stimuler leurs capacités de résistance et leur vitalité. L'observation de leurs progrès au cours de notre travail clinique est d'un grand réconfort.

Le Dr Webster et moi-même avons collaboré étroitement avec des cancérologues et chirurgiens de l'hôpital des Diaconesses de Nouvelle-Angleterre et de plusieurs hôpitaux dépendant de l'école de médecine de Harvard. Nous avons par exemple travaillé jusqu'à une date récente aux côtés du Pr Dixie Mills, qui pratiquait la chirurgie du sein à l'hôpital des Diaconesses. Le plus souvent, celle-ci nous envoyait la patiente, dont elle venait de diagnostiquer un cancer du sein. L'une de nous deux se débrouillait pour la recevoir immédiatement. Il n'était pas question de la laisser ruminer seule sa détresse.

Le Dr Mills, comme nous-mêmes, partait du principe qu'on ne devait pas renvoyer la patiente à son domicile avant de s'être entretenu avec elle des traitements possibles. Le Dr Wesbster ou moi lui expliquions que le Dr Mills et les autres cancérologues envisageraient les meilleurs traitements médicaux adaptés à son cas, et que, pour notre part, nous lui proposions des méthodes psychosomatiques propres à l'aider à mobiliser ses ressources en vue de son rétablissement. Un tel message — délivré dans les heures qui suivaient l'alarmant diagnostic — redonnait espoir et courage à la patiente.

Bien que le Dr Mills se soit installé dans un cabinet de santé féminine, dirigé par le Dr Christiane Northrup, dans le Maine, nous n'en continuons pas moins de collaborer avec les cancérologues. Lors de l'entretien avec la patiente, nous commençons par la laisser exprimer ses appréhensions, ses doutes et son opinion sur les traitements à venir. Nous tenons à lui faire savoir que nous sommes à l'écoute de ses besoins et attentes particulières. La grande majorité des femmes réagissent bien à cette attitude : elles apprécient l'aide que nous proposons, nous sont reconnaissantes de prendre en compte leur individualité et veulent avec ardeur prendre part au processus de guérison.

Que signifie s'impliquer dans le processus de guérison ? Cela veut dire que la patiente doit s'informer des différents traitements envisageables et décider en connaissance de cause, avec l'aide de son médecin et des cancérologues. Cela veut dire qu'elle doit faire confiance aux médecins, mais aussi en sa propre capacité morale et physique de guérir, et qu'en dépit de ses appréhensions et des doutes elle cherche à tirer parti de la crise déclenchée par la maladie et la menace de la mort. La patiente s'engage alors émotionnellement, voire spirituellement, dans un processus de prise de conscience de la valeur de la vie.

Il est évident que les femmes qui œuvrent à leur guérison voient s'améliorer la qualité de leur vie. Mais la participation active à son propre rétablissement permet-elle de vivre plus longtemps ? Il est plus difficile de répondre à cette question.

La dimension psychosomatique du cancer

Il y a quinze ans, un psychiatre de l'école de médecine de l'université de Stanford, le Dr David Spiegel, s'était fixé une mission. Il était persuadé que la thérapie de groupe comme toute autre approche psychosomatique, aidait les cancéreux à mieux affronter la maladie, mais il était tout autant persuadé de l'impossibilité de ces thérapies de soutien à guérir ou à prolonger l'espérance de vie des patients. Il faisait preuve d'un grand scepticisme quant aux communiqués de victoire de certains praticiens affirmant que les traitements psychologiques pouvaient guérir physiquement du cancer. C'est ainsi que Spiegel, dont on appréciait et respectait la rigueur méthodologique, se lança dans une étude destinée à faire la part des choses et à montrer les avantages du soutien psychologique tout en discréditant le mythe de la guérison psychosomatique du cancer.

Le Dr Spiegel sélectionna quatre-vingt-six femmes souffrant d'un cancer du sein évolué avec métastases, ayant subi le même type de traitement médical. La moitié d'entre elles, prises au hasard, fut affectée au groupe de soutien psychologique de Spiegel, les autres se contentant du traitement médical. Au bout de dix ans, Spiegel et ses collègues constatèrent que les femmes du groupe de soutien avaient non seulement mieux supporté le traitement, mais elles avaient vécu en moyenne deux fois plus longtemps que celles du groupe de contrôle.

Le cancer du sein avec métastases est de très mauvais pronostic : seules trois femmes avaient survécu au bout de dix ans. Mais toutes trois avaient bénéficié de la thérapie de groupe.

« Nous avons été très surpris du résultat et de son importance, déclara le Dr Spiegel après publication. Nous ne nous attendions pas du tout à ce que le suivi psychologique ait un quelconque effet biologique. » La découverte conduisit Spiegel à changer d'attitude. S'il se refuse toujours à conseiller le traitement psychosomatique comme remède potentiel au cancer, il est convaincu, en revanche, que son étude a révélé un facteur psychosomatique de la pathologie cancéreuse. Quand les malades rejoignent un groupe qui apporte du réconfort et des moyens de mieux affronter la situation, elles en retirent un bénéfice susceptible de renforcer la résistance de l'organisme et du même coup faciliter la guérison.

Les résultats du Dr Spiegel furent publiés en 1989 dans la prestigieuse revue médicale britannique *The Lancet*, dont l'éditorial rendait hommage à la rigueur scientifique de l'étude. Peu après, les autorités médicales les plus sceptiques reconnurent que l'étude de Spiegel était un véritable événement scientifique.

Qu'est-ce qui a permis aux femmes atteintes d'un cancer évolué, mais ayant participé à l'un des groupes de Spiegel, de vivre plus longtemps ? Voici quelques éléments de réponse :

> Les patientes bénéficiaient du soutien moral d'autres femmes souffrant de la même maladie, qui comprenaient donc leur souffrance spécifique.

Le groupe constituait un refuge où l'on pouvait partager des émotions comme la douleur, la peur et la colère. « L'un des rôles du groupe, écrivait Spiegel dans son article publié dans *The Lancet*, a peut-être été de fournir un endroit où l'on se sentait chez soi et où l'on pouvait exprimer ses sentiments. »

On avait enseigné à chaque patiente l'autohypnose et d'autres techniques de relaxation permettant de maîtriser la douleur.

Les thérapeutes (le psychiatre ou ses assistants) encourageaient les femmes à faire preuve de plus d'assurance envers les médecins et les cancérologues.

On aidait les femmes à discuter ouvertement de leur peur de la mort et à l'apprivoiser. Elles étaient en situation d'explorer les questions existentielles et spirituelles associées à la vie et la mort.

L'attitude thérapeutique consistait à encourager les femmes à vivre pleinement chacune de leur journée — à se délester de leurs obligations sociales, à entretenir les relations auxquelles elles tenaient, et à concrétiser leur créativité.

Même si notre travail à l'hôpital des Diaconesses (qu'il s'applique aux femmes souffrant de cancer ou de toute autre maladie) diffère de celui de Spiegel par son style et certaines priorités, nous enseignons aux patientes le même type de méthodes : la relaxation, l'apprentissage de la maîtrise des situations, l'acquisition d'une plus grande assurance, l'expression des émotions, le soutien collectif, l'ouverture vers les amis et les proches. Notre expérience clinique nous confirme l'efficacité psychique et physique de la médecine psychosomatique pour les patientes atteintes de cancer.

Les résultats du Dr Spiegel n'auraient-ils été que l'effet d'un hasard extraordinaire ? C'est peu probable, vu sa rigueur méthodologique. Toujours est-il qu'il reprend aujourd'hui sa première étude sur un groupe beaucoup plus important de patientes, tout en recherchant en quoi le traitement psychosomatique peut allonger l'espérance de vie des femmes atteintes d'un cancer du sein. Plus précisément, il a inclus dans son protocole de recherche des tests sophistiqués sur le système immunitaire des patientes afin de vérifier si la thérapie stimule les défenses cellulaires contre les cellules cancéreuses, ce qui permettrait d'expliquer en quoi un traitement psychologique aurait une action réelle sur la guérison.

Une autre étude remarquable datant de 1993 semble confirmer que les résultats de Spiegel ne doivent rien à un heureux concours de circonstances. Le Pr Fawzy, psychiatre à l'université de Los Angeles, a suivi un groupe de patients — dont la moitié étaient des femmes — atteints d'un mélanome malin, un cancer de la peau souvent mortel. Une moitié a suivi sa thérapie de groupe centrée sur trois démarches fondamentales : soutien de groupe interactif, thérapie cognitive en vue de développer la maîtrise des situations, techniques de relaxation. L'autre moitié a reçu le même traitement médical, mais sans soutien psychologique. Au bout de six ans, le docteur Fawzy a constaté que les patients de son groupe de soutien *avaient un taux de récidive trois fois moindre, et un taux de mortalité également trois fois moindre*.

Le Dr Fawzy a aussi décelé d'importants indices expliquant les raisons de la survie des patients de son groupe. Il avait constaté que les plus désemparés au départ, qui au cours du traitement *s'étaient entraîné à gérer activement leur stress*, avaient plus de chances de se remettre de la maladie, et dans des proportions significatives. Ce qui confirme de façon assez convainquante l'idée que les personnes atteintes de cancer peuvent changer d'état d'esprit et de comportement, avec des répercussions positives sur le processus de guérison.

Dans une autre étude un peu plus ancienne effectuée sur les mêmes patients, Fawzy avait constaté que les membres de son groupe de soutien présentaient une augmentation significative de leurs cellules tueuses innées (NK, *natural killer cells*) dans les six mois suivant la fin du suivi psychologique. Or on sait aujourd'hui que les cellules tueuses éliminent les cellules des métastases, ce qui signifie que ces patients ont vu leur capacité de résistance à la maladie s'améliorer. Ce qui expliquerait pourquoi leur taux de récidive et de mortalité est bien plus bas que ceux des patients du groupe témoin.

Il s'agit là d'études d'avant-garde d'un nouveau champ de recherches — la psycho-neuro-immunologie (PNI) — dont la tâche consiste à explorer les interactions complexes entre l'esprit, le système nerveux et le système immunitaire. Bien qu'il soit encore trop tôt pour conclure quoi que ce soit, la PNI appliquée aux cancers a d'ores et déjà ouvert des pistes passionnantes. Ces premiers résultats montrent à quel point nos pensées, nos sentiments et nos actes influent sur le système immunitaire — c'est-à-dire nos défenses contre les virus, les bactéries, les champignons et les cellules cancéreuses. Certes, nos pensées et nos émotions ne sont pas des facteurs qui déterminent de façon simple et univoque le risque de cancer, ou les chances de guérison. Mais on constate qu'elles jouent un rôle chez certains individus, rôle qui mérite d'être examiné au cours de recherches ultérieures.

Si l'on rapproche les résultats d'études plus anciennes datant des années 70 et 80 aux toutes nouvelles découvertes, on voit se constituer le fascinant puzzle des rapports entre le cancer et les facteurs psychiques, un puzzle dont il manque encore bien des pièces mais où l'on discerne déjà le paysage. Un chercheur britannique, pionnier en la matière, le Pr Steven Greer, a suivi avec ses collègues Tina Morris et Keith W. Pettingale un groupe de soixante-neuf femmes atteintes d'un cancer du sein à ses débuts. Ils avaient commencé par évaluer la façon dont chacune réagissait à l'annonce du diagnostic. Cinq ans plus tard, ils ont constaté un taux de survie deux fois plus important chez celles qui avaient fait preuve de « combativité » que chez celles qui avait réagi avec fatalisme ou désespoir. Ces résultats remarquables se sont confirmés sur quinze ans.

Comment définir la « combativité » ? Si l'on s'en tient au point de vue du Dr Greer, c'est ce qui caractérise les patients qui prennent en charge leur traitement médical et ont décidé de vaincre la maladie. Le Dr Greer admet néanmoins que d'autres facteurs peuvent entrer en ligne de compte, comme l'aptitude à exprimer des émotions fortes comme la colère, l'assurance, l'optimisme et un grand désir de vivre. Dans son livre *Freedom and Destiny* (« Liberté et fatalité »), le psychiatre Rollo May, aujourd'hui disparu, écrivait : « Le moral, c'est ce qui donne la vivacité, l'énergie, la vitalité, le courage et l'envie de vivre. »

L'une de mes patientes, Vera, atteinte d'un cancer des ovaires, semblait avoir perdu sa combativité. Issue d'une famille pauvre du sud des États-Unis, elle était la seule de la famille à être entrée à l'université et avait beaucoup travaillé pour devenir kinésithérapeute. Jeune femme enjouée de trente-trois ans, intelligente et courageuse, elle avait réussi en surmontant bien des obstacles affectifs et financiers, sans trop pouvoir compter sur sa famille. Elle s'était mariée peu avant le diagnostic, et l'avenir lui souriait. Son médecin lui avait annoncé sans ménagement le sombre pronostic en lui conseillant une hystérectomie totale comme seul espoir de survie. Cela signifiait qu'elle ne pourrait plus concevoir d'enfant. Mais avait-elle le choix ? Vera se décida pour l'intervention chirurgicale. Comme si cela ne suffisait pas, elle souffrit beaucoup des effets secondaires de la chimiothérapie et des rayons. C'était trop dur à supporter, même pour quelqu'un de sa trempe. Elle devint apathique, déprimée et pour tout dire désespérée. « À quoi bon ? De toute façon, je vais mourir », se répétait-elle. Elle n'avait plus envie de se battre, ni l'énergie.

Je commençai par l'initier à la relaxation et aux mini-relaxations qu'elle pratiqua avant, pendant et après chacune des séances épuisantes de chimiothérapie. Cela contribua à atténuer les nausées et l'aida à supporter les perfusions, tout en soulageant en partie l'angoisse engendrée par l'ensemble de la situation. Au cours de notre travail cognitif, je l'aidai à remettre en question ses constats défaitistes. Je lui fis passer au crible son « À quoi bon ? », en lui rappelant que pour son cancérologue l'association de l'intervention chirurgicale et des autres traitements lui offrait une véritable chance de survie. Si elle laissait tomber, ses chances s'amenuiseraient. Cette prise de conscience sembla stimuler sa combativité.

Puis nous avons longuement évoqué sa réussite sociale, l'énergie, l'intelligence et la volonté dont elle avait dû faire preuve pour s'émanciper de son milieu, réussir sa carrière, et trouver l'homme de sa vie. Notre travail cognitif avançait, et Vera finit par changer totalement d'attitude : « Si j'ai vaincu la pauvreté et l'ignorance, ce serait tout de même un monde si je n'arrivais pas à vaincre le cancer. »

Nous savions toutes deux qu'il n'y avait aucune garantie, mais à partir de cet instant Vera commença à se battre et à faire preuve de son cran habituel. Néanmoins, pour garder le moral, il n'était pas question de refouler la souffrance psychique, ce qui aurait sapé son énergie. Nous avons parlé de ce qu'elle perdait — ses organes féminins et surtout la possibilité d'enfanter. Elle fit un travail de deuil indispensable, puis nous avons parlé de ce que représentait la procréation biologique. Elle en arriva à accepter la mutilation et à penser à la maternité par adoption.

Heureusement, Tony, le mari de Vera, l'aidait beaucoup

et l'entourait de son affection et de son amour. Son moral s'en ressentit et ils commencèrent tous deux à envisager l'adoption. Ce faisant, elle se débrouilla pour poursuivre son travail de kinésithérapeute. Elle réussit même à s'intégrer à un nouveau cabinet de groupe plus prospère, où elle exerça la fonction de codirecteur pendant un an.

Cinq ans après le diagnostic, Vera est toujours en vie, en bonne santé et, à la suite d'une nouvelle intervention et des examens de contrôle, elle semble complètement guérie. Elle a adopté deux enfants et elle s'entend toujours aussi bien avec son mari. Non seulement Vera a retrouvé sa combativité, mais celle-ci lui a permis de surmonter la période la plus sombre de sa vie.

Ce type de combativité fait partie des facteurs favorables identifiés chez les patients dont le système immunitaire résiste bien, qui vivent plus longtemps ou guérissent plus rapidement. Parmi ceux-ci figurent : la maîtrise de soi, l'expression des émotions, l'assurance, la détermination et la présence d'un soutien social très solide. Les découvertes de ces dernières années sont énumérées ci-dessous ; la plupart de ces études concernent des patientes atteintes d'un cancer du sein :

Le Pr Sandra M. Levy et ses collègues de l'Institut national du cancer ont étudié des patientes atteintes de cancer du sein débutant. Les femmes qui se plaignaient, acceptaient mal la situation, faisaient preuve de plus d'énergie et bénéficiaient d'un meilleur soutien social, avaient un système immunitaire mieux pourvu en cellules tueuses (NK), capables de détruire les cellules cancérigènes. Ces femmes avaient également moins de ganglions lymphatiques atteints, donc un meilleur pronostic. Selon le Dr Levy, leur « refus d'accepter la situation » montrait qu'elles exprimaient plus facilement leurs émotions négatives. D'après l'une de ses études ultérieures, les femmes qui recherchent un soutien social et qui se sentent bien entourées ont également des cellules tueuses plus actives.

Le Pr Lydia Temoshok, de l'université de Californie de San Francisco, a évalué les facteurs psychologiques et pathologiques d'un groupe de patients souffrant de mélanomes. Ceux qui manifestaient ce qu'elle appelle « un comportement de type C » — tendance à réprimer les émotions négatives en essayant de se concilier autrui à tout prix — manifestaient des lésions plus graves, avec un pronostic plus défavorable. Grâce à des tests d'expression émotionnelle très sophistiqués, elle a montré que les patients plus aptes à exprimer leurs émotions positives ou négatives avaient une meilleure réponse immunitaire contre leur propre tumeur (ils avaient littéralement plus de globules blancs anticancer sur le site de la tumeur). Ces patients plus expressifs présentaient également des cancers moins agressifs.

Le Pr Mogen R. Jensen, de l'université de Yale, a suivi un groupe de malades du cancer pendant deux ans. Les femmes qui réprimaient leurs émotions, se sentaient impuissantes et se réfugiaient dans leurs rêves pour fuir l'anxiété, voyaient leur cancer s'étendre plus rapidement. En revanche, les femmes qui n'appartenaient pas à ces catégories — qui exprimaient leurs émotions et n'adoptaient pas de stratégie de fuite — avaient un taux de rémission de 46 % supérieur.

Un groupe de cancérologues de Nouvelle-Zélande, dirigé par le Pr Alan Coates, a suivi 243 femmes atteintes d'un cancer du sein évolué en mesurant leur qualité de vie globale. Ils ont constaté que les femmes en meilleure condition physique, qui souffraient moins et dont l'humeur était moins atteinte — et dont les médecins estimaient qu'elles bénéficiaient d'une meilleure qualité de vie — vivaient significativement plus longtemps.

Ces différentes études donnent une meilleure idée des facteurs favorables à la guérison du cancer. Pour ce qui est du cancer du sein, j'ajouterai que l'activisme militant des femmes américaines qui en sont atteintes, la combativité avec laquelle elles exigent plus de crédits de recherches contre la maladie, de meilleurs traitements médicaux et moins de dramatisation autour du diagnostic, ne peut que contribuer à leur guérison.

Le désir de vivre, cette « flamme de la volonté » dont parlait le regretté Norman Cousins, fait de chaque jour qui passe un événement qui compte dans la vie de la femme souffrant d'un cancer. Il nous faudra de nouveaux résultats pour vérifier si elle permet aux femmes de faire reculer l'échéance fatale, mais nous savons déjà qu'elles y puisent des objectifs, une perspective et de la joie de vivre, que leur espérance de vie se mesure en semaines, en mois, en années ou en décennies.

La médecine psychosomatique destinée aux cancéreux

Lors d'un reportage télévisé sur une marche de femmes souffrant d'un cancer du sein, j'ai suivi l'interview d'une des manifestantes. Ses paroles me sont restées en mémoire : « Comprenez-nous, disait-elle. J'étais une personne très active, en pleine forme. J'allais vraiment très bien. On m'a découvert une tumeur au sein, et voilà que tout d'un coup je suis devenue une malade. Avant d'avoir compris ce qui m'arrivait, je me suis retrouvée sur le billard, puis en chimiothérapie, avec les effets que l'on sait. J'ai beau être jeune, j'ai alors instantanément perdu toute notion de la vie normale. »

La médecine psychosomatique aide les femmes à garder ce sens de la vie normale. Bien que la plupart des patientes aient intérêt à voir la réalité en face plutôt que de nier la maladie, il leur faut continuer à vivre normalement plutôt que de se considérer comme malade, ou, pire, comme une « victime du cancer ». Et quand j'initie mes patientes aux techniques psychosomatiques je les incite avant tout à mobiliser leurs ressources intérieures pour conjurer leurs angoisses et leurs appréhensions. Le psychothérapeute en cancérologie Lawrence LeShan explique qu'il cherche à faire découvrir à ses patients non pas ce qui ne va pas, mais ce qui va bien, et j'approuve totalement sa démarche. Le cancer peut révéler aux femmes leur vulnérabilité, mais il peut tout aussi bien leur faire prendre conscience de leurs forces.

J'utilise les méthodes amplement décrites dans la première moitié de ce livre quand j'ai affaire aux femmes atteintes d'un cancer du sein ou de l'appareil génital. Mais je les adapte au stress spécifique qui suit le diagnostic. Si l'on vous a annoncé que vous étiez atteinte d'un cancer, reportez-vous aux chapitres 1 à 9 en lisant attentivement les commentaires qui suivent afin d'adapter ces méthodes à vos propres besoins.

Tout d'abord, souvenez-vous que la médecine psychosomatique n'est pas un traitement ; vous ne devrez donc pas juger la valeur de vos efforts en fonction de l'issue de la maladie (en vous disant par exemple : « Si j'ai fait une récidive, c'est que je ne me suis pas assez impliquée dans le traitement psychosomatique »). Les facteurs psychosomatiques de la guérison ne devraient jamais devenir un prétexte à un quelconque sentiment de culpabilité. Nous connaissons trop mal les raisons de l'évolution d'un cancer pour que quiconque puisse affirmer que l'état mental d'une personne est le principal responsable de la maladie et de son aggravation. Sachez que vos efforts ont une valeur par eux-mêmes, et pas seulement parce qu'ils peuvent contribuer au rétablissement physique. Vous avez de bonnes raisons d'espérer, sans pour autant vous faire des illusions.

La relaxation et les mini-relaxations
Vous pouvez pratiquer la relaxation afin de soulager l'angoisse immédiate et parfois envahissante qui suit le diagnostic et la description du traitement envisagé. Un récent bilan de la revue *American Journal of Surgery* a fait état d'études montrant que la relaxation, la suggestion par images mentales, l'hypnose et autres techniques associées, ne se contentent pas d'alléger l'anxiété, mais qu'elles stimulent et équilibrent les différentes fonctions immunitaires. Bien que nous ne puissions toujours pas affirmer qu'une meilleure immunité se traduise directement par une guérison plus rapide, les résultats obtenus par les docteurs Fawzy, Levy et Temshok, laissent penser que l'immunité joue un rôle bénéfique.

Comme je l'ai déjà dit, les techniques de relaxation réduisent les nausées et les vomissements par anticipation, soulagent la souffrance consécutive à l'opération, la chimiothérapie, la radiothérapie ou le cancer proprement dit, diminuent la gêne et l'appréhension des différents gestes médicaux (piqûres, intraveineuses, radios par résonance magnétique — qui rendent certaines patientes claustrophobes, et tout autre examen traumatisant). Je conseille aux patientes de prendre avec elles leurs cassettes de relaxation quand elle vont chez le médecin ou à la consultation de l'hôpital, pour les écouter avant ou pendant la procédure médicale, dès que c'est possible. Il n'est pas besoin d'enregistrements pour les mini-relaxations qui se pratiquent instantanément en passant de la respiration de poitrine à la respiration abdominale, n'importe où, n'importe quand. La plupart de mes patientes cancéreuses apprécient beaucoup les mini-relaxations qu'elles utilisent comme des outils de gestion de leur angoisse et de leur malaise.

Il existe au moins une étude ayant montré que la relaxation réduit les nausées et les vomissements effectivement induits, cette fois, par la chimiothérapie. Essayez la méthode : si ça ne marche pas, abandonnez. Dans ce cas, pratiquez la relaxation quand vous n'avez pas de nausées déclarées ; quand elles surviennent, distrayez-vous en regardant la télévision, ou en écoutant de la musique relaxante. On l'a vu, d'après nos propres recherches à l'hôpital des Diaconesses les femmes sous tamoxifen voient, grâce à la relaxation, les bouffées de chaleur induites par un traitement hormonal se réduire. Si vous prenez du tamoxifen, je vous conseille de pratiquer la relaxation tous les jours, et de faire une mini-relaxation dès que vous sentez venir la bouffée de chaleur.

La méthode la plus efficace en la circonstance est de se livrer quotidiennement à la relaxation de son choix, si possible à la même heure. Toutes les techniques sont indiquées, à moins qu'à la suite d'une mastectomie ou une hystérectomie vous préfériez éviter de vous concentrer sur certaines parties de votre corps. Fiez-vous à votre intuition. Quand vous emportez avec vous des cassettes de relaxation chez le médecin ou à l'hôpital, il est particulièrement conseillé de pratiquer la respiration volontaire, la méditation et la suggestion par images mentales : vous aurez du mal à adopter vos postures préférées de yoga dans la salle d'attente, et il peut être gênant de se mettre à contracter ses différents muscles sur la table d'auscultation !

L'imagerie guidée

Bien qu'il s'agisse d'une technique de relaxation de base, la suggestion par images mentales peut être utile en cas de cancer. Vous avez peut-être entendu parler de la méthode, mise au point dans les années 70 par les docteurs O. Carl Simonton, radiothérapeute, et Stephanie Simonton, décrite dans leur livre *Getting Well Again* [1]. Les patients visualisaient l'effet des médicaments de chimiothérapie : ils personnifiaient leurs globules blancs en combattants héroïques qui partaient à l'assaut des cellules malignes de l'organisme et les mettaient en déroute. Les Simonton pensaient que leur méthode, associée à la psychothérapie, était susceptible de

---

1. *Guérir envers et contre tout : le guide quotidien du malade et de ses proches pour surmonter le cancer*, Desclée de Brouwer, 1982.

doper le système immunitaire et de permettre au moins à certains patients de se rétablir. Ils n'ont pu, à l'époque, confirmer scientifiquement la validité de leur méthode. Mais ces dernières années des études ont étayé au moins partiellement leurs vues, en particulier en ce qui concerne la thérapie de soutien. Nous ne savons toujours pas si le fait d'imaginer les globules blancs puissants et efficaces les *rendent* effectivement tels. Reste que le Dr Stephanie Simonton a communiqué récemment les résultats d'une étude qu'elle a conduite à l'université d'Arkansas montrant une augmentation de 47 % de la réactivité des globules blancs les plus actifs — les lymphocytes T — chez les cancéreux pratiquant la suggestion par images mentales.

En attendant d'autres preuves quant à cette méthode, je l'enseigne à mes patientes comme moyen de relaxation en vue de réduire les symptômes et les effets secondaires. Si je suis convaincue de l'utilité de la suggestion par images mentales en ce domaine, les patientes savent qu'il ne faut pas non plus en attendre des miracles (je ne saurais trop insister sur le fait que Stephanie Simonton a toujours fait preuve d'une extrême prudence en la matière, tout en prônant la visualisation comme une méthode susceptible, dans certains cas, de stimuler la réponse immunitaire contre le cancer). Si vous souhaitez y avoir recours, reportez-vous au livre des Simonton[1] et à celui de Martin Rossman, *Healing Yourself* (« Contribuez à votre propre guérison »).

Quelles sont les meilleures méthodes d'imagerie mentale ? Les cassettes de suggestions sont très efficaces comme mode de relaxation, surtout en cours de chimiothérapie et de radiothérapie, toujours très éprouvantes, au moment des examens médicaux, avant les piqûres et les intraveineuses et pour soulager les douleurs consécutives aux interventions chirurgicales. Entre autres enregistrements : ceux où vous marchez sur une plage déserte, descendez le long d'un ruisseau de montagne, vous immergez dans un bon bain chaud.

Mais puisez aussi dans vos images personnelles. Comme Victoria, l'une de mes patientes atteinte d'un cancer du sein. Elle songeait toujours avec un bonheur de petite fille à la maison de campagne de sa tante, dont le grand jardin avait une vue magnifique sur une vallée. Sur la colline d'en face,

---

1. *Op. cit.*

on apercevait un beau manoir blanc. Quand Victoria devait subir une chimiothérapie plutôt éprouvante, elle fermait les yeux et se voyait sur une chaise longue dans le jardin de sa tante à contempler la belle maison de la colline dont elle s'était fait le symbole du bonheur. Cela lui rappelait aussi la tendresse et l'indulgence de sa tante.

Et il est possible de vous forger des images qui contribuent à réduire votre détresse ainsi que les effets secondaires. Elizabeth Tyson, une patiente du Dr Dixie Mills, avait subi trente-trois séances de radiothérapie en imaginant la chaleur des rayons du soleil pénétrant dans son corps. Il lui arrivait de s'inventer des scénarios de destruction sélective, où les rayons s'attaquaient consciencieusement aux seules cellules cancéreuses. Elle visualisait une lumière bienfaitrice qui évitait soigneusement les cellules saines. Quand on lui demandait comment cette lumière parvenait à ses fins, elle répondait : « En brûlant en profondeur ! »

La restructuration cognitive

La thérapie cognitive, dont l'efficacité à long terme dans le traitement de la dépression a été vérifiée, est d'une portée inestimable en cas de cancer. Dans le cadre d'un soutien psychosomatique plus large, elle réduit la douleur et insuffle aux patientes un esprit combatif. Le Dr Steven Greer, qui a étudié et caractérisé ce que recouvre cette « combativité », a mis au point un traitement psychosomatique adapté aux cancéreux (baptisé « psychothérapie d'accompagnement ») qui se fonde essentiellement sur la restructuration cognitive.

Le cancer est une maladie si terrifiante que les patients sont facilement paralysés par la peur. Même quand le pronostic est excellent — comme dans le cas de la plupart des cancers du sein détectés à un stade précoce —, l'anxiété est souvent envahissante. La restructuration cognitive permet alors à la patiente de rejeter les raisonnements en termes de « tout ou rien » et de la libérer du « filtre mental » qui lui fait ignorer tous les signes laissant espérer une guérison.

En fait, toutes les femmes atteintes d'un cancer, même celles dont le pronostic n'est pas favorable, ont intérêt à recadrer leur point de vue pessimiste sur l'avenir. Je leur pose la question suivante : « Vos idées noires vous aident-elles à conjurer la pire des éventualités ? » La logique veut que la patiente réponde non. La meilleure façon d'avoir une chance d'échapper au scénario fatal est de s'employer énergiquement à se soigner le mieux possible, en toute connaissance de cause.

Mais comment couper court à l'angoisse ? En se concentrant sur le moment présent, au jour le jour ; en prenant la vie comme elle vient, avec ses plaisirs et ses émerveillements. L'instant présent, c'est une valeur sûre. Et je rappelle à mes patientes que personne n'est à l'abri du malheur et de la souffrance, avec ou sans maladie grave. Au lieu de se laisser envahir par la peur de ce qui pourra nous arriver dans cinq ans, pourquoi ne pas prendre la vie à pleines mains et en profiter.

Il ne s'agit pas de faire disparaître les appréhensions légitimes ou d'inciter les patientes à se voiler la face. Vous pouvez et devez en discuter ouvertement avec un psychologue, une amie, vos proches ou votre médecin. L'angoisse de la mort peut être l'objet de réflexions partagées très positives, comme le Dr David Spiegel l'a montré. Mais la restructuration cognitive est très utile dès lors que la peur vous paralyse et que vous ruminez des idées noires n'ayant qu'un lointain rapport avec la réalité. Cette vision déformante débouche sur des idées fixes et un état hypocondriaque. Il faut briser le cercle vicieux et commencer par s'attaquer aux obsessions du style : « Je sens que le cancer va m'avoir. »

On avait diagnostiqué chez Christina un cancer de l'endomètre à une période difficile de sa vie : elle était sur le point de rompre une vieille liaison sentimentale et elle supportait de plus en plus mal les tensions professionnelles. Après l'intervention, elle se mit à avoir peur de tout, surtout d'une récidive de la maladie. Elle était manifestement surmenée et dépressive et son jugement en était affecté. Elle voyait tout en noir et n'avait plus la tête à résoudre au moins certains de ses problèmes. Quant à jouir de l'instant présent, elle n'y pensait même pas. À la suite de nos entretiens, Christina fut en mesure de restructurer ses angoisses relatives au cancer.

« Nous nous sommes dit tout simplement que je ferais mieux de prendre la vie comme elle venait, au jour le jour, expliquait-elle. Ce que je me suis efforcée de faire. À la vérité, mon médecin m'avait dit que la maladie n'était pas mortelle, et que je mourrais un jour, comme tout le monde, ni plus ni moins. Aujourd'hui, je réussis beaucoup mieux à maîtriser mes angoisses quotidiennes, et Dieu sait si je n'ai pas une carrière de tout repos. Mais ma nouvelle attitude m'a permis de remettre le cancer à sa juste place. »

Devant l'épreuve, certaines d'entre nous sombrent dans le pessimisme et l'abattement, d'autres se protègent à toutes forces, d'autres encore se cachent la réalité. Face à un diagnostic de maladie mortelle, les réactions sont toujours radicales. L'attitude juste consiste à prendre conscience de nos appréhensions, puis de les passer au crible de la critique. Évidemment, la plupart des idées négatives sur le cancer ont un fondement réel. La femme qui souffre d'un cancer du sein très évolué ne se ment pas à elle-même quand elle se dit : « Je vais peut-être en mourir. » Le problème est de savoir quelle place doit tenir ce type de pensée. La laissera-t-elle anéantir tout plaisir de vivre ? Ou fera-t-elle avec la réalité, sans se voiler la face, mais en se donnant autant de raisons de se battre — qu'il s'agisse de vivre plus longtemps ou simplement plus pleinement, sans s'attarder au temps qui lui reste ?

Il arrive aux femmes ayant subi une mastectomie ou une hystérectomie de se dire : « Je ne suis plus que de la marchandise abîmée. » Si c'est votre cas, le soutien des femmes qui ont connu la même épreuve que vous au sein d'un groupe thérapeutique a toutes les chances de remettre les choses à leur place. Vous constaterez par vous-même que celles qui n'ont pas honte de leur mutilation sont fortes, énergiques, tout en sachant rester séduisantes. Si vous n'en êtes pas encore là, cela ne saurait tarder. Vous avez peut-être perdu un organe sexuel ou plusieurs, mais vous n'avez pas perdu votre féminité.

L'expression des émotions

L'exploration scientifique du lien entre l'aptitude à exprimer ses émotions et le pronostic cancéreux continue de progresser. Comme l'a montré une étude du Dr Steven Greer de 1974 (et d'autres résultats militent dans le même sens), le refoulement de l'agressivité peut contribuer modestement au risque de cancer du sein chez certaines personnes. On n'est toutefois toujours pas capable de trancher cette question controversée. Mais les travaux de Sandra Levy et de David Spiegel apportent la preuve que l'expression des émotions joue un rôle dans la guérison du cancer du sein.

On pense depuis longtemps que le refoulement de la colère et de l'agressivité brise l'énergie et le moral du sujet, ce qui peut amoindrir les défenses naturelles contre la maladie. Je ne fais pas partie de ceux qui prônent l'expression systématique de nos pulsions agressives, comme s'il était sain de cracher son venin à tous vents. Il y aurait beaucoup à dire sur la façon la plus acceptable de gérer et communiquer son agressivité en société. Mais nous faisons tous la différence entre les personnes véritablement heureuses de vivre et celles qui contiennent leurs rancœurs. Ces dernières ne tirent guère de bénéfice physique et moral de leur attitude et feraient mieux d'exprimer leurs frustrations cachées de façon constructive.

Si la manifestation raisonnée de son agressivité est favorable à la santé en général, on imagine ce qu'il peut en être pour les personnes atteintes d'un cancer. L'agressivité refoulée des femmes souffrant d'un cancer du sein a bien des raisons. C'est du moins ce que j'ai constaté lors de mes consultations. Il est possible que la femme en veuille à son corps qui l'a trahie, à la société qui ne l'aide pas, aux médecins qui ne sont pas toujours sûrs de la guérir, aux industriels dont les polluants ont peut-être provoqué le cancer, aux trusts pharmaceutiques qui mettent au point des traitements plus ou moins aléatoires et aux nombreux effets secondaires, au mari qui n'endure pas les épreuves qu'elle traverse, aux amies qui n'ont pas eu de cancer du sein et qui « ne se rendent pas compte ».

Que faire de toutes ces rancœurs ? La méthode Pennebaker qui consiste à mettre par écrit ses émotions, sans censure ni inhibition (se reporter au chapitre 8), est un excellent moyen de drainer le trop-plein. Faites l'expérience de cette forme de catharsis, de cette libération psychique, autant de fois que nécessaire en écrivant vos pensées et sentiments les plus secrets à propos de la maladie et de ses répercussions. Si vous préférez, écrivez des lettres aux industriels, aux trusts pharmaceutiques, aux médecins, au personnel soignant, à votre mari, à votre propre corps, à vos amies... Après réflexion, vous n'aurez sans doute pas envie de les envoyer. Quoique... il vous prendra peut-être la fantaisie d'en poster une ou deux !

La colère est une émotion susceptible de redonner de l'énergie, surtout aux patientes que la peur et la tristesse accablent. L'agressivité est le carburant de la combativité, alors que le désespoir et l'abattement jouent le rôle d'éteignoir. Faites en sorte que votre ressentiment vous incite à rechercher le meilleur traitement possible, à vous battre pour vos droits de patiente et d'être humain, à rechercher le soutien dont vous avez besoin au cours de cette mauvaise passe (reportez-vous au chapitre 8 pour plus d'informations sur l'acquisition de l'assurance et la confiance en soi). Rappelez-vous que vous n'avez aucune raison de vous sentir coupable des sentiments de colère et de toutes les émotions qui vous submergent à la suite de l'annonce du diagnostic (efforcez-vous simplement de ne pas faire porter le chapeau à vos proches ou, comme cela arrive souvent, au personnel de santé qui n'y est pour rien). Tous ces sentiments sont normaux et sont le reflet de votre vitalité.

Quand les femmes atteintes de cancer mettent en pratique les méthodes psychosomatiques, je constate souvent qu'elles dévoilent une succession d'émotions différentes, comme si elles pelaient un oignon. Je les vois d'abord arriver dans un grand état d'anxiété qu'elles parviennent à surmonter grâce aux techniques de relaxation. Ensuite vient la colère, puis une profonde tristesse. L'agressivité protège de la tristesse. Mais si la colère ne vient pas (ou si au contraire elles ne parviennent pas à passer le cap de la colère) elles ne font pas l'expérience de la tristesse. Au lieu de quoi elles éprouvent un désespoir superficiel, un état mental et affectif qui affaiblit les défenses immunitaires. Le fait de gravir ces degrés d'émotions — en tenant un journal intime ou en suivant une psychothérapie — aide en réalité beaucoup à soulager le désespoir et l'état dépressif. Cela peut paraître paradoxal, mais c'est en ressentant une colère et une tristesse véritables à l'annonce de son cancer qu'on lutte le plus efficacement pour ne pas sombrer dans le désespoir.

Si vous restez piégée dans les rancœurs et le ressentiment, cela peut vous conduire à l'agressivité gratuite, aux accès de rage impuissante ou au cynisme. Si vous vous laissez abattre, vous risquez de sombrer dans une véritable dépression ou dans des crises de larmes répétitives. Même si cela vous arrive, pas de jugement intempestif : vos états d'âmes ne signent pas l'échec de votre lutte contre le cancer. Ce type de prostration, quelle qu'en soit la forme, est lui aussi un phénomène très courant. Cela montre seulement que vous avez besoin de l'aide d'un spécialiste, d'une psycho-thérapie individuelle ou de groupe, ou des deux, pour sur-monter la crise émotionnelle. Quand on souffre d'un cancer, il faut apprendre à reconnaître le terrain. Il n'y a pas de honte à cela.

Affronter la situation

Lorsque vous avez un cancer, il faut avant tout recher-cher le soutien social qui vous aidera à traverser l'épreuve de la maladie. Pour certaines d'entre vous, la sollicitude du compagnon, du mari, des membres de la famille ou d'une amie intime suffira. D'autres auront besoin de se forger un réseau protecteur parmi les proches, les amis, les collègues — ainsi qu'auprès des autres femmes atteintes d'un cancer du sein ou de l'appareil génital. C'est une question cruciale sur laquelle je reviendrai brièvement.

En pratique, il vous est possible de recourir à certaines stratégies permettant d'affronter le traitement. Winona avait un cancer du sein et s'apprêtait à une éprouvante chimiothé-rapie de six semaines. Elle l'appréhendait beaucoup, non seulement à cause des effets secondaires, mais parce qu'elle se demandait comment elle tiendrait ses engagements pro-fessionnels et accomplirait ses tâches familiales. Je lui conseillai de se protéger et de préserver son énergie pour la période à venir. Winona dut faire preuve de détermination pour s'occuper d'elle-même et solliciter de l'aide. Je lui conseillai de se livrer à des activités qui lui plaisaient et de se libérer des corvées. Elle n'était pas obligée de recevoir ni de se donner en représentation. Il lui suffisait de consacrer du temps aux amis et connaissances dont elle appréciait la compagnie. Elle pouvait également planifier qui pourrait l'accompagner aux séances de chimiothérapie à l'hôpital.

L'organisation de son emploi du temps permit à Winona de garder la maîtrise de la situation ; elle savait quoi faire pour se sentir mieux, et les six semaines, tout en n'étant pas une partie de plaisir, se révélèrent moins éprouvantes que ce qu'elle avait craint. Je conseille à toutes mes patientes d'adopter une stratégie similaire. Ainsi que de prendre large-ment le temps de récupérer après une intervention chirurgi-cale, une chimiothérapie ou des séances de rayons.

L'art de se faire plaisir, sujet du chapitre 6, fait partie de la stratégie. C'est essentiel. Stimulez vos sens et votre intelligence, enrichissez votre vie émotionnelle grâce à la peinture, la musique, le cinéma. Si vous le pouvez, faites des promenades en pleine nature ou au bord de la mer, ou tout autre site qui vous inspire. S'acheter des fleurs, une nouvelle robe, se rendre chez la manucure ou le pédicure, peut être une façon de décompresser après une séance à l'hôpital. Si vous avez perdu vos cheveux à la suite de la chimiothérapie, choisissez un foulard, un chapeau ou une perruque à votre goût, à moins que vous ne fassiez partie de ces excentriques qui tiennent à afficher leur beau crâne chauve. N'oubliez pas que vos cheveux vont repousser, avec peut-être une texture et une couleur légèrement différentes. Assurez-vous le concours d'un coiffeur qui vous promet, en cas de changements, soit de vous faire les retouches nécessaires, soit de vous créer un nouveau style révélant un autre aspect de votre personnalité.

Le cas de Peggy, atteinte d'un cancer du col de l'utérus, illustre bien les avantages de l'automaternage face à l'épreuve. Elle avait deux garçons de dix-douze ans qui adoraient la musique rock. Elle se plaignit auprès de moi de ne jamais pouvoir écouter la musique de jazz qu'elle aimait, en particulier John Coltrane et Charlie Parker. Je lui conseillai d'écouter ses musiciens préférés une demi-heure par jour, comme si cela faisait partie de son traitement. Elle dut faire preuve d'autorité envers les gamins pour disposer de la chaîne stéréo pendant ce temps-là, mais elle parvint à ses fins (puisque la médecine l'exigeait !). Non seulement elle réussit à faire admettre à sa famille qu'elle avait droit à certains égards, mais elle obtint la détente spirituelle quotidienne qui lui était indispensable.

Comme l'écrit Thomas Moore dans *Le Soin de l'âme* [1], de telles exigences, pour dérisoires qu'elles paraissent dans la hiérarchie des priorités, sont essentielles dès lors qu'on veut transcender les complications du cancer et les angoisses qu'il suscite. Quand les médecins et les thérapeutes parlent d'aider les patients à faire face à la situation, ils pensent surtout à l'aide et au soutien pratique, indispensables il est vrai. Mais ils mentionnent rarement les besoins hédonistes et spirituels, tout aussi importants.

---

1. *Le Soin de l'âme : un guide pour cultiver au jour le jour la profondeur et le sens du Sacré*, Le Rocher, 1994.

Comment obtenir le soutien dont vous avez besoin

J'en ai déjà parlé au chapitre 7, mais je tiens à rappeler les résultats d'une étude de 1995 conduite par des chercheurs canadiens, publiée dans la prestigieuse revue médicale *Cancer*. Sous la direction de l'épidémiologiste Elizabeth Maunsell, l'équipe a suivi 224 femmes atteintes d'un cancer du sein ne s'étant pas étendu au-delà des ganglions lymphatiques axillaires. Afin d'évaluer le soutien social dont elles bénéficieraient, ils ont demandé aux patientes si elles s'étaient confiées à une personne ou plusieurs dans les trois mois qui avaient suivi l'opération. Au bout de sept ans le taux de survie des femmes qui ne s'étaient pas épanchées était de 56 %. En revanche, celles qui s'étaient confiées à une personne avait un taux de survie de 66 %, tandis qu'il était de 76 % pour celles qui avaient dans leur entourage deux confident(e)s ou plus. Les chercheurs en ont conclu qu'il « fallait prendre sérieusement en considération le soutien de l'entourage comme facteur favorable de survie au cancer du sein ».

La différence est considérable entre le taux de survie des femmes n'ayant personne à qui se confier (56 %) et celui de celles qui se sont confiées à deux personnes et plus (76 %). Si une étude portant sur la chimiothérapie révélait qu'un nouveau médicament augmentait le taux de survie des patientes atteintes d'un cancer du sein de 20 %, vous entendriez des cris de victoire dans les médias. En outre, les trusts pharmaceutiques consacreraient sans doute des millions, voire des milliards de dollars, à de nouvelles recherches sur le médicament en question. Mais nous évoquons ici le soutien de personnes à qui se confier pendant la maladie.

Il existe des thérapies de groupe spécialement conçues pour les patientes cancéreuses. Les recherches du Dr David Spiegel et du Dr Fawzy I. Fawzy ont apporté la preuve que ce type de structures pouvaient bien prolonger la vie de certaines patientes. Toutefois les effets les plus positifs de ces thérapies collectives consistent en l'amélioration de la qualité de vie, je n'insisterai jamais assez sur ce point. Ces résultats tiennent avant tout aux liens chaleureux de solidarité qui se créent entre femmes qui subissent des souffrances semblables.

Il existe toutes sortes de groupes d'accueil pour les femmes atteintes d'un cancer du sein ou de l'appareil génital, avec des objectifs spécifiques. Les groupes que le Dr Spiegel avaient initialement mis sur pied visaient les femmes atteintes de cancer du sein avec métastases, où on les aidait beaucoup à apprivoiser l'idée de la mort. Ses patientes, dont le pronostic n'était pas favorable, apprenaient à voir la réalité en face, ce qui resserrait leurs liens. Elles partageaient des émotions et des sentiments authentiques et s'aidaient à vivre au jour le jour. Une telle approche n'est sans doute pas appropriée aux patientes atteintes d'un cancer du sein à ses débuts, pour lesquelles le problème de la mort, pas encore à l'ordre du jour, susciterait une détresse inutile. Un autre type de groupe serait sans doute mieux adapté à leur cas, qui insiste par exemple sur l'art de vivre au présent.

Certains groupes de soutien permettent aux femmes de donner libre cours à leurs sentiments et de partager leurs expériences. Dirigés par quelqu'un de compétent, ils peuvent faire merveille. Mais j'ai entendu certaines femmes se plaindre de leur atmosphère trop négative (cela devient le « bureau des pleurs »), ou trop optimiste (on y pratique la méthode Coué, sans laisser de place à la tristesse ou à la colère). Quand le groupe est dirigé par un spécialiste bien entraîné et que le courant passe entre les participantes, on évite ces pièges en équilibrant les occasions de partager la détresse et les opportunités de se donner du courage en développant la joie de vivre. L'humour est essentiel pour obtenir le dosage voulu.

Dans les différents groupes que ma collègue Ann Webster a constitué, les uns destinés au malades du sida, les autres aux cancéreuses, cet équilibre est atteint. Il ne s'agit pas toutefois de groupes de soutien standard. Bien qu'on y consacre du temps au partage des émotions et des expériences, ils visent avant tout (comme ceux que je dirige) à ce que les patientes réagissent de façon constructive à la situation et s'entraînent aux techniques de relaxation. Les gens ne se réunissent pas seulement pour échanger leurs états d'âmes et leurs expériences, mais pour créer des liens au travers de l'effort collectif de conquête de la maîtrise de soi et de la joie de vivre.

Les groupes thérapeutiques ne sont pas la seule voie possible au demeurant. J'encourage beaucoup mes patientes, quand elles souffrent d'un cancer, à se tisser leur propre filet de soutien au cours de leur vie quotidienne. Si le tissu social est trop fragile, les groupes constitués ont bien du mal à combler les manques. Et qu'elles aient une aide spontanée de la famille ou des amies, les patientes doivent s'efforcer de rechercher elles-mêmes des appuis.

Dans certains cas, cela veut dire prendre son courage à deux mains pour demander une aide pratique. Si vous vous retrouvez chez vous en milieu d'après-midi après une séance de chimiothérapie dans un tel état que vous voyez mal comment vous allez préparer le repas, appelez quelqu'un de confiance pour qu'il ou elle vienne vous secourir. Les femmes atteintes d'un cancer se rendent rarement compte à quel point les vrais amis ne recherchent qu'une occasion de les aider. En fait, ces derniers sont en général ravis d'être sollicités — cela leur donne le moyen de montrer leur affection et de faire quelque chose pour soulager leur propre angoisse à votre égard.

Je dis souvent aux patientes atteintes d'un cancer qu'il y a deux aptitudes à acquérir vite, apparemment contradictoires : savoir demander de l'aide, et savoir dire non. Quand vous êtes anxieuse, triste, ou simplement fatiguée, l'automaternage exige que vous fassiez les deux. Il se peut que vos proches aient des exigences qui dépassent vos forces, et c'est à vous de leur expliquer ce qui est ou non à votre portée, clairement, fermement et, dans la mesure du possible, sans récrimination. Demander, ils ont le droit ; mais c'est le vôtre de leur rappeler que vous êtes trop fatiguée, trop préoccupée... — peu importe la raison — pour répondre à leurs besoins comme auparavant.

C'est à vous qu'il incombe d'exprimer vos besoins. Gardez-vous de la tentation de vouloir qu'on lise dans vos pensées et qu'on aille spontanément au-devant de vos souhaits. C'est un piège. Je rappelle toujours à mes patientes que je ne suis jamais qu'un médecin ayant affaire à des femmes malades, que je n'ai pas la science infuse, car chaque individu a des besoins particuliers. Votre mari, vos enfants, vos parents et vos amis doivent savoir ce que vous voulez : quand vous avez besoin de contact, quand vous préférez qu'on vous laisse tranquille, s'il vous faut un coup de main ou pas, si vous souhaitez ou non qu'on vous accompagne à l'hôpital, sortir ou recevoir plus souvent, moins souvent, et ainsi de suite.

Mes patientes se plaignent souvent de ce que leur mari

ou compagnon ne soit pas assez attentionné. Il arrive que ce soit un véritable problème, qui reste surmontable si vous avez de solides rapports de confiance. Patti, atteinte d'un cancer du sein, était venue en consultation il y a quelques années. Elle se plaignait de son mari, Lenny. J'entrepris avec eux une thérapie de couple, et ce qui avait commencé comme un règlement de compte tourna à une véritable introspection à deux. Pour rompre la spirale des accusations et contre-accusations, je me tournai vers Lenny pour lui demander de parler de son milieu familial. Il se mit à expliquer à quel point son père était peu communicatif. Quand il y avait une crise dans la famille, sa mère se fâchait et son père se réfugiait dans sa chambre. Celui-ci montrait rarement des signes d'affection et ne recherchait pas la réconciliation après les querelles. La discussion permit à Patti de comprendre que Lenny était incapable d'un certain type de sollicitude car il n'en avait pas eu d'exemple chez lui. Pour Patti, ce fut une révélation, et elle fit l'effort de se mettre à la place de Lenny. Quand la pression des reproches cessa et que Lenny comprit mieux ses propres difficultés, il lui devint plus facile d'exprimer ouvertement son amour et son inquiétude à propos de l'état de santé de sa femme. L'objectif n'était pas de nier la légitimité du ressentiment de Patti, mais d'en finir avec l'inflation des accusations et de créer une nouvelle atmosphère de compréhension réciproque.

Les femmes atteintes d'un cancer ne sont pas toujours conscientes du degré d'inquiétude de leur partenaire. Celui-ci s'efforce souvent de masquer son appréhension en pensant que c'est le meilleur moyen de préserver leur amour. Un motif louable dont les conséquences risquent d'être aussi fâcheuses qu'imprévues quand la patiente croit que son compagnon fait preuve d'indifférence. Il arrive souvent que le mari ou le compagnon soit trop inquiet pour être capable de montrer son affection. Il est tout simplement terrifié à l'idée de perdre la femme qu'il aime. On pourrait en dire autant des parents, des enfants et des amis. Les femmes qui souffrent d'un cancer doivent apprendre à communiquer pour comprendre ce qui se passe dans la tête de leurs proches. Cela n'est pas sans risques, mais le jeu en vaut la chandelle. J'ai souvent vu la communication se rétablir au sein d'un couple ou d'une famille alors qu'il semblait y avoir un fossé infranchissable. Il arrive, plus souvent qu'on pourrait le croire, que dans l'ombre du cancer se forgent des rapports affectifs que le couple ou la famille n'imaginaient plus possibles.

Le cancer du sein

La fréquence des cancers du sein fait penser à une épidémie. En fait, rien de tel. On entend souvent dans les médias qu'une femme sur neuf fera un cancer du sein au cours de sa vie. La statistique est trompeuse. La plupart des cancers du sein surviennent chez les femmes assez âgées, et la probabilité pour qu'une grosseur au sein détectée au cours de votre vie soit cancéreuse est infiniment plus faible. Surtout lorsqu'on a affaire à des femmes de moins de quarante ans, et c'est la raison pour laquelle on ne leur demande pas de passer régulièrement des mammographies (on s'accorde en général à prescrire une mammographie de contrôle à trente-cinq ans, puis chaque année ou tous les deux ans après quarante ans). Le cancer du sein est la tumeur maligne la plus fréquente chez la femme, avec environ 180 000 nouveaux cas par an aux États-Unis (bien que le cancer du poumon fasse chaque année plus de victimes féminines que le cancer du sein). Cela explique qu'il soit l'un des premiers sujets d'inquiétude féminine, à laquelle ne sont pas étrangères les médias.

En réalité, les motifs d'optimisme ne manquent pas : en cas de détection précoce du cancer du sein, quand la tumeur est encore circonscrite à la poitrine, le taux de guérison est de 90 %. Je vous conseille donc de prendre l'habitude de l'autopalpation et de passer régulièrement des mammographies. Cela peut vous sauver la vie. Des études à grande échelle ont montré une baisse de la mortalité cancéreuse de 30 % chez les femmes de plus de cinquante ans qui effectuaient cette examen systématiquement. L'objet de ce livre n'est pas de détailler les protocoles de prévention permettant de détecter précocement le cancer du sein. Les femmes qui veulent s'en informer pourront lire l'excellent « guide du sein » du Dr Susan Love (*Dr Susan Love's Breast Book*).

*Le traitement du cancer du sein dans le cadre d'une
démarche intégrée*

Le Dr Dixie Mills, la spécialiste en chirurgie du sein avec
laquelle j'ai collaboré à l'hôpital de Diaconesses, restait très
proche de ses patientes et les aidait à choisir un programme
thérapeutique qui tenait compte du traitement médical classique, de la médecine d'accompagnement, de la médecine
psychosomatique et du soutien de l'entourage. La démarche
du Dr Mills, à la fois pondérée et généreuse, offre le meilleur
modèle qui soit dans le traitement du cancer du sein. Elle
vise autant la guérison physique que morale. Je décrirai sa
démarche, car avec un peu de détermination et la volonté de
sortir de votre isolement, vous pouvez vous créer votre
propre méthode sur la base des mêmes principes.

Dès l'instant du diagnostic, les patientes du Dr Mills
bénéficient de plusieurs atouts : de son soutien, de son optimisme et de son respect de leur propre autonomie. « En
général, je donne mon diagnostic à la patiente par téléphone,
me disait-elle récemment au cours d'une conversation. Je ne
raccroche pas tant que je n'ai pas l'impression que quelqu'un
est auprès d'elle, que j'aie répondu à toutes ses questions et
qu'elle garde espoir. » Lors de l'entretien, le Dr Mills prend
une heure ou plus pour discuter des différents traitements
possibles et se faire un avis sur le soutien à attendre. Elle
tient beaucoup à ce que les maris ou les proches s'intéressent
au traitement et n'hésite pas à les y encourager. Elle donne
la possibilité à la patiente de contacter d'autres cancéreuses
avec qui elle parle des moyens de guérison et de survie.

Le Dr Mills explique en quoi consiste les différents traitements possibles, avec leurs avantages respectifs. Dans certains cas, notamment le cancer du sein à un stade très
précoce, le choix est assez limité (l'excision de la tumeur ou
l'ablation du sein). Dans d'autres, il y a de nombreuses
options différentes et complexes impliquant des traitements
d'accompagnement (chimiothérapie, hormonothérapie,
radiothérapie et leur combinaison). Après lui avoir fourni
toutes les explications nécessaires, le Dr Mills laisse le temps
à la patiente de prendre sa propre décision, en misant sur
son intelligence et son intuition.

Dans le même temps, le Dr Mills envisage des approches
complémentaires, la diététique et la médecine psychosomatique par exemple. Elle explique à la patiente la gestion du

stress, la relaxation et l'entraînement à la maîtrise des situations. Elle lui parle des différentes formes de suggestions par images mentales et de leur utilité au cours du traitement contre le cancer. Lors de l'examen corporel, elle montre en quoi la respiration profonde est une antidote immédiate au stress. Elle discute de l'importance d'un régime équilibré avec réduction de la consommation de matières grasses et apports en minéraux et vitamines, et de l'exercice physique.

Très avertie de l'importance de l'expression émotionnelle dans la médecine psychosomatique, le Dr Mills a trouvé un moyen original d'y encourager ses patientes. Plutôt que de les y inciter directement, ce qui risquerait d'être mal interprété, elle en montre la teneur en exprimant ses propres sentiments. En tant que médecin, elle est d'un naturel calme et rationnel, elle n'en révèle pas moins à ses patientes, ne serait-ce qu'un instant, à quel point le cancer la révolte. Elle reconnaît alors qu'il lui arrive en rentrant chez elle de jeter les oreillers par terre pour décharger la colère qui l'a envahie après avoir vu une autre femme — en général une jeune femme — encaisser le diagnostic. L'exemple qu'elle donne incite certaines patientes à prendre conscience de leur propre colère et à l'exprimer. Elles savent que le médecin les soutient, ce qui renforce leur optimisme et le sentiment de pouvoir maîtriser leur sort.

Il y a peu de temps, sans pour autant le crier sur les toits, le Dr Mills m'a confié qu'une étudiante en médecine de Harvard avait réalisé un bilan statistique sur toutes les patientes qu'elle avait traitées — environ 260 les sept dernières années. Après avoir décortiqué les rapports médicaux, l'étudiante fut abasourdie de découvrir qu'une demi-douzaine de femmes seulement étaient décédées des suites de leur cancer. Je demandai au Dr Mills si elle avait surtout traité des cancers débutants dont le pronostic de survie à long terme est toujours bon. Non, répondit-elle. Ses patientes étaient assez représentatives des femmes atteintes d'un cancer du sein, en se répartissant entre cancers débutants, moyennement avancés, et avancés avec métastases. Certes, une bonne partie des 260 patientes avaient été diagnostiquées les dernières années, et il restait à vérifier si une forte proportion d'entre elles seraient toujours en vie au-delà de cinq ans (le seuil permettant de parler de survie à long terme). En tout état de cause, c'était déjà un résultat remarquable que six patientes seulement soient mortes en sept ans.

Bien que le Dr Mills n'ait rien dit à ce sujet, je ne pus m'empêcher de me demander si sa démarche originale n'était pas pour quelque chose dans ses résultats cliniques. Elle éprouvait de la compassion pour ses patientes et respectait leur choix. En retour, celles-ci appliquaient les techniques psychosomatiques dont elle leur avait parlé, soit elles-mêmes, soit en s'inscrivant à nos séances de médecine comportementale.

Les chirurgiens comme le Dr Mills ne courent pas les rues. Mais vous pouvez adopter sa démarche grâce aux conseils suivants :

> Donnez-vous les moyens de choisir, parmi les traitements médicaux et les traitements complémentaires qui vous sont proposés.
>
> Prenez la responsabilité de vos choix médicaux en vous informant et en prenant conseil auprès des médecins et des spécialistes.
>
> Choisissez des professionnels de santé — médecins, cancérologues, infirmières, psychiatres, assistantes sociales ou psychothérapeutes — qui vous stimulent, vous soutiennent et vous donnent le moral, plutôt que ceux qui découragent votre combativité.
>
> Inscrivez-vous à un groupe de soutien thérapeutique pour femmes atteintes de cancer du sein
>
> Inscrivez-vous à un groupe de gestion du stress ou de médecine psychosomatique.
>
> Lisez des livres consacrés à la médecine psychosomatique et mettez-la en pratique.
>
> Informez-vous de la diététique qui renforce les défenses naturelles contre le cancer, et faites de votre mieux pour adapter votre régime alimentaire.

Les groupes de soutien psychosomatiques aux femmes atteintes de cancer du sein

Les groupes de soutien psychosomatiques, tout à fait adaptés aux femmes atteintes d'un cancer du sein, commencent à se multiplier dans tout le pays. S'ils ne sont pas encore aussi nombreux que les groupes de soutien standard, il y a du progrès. Ils sont uniques dans leur genre, car ils associent la thérapie de soutien à une panoplie de méthodes psychosomatiques et d'entraînement à la maîtrise des situations qui permettent de garder le moral et de mieux contrôler sa santé. Les groupes d'Ann Webster de l'hôpital des Diaconesses, en Nouvelle-Angleterre, témoignent de leur efficacité.

L'une des patientes d'Ann Webster, Allison, a aujourd'hui trente-deux ans. On lui a diagnostiqué il y a deux ans un cancer du sein. Lors d'un entretien récent, Allison expliquait en quoi, grâce à l'aide du groupe de soutien psychosomatique du Dr Webster, le cancer avait marqué un tournant positif dans sa vie.

Quelques mois seulement avant qu'on ait diagnostiqué chez elle un carcinome du sein avec infiltrations ductales, elle avait vécu une rupture amoureuse douloureuse. La nouvelle du cancer lui laissa une pénible impression de déjà vu : Allison avait survécu à la maladie de Hodgkin à l'âge de vingt-deux ans. La radiothérapie qui l'avait sauvée était apparemment à l'origine du cancer qui se déclarait neuf ans après. Les médecins procédèrent à une mastectomie. Avec ce cancer et la perte de son sein, Allison sombra dans le ressentiment et la dépression. Elle était en larmes lors de son premier contact téléphonique avec le Dr Webster.

Une fois qu'elle eut intégré le groupe, elle entrevit la possibilité de surmonter l'épreuve : elle n'était pas contrainte de s'enfermer dans la souffrance. Il lui fallait pleurer ce qu'elle avait perdu (y compris la possibilité de concevoir des enfants à la suite d'un effet secondaire imprévu de la chimiothérapie), et se remettre à vivre à l'aide de la relaxation et un nouveau regard sur le monde. Bien qu'encore sous le choc de sa rupture sentimentale, elle en vint à penser que son ex-ami n'était pas l'homme qu'il lui fallait. « Moi j'ai grandi, pas lui », expliquait-elle. Elle préserva néanmoins des liens d'amitié avec lui sans arrières-pensées.

Allison se félicitait de l'atmosphère du groupe, à laquelle le Dr Webster contribuait beaucoup. Certes, on y partageait ses émotions et sentiments, mais on consacrait surtout beaucoup d'énergie à acquérir de nouveaux « outils » de maîtrise de soi. « On ne se contentait pas de se plaindre et de maugréer. On cherchait des solutions », disait Allison. Le groupe lui avait changé la vie, ce qu'elle expliquait en ces termes :

« Avant, j'étais triste intérieurement, mais gaie et souriante devant les gens. Je donnais l'impression de foncer dans la vie. Maintenant, si je suis toujours la même en apparence, le changement est intérieur. Toutes les idées noires et les obsessions qui me travaillaient ont disparu. Quel soulagement !

« Cela ne veut pas dire que je suis au septième ciel tout le temps. Seulement, j'ai remarqué que quand je sens venir l'angoisse, je me demande si j'ai médité récemment, ou couché sur le papier tout ce qui me tracasse. Car ça change tout si je m'y tiens. Je ne me ronge plus les sangs pour des broutilles. »

L'importance du travail cognitif était incontestable pour Allison, et elle utilisait un moyen efficace que lui avait enseigné le Dr Webster : elle fixait un autocollant de couleur bleue sur certains objets pour se rappeler comment réagir au stress. « J'en collai un au milieu du volant de ma voiture. Un sur l'ordinateur au bureau, un autre sur le téléphone. Quand l'angoisse me prenait, cela me rappelait qu'il fallait que j'arrête, que je respire profondément et que je réfléchisse à la façon dont je voulais réagir. »

Allison restructura aussi ses pensées négatives au sujet de la mastectomie. Maintenant qu'elle était célibataire, elle se demandait comment les hommes réagiraient aux cicatrices qu'avait laissées la chirurgie reconstructrice. « J'avais l'impression d'être une maison sinistrée », disait-elle. Mais après qu'on l'eut réconfortée, elle vit les choses autrement. « Ce qui m'importe, c'est la conscience de mon être intérieur. Et je sais que la plupart des gens en sont incapables, même quand leur corps est intact. » Allison appréhende toujours une nouvelle rencontre amoureuse, elle ne rumine plus, trop occupée par sa nouvelle promotion professionnelle, par ses exercices spirituels et par son acharnement à profiter de la vie telle qu'elle se présente.

Une étude passionnante d'un spécialiste de la médecine comportementale destinée aux cancéreux montre combien l'aptitude à la joie de vivre est bénéfique à la santé. Le Dr Sandra Levy et ses collègues de l'Institut du cancer de Pittsburgh, dont un spécialiste du cancer du sein renommé, le Pr Marc Lippman, ont suivi trente-six femmes atteintes d'un cancer du sein récidivant pendant sept ans. Celles qui avaient survécu avaient quelque chose en commun : au début de l'enquête, elles avaient exprimé plus de gaieté. Ce seul critère — la gaieté — était de bien meilleur pronostic de survie que les différents facteurs médicaux sur lesquels les médecins s'appuyaient pour évaluer l'espérance de vie.

Hygiène de vie et prévention

Une alimentation pauvre en matières grasses et l'exercice sont les facteurs d'hygiène de vie les plus importants dans le traitement et la prévention du cancer du sein, mais d'autres facteurs nutritionnels et environnementaux jouent également un rôle.

UNE ALIMENTATION PAUVRE EN MATIÈRES GRASSES. Il est hors de doute que l'excès de matières grasses contribue à l'augmentation des taux d'œstrogènes, facteur de risque de l'apparition d'un cancer du sein. Pourtant, même si de nombreuses études de population mettent en évidence une corrélation entre la consommation de graisses et la fréquence du cancer du sein, on ne peut toujours pas en conclure que l'alimentation riche en matières grasses soit elle-même un facteur déclenchant. Le fait le plus connu, déjà mentionné, est le cas des femmes japonaises. Quand les Japonaises émigrent aux États-Unis et adoptent l'alimentation occidentale, leur risque de cancer du sein s'accroît. Pour être précis, le pourcentage de calories consommées par les Japonaises, en provenance des matières grasses, est de 12 à 15 %, alors qu'il tourne autour de 40 % en moyenne chez les Américaines.

Cela étant, les résultats d'une étude récente menée à l'école de Santé publique de Harvard par le Dr Walter Willet et ses collègues — avec suivi de 90 000 infirmières sur une longue période — jette un doute sur l'hypothèse de la corrélation entre l'alimentation trop grasse et le cancer du sein. Ils n'ont constaté aucune différence significative entre l'incidence du cancer du sein chez les femmes dont les régimes étaient riches ou pauvres en matières grasses. Le point litigieux relevé par le Dr Willet porte sur la question de savoir en quoi consiste un régime pauvre en matières grasses. Les infirmières de l'enquête dont l'alimentation était vraiment pauvre en matières grasses, du moins selon les critères des nutritionnistes, étaient très peu nombreuses. La plupart de celles qu'on avait classées dans la catégorie « régime pauvre en matières grasses » en consommaient tout de même 32 %, une diminution peut-être insuffisante pour accuser une différence appréciable dans l'incidence du cancer. En fait, si l'on se réfère aux études sur les souris, le risque de cancer mammaire ne tombe qu'en deçà d'un taux de matières grasses alimentaires de 20 %.

En attendant des résultats plus probants, le bon sens exige de diminuer la consommation de matières grasses lors d'un cancer du sein ou à titre de prévention. Comme le Dr Susan Love l'explique dans son livre : « Globalement, si l'on s'en tient aux résultats des différents travaux sur la question, il semble qu'une trop forte consommation de matières grasses et de calories ait tendance à accroître la vulnérabilité au cancer du sein. Bien que la corrélation soit moins évidente que pour le tabagisme et le cancer du poumon, les données dont on dispose sont suffisamment probantes pour qu'il soit raisonnable de diminuer la consommation de graisses d'origine animale. »

LES VITAMINES. On a également de bonnes raisons de penser que les femmes qui consomment beaucoup de fruits et de légumes riches en bêtacarotène, en vitamine E et C, ont moins de risque de cancer. En revanche, on n'a toujours pas de preuves certaines que les apports supplémentaires en vitamines soient une forme de prévention efficace contre le cancer du sein. La seule exception touche aux comprimés de vitamine A qui, selon l'étude de l'école de Santé publique de Harvard portant sur une vaste population d'infirmières, réduiraient le risque de cancer du sein chez les femmes dont l'alimentation en est carencée. Veillez toutefois à ne pas en prendre plus de 10 000 UI. Les sources alimentaires en vitamines A, C et E sont aussi essentielles qu'un régime pauvre en matières grasses dans la prévention du cancer du sein.

LES PRODUITS À BASE DE SOJA. Les femmes asiatiques qui consomment une grande quantité de produits à base de soja présentent des taux relativement élevés d'œstrogènes dans le sang. Elles sont également moins sujettes au cancer du sein. Sans avoir de confirmation scientifique du phénomène, on sait que le soja contient des phyto-œstrogènes, des molécules faiblement apparentées aux œstrogènes, qui pourraient bloquer les récepteurs des cellules trop stimulées par les sécrétions d'œstrogènes de l'organisme. C'est ainsi que le soja pourrait protéger du cancer du sein. Les produits à base de soja ont beaucoup d'autres vertus. N'hésitez pas à en consommer plus si vous aimez cela.

L'ALCOOL. Le Dr Willet de l'école de Santé publique de Harvard a conduit une étude apportant, selon l'opinion générale, des résultats décisifs sur le rôle de l'alcool comme facteur de risque du cancer du sein. Le suivi des 90 000 infirmières a montré que les femmes consommant beaucoup de bière, de vin et d'alcool ont un risque accru de cancer du sein. Celles qui boivent de zéro à deux verres de boisson alcoolisée par semaine n'ont pas de risque accru ; de trois à neuf verres, le risque augmente de 30 % ; à plus de neuf verres, le risque augmente de 60 %. Il semble que les femmes jeunes sont les plus vulnérables. Si vous êtes prédisposée au cancer du sein — en particulier par vos antécédents familiaux —, limitez votre consommation d'alcool à quelques verres par semaine.

L'EXERCICE PHYSIQUE. Leslie Bernstein et ses collègues du centre anticancer de l'université du sud de la Californie, ont suivi un millier de femmes. Elles ont constaté qu'une activité physique modérée mais régulière diminuait de 60 % le risque de cancer du sein avant la ménopause. Celles qui en profitent le plus sont celles qui ont eu des enfants et pratiqué un sport entre dix et vingt ou vingt-cinq ans. Les femmes qui font quatre heures d'exercice par semaine ou plus ont les taux de risque les plus faibles. Mais il suffit de s'entraîner deux ou trois heures par semaine pour être moins prédisposée au cancer du sein que la moyenne. Vous trouverez des conseils d'exercices modérés au chapitre 9.

Les facteurs de risque et de prévention

Voici la liste des facteurs de risque et de prévention biologiques, nutritionnels, comportementaux et environnementaux du cancer du sein :

Facteurs de risque et de prévention identifiés

Antécédents familiaux : le risque est moindre chez les femmes dont les proches n'ont pas été atteintes par le cancer du sein.

L'âge des premières règles : le risque est moindre chez les femmes qui ont été réglées tardivement.

L'âge de la première grossesse : le risque est moindre chez celles qui ont eu leur premier enfant vers vingt ans et qui ont eu ensuite plusieurs grossesses.

Facteurs de risque et de prévention présumés

Alimentation du bébé au sein : il semble que le fait de donner le sein au bébé ait un effet protecteur.

Facteurs diététiques : les régimes trop riches en matières grasses, une forte consommation d'alcool et les carences en certaines vitamines ou en fibres peuvent présenter un risque accru.

Facteurs de l'environnement : la pollution et les champs électromagnétiques peuvent être des facteurs de risque.

Hormones : la pilule contraceptive ou les traitements hormonaux de substitution peuvent présenter certains risques.

Facteurs de prévention probables

L'activité physique modérée mais régulière, ne serait-ce que deux ou trois heures par semaine, présente une corrélation significative avec un moindre risque de cancer du sein.

Les cancers gynécologiques et le sentiment de féminité

On diagnostique chaque année, aux États-Unis, 120 000 cas de cancers du système reproducteur féminin : cancers des ovaires, de l'endomètre, du vagin et du col de l'utérus. Les facteurs de prévention relatifs au mode de vie semblent moins évidents que pour le cancer du sein. Certaines études, toutefois, suggèrent qu'une alimentation pauvre en matières grasses et l'exercice physique auraient un rôle dans la prévention et la guérison des cancers gynécologiques.

Contrairement aux tumeurs affectant la plupart des autres organes, les cancers gynécologiques affectent particulièrement l'âme féminine. Le traitement implique souvent l'ablation — totale ou presque — des organes reproducteurs internes.

Dans bien des cas, les cancers gynécologiques n'ont pas que des répercussions physiques : la patiente a l'impression d'avoir perdu une bonne part de sa féminité. C'est pourquoi elle a tout intérêt à suivre une thérapie de soutien lui permettant de préserver ou de rétablir le sentiment de sa féminité, en même temps qu'elle s'apprête aux interventions chirurgicales, à la chimiothérapie ou la radiothérapie. Qu'elle ait ou non des répercussions favorables sur le processus de guérison, cette thérapie d'accompagnement ne peut être que bénéfique.

La détresse psychique peut provoquer des déséquilibres hormonaux ou immunitaires induisant un cancer gynécologique. Différentes études portant sur le cancer du col de l'utérus militent pour cette hypothèse. Pionniers de la recherche psychosomatique relative au cancer, les docteurs A.H. Schmale et Howard Iker de l'université de Rochester ont examiné soixante-huit femmes devant subir une biopsie pour détecter la présence ou l'absence d'un cancer du col de l'utérus. Ils purent prédire avec 73 % d'exactitude lesquelles de ces femmes avaient un cancer, en se fondant sur un seul facteur : la patiente manifestait-elle des sentiments de désespoir ? Les docteurs Karl Goodkin et Michael Antoni ainsi que leurs collègues de l'université de Miami ont évalué l'état psychologique de soixante-treize femmes qui attendaient leurs résultats d'analyses à la suite de frottis cervicaux suspects. Ils ont constaté que les patientes qui souffraient d'un cancer déjà évolué avaient une vie particulièrement stressante et qu'elles y réagissaient avec des sentiments de désespoir.

Il ne s'agit pas ici de présenter une équation simpliste entre le désespoir et le cancer gynécologique. En fait, les spécialistes pensent que le désespoir chronique peut être un facteur parmi d'autres favorisant le développement de cellules malignes avant et après l'apparition d'une tumeur. En attendant des recherches ultérieures, nous ferons preuve de prudence en disant que toute démarche visant à surmonter les sentiments de désespoir chronique est bénéfique à la santé psychique de la malade sinon à sa santé physique.

L'une de mes patientes, Samantha, atteinte d'un cancer aux ovaires, était profondément désespérée juste avant le diagnostic. Elle avait alors trente-cinq ans, mariée depuis cinq ans avec Kenneth avec lequel elle avait adopté un petit garçon. La veille exactement de leur seconde adoption, son mari lui annonça qu'il voulait divorcer. Elle soupçonna une aventure, ce que Kenneth ne voulut pas reconnaître (elle découvrit plus tard qu'elle avait vu juste). Samantha ne parvenait pas à exprimer ni douleur ni colère, tant celles-ci étaient intenses. Elle était en état de choc. Elle avait bien quelques symptômes suspects, mais sans qu'elle puisse les interpréter. Cinq mois après le divorce, on lui diagnostiqua une tumeur maligne à l'un des ovaires.

Le cancer des ovaires est difficile à traiter car on le détecte souvent à un stade tardif de développement ; il y a peu de symptômes manifestes à un stade précoce. Mais la tumeur de Samantha fut détectée assez tôt pour que les médecins aient quelques raisons de penser qu'elle avait toutes les chances de se rétablir complètement. Cela dit, il fallait se battre. Tout d'abord, elle devait subir une hystérectomie totale. On me présenta Samantha entre le diagnostic et l'intervention chirurgicale : elle était terrifiée. Je l'accompagnai jusqu'au bloc opératoire pour lui soutenir le moral et j'avais eu le temps de lui montrer quelques techniques de relaxation qu'elle devait pratiquer avant et après l'intervention.

Je continuais à la suivre après l'opération. En dépit du contexte personnel dramatique — elle se retrouvait mère célibataire avec un cancer — j'eus l'impression qu'elle avait de bonnes réserves de combativité et je l'encourageai à prendre la vie à bras le corps. Elle pouvait compter sur ses parents et elle ne s'en priva pas. Nous parlâmes beaucoup de son ex-mari, du choc et de la souffrance qu'elle avait endurés à la suite de sa trahison. Mais nous avons surtout discuté de ses atouts. Je lui fis comprendre que j'étais persuadée qu'elle avait la force de prendre sa vie en main à condition de ne pas succomber à un quelconque sentiment de culpabilité. Sa colère était son alliée thérapeutique ; cela la protégerait du désespoir. Elle avait son fils, le soutien de ses parents, autant de ressources émotionnelles lui permettant de rebâtir sa vie, ce qui signifiait la perspective d'un nouveau foyer, d'un nouveau travail et d'une nouvelle aptitude à profiter de la vie.

Samantha s'initia également aux techniques psychosomatiques, dont une forme de visualisation très personnelle à laquelle elle avait recours dès qu'elle se sentait submergée par la maladie ou les problèmes intimes. Juste après le divorce, mais avant qu'on lui annonce qu'elle avait un cancer, Samantha avait pris une semaine de vacances à Hawaii avec une amie, elle aussi divorcée. Ce fut une joyeuse esca-

pade, pendant laquelle elle mit sa souffrance entre parenthèses, se laissa aller et s'amusa sans remords. Plus tard,
après le diagnostic et face aux nouvelles exigences de sa vie
présente, il arrivait à Samantha de s'allonger tranquillement
en s'imaginant sur la plage de Hawaii en train de prendre un
bain de soleil tout en jouissant d'un merveilleux sentiment
de liberté.

En quelques années, la vie de Samantha avait donc
connu bien des bouleversements : fin d'une longue relation
conjugale, mort de sa mère, qu'elle aimait beaucoup et dont
elle s'était beaucoup occupée pendant sa longue maladie.
Mais Samantha avait le sentiment d'avoir subi l'épreuve du
feu et se sentait plutôt renforcée. Malgré ses nombreux cha-
grins, elle avait gardé son énergie et son ressort. Sa vie de
mère célibataire n'était certes pas facile, mais elle s'en sortait
bien, entre autres grâce à une promotion professionnelle qui
confirmait à sa façon sa vitalité de rescapée.

Une rescapée dans tous les sens du terme. Son cancer
des ovaires n'a pas récidivé, et elle vient de passer la barre
des cinq ans signant la guérison.

Le pronostic des cancers gynécologiques, en particulier
du cancer des ovaires, n'est pas toujours favorable. Au cours
du suivi psychosomatique qui permet à la patiente de garder
moral, espoir et maîtrise de soi, il arrive parfois un moment
où la combativité cède la place à l'acceptation. Dans ce cas,
il s'agit d'une décision strictement personnelle. Personne
— ni un médecin, ni un thérapeute, ni un proche — n'est en
droit de dire à la patiente atteinte d'un cancer à quel moment
elle doit continuer à se battre ou se faire à l'idée de la mort
et l'accepter. Je me fie toujours aux intuitions profondes de
mes patientes en ces circonstances. Il arrive que l'état d'esprit des malades oscille selon un « cycle de résistance et de
capitulation », expression que l'on doit au thérapeute Rober
Chernin Cantor. Cela aussi est normal, et si vous souffrez
d'un cancer à un stade avancé, pliez-vous sans remords à
ce rythme naturel. Comme Michael Lerner le soulignait, la
réconciliation avec la vie, au sens large du terme, n'est pas
synonyme de guérison.

L'une des mutations cognitives et émotionnelles les plus
fondamentales chez les femmes souffrant d'un cancer gynécologique, consiste à prendre conscience de la totalité de
leur être pour peu que cela ait un sens pour elles, de leur

complétude spirituelle. La perte des organes reproducteurs, surtout chez les femmes qui n'ont pas atteint l'âge de la ménopause, mais aussi chez les femmes ménopausées, peut être une terrible épreuve. Dans ce cas, il ne faut pas nier son chagrin et il faut savoir l'exprimer. Il est bon de savoir aussi que l'âme de leur féminité est hors d'atteinte — qu'on ne peut l'amputer, ni la brûler, ni l'empoisonner. L'ablation des organes de reproduction ne conduit pas à la disparition de la féminité. Mais il est possible qu'un soutien thérapeutique soit nécessaire à cette prise de conscience. Certaines femmes (je pense à Samantha) ne réussissent pas seulement à préserver leur féminité, elles savent aller plus loin. Elles se réconcilient vraiment avec elles-mêmes en tant que femmes.

Je ne veux pas dire par là que le travail de deuil et la sublimation sont choses faciles ; je dis qu'on peut y arriver. Si l'on vous a diagnostiqué un cancer gynécologique ou un cancer du sein, j'espère que vous saurez préserver votre moral et votre combativité, votre énergie, votre feu créateur, et votre goût de la vie.

16

Calmer la souffrance :
l'endométriose et les douleurs pelviennes

L'endométriose est une prolifération de la muqueuse de l'utérus en dehors de la cavité utérine. C'est une pathologie extrêmement courante qui touche environ cinq millions de femmes américaines. Elle survient pendant les années de fécondité, en partie sous influence œstrogénique. C'est la deuxième cause de stérilité, qui provoque par ailleurs de terribles souffrances chez d'innombrables femmes. Pendant longtemps on a eu recours assez systématiquement à l'hystérectomie, remplacée aujourd'hui par des traitements moins mutilants comme la chirurgie au laser ou l'administration d'hormones, laquelle peut avoir toutefois certains effets secondaires. La médecine classique soulage la plupart des femmes souffrant d'endométriose, mais les traitements ne sont pas toujours infaillibles. L'endométriose est une cause majeure de douleurs pelviennes, bien que l'origine de celles-ci puisse être autre.

La médecine psychosomatique est en mesure de soulager les souffrances de l'endométriose et les douleurs pelviennes chroniques d'origines diverses. En quoi l'approche comportementale a-t-elle une efficacité sur ces pathologies particulières ? Le stress émotionnel semble jouer un rôle dans l'endométriose et les douleurs pelviennes, et la découverte de son origine peut faciliter la rémission. D'après des recherches récentes très poussées, les messages de la douleur seraient programmés dans le système nerveux central, ce qui explique peut-être les observations cliniques montrant que la perception de la douleur se modifie selon l'état d'esprit des individus. Si la médecine psychosomatique élimine rarement la gêne occasionnée par les troubles de l'endomètre et de la région pelvienne, elle modifie substantiellement la perception de la douleur et soulage ainsi le désespoir des patientes.

L'endométriose : causes et traitements

L'endomètre est la muqueuse qui tapisse l'intérieur de la cavité utérine. Pour des raisons inconnues, il arrive que le tissu prolifère, migre à l'extérieur de l'utérus pour croître sur d'autres organes du pelvis, occasionnant ainsi des adhérences douloureuses. Bien que la plupart des lésions de l'endomètre s'étendent aux parois des organes pelviens, elles migrent parfois vers les intestins, voire plus loin. Dans certains cas, l'endométriose se propage sous des tissus impossibles à localiser. Les chirurgiens sont alors incapables d'identifier l'origine de la douleur.

La cœlioscopie est le meilleur moyen de diagnostiquer une endométriose, et le plus radical. Au cours de cet examen chirurgical auquel on procède sous anesthésie générale, on introduit par une petite incision un long tube rigide équipé d'une sorte de périscope qui explore la cavité pelvienne, autrement dit les organes du bas-ventre. Parfois, plus rarement, on décèle l'endométriose par simple auscultation quand les lésions se présentent sur les ligaments pelviens. La pratique de la cœlioscopie a révélé que les lésions de l'endomètre sont extrêmement fréquentes, même quand la femme ne se plaint d'aucune douleur.

Les douleurs pelviennes en sont le symptôme principal, bien que l'endométriose puisse également causer des crampes abdominales, une irrégularité menstruelle et des douleurs au cours des rapports. Autant de souffrances très handicapantes qui compromettent l'énergie et l'humeur féminines, surtout quand elles rendent impossibles les rapports sexuels ou l'activité physique. La stérilité touche environ 30 % des femmes atteintes d'endométriose.

Quelles en sont les causes ? Il existe une foule d'hypothèses. Entre autres que le sang menstruel et la muqueuse de l'endomètre s'évacuent par les trompes de Fallope vers les tissus du pelvis en occasionnant des dépôts qui ont tendance à proliférer. Certains pensent que l'endométriose est une pathologie congénitale et qu'elle se développe à partir de tissus génitaux embryonnaires du pelvis qui n'ont pas migré dans l'utérus. Ces cellules embryonnaires sont stimulées à la puberté, au moment des premières règles, avec le développement des lésions et des douleurs qui leurs sont associées. L'hypothèse de l'origine congénitale s'appuie sur le fait que l'endométriose se retrouve dans les mêmes familles, ce qui laisse penser qu'il puisse y avoir un facteur héréditaire.

Mais aucune de ces hypothèses n'a été prouvée. On sait que les œstrogènes favorisent la prolifération anormale de l'endomètre chez les femmes prédisposées, sans qu'on en connaisse l'origine. Cela dit, le fait qu'aujourd'hui la plupart des femmes diffèrent leurs grossesses et connaissent des cycles menstruels plus nombreux explique peut-être l'augmentation de la fréquence de l'endométriose, dans la mesure où les femmes qui n'attendent pas d'enfant et n'allaitent pas voient s'élever leurs taux d'œstrogènes passant dans la circulation sanguine.

Bien qu'on ne dispose que de peu d'études ayant approfondi la question, certains spécialistes pensent que le stress contribuerait à l'aggravation de l'endométriose et de ses symptômes. Le Dr H. Lauersen, qui enseigne la gynécologie et l'obstétrique à la faculté de médecine de New York, est un spécialiste de l'endométriose. Voilà son avis sur le rôle du stress :

« Je suis gynécologue, spécialiste des questions de santé féminine, un chercheur qui scrute les moindres détails des résultats de laboratoire avant de me faire un avis. Mais je suis également un humaniste au tempérament pragmatique. Je vois qui souffre de quoi et j'éprouve de la compassion envers mes patientes que je cherche à aider. Or, j'ai constaté que près de 95 % des femmes qui souffrent d'endométriose sont très stressées, qu'elles travaillent ou ont travaillé.

« Si l'on veut soigner la personne, et pas seulement les symptômes, il faut prendre en compte les facteurs extérieurs, physiologiques et psychologiques, qui affectent sa santé. »

Lauersen n'est pas un adepte de la philosophie *New Âge* pour qui le stress serait l'unique cause de l'endométriose, ni un homme de Néandertal qui pense que la femme qui souffre ne l'a pas volé et qu'elle ferait mieux de rester au foyer. C'est un médecin d'obédience parfaitement orthodoxe qui prescrit les traitements habituels — administration d'hormones et chirurgie —, en y ajoutant la gestion du stress, un régime alimentaire équilibré et des conseils de prévention parfaitement sensés. Il pense que le stress contribue à la maladie, mais se garde d'établir un lien de cause à effet simpliste et fait partie de ceux qui considèrent que l'engagement croissant des femmes dans la vie active ces dernières décennies fait partie de l'émancipation de la femme et constitue un réel progrès social. Mais la multiplication des fonctions féminines et l'ambiguïté de la société, pour ne pas dire sa franche hostilité envers l'émancipation de la femme, exercent de nouvelles tensions sur nos existences tout en nous confrontant à de nouveaux défis. Tout ceci met la santé physique à l'épreuve, tant qu'on n'a pas trouvé de moyens plus gratifiants de s'adapter.

On n'a toujours pas vraiment élucidé les mécanismes biologiques permettant au stress de jouer un rôle dans l'endométriose, mais de récentes études donnent quelques pistes intéressantes. Une enquête biologique a montré que les femmes souffrant d'endométriose caractérisée produisent des anticorps contre leurs propres tissus. Les chercheurs ont également constaté que les macrophages — les cellules immunitaires qui investissent les intrus en provenance de l'extérieur — peuvent se tourner contre les tissus endométriaux. Cela repose la question d'un article publié en 1987 dans la revue *Obstetrics and Gynecology* : « L'endométriose est-elle une maladie auto-immune ? » Si les chercheurs répondent oui à la question, même un oui conditionnel, on pourrait concevoir que le stress contribue à l'endométriose en perturbant le système immunitaire qui, en s'attaquant à nos propres tissus, susciterait une prolifération endométriale.

L'une des hypothèses les plus surprenantes invoque comme facteur de douleurs pelviennes chroniques un traumatisme précoce d'ordre psychique, sexuel, ou physique. Les travaux du Dr Andrea J. Rapkin de l'école de médecine de l'université de Los Angeles, un des spécialistes les plus réputés des douleurs pelviennes, ont montré la grande fréquence de violences physiques ou de viols au cours de l'enfance de ces patientes. S'il est impossible d'affirmer que la maltraitance précoce ou actuelle est un facteur spécifique de l'endométriose, son rôle dans les douleurs pelviennes — souvent dues à l'endométriose — fait de plus en plus l'unanimité.

Évidemment, une fois que l'endométriose a provoqué des douleurs chroniques, la douleur elle-même devient source de stress. Les femmes qui en souffrent beaucoup passent leur temps à consulter de nouveaux médecins dans l'espoir d'un traitement efficace, et subissent parfois toutes sortes d'interventions chirurgicales en espérant mettre fin aux douleurs. Il arrive que celles-ci sont si handicapantes que, faute d'être soulagées, ces femmes sombrent dans la dépression, voire le désespoir. Ce qui, selon le cercle vicieux propre à toutes les douleurs chroniques, aggrave encore la pathologie sous-jacente, avec des phénomènes d'inflammation, d'auto-immunité, d'élévation de la pression sanguine et de la tension musculaire.

Cette pathologie recèle un autre mystère : la localisation et l'étendue de l'endométriose semble avoir peu de rapport avec le degré de la souffrance ressentie, et celle-ci n'est d'ailleurs pas toujours présente. Certaines femmes ont des lésions impressionnantes sans avoir mal ; d'autres ont des lésions minimes avec des douleurs insupportables. Sans qu'on sache pourquoi, le stress et les émotions pourraient être le facteur déclenchant du processus de la douleur et contribuer à son intensité. Étant donné le rôle probable du stress, de la dépression et des traumatismes psychiques dans les douleurs de l'endométriose et de la zone pelvienne, la médecine psychosomatique, en la circonstance, a beaucoup à apporter.

Sans disposer de la pilule miracle, la médecine classique dispose de traitements assez efficaces contre l'endométriose. Des hormones comme le Danazol arrêtent l'ovulation en bloquant les montées d'hormones de la phase lutéale, ce qui inhibe les récepteurs de la muqueuse de l'endomètre. Le problème essentiel, avec le Danazol, assez efficace au demeurant, sont ses effets masculinisants : poussée de poils et voix plus grave. La FDA *(Food and Drugs Administration)* a donné récemment son autorisation à une génération de médicaments qu'on appelle les agonistes GnRH, qui engendrent une ménopause artificielle en stoppant la stimulation hormonale à l'origine de la prolifération des lésions de l'endomètre. Parmi ces médicaments coûteux, le Lupron et le Synarel, qui ont toutefois des effets secondaires analogues à ceux de la ménopause naturelle — bouffées de chaleur, sécheresse vaginale et perte de densité osseuse. Ces effets disparaissent généralement à l'arrêt du traitement. Aussi les femmes y recourent-elles souvent de façon intermittente. La pilule contraceptive peut également être efficace chez certaines patientes.

La chirurgie supprime les lésions sans aller jusqu'à l'hystérectomie. On procède sous cœlioscopie, ou au moyen d'une technique récente plus performante qu'on appelle pelviscopie (ou cœlioscopie opérationnelle). Ces méthodes permettent l'examen des lésions comme leur excision sans avoir besoin de faire une grande incision. Grâce à la pelviscopie, on enlève les lésions comme les kystes ou les adhérences, par électrocautérisation ou par laser. Quand ces méthodes plus conservatoires ne suffisent pas parce que la patiente continue d'avoir mal, les chirurgiens passent à des types d'interventions de plus en plus mutilantes. On ne procède à l'hystérectomie, avec ablation des ovaires, qu'en dernier ressort.

Les douleurs pelviennes : mystères et répercussions

De nombreuses femmes souffrent de douleurs pelviennes sans avoir d'endométriose, et si c'est le cas, leurs lésions de l'endomètre ne semblent pas être la cause première de leur souffrance. Les douleurs pelviennes chroniques peuvent être un véritable mystère, si l'on fait abstraction des causes surajoutées comme les fibromes utérins, l'inflation du pelvis, des infections, des kystes aux ovaires ou des adhérences à la suite d'interventions chirurgicales et autres causes. Mais la plupart du temps on a du mal à identifier une cause particulière.

Comme l'écrivait Andrea J. Rapkin : « Les études épidémiologiques ont mis en évidence une corrélation entre des facteurs psychiques comme la dépression, les troubles de la personnalité, les violences physiques et sexuelles, et les douleurs chroniques. » Ma propre expérience clinique va dans le même sens — les patientes sujettes aux douleurs pelviennes rapportent avoir été victimes, dans leur enfance, de violences qu'elles continuent parfois de subir et connaissent une extrême détresse psychique et des sentiments de désespoir. J'ai constaté que de telles patientes réagissent très bien aux thérapies cognitives et comportementales.

Ma collègue, le Dr Margaret Caudill de l'hôpital des Diaconesses, par ailleurs directeur de recherches au département de médecine comportementale de la faculté de médecine de Harvard, dirige les groupes de soutien psychosomatiques destinés aux personnes souffrant de douleurs chroniques. Son livre, *Managing Pain Before It Manages You* (« Commandez à la douleur avant que ce soit elle qui vous commande »), offre une excellente synthèse de la médecine psychosomatique adaptée aux douleurs chroniques. Le Dr Caudill a également suivi de nombreuses femmes souffrant de douleurs pelviennes dont la plupart avaient subi de multiples opérations. Elle en est venue à penser que la réponse au mystère des douleurs pelviennes chroniques ne résidait pas dans le pelvis, mais plutôt dans le système nerveux central — le cerveau.

« La plupart des gens ne comprennent pas qu'à l'origine beaucoup de douleurs pelviennes chroniques proviennent réellement d'une lésion ou d'une inflammation initiale, expliquait-elle récemment. Seulement, il se produit ensuite un phénomène bizarre qui reste en partie inexpliqué : le traumatisme se perpétue dans la moelle épinière et le cerveau, aussi vous avez beau enlever un ovaire, puis l'autre, puis l'utérus, le col de l'utérus, la douleur persiste. »

Bien que son explication soit un peu technique, on peut la résumer simplement. Les lésions, adhérences et inflammations de départ excitent les nerfs de la douleur. Après guérison, les nerfs restent anormalement excités comme si la source de la douleur était toujours présente, même quand l'organe en cause a été enlevé chirurgicalement. Le cerveau continue de recevoir des salves de messages douloureux et la personne continue de souffrir. Il est également possible qu'un traumatisme psychologique (un abus sexuel précoce par exemple) ait laissé son empreinte dans le système nerveux avec comme conséquence une altération durable de la perception de la douleur.

Les spécialistes de la douleur sont à la recherche de faits permettant de confirmer l'hypothèse du Dr Caudill concernant les patientes dont les douleurs chroniques ne cessent pas après avoir essayé tous les traitement imaginables. L'enjeu est crucial pour les personnes sujettes à ces douleurs chroniques et leurs médecins. Si c'est le système nerveux central qui est en jeu, la solution, du moins l'une de ses solutions, s'y trouve. S'il est possible de modifier la perception cérébrale de la douleur, il est donc concevable de reprogrammer certains des messages qui la perpétuent. Ce qui signifie également que certaines interventions chirurgicales se révéleraient inutiles, voire néfastes. On sait que 30 % des hystérectomies pour douleurs pelviennes ne soulagent pas vraiment de la douleur.

Il est indispensable de diagnostiquer à chaque fois soigneusement la nature des douleurs pelviennes, et d'envisager différentes options, dont la médecine psychosomatique qui ne provoque pas d'effets secondaires gênants, avant de se tourner vers la chirurgie. J'en suis d'autant plus convaincue que j'ai obtenu de bons résultats avec mes patientes qui ont vu leurs douleurs s'atténuer, ont pris moins de calmants et ont pu éviter de lourdes interventions chirurgicales.

Les traitements psychosomatiques destinés aux douleurs pelviennes permettent aux femmes :

> De contrôler leurs douleurs et de reprendre leur vie en mains
>
> De réduire ou résoudre les causes de stress et de situations conflictuelles
>
> De parachever leur maturation affective
>
> D'acquérir différentes techniques de maîtrise des situations qu'elles peuvent utiliser quand la souffrance les handicape de façon trop envahissante.

Les douleurs pelviennes et leur soulagement psychosomatique

Les cliniciens de médecine psychosomatique ont montré l'incontestable efficacité de leurs méthodes dans le traitement des douleurs chroniques. Le Dr Caudill a publié une étude sur 109 patientes ayant participé à son programme thérapeutique en dix séances qui associe la relaxation, la surveillance de la douleur, l'approche cognitive, l'éducation diététique et physique. Un an après la fin des séances, les consultations de ces patientes chez le médecin ont diminué de 36 %. Pour ce qui est des douleurs pelviennes elles-mêmes, le Dr Caudill a constaté que les symptômes disparaissaient rarement, mais que les patientes géraient beaucoup mieux leurs douleurs, ce que j'ai vérifié avec des méthodes similaires, constatant souvent que les femmes atteintes d'une endométriose voyaient leurs douleurs nettement diminuer. Vous trouverez dans la suite de ce chapitre les éléments essentiels des techniques permettant de gérer et soulager les douleurs d'origine endométriale ou autres. Ces méthodes ont fait également leurs preuves contre les douleurs chroniques de toutes sortes, maux de tête, dos, arthrose, fibrome, etc.

Le carnet de bord de la douleur

La surveillance de la douleur permet de déceler efficacement ses facteurs déclenchants et de mesurer ses répercussions. C'est le premier pas vers la maîtrise de la souffrance. Je m'en tiendrai aux conseils du Dr Caudill sur la façon de tenir un « carnet de bord de la douleur » :

> Réservez un cahier ou un carnet spécial à cet effet
>
> Notez l'intensité de vos douleurs trois fois par jour à intervalles réguliers (le matin, le midi et le soir avant le coucher)
>
> Décrivez les circonstances ou l'activité à laquelle vous vous livrez à chaque accès douloureux. Précisez par exemple si vous étiez en train de travailler, de regarder la télévision ou de parler à une amie.
>
> Évaluez le degré de la douleur pour chaque type de souffrance physique comme le mal de tête, les élancements, les brûlures, le sentiment d'oppression et autres sensations. 0 = pas de douleur ; 1 à 9 = échelle des degrés de douleur ; 10 = la douleur la plus extrême.
>
> Évaluez également la détresse psychique, autrement dit la perception de la douleur, en termes d'émotions (frustration, colère, angoisse, tristesse, etc.) : 0 = aucune détresse ; 1 à 9 = échelle des degrés de la détresse ; 10 = détresse maximum.

Commencez par tenir ce carnet de bord pendant une semaine, puis analysez les résultats. Relevez les circonstances de vos douleurs. Elles peuvent survenir au cours de processus physiques, en se levant, en mangeant, etc. Notez également la concomittance de la souffrance avec certains états émotionnels, certaines relations ou événements traumatisants.

Soyez attentive à la divergence ou la disproportion éventuelle entre l'échelle de vos douleurs proprement dites et l'échelle de votre détresse psychique. Vous constaterez peut-être — comme beaucoup de patientes — que la détresse psychique atteint des degrés d'intensité plus élevés que la douleur proprement dite. Comment l'interpréter ? Cela signifie que la perception de la douleur et la souffrance psychique qui l'accompagne dépassent largement la sensation physique. Autrement dit, votre intolérance à la douleur est le facteur prédominant de vos symptômes. Le but de l'exercice est de distinguer votre perception de la douleur de la sensation douloureuse, afin que vous puissiez en mesurer les différences. Si vous donnez un 3 à vos sensations douloureuses et un 7 à votre détresse face à la douleur, c'est qu'il est temps de rechercher l'apaisement mental. Une fois libérée de vos angoisses, il vous sera plus facile d'adopter un point de vue du style : « Après tout, je peux vivre avec ce niveau de souffrance », « j'aurai moins mal si je suis moins angoissée ».

Changez votre façon d'aborder la douleur

Les femmes qui souffrent de douleurs pelviennes et d'endométriose se tiennent souvent des monologues qui aggravent leur sentiment d'impuissance et leur désarroi. « Je ne me débarrasserai jamais de ces douleurs », « je n'en peux plus, je n'en sortirai jamais », « ces douleurs sont en train de me gâcher la vie ». Ces considérations pessimistes finissent par nous convaincre et nous conduisent à un état d'hystérie et de désespoir absolu. Utilisez votre journal de bord comme un tremplin vers une nouvelle façon de considérer la souffrance. Poussez plus loin en passant vos idées noires au crible de la critique en vous aidant de la méthode de restructuration cognitive décrite au chapitre 5.

La femme qui souffre de douleurs chroniques a certes bien des raisons de se plaindre, et on ne voit pas pourquoi il faudrait qu'elle fasse abstraction de ce qu'elle ressent. Seulement, les idées négatives alimentent le désespoir aussi sûrement que les poussées d'œstrogènes contribuent à l'endométriose. La sensation de malheur se cristallise dès lors que la femme s'est elle-même résigné à son terrible sort. Le seul moyen de sortir du piège est de se faire une idée raisonnable de la réalité. Le plus souvent, la médecine conventionnelle et les thérapies d'accompagnement mettent des traitements à sa disposition.

Voici quelques exemples de la façon dont on peut restructurer son désespoir relatif à l'endométriose et les douleurs pelviennes : « Aujourd'hui j'ai mal, mais je dispose de différentes solutions pour aller mieux demain » ; « Cette douleur m'atteint tellement le moral que cela doit l'aggraver. Il faut que je trouve quelque chose qui détourne mon attention » ; « je peux avoir recours à différentes stratégies pour avoir moins mal ».

Le Dr Caudill conseille également de notez les signes physiques associés à la perception de la douleur. Autrement dit, faites attention à l'intensité de votre souffrance quand vous avez conscience d'être la proie d'idées noires. La douleur s'est-elle accentuée après vous être morfondue au sujet de vos douleurs ? Puis, quand remettant en question votre pessimisme, vous pensez de façon plus objective, remarquez-vous une amélioration ? Avez-vous moins mal après avoir envisagé de prendre en main la situation ou guetté les indices de bon augure ?

Le médecin de Cecilia (celle-ci souffrait constamment d'endométriose) lui avait prescrit des narcotiques. Après s'être livré à la restructuration cognitive — ce qui avait complètement métamorphosé sa façon d'aborder la douleur —, Cecilia connut une phase de soulagement inespérée. En quelques semaines, elle renonça aux narcotiques et se contenta de quelques comprimés d'analgésiques en vente libre.

Changer sa vision de la douleur n'est pas se complaire dans un optimisme béat. L'objectif n'est pas d'être euphorique, mais de se garder de tout pessimisme irrationnel et de prendre soin de soi. Il est également souhaitable de s'entraîner progressivement à avoir une meilleure perception de sa détresse psychique (ce qui, parfois, atténue la douleur elle-même). La douleur chronique, c'est le stress chronique qui gâche les jours de repos comme de travail. Chaque fois que l'on maîtrise un tant soit peu ses réflexes d'impuissance et de désespoir, on remporte une petite victoire sur la douleur chronique. Vous avez donc tout intérêt à recourir aux gestes qui apaisent. Appelez une amie, offrez-vous un bain chaud, prenez un anti-inflammatoire, ayez recours à l'imagerie guidée ou au yoga, confiez à votre journal intime vos frustrations ou vos idées noires afin de pouvoir les restructurer. Avec le temps, ce n'est plus la douleur qui aura raison de vous, c'est vous qui la contrôlerez.

Calmer la douleur à l'aide de la relaxation et de la suggestion par images mentales
La relaxation a fait ses preuves en tant que méthode de gestion de la douleur. Ce n'est pas un remède miracle, pas plus que la restructuration cognitive, mais elle permet de franchir des pas importants dans la maîtrise des douleurs pelviennes ou toute autre forme de douleurs chroniques. Je vous conseille de pratiquer la relaxation régulièrement, au moins deux fois par jour. Les mini-relaxations sont également d'un grand secours à chaque fois qu'un accès douloureux vous prive de votre lucidité et affecte votre qualité de vie. Cela vous permet de reprendre le contrôle de la douleur et de sa perception en quelques minutes.

La respiration profonde, la méditation et le training autogène sont particulièrement indiqués aux femmes sujettes aux douleurs pelviennes. Les postures faciles du yoga sont très bénéfiques, à condition de ne pas être trop inconfortables. La gymnastique douce et les étirements — qui font circuler l'énergie dans tout le corps — contribuent avec le temps à soulager la douleur. Pour ce qui est des exercices de méditation corporelle (dont la relaxation musculaire progressive et l'exploration corporelle), tenez-vous-en à votre intuition. Essayez-les et adoptez-les s'ils se révèlent bénéfiques et vous apportent calme et bien-être. Abandonnez-les sans remords s'ils accentuent votre conscience de la douleur et votre anxiété.

La suggestion par images mentales : j'ai constaté que l'imagerie guidée était l'une des méthodes les plus utiles aux femmes sujettes aux douleurs pelviennes. Les expéditions mentales dans des endroits agréables, suggérées par les enregistrements sur cassettes, engendrent chez la plupart d'entre nous des sensations de tranquillité et de sécurité qui nous libèrent de l'étau de l'anxiété. Mais vous pouvez vous forger des fantasmes qui s'adressent directement à vos douleurs pelviennes.

Voici un exercice d'imagerie mentale que Margaret Ennis m'a enseigné et que mes patientes ont beaucoup apprécié. Imaginez un flot de lumière bleue, douce et calmante. Laissez cette lumière pénétrer par le sommet de votre crâne, s'étendre dans votre cerveau pour descendre lentement dans chaque partie de votre corps — le cou, les épaules, la poitrine, les bras, le ventre, le petit bassin et les jambes. Laissez la douce énergie de cette lumière imprégner l'ensemble de votre corps. Vérifiez si certaines parties du corps semblent résister à l'entrée de la lumière bleue. Contentez-vous d'en prendre note, ne forcez pas. Prêtez attention à vos sensations physiques au fur et à mesure de la pénétration de ce rayonnement bienfaisant.

Hope s'était livrée à cet exercice avec le fantasme suivant : elle voyait son bas-ventre tout rouge résister à la pénétration de la lumière bleue comme un feu résiste au souffle du vent. Elle était surprise de la clarté de cette visualisation, de son caractère si spécifique. Cela lui permettait d'analyser parfaitement sa perception de la douleur. Lors d'exercices ultérieurs elle parvint à laisser pénétrer un peu de lumière bleue dans le pelvis et constata que la douleur devenait moins intense.

Ce fut sur Betsy, à qui l'endométriose causait de terribles douleurs pendant les règles, que l'imagerie guidée eut les effets les plus spectaculaires. Les examens médicaux avaient montré que des lésions obstruaient ses deux trompes de Fallope. Elle s'inscrivit à l'un de mes groupes de soutien psychosomatique où elle s'initia aux diverses méthodes de relaxation. Un jour que nous pratiquions la méditation, Betsy élabora une visualisation de son cru (comme elle nous le raconta plus tard), comme si un film se déroulait dans sa tête, sans qu'elle sache d'où lui en venait l'inspiration.

Elle s'imaginait sur le parvis d'une belle église médiévale. Un moine minuscule sortait de l'église, la prenait par la main et la faisait entrer. Il la guidait dans les travées jusqu'à une salle où il la faisait s'allonger sur une table. Elle découvrait alors un groupe de paroissiennes en miniature, parées d'or et de dentelles, qui l'entouraient et commençaient à lui masser le ventre à l'aide de décoctions et d'onguents parfumés. Elles effleuraient son utérus et ses trompes de Fallope. Betsy s'autorisait à succomber au plaisir des sensations de ces mains aimantes. Leur tâche terminée, le moine la raccompagnait sur le parvis de l'église.

Betsy ouvrit les yeux et nous raconta l'histoire qu'elle venait de vivre. Elle rayonnait. Dès lors, Betsy en appelait délibérément à ce fantasme à chaque méditation.

Au bout de quelques semaines de cet expédient, Betsy remarqua que ses douleurs s'étaient atténuées. Elle substitua les analgésiques en vente libre aux narcotiques. Quelques mois plus tard, un examen endoscopique révéla que l'une de ses trompes de Faloppe était bien ouverte, après dix ans d'obturation.

Margaret Caudill conseille également aux femmes souffrant d'endométriose et de douleurs pelviennes de visualiser un « endroit sûr ». Pour ce faire, créez-vous l'image d'un endroit calme et solitaire où vous vous sentez libre et en sécurité. Faites appel à vos souvenirs, ou à votre imagination. Peu importe l'origine de votre inspiration, du moment que vous vous sentiez bien. Asseyez-vous tranquillement et mettez-vous en condition au moyen d'une simple respiration profonde ou d'une mini-relaxation. Puis transportez-vous mentalement en cet endroit et concentrez-vous sur vos sensations. Qu'est-ce que vous voyez, entendez, ressentez, goûtez, sentez et touchez ? Si vous êtes au bord de la mer, sentez l'odeur de l'Océan, écoutez le bruit des vagues. Si vous vous trouvez au milieu d'une forêt, humer l'odeur des pins, ressentez les craquement des aiguilles sous vos pieds, regardez les jeux de lumières dans les arbres. Restez immergée dans ce flot de sensations en cet endroit privilégié pendant environ vingt minutes. À l'issue de l'expérience, notez ce que vous avez ressenti, y compris les sensations de douleur.

LA CONCENTRATION SUR LA DOULEUR : celle-ci peut soulager les femmes affligées de souffrances pelviennes, à condition qu'elles soient très motivées. Margaret Caudill et le Dr Jon Kabat-Zinn, sans doute le meilleur praticien de la concentration méditative, pratiquent une méthode qui requiert une prise de conscience de la douleur à chaque instant. Malgré l'apparent paradoxe, la concentration sur la douleur est d'un grand secours, à condition qu'il ne s'agisse pas d'une fixation obsessionnelle mais d'une attention tranquille et sereine permettant de prendre conscience de ses différentes sensations. La plupart des personnes souffrant de douleurs chroniques utilisent des stratégies d'évitement de la douleur, mais pas toujours avec succès. Éviter ou réprimer la douleur exige un effort mental épuisant et parfois plus pénible que la douleur elle-même.

L'approche consciente de la souffrance, selon le Dr Caudill, consiste en la chose suivante : « Vous vous autorisez à observer la douleur et les sensations qui lui sont liées comme la peur et la colère, sans chercher à les fuir. Dites-vous : "Oui, c'est cela, j'ai mal et cela m'irrite profondément". » Asseyez-vous tranquillement et tout en pratiquant cet exercice de concentration, laissez aller et venir vos sensations de douleur et les pensées qui les accompagnent, tout en vous concentrant sur votre respiration. Il arrive que la douleur s'intensifie. C'est assez fréquent au début, et il faut dans ce cas se rappeler que ce n'est pas la conscience de la douleur qui accroît en elle-même la douleur. Si vous poursuivez l'expérience, vous remarquerez de fréquentes fluctuations de la douleur, ses flux et reflux comme ses changements de nature.

Steven Levine invoque une raison de bon sens pour expliquer que la stratégie de la concentration sur sa propre douleur, contrairement à la stratégie d'évitement, permet de l'atténuer. Si nous haïssons la partie de notre corps qui souffre, si nous la mettons en quarantaine, l'isolons de nous-même sous prétexte que nous ne supportons pas le message qu'elle nous envoie, qu'arrive-t-il ? Cela permet-il de guérir ? de soulager la douleur ? Posez-vous plutôt la question suivante : et si je ne faisais plus d'ostracisme à l'égard de cette partie de mon corps ? Si je lui montrais un peu de compassion ? Si je prenais le temps de consacrer toute l'affection dont je suis capable à cette chair souffrante ? Cela ne l'aiderait-il pas à guérir ? Et même si cela n'arrête pas la souffrance physique, cela ne pourrait-il pas soulager la souffrance émotionnelle qui se cristallise quand on s'isole d'une partie de soi-même ?

Viol, colère et cicatrisation émotionnelle
On l'a vu plus haut, le Dr Andrea Rapkin ainsi que d'autres chercheurs ont montré l'importance des trauma-

tismes émotionnels, physiques et sexuels chez les femmes souffrant de douleurs pelviennes chroniques. On n'a toujours pas vraiment élucidé les interactions complexes entre les souvenirs, les émotions et le processus déclenchant la pathologie de la souffrance. Mais l'on touche ici à un nœud de problèmes que psychiatres, neurologues et spécialistes de la douleur finiront par démêler. En attendant, les femmes sujettes aux douleurs pelviennes chroniques ont tout intérêt à faire un effort d'introspection pour mettre à jour ces questions.

Le Dr Caudill et moi-même avons constaté chez de nombreuses patientes ayant été maltraitées une pathologie psychique consécutive à un traumatisme plus ou moins lointain. Il a également observé un lien manifeste entre les troubles post-traumatiques et les souffrances chroniques de ces femmes : « J'ai eu de fréquents entretiens avec ce type de patientes. La description de leurs souffrances traduit les effets du traumatisme psychique dont elles ont été victimes. Elles sont bouleversées, souffrent constamment et se plaignent de ce que personne ne les croit. »

Dans certains cas, ajoute le Dr Caudill, on arrive à modifier la perception de la douleur de ces patientes en leur faisant prendre conscience d'un traumatisme précoce au cours d'une thérapie. Leur état peut également bénéficier d'un bon soutien social grâce auquel elles se sentiront moins seules et moins désespérées. Quand elles arrivent à sortir de leur désespoir après s'être débarrassées du « vieux problème », elles peuvent éviter des interventions chirurgicales qui parfois aggravent la situation.

Évidemment, ce n'est pas parce que de nombreuses femmes sujettes aux douleurs pelviennes ont été maltraitées dans leur enfance, qu'il faut en faire une généralité. On connaît des cas de femmes à la recherche de traumatismes passés susceptibles d'expliquer leurs symptômes actuels se mettant à exhumer de faux souvenirs (ce qu'on appelle le syndrome des faux souvenirs). La question du souvenir des traumatismes est complexe et dépasse le cadre de ce chapitre. Sachons seulement qu'il faut être extrêmement prudent en la matière. Ne laissez personne — amie, frère, sœur ou thérapeute — vous dire que vous avez *sans doute* été violée ou maltraitée dans le passé. D'un autre côté, si vous vous souvenez clairement de certaines images ou sensations que vous ne comprenez toujours pas, faites appel à un psychologue ou un psychiatre. Si vous avez été vraiment victime d'une forme de violence, vous trouverez probablement un soulagement physique et mental à explorer de plus près le traumatisme en question et les émotions qui lui sont associées.

Sans avoir vécu une expérience traumatisante, beaucoup de femmes atteintes d'endométriose et de douleurs pelviennes éprouvent de la tristesse ou de la colère au sujet de circonstances passées ou présentes. Cette fois encore, le meilleur moyen d'explorer et de résoudre ce type de problème est la psychothérapie. Mais il importe aussi de se prendre en main. Je conseille vivement la méthode Pennebaker de l'écriture sans autocensure, décrite au chapitre 8. Explorez tous les sentiments qui se rapportent à des traumatismes ou des événements stressants remontant à l'enfance, au passé récent ou de la vie courante. Passez de la libération émotionnelle à l'introspection, et de l'introspection aux actes. Recherchez les liens entre vos douleurs et les différents événements de votre existence ou les facteurs de stress ; ensuite, élaborez des stratégies vous permettant de gérer la souffrance efficacement.

Mettez à jour tout ce qui vous met en colère à propos de vos souffrances. Nombre de mes patientes en veulent aux chirurgiens, médecins et services hospitaliers pour avoir négligé ou au contraire surestimé leurs douleurs, et, surtout, pour leur avoir ôté des organes sans qu'elles soient sûres que c'était indispensable (la persistance de la douleur à la suite d'une opération provoque souvent une rage et une colère intenses). D'autres femmes en veulent à leurs proches de les avoir blessées ou trahies et les accusent de leurs souffrances. La thérapie ou le journal intime permet de déverser ses pires rancœurs en toute sécurité, y compris l'amertume de devoir vivre avec sa souffrance. Mais Margaret Caudill insiste sur le fait que les gens — qui continuent d'enrager contre les personnes ou les institutions qu'ils rendent responsables de leurs souffrances ou de l'aggravation de leurs souffrances — s'enlèvent toute chance de gérer leur douleur. « On se porte beaucoup mieux en décidant de prendre en charge sa propre souffrance », explique-t-elle.

Le Dr Caudill conseille aux femmes qui ne décolèrent pas de faire de leur mieux pour lâcher prise. L'une des raisons pour lesquelles elles ont du mal à changer d'attitude, explique-t-elle, est qu'en renonçant à accuser les autres elles pointent un doigt accusateur vers elles-mêmes. Si ce n'est pas la faute des autres, ce doit être la leur, se disent-elles. Cette forme de pensée en noir et blanc blesse forcément. Si vous tombez dans ce piège, voici ce que vous pouvez vous dire afin de restructurer votre point de vue : *ce n'est pas parce que personne n'est responsable de ma souffrance que c'est ma faute.*

Comment surmonter la douleur

J'ai eu souvent l'occasion de constater que la médecine psychosomatique aidait les femmes à mieux gérer, annihiler parfois les douleurs pelviennes liées ou non à l'endométriose. Dans certains cas, la douleur réelle ne diminue pas de façon significative, mais elle n'entrave plus la femme sur le plan émotionnel et psychique. Cela me rappelle un numéro du comique Robert Klein des années 1970 mimant une visite chez le dentiste. À un moment donné, il explique pourquoi le protoxyde d'azote, le « gaz hilarant » qu'on utilise contre la douleur, est efficace. La magie ne consiste pas en un quelconque effet anesthésiant. « Vous ressentez la douleur, explique-t-il, mais vous n'en avez rien à f... ! »

L'effet est comparable chez certaines des femmes qui ont recours aux méthodes psychosomatiques. Si elles continuent de ressentir la douleur, cela ne perturbe plus leur existence. Comme dit Margaret Caudill : « Il est rare que mes patientes voient leur douleur disparaître miraculeusement. Mais les premières séances de thérapie de groupe sont souvent étonnantes : on ne devinerait jamais qu'on a affaire à des personnes qui ont des douleurs chroniques. La métamorphose est remarquablement rapide et enthousiasmante. Elles sont là, avec leur douleur, mais elles rient et plaisantent et se comportent comme si elles ne souffraient pas. »

On avait d'abord diagnostiqué chez l'une des patientes du Dr Caudill, Whitney, trente-quatre ans, une inflammation du pelvis. Une cœlioscopie ultérieure avait révélé une endométriose. Elle recherchait désespérément un remède à sa souffrance. Son chirurgien lui avait d'abord enlevé un ovaire, puis l'autre. Pour finir on lui avait fait subir une hystérectomie. La douleur persistait. Elle subit toutes sortes d'examens et eut droit à divers nouveaux diagnostics, dont une cystite interstitielle. Comme de nombreuses femmes sujettes aux douleurs pelviennes, Whitney avait été maltraitée dans sa jeunesse. Il y avait aussi des problèmes financiers et intimes qui l'angoissaient. Parfois les rapports sexuels avec son ami lui faisaient très mal, mais elle n'osait s'y soustraire, voulant lui faire plaisir. Les médecins et les membres de sa famille, sceptiques quant à sa souffrance, lui avaient accolée la vieille étiquette d'« hystérique ».

On lui indiqua les groupes du Dr Caudill où elle s'initia aux méthodes de gestion de la douleur, décrites dans ce chapitre, qui lui firent du bien. Whitney commença à maîtriser sa perception de la douleur. Le Dr Caudill, sachant que sa douleur était réelle, lui apprit les méthodes d'affirmation de soi lui permettant de refuser les rapports sexuels quand elle n'en avait pas envie. Étant donné les abus sexuels dont elle avait été victime, sa capacité à défendre ses droits dans ses relations actuelles se révéla très bénéfique.

Les douleurs pelviennes de Whitney n'ont pas complètement disparu ; ni son amertume à la suite des opérations, justifiées ou non, qu'elle a subies. Mais elle sait à nouveau profiter de la vie — fonctionner à un niveau où elle se sent bien dans sa peau. Elle plaisante avec le Dr Caudill de ses douleurs chroniques en parlant de son *hyperalgie* pelvienne.

Si vous êtes sujette aux douleurs pelviennes ou à l'endométriose et avez recours à la médecine psychosomatique, faites-le avec espoir mais sans nourrir d'illusions. N'espérez pas de miracle. Avancez avec le plus de douceur, de patience envers vous-même et d'autocompassion dont vous êtes capable, et vous serez capable de changer le rapport de force entre vous et la douleur.

17

L'estime de soi : condition de la santé féminine

Notre culture se préoccupe beaucoup de la santé de la femme. Les médias en traitent abondamment. Les militantes féministes ont réclamé plus de recherches sur la santé féminine et leur efforts ont porté leurs fruits auprès du gouvernement fédéral et des instituts de recherche de tout le pays. De plus en plus de femmes exigent d'avoir accès aux soins médicaux et pratiquent la prévention personnelle. Les guides de santé féminine se sont multipliés, présentant des traitements médicaux ou alternatifs pour toutes sortes de troubles et de maladies.

Il reste qu'il a manqué pendant longtemps une dimension essentielle à cette façon d'aborder la santé féminine. On nous a conseillé, fort bien le plus souvent, des traitements médicaux adéquats, des vitamines, des plantes et des thérapies parallèles comme l'acupuncture ou l'homéopathie. Il est toutefois un système de soins et de prévention accessible, plus subtil et efficace qu'on ne nous a pas appris à utiliser : notre propre psychisme.

Cela a pris du temps, mais l'état d'esprit qui ne voyait dans les traitements psychosomatiques que des adjuvants superflus à l'arsenal médical classique est enfin dépassé. On ne qualifie plus la médecine psychosomatique de « médecine douce », « New Age », non scientifique ou franchement fantaisiste. Les travaux de recherche ont en effet révélé son degré d'efficacité — sans parler des économies qu'elle fait réaliser — dans le traitement des douleurs chroniques, de l'hypertension, de l'arthrose, la convalescence cardiaque, les troubles immunitaires et autres maladies. On sait aussi comment traiter de façon psychosomatique les troubles de santé les plus fréquents chez la femme. La vieille dichotomie entre la médecine classique et la médecine psychosomatique n'est plus à l'ordre du jour, tant il est vrai que les femmes peuvent aujourd'hui bénéficier de l'association heureuse de ces deux puissants systèmes de prévention et de guérison.

Le Dr Herbert Benson a énormément contribué à inté-grer la médecine psychosomatique à la médecine courante. De gros efforts restent à faire en ce sens, mais les progrès sont certains. Les travaux de Benson ont convaincu de nom-breux scientifiques qu'on aurait tort d'opposer les deux approches, car la sérénité spirituelle étaie la santé corpo-relle. On ne peut plus affirmer que la biochimie de la guéri-son procède indépendamment de l'orchestration cérébrale, qui secrète tout un éventail de substances chimiques influant sur chaque organe et système de l'organisme, dont le cœur, les glandes, les tissus et les cellules immunitaires. Les tra-vaux que nous avons conduits au département de médecine comportementale de la faculté de médecine de Harvard, à l'hôpital des Diaconesses, ainsi qu'à l'Institut de médecine psychosomatique, ont montré que les organes reproducteurs féminins ne font pas exception aux règles psychosomatiques. En fait, les relations entre ces organes et le cerveau sont si étroites que les pratiques psychosomatiques ont montré qu'elles participent aux traitements de la plupart des troubles et symptômes spécifiquement féminins.

La médecine a désormais recours à la relaxation dont il est impossible d'ignorer l'efficacité. On en est venu à accep-ter le recours à la prière et autres pratiques spirituelles, jugées autrefois indignes de la médecine, parce que, comme l'ont montré le Dr Benson et des chercheurs comme Larry Dossey, la méditation et la prière peuvent avoir des effets physiologiques bénéfiques.

La relaxation est très utile aux femmes, par ses répercus-sions sur toutes sortes de troubles et de maladies. Mais elle constitue également la base à partir de laquelle on peut explorer en profondeur les liens psychosomatiques concer-nant la pathologie féminine.

La plupart des femmes découvrent alors qu'elles avaient renoncé à prendre soin d'elles-mêmes parce qu'elles avaient trop longtemps vécu avec la honte d'elles-mêmes ou de leur corps. Bien qu'il nous reste beaucoup à découvrir sur les liens entre le corps et l'esprit, il est désormais évident que le sentiment de culpabilité et la honte de soi compromettent la santé. L'inverse est également vrai, bien sûr : l'estime de soi préserve la santé et facilite la guérison. Cette relation réciproque recèle de multiples dynamiques : les femmes conscientes de leur valeur savent mieux prendre en charge leur traitement médical, choisir les médecins compétents et consciencieux, faire un choix judicieux parmi divers traitements possibles, exigent plus d'information et s'impliquent plus dans chaque décision médicale. Mais nous savons également que l'estime de soi peut stimuler le processus interne de guérison. Non seulement ces femmes font preuve de plus de sérénité, mais elles font preuve d'une maîtrise d'elles-mêmes qui, selon moi, est l'un des critères décisifs de la santé physique et mentale.

C'est pourquoi je pense que l'estime de soi touche de près à la santé, comme la diététique, l'activité physique et la détection précoce des maladies. Les techniques psychosomatiques ouvrent la porte au bien-être, mais, du moins si j'en crois mon expérience, sont vraiment efficaces quand elles débouchent sur l'acceptation de soi et la reconnaissance de sa propre valeur. Nous savons par exemple que le soutien de l'entourage est un facteur essentiel de prévention et de guérison pour la plupart des maladies chroniques ou qui mettent la vie en jeu. Les femmes qui ne s'estiment pas sont le plus souvent incapables de rechercher le soutien dont elles auraient besoin pour rester en bonne santé ou se rétablir. Même chose pour celles qui n'osent pas exprimer leurs émotions, ou affirmer leurs droits au foyer, au travail ou à l'hôpital. Pour être d'inspirations diverses, les travaux de recherche de David Spiegel, Lydia Temoshok, Steven Greer et James Pennebaker suggèrent fortement que l'expression des émotions favorise les processus de guérison de l'organisme.

Autrement dit, la volonté de prendre en compte ses propres besoins, fondée sur la conscience de sa propre valeur, n'envoie pas seulement un message aux êtres que nous aimons ou avec qui nous sommes en relation ; elle envoie également un message aux différents systèmes de l'organisme, un message qui semble renforcer nos capacités de résistance à la maladie.

En vérité, pour nous, les femmes, la médecine psycho-somatique n'est que la porte d'entrée vers la conquête de l'estime de soi. Nous devons aller plus loin et ne pas nous contenter d'utiliser ses techniques en tant que simples remèdes — comme s'il s'agissait de comprimés — mais plu-tôt comme une tentative intégrée de découverte de soi et de sa propre valeur. En tant que thérapeute, je ne dicte jamais aux femmes tel ou tel style de vie au nom de leur santé ou de leur bien-être. Il n'y a pas de recette « politiquement cor-recte » pour mener à bien sa carrière, s'occuper de sa famille et mener des activités créatrices susceptibles d'engendrer l'estime de soi.

Prenez Linda, cette infirmière de quarante-cinq ans à l'esprit vif et à la personnalité rayonnante, qui souffrait tous les mois de son syndrome prémenstruel avec de terribles sautes d'humeur. Ses parents lui avaient inculqué dès sa tendre enfance des comportements altruistes. Aînée de quatre enfants, elle devait s'occuper de ses frères et sœurs pendant que les parents travaillaient. Comme il arrive sou-vent, Linda était une mère de substitution formidable, et on l'en félicitait souvent — au point que cela en devenait sa seconde nature (« on ne peut se passer de toi ! ») et une exi-gence de tous les instants : la vie professionnelle de Linda, bien entendu, était centrée sur ses qualités de générosité et d'altruisme. Ses parents l'encouragèrent à devenir infir-mière. Elle se maria, eut deux enfants, et assuma dans sa famille le rôle qu'elle avait eu chez ses parents — une mon-tagne de dévouement qui déployait des trésors d'énergie à contenter tout le monde.

Il fallut qu'elle souffre de son syndrome prémenstruel pour que Linda envisage de modifier son style de vie. Son travail d'introspection, associé aux méthodes psychosoma-tiques, l'aida à prendre conscience que si elle était d'un dévouement extraordinaire, sa nature ne se résumait pas à cela. Elle avait toujours aimé écrire mais n'en avait jamais pris le temps, trop occupée par ses patients ou ses propres enfants. Elle se mit donc à rédiger des poèmes et des nou-velles. Cela l'obligeait à se réserver du temps, ce qui n'était pas simple entre un mari qui travaillait beaucoup et les deux jeunes enfants. Elle réussit finalement à faire publier l'une de ses nouvelles dans une revue littéraire.

Ce faisant, elle souffrit moins de son syndrome prémenstruel et ses sautes d'humeur s'apaisèrent quelque peu. Elle aimait toujours son métier et n'eut pas besoin de démissionner pour trouver l'harmonie et l'équilibre indispensable à sa vie. Elle sut satisfaire ses besoins de création, prendre du temps pour elle-même. Linda réussit ainsi à trouver un équilibre qui eut des effets bénéfiques au travail, dans la vie de famille et, d'après elle, sur son état physiologique.

Le cas de Linda montre que l'estime de soi consiste à honorer ses propres besoins. Dès lors que la femme prend en compte toutes les facettes d'elle-même — comme professionnelle, mère, amante, épouse, amie, artiste, aventurière —, elle contribue à l'estime d'elle-même et à son bien-être physique. La relaxation est le premier pas dans la conquête de tous ces « soi ». Elle nous fait prendre conscience de ce que nous sommes. Ensuite, il nous faut avoir la volonté et l'acharnement de prendre soin de nous-même, afin de vivre toutes ces potentialités. Le psychologue Nathaniel Branden, dans son livre *Honoring the Self* (« Honorer le soi »), explique quel type de contrat il nous faut passer avec nous-même pour tenir ces engagements :

> Honorer le soi, c'est vouloir penser indépendamment, vivre selon ses convictions et avoir le courage de ses opinions et de ses jugements.
>
> Honorer le soi, c'est non seulement savoir ce que nous pensons, mais aussi ce que nous ressentons, voulons, désirons, ce dont nous avons besoin, ce qui nous fait souffrir, nous fait peur ou nous met en colère — c'est accepter d'avoir de tels sentiments. L'attitude opposée consiste à s'autodénigrer, à ne plus s'appartenir, à réprimer ses sentiments, en un mot à se répudier soi-même.
>
> Honorer le soi c'est veiller à s'accepter soi-même — ce qui signifie accepter ce que nous sommes, sans se faire violence ni s'infliger de châtiment, sans tricher avec la vérité de sa nature, sans chercher à se culpabiliser ou culpabiliser quelqu'un d'autre.
>
> Honorer le soi, c'est refuser tout sentiment gratuit de culpabilité ou faire de son mieux pour s'en débarrasser.
>
> Honorer le soi, c'est s'engager à faire respecter son droit à l'existence, en sachant que notre vie ne doit pas dépendre de

l'avis de quelqu'un d'autre. Ce qui, pour la plupart des gens, représente une terrible responsabilité. Honorer le soi, c'est tomber amoureux de sa propre vie, de ses propres capacités d'épanouissement et de joie de vivre, c'est partir à la conquête passionnée des potentialités humaines qui sont les nôtres.

J'apprécie beaucoup les termes du contrat du Dr Branden. Ce contrat évoque aussi les qualités qui nous sont nécessaires face à la médecine classique : il nous faut alors affirmer notre droit à l'existence, nous accepter nous-même et parler, agir selon nos sentiments et nos convictions. Je crois également, sur la base des travaux de recherche dont il a été question dans ce livre, que nous honorons notre corps quand nous honorons « le soi », et que c'est le meilleur moyen de favoriser nos aptitudes à la guérison et à la régénération. Les femmes qui ont le courage de vivre leur véritable identité, sans avoir honte ni besoin de s'excuser, travaillent à leur épanouissement mental et corporel.

Remerciements

J'aimerais remercier tous ceux qui m'ont fait partager leur savoir et leur expérience au cours de mes études. Le Dr Ed Yeterian qui m'a ouvert les portes du domaine de la psychologie de la santé ; les docteurs Gil Levin, Charlie Swencionis, Andy Razin et Alan Goldstein pour leurs conseils et leur appui durant la préparation de mon doctorat ; le regretté professeur Joel Noe qui a supervisé ma thèse ; les docteurs Bruce Masek et Dennis Russo qui m'ont fait bénéficier de leurs talents de cliniciens pendant mon stage d'internat.

Mes collègues du département de médecine du comportement ont fait preuve d'une ouverture d'esprit, d'un sens de l'humour, et d'un dévouement inlassable envers les malades ; le service leur doit beaucoup. Je voudrais remercier en particulier les docteurs Joan Borysenko et Steve Maurer de m'avoir initiée aux techniques psychosomatiques ainsi que les docteurs Tricia Zuttermester et Richard Friedman pour leurs contributions à mes travaux de recherche. Mais ce livre n'aurait pu voir le jour sans le rôle direct ou indirect de l'ensemble de mes collègues. Je leur suis reconnaissante de l'amitié qu'ils ont bien voulu m'accorder.

Le Pr Herbert Benson a été mon mentor, mon collaborateur et ami durant les onze années que j'ai passées dans le département. Je le remercie de son appui indéfectible, de sa sollicitude et d'avoir cru en cet ouvrage.

J'aimerais également remercier mon mari, Dave Ostrow, pour son amour, sa patience et sa compréhension qui m'ont permis de prendre le temps nécessaire à la rédaction de ce livre. Je ne me serais pas sortie de cette aventure sans l'affection et les encouragements de mes parents, Carola et Evsey Domar.

Enfin, je tiens à remercier mes patientes, qui m'ont tant appris et m'ont fait suffisamment confiance pour accepter que je tente de les aider quand elles se sentaient vulnérables.

Dr Alice D. Domar

Je ne saurais assez remercier certaines personnes pour leur aide inestimable. Je suis particulièrement reconnaissant aux docteurs Barbara Miller et Yan Wu de m'avoir fait bénéficier de leurs compétences, de leur humour et de leur enthousiasme. Je ne sais pas si j'aurais pu venir à bout de ce projet sans leur aide, du moins sans en faire une maladie psychosomatique.

Je remercie également mon épouse, Deborah Chiel, qui a soutenu tous mes efforts et dont les suggestions étaient toujours judicieuses. Je n'aurais pu trouver meilleur conseiller, ni meilleure collaboratrice.

Je tiens à remercier le Dr Elizabeth Tyson, qui m'a fait part de son expérience personnelle. Ma reconnaissance s'adresse en particulier aux patientes du Dr Domar, qui ont accepté de s'entretenir personnellement avec moi avec une confiance et une sincérité que j'ai énormément appréciées. Leur vitalité et leur courage m'ont beaucoup impressionné. L'histoire de chacune d'elles est une offrande qui, j'en suis certain, aura contribué à soulager la souffrance d'autres femmes atteintes par la maladie.

Henry Dreher

Nous tenons tous deux à remercier les collègues du Dr Domar qui ont permis l'élaboration des parties essentielles de ce livre : les docteurs Margaret Caudill, Margaret Ennis, Richard Friedman, Judith Irvin, Cynthia Medich, Dixie Mills, Ann Webster et Tricia Zuttermester.

Nous remercions Therese Brown, de la compagnie *Speed of Light Word Processing* de New York, pour son travail de saisie informatique sans lequel nous n'aurions pu écrire cet ouvrage ni le remettre à temps sans devenir fous. Ses efforts et son aide ont largement dépassé la simple conscience professionnelle.

Toute notre reconnaissance à notre amie et agent littéraire Chris Tomasino dont l'enthousiasme, le jugement et les multiples talents nous ont été indispensables à toutes les phases de cette aventure.

Nous avons profondément apprécié l'appui, la sagesse et la compétence de notre merveilleuse éditrice Cynthia Vartan, de chez Holt and Company. Nous remercions également toute l'équipe de chez Holt — la liste de ses membres serait trop longue — qui a contribué depuis le début à ce projet, sans que son enthousiasme ait jamais faibli.

Nous remercions également nos conjoints respectifs, Dave Ostrow et Deborah Chiel, pour leur bon sens et leur pertinence dans les suggestions qu'ils nous ont faites à propos du manuscrit. Cela nous a beaucoup aidés.

Index

Achevé d'imprimer en avril 1998
sur presse Cameron
*par **Bussière Camedan Imprimeries***
à Saint-Amand-Montrond (Cher)

N° d'édition : 98042. N° d'impression : 981902/1.
Dépôt légal : avril 1998.
Imprimé en France